ЭКСКЛЮЗИВ

ЮРИЙ ВЛАДИМИРОВИЧ

НИКУЛИН

жизнь на колесах

АСТ
Москва

УДК 821.161.1-94
ББК 84(2Рос=Рус)6-44
Н65

Эксклюзивные мемуары

*Иллюстрации предоставлены
Федеральным государственным унитарным
предприятием «Международное информационное
агентство «Россия сегодня»*

Никулин, Юрий

Н65 Жизнь на колесах/ Юрий Никулин. – Москва: АСТ, 2014. – 576 с. – (Эксклюзивные мемуары).

ISBN 978-5-17-086076-0

«Писать нужно из глубины сердца...» — эти слова принадлежат гениальному писателю 19 века Ф. М. Достоевскому. Спустя сто лет блистательный русский актер Юрий Владимирович Никулин, приступая к своим воспоминаниям, напишет: «...они писатели, им положено хорошо писать. А я клоун». Напишет, и даже не заподозрит, что книга «клоуна» станет лучшими мемуарами 20 столетия. «Жизнь на колесах» — это честная история жизни, в которой грани между обычным и удивительным почти не видно. Со свойственной трюкачу ловкостью, Юрий Никулин рассказывает иронично о серьезном, серьезно о смешном.

УДК 821.161.1-94
ББК 84(2Рос=Рус)6-44

ПОЖАЛУЙСТА, НЕ ВРИ!

Когда я сказал маме, что собираюсь писать книгу, она меня попросила:

— Только, пожалуйста, ничего в ней не ври. И вообще, когда напишешь, дай мне почитать.

Я думал, что книгу о себе писать, в общем-то, довольно просто. Ведь я достаточно хорошо себя знаю. У меня, как я думаю, окончательно сформировались характер, привычки и вкусы. Не задумываясь, могу перечислить, что люблю, а чего не люблю. Например, люблю читать на ночь книги, раскладывать пасьянсы, ходить в гости, водить машину... Люблю остроумных людей, песни (слушать и петь), анекдоты, выходные дни, собак, освещенные закатным солнцем московские улицы, котлеты с макаронами. Не люблю рано вставать, стоять в очередях, ходить пешком... Не люблю (наверное, многие этого не любят), когда ко мне пристают на улицах, когда меня обманывают. Не люблю осень.

Настал первый день работы над книгой. Сел за стол и долго просидел, мучительно подыскивая первое предложение. Подошел к книгам, раскрыл некоторые из них. Как только люди не начинали писать о себе! Прямо зависть берет — какие у всех хорошие, сочные, емкие слова. Но ведь это их фразы. А мне нужно свое первое предложение.

Хожу по комнате, рассматриваю книги, фотографии (так всегда делаю, придумывая трюки для выступлений в цирке) и пытаюсь сочинить начало. И тут рука сама пишет: «Я родился 18 декабря 1921 года в Демидове, бывшем Поречье, Смоленской губернии».

Мгновенно всплыли в памяти все анкеты, которые приходилось заполнять, и зачеркиваю «оригинальное» начало.

Снова, пытаясь найти спасение, смотрю на томики книг: Аркадий Аверченко, Михаил Зощенко, Михаил Светлов... Вот ведь рассказывали они о своей жизни умно, коротко, выразительно и оригинально. Правда, они писатели, им и положено хорошо писать. А я — клоун. И все, наверное, ждут от меня чего-нибудь особенного, эксцентричного.

Но смешное не вспоминалось. Тогда я решил: начну писать книгу с самого, как мне кажется, простого — с рассказа о том, как проходит у меня обычный день.

ДЕНЬ КЛОУНА

Жизнь у людей отнимает страшно много времени.

Станислав Ежи Лец

Все в доме еще спят. Тихо. Тикает будильник. Проснулся на пять минут раньше его звонка.

Проснулся, стал думать о предстоящих делах.

Мысли чередуются примерно так.

Хорошо бы поспать еще...

Какой придумать механизм для новой репризы, чтобы бутафорские тараканы бежали по манежу? С этим и ложился спать, но во сне ничего не пришло в голову.

С тараканов мысль перескакивает на Управление железной дороги, где на сегодня назначена встреча с детьми железнодорожников.

Судя по окнам, на улице небольшой морозец. Почему-то подумалось: хорошо бы отпуск дали летом, съездили бы всей семьей отдохнуть под Канев на Днепр. И тут настроение испортилось: пошевелив ногой, почувствовал боль в колене. Болит мениск, а я-то надеялся, что за ночь пройдет.

С таким настроением нужно встать, сделать зарядку, умыться, выпить кофе и начать новый день, который расписан еще с вечера на большом картонном листе. В нем примерно двадцать пунктов, и если к концу дня зачеркну половину, и то хорошо.

Не одеваясь, подхожу к зеркалу (в трусах кажусь себе спортивнее, моложе) и вижу: на меня смотрит высокий плотный мужчина, которому за пятьдесят. Он бросил уже не в первый раз курить, а потому прибавил шесть лишних килограммов. Волосы у этого человека седые, но он их подкрашивает: седой человек в клоунском костюме может вызвать у публики чувство жалости.

С девяти утра начались телефонные звонки. Первый — из Союзгосцирка. Сообщают, что в следующую пятницу — коллегия Министерства культуры. «Может, вам придется выступить», — сказали мне.

За завтраком прочитываю письма, полученные с утренней почтой, а сам думаю, что жс сказать на коллегии о проблемах режиссуры в цирке.

Письма разные. Обычно в день приходит пять-шесть писем, но стоит сыграть в фильме или выступить по телевидению, как сразу их поток увеличивается.

В основном пишут дети.

У меня есть интересная книга Михаила Зощенко «Письма читателей». Писатель опубликовал в ней письма, которые он получал. Признаюсь, из писем, которые получаю, книги не составишь, хотя многие я храню — в них серьезный анализ нашей с Михаилом Шуйдиным работы на арене, мнения зрителей о фильмах, где я играю, и просто умные, добрые письма друзей.

За завтраком снова зазвонил телефон.

Обращались с предложением встретиться с «коллективом нашей фабрики».

Потом звоню сам: партнеру Михаилу Шуйдину (уточнил время сегодняшней репетиции), в ЖЭК, чтобы прислали слесаря починить кран в ванной (домашние просят, чтобы в подобных случаях звонил именно я, тогда, мол, быстрей приходят), в мастерские цирка, где нам шьют новые костюмы.

Уже уходил из дому, когда раздался звонок с завода «Компрессор». Давно я обещал побывать там, выступить в обеденный перерыв. Договорились на пятницу.

По пути в цирк нужно заехать в аптеку, взять лекарство и отвезти его маме (она живет со своими сестрами недалеко от меня), у нее подскочило давление, а потом — в Союзгосцирк...

Мама обрадовалась, увидев, что я приехал с лекарством. Она с моими двумя тетками пила чай. Начались расспросы про домашние дела, про цирк. Я то и дело посматривал на часы: надо обязательно позвонить мастеру, который делает нам специальный реквизит.

От мамы еду на Калининский проспект, в Московский Дом книги: нужно купить двухтомный словарь синонимов для моей жены, Тани, тоже артистки цирка. Она занимается переводами с английского. Потом — в Сокольники, где находится завод стекла. Там делают особую бутылку для новой цирковой репризы. Идея вроде хорошая. Партнер спрашивает меня:

— А ты не пьешь больше?

— Да, завязал, — должен ответить я, вытаскивая бутылку водки, у которой горлышко завязано узлом.

При рассказе реприза многим нравилась, но скольких трудов стоило найти мастерскую, уговорить мастеров-стеклодувов сделать эту странную бутылку. Наконец бутылка у меня в руках, и я вижу, получилось что-то не то. Узел выглядит неестественным. Никто не поверит, что можно так завязать горлышко бутылки. Огорченный, уезжаю из лаборатории в Союзгосцирк.

В центре столицы, на Пушечной улице, в старинном четырехэтажном здании размещается наше Всесоюзное объединение государственных цирков — Союзгосцирк, или главк, как его называют между собой артисты. Главк — это движущая сила и мозг нашего циркового искусства: артист все время работает по «конвейеру», переезжая из города в город. И нет у нас в стране артистов, скажем, Московского, Ленинградского, Саратовского цирков, все мы — артисты Союзгосцирка (где и формируют программы), которые получают, как у нас говорят, «разнарядку» работать в том или ином цирке.

В коридорах людно. Толпятся артисты, режиссеры, авторы — кто проездом, кто по вызову. Гудят голоса, почти все курят, и дым стоит коромыслом.

Я отдал одному из инспекторов заявление с просьбой разрешить нам с партнером сделать заказ на новые рубашки и шляпы для работы и долго потом по всем комнатам искал женщину — страхового агента, чтобы внести очередной взнос за себя и Таню. Долго я считал, что страховать свою жизнь не нужно. Зачем? Мы, клоуны, менее рискуем, чем акробаты, гимнасты, жонглеры, дрессировщики. Но когда на моих глазах упавшим из-под купола осветительным прибором убило на манеже клоуна, я решил пользоваться услугами Госстраха.

К сожалению, страхового агента так и не нашел. Из дверей художественного отдела прямо на меня вышел режиссер Борис Романов, мой товарищ, в прошлом — сокурсник по клоунской студии. Мы давно не виделись, поэтому радостно обнимаемся, и Борис, любитель анекдотов, тут же рассказывает:

— В цирке умер одногорбый верблюд. Директор говорит завхозу: «Пошлите в центр заявку на двугорбого верблюда». «А почему на двугорбого? Ведь у нас умер одногорбый?» — спрашивает завхоз. «Все равно срежут наполовину».

Слушая анекдот, я вспомнил о предстоящей репетиции. Собрался уходить и увидел клоунов Геннадия Маковского и Геннадия Ротмана. Эта клоунская пара после окончания циркового училища более десяти лет работает вместе. И всюду их выступления проходят с успехом. Ребята только что вернулись из ФРГ. Оба Геннадия радостно поздоровались со мной и вручили лекарство от радикулита. Когда они отправлялись в поездку, я болел. Сегодня здоров, но лекарство, наверное, еще пригодится.

В одном из коридоров встретился старый артист, которого все — и молодые, и его ровесники — зовут дядя Леня. Он поймал меня за рукав и начал рассказывать о своем пенсионном житье-бытье. Чувствую, что опаздываю на репетицию, а он все рассказывает и рассказывает со всеми подробностями, вспоминает друзей, прошлые успехи. Стою и слушаю, понимая, что у дяди Лени только-то и осталась в жизни одна радость — приходить сюда, где собираются артисты.

Наконец я в цирке на Цветном бульваре. На сегодня назначена репетиция детского новогоднего спектакля. Мы должны пройти интермедии с Бабой Ягой. Эту роль исполняет молодой клоун Дмитрий Альперов.

Репетиция шла хорошо. Наш главный режиссер Марк Соломонович Местечкин остался доволен. Дмитрий Альперов будет смешной Бабой Ягой и не очень страшной, так что во время представления детей-малюток выносить из зрительного зала плачущими не придется. А ведь и такое случалось.

Последние пятнадцать минут репетиции, пока манеж свободен, Таня, Миша и я — вот уже четверть века мы работаем вместе — тратим на разводку мизансцен одной репризы. Мы двигаемся по манежу, перенося воображаемые предметы, а иногда вполголоса подаем друг другу реплики. Нам важно пройти основные мизансцены. Потом, уйдя с манежа, продолжим работу над репризой в гардеробной — будем придумывать трюки и сообща их обсуждать, отвергать, развивать.

После репетиции захожу в кассу и беру три билета на субботу для друзей.

По пути из кассы заглянул на несколько минут в кабинет Местечкина, и он сообщил мне, что моя встреча со студентами театрального института назначена на четверг, утром.

Время на исходе — скоро три часа дня, надо ехать выступать в Управление железной дороги. Оттуда — домой.

После обеда сел и ответил на несколько писем. Теперь можно минут двадцать подремать. Затем чай — и пора в цирк.

Весь день незаметно для себя готовился к вечернему представлению.

Машина сворачивает с Садового кольца на Цветной бульвар, издали вижу яркие фонари, собирающуюся публику, машины, неоновую рекламу: «Сегодня и ежедневно большие цирковые представления» — и чувствую, как появляется едва ощутимое волнение.

За кулисами, минуя коридор, заставленный реквизитом, бросаю взгляд на листок с программой на сегодня. Судя по тому, что рядом стоят и о чем-то горячо спорят мой партнер Михаил Шуйдин и режиссер-инспектор, догадываюсь — в программу внесено изменение. Действительно, в связи с болезнью одной из воздушных гимнасток их номер снимается, из-за этого придется перестраивать порядок наших реприз.

На длинном столе для реквизита, отдыхая после заправки манежа, сидят, покуривая, униформисты.

Один из них, толстый, неуклюжий, подходит ко мне и смущенно говорит:

— Вот я тут приготовил одну штуку, хочу вам показать.

Униформиста зовут Валерой. Он давно уже грозился чем-то удивить. Я говорю ему:

— Хорошо, приходи в гардеробную.

Гардеробными в цирке называют актерские комнаты, грим-уборные. Кто их так назвал — неизвестно. Но, сколько я помню себя в цирке, всегда говорят «гардеробная».

Поднимаясь по лестнице, сталкиваюсь с группой детей от трех до двенадцати лет. Это дети артистов, ассистентов и других сотрудников цирка. Их не с кем оставить дома, и они, бывает, целые дни проводят в цирке. Да и дома-то как такового в Москве у многих нет. Редко когда в программе столичного цирка одновременно занято несколько москвичей — три-четыре номера, не больше.

Пока не начался спектакль, ребятам раздолье, но после третьего звонка их заставят подняться в артистическое фойе: во время работы их могут случайно зацепить, сбить с ног, а то и лошадь может ударить. В верхнем фойе детей держит в ежовых рукавицах дежурная тетя Оля, которую я знаю больше тридцати лет. Когда я учился в студии клоунады, она работала телефонисткой на коммутаторе цирка, а потом, когда коммутатор упразднили, стала дежурной.

До начала представления остается пятнадцать минут. Многие артисты начали разминку. Увидев меня, тетя Оля сообщает о звонках из редакции журнала «Искусство кино» и из библиотеки имени Пушкина.

У входа в гардеробную стоит клоун Анатолий Смыков. Его отозвали из отпуска и направляют работать в Алма-Ату.

— Надоело мне все, — говорит он, — еще немного поработаю и уйду из цирка.

Я чувствую, что он это говорит так, ради красного словца. Он хороший коверный. Из молодых, пожалуй, один из самых способных. Видимо, просто у него что-то не ладится, какие-нибудь сложности в группе, где он работает. Мы договорились, что встретимся в антракте.

В это время раздается второй звонок. Начинаю спешно переодеваться. Только облачился в клоунский костюм, как зазвонил местный телефон. Снимаю трубку.

— Мне Никулина...

— Да, слушаю.

— Юра, привет, это Аркадий.

— Какой Аркадий?

— Да Аркадий, с «Мосфильма». Не помнишь, что ли, шофер?

Голос явно пьяный. Он говорит, что проходил, мол, с приятелями мимо цирка, а сейчас стоит в проходной и просит меня «устроить» всю пятерку (и это десять минут до начала) на представление. Своим родным я беру билеты за неделю вперед! Сдерживая себя, довольно вежливо посылаю его домой и говорю, что, если он еще раз надумает прийти в цирк, пусть звонит трезвый и заранее.

В это время в гардеробную входит Валера, униформист, который обещал показать что-то новое. Он в белой куртке и поварском колпаке. В руках кастрюля.

— Вот, — интригующе говорит он.

Мы все трое — Миша, Таня и я — смотрим на него. Валера мечтает стать клоуном. И по собственной инициативе пытается во время работы делать, как он говорит, «смешные штучки» — то споткнется о ковер во время смены реквизита, то нарочно уронит что-нибудь... Пока это успеха у публики не имело.

Он стоит в белой куртке, поварском колпаке, с кастрюлей в руках и выжидательно смотрит на нас.

— И что же это будет? — спрашивает Миша.

— Когда начнется погрузка на пароход, я выбегу и упаду... — говорит Валера.

— Ну давай попробуй, — отвечаем мы.

Валера уходит, а мы с Михаилом Шуйдиным, загримированные и одетые в клоунские костюмы, хотим использовать оставшиеся минуты до нашего первого появления на манеже для игры в нарды, столь любимой многими артистами цирка.

Только сели за нарды, открывается дверь, и в гардеробную пулей влетает собака Мила. За ней входит жонглер и дрессировщик Игорь Коваленко. Следом вбегает дочь клоуна Бакуна — крошечная девочка Наташа с круглым, как репка, лицом, с челочкой на лбу.

Наташа с криком «Мива, Мива, Мива!» гоняется за собакой, а та с лаем прыгает на диван, потом на стол, стулья, опрокидывая нарды на пол.

Раздался стук в дверь, и к нам вошел клоун Павел Бакун.

— Дядя Юра, можно? — говорит он.

Странно, когда взрослый человек, с бородой, отец семейства, говорит тебе «дядя». Но так в цирке заведено. Я и сам в свое время клоуна Бартенева называл дядей Васей, а его партнера Антонова — дядей Колей.

— Можно, дядя Юра, я скажу вместо слов «загрузить трюм» — «загрузить трюмо»?

— Попробуй, — отвечаю я. — Но мне кажется, это будет не смешно.

Третий звонок.

Из динамика, установленного в гардеробной, слышатся звуки склянок — спектакль «Мечте навстречу» начался.

Мы с Мишей спускаемся вниз, за кулисы, хотя до нашего первого появления на манеже еще минут шесть. Я подхожу к боковому проходу, гляжу из-за занавески в зал и одновременно высматриваю в первом ряду детей на коленях у взрослых.

Как-то в одном из цирков во время выхода, здороваясь со зрителями, я случайно пожал вместо руки свесившуюся ножку ребенка. Публика это хорошо приняла, смеялась.

С тех пор перед выходом ищу в зале «удобную» ножку (хорошо бы в красном чулке: она выглядит трогательнее и смешней, да и видно ее лучше).

Ножка наконец найдена (увы, в черном чулке). Мы идем по пустому фойе. Навстречу попадаются растерянные люди, которые опоздали к началу и теперь мечутся по фойе с билетами в руках, врываясь по ошибке в туалет, теряя перчатки и шапки.

С манежа мы слышим голос Мити Альперова, играющего в спектакле роль администратора цирка:

— Ну где же они, где же?..

— Да здесь мы, здесь! — кричим мы и появляемся в амфитеатре зрительного зала.

Идет очередное цирковое представление. Оно такое же, как все сыгранные, и чем-то не такое, потому что нет двух одинаковых спектаклей. Публика тоже всегда разная. Например, сегодня в зале много приезжих. Они принимают программу иначе, чем москвичи, — более восторженно.

Да и артисты работают по-разному. Сегодня в номере «Акробаты с бочками» артистка упала с плеч своего партнера, небольшой «завал». И сразу номер пошел в другом ритме. Молодые артисты начали нервничать, дважды спутали мизансцены. Их настроение, видимо, передалось униформистам, которые, вынося им реквизит, поставили не в том порядке столы с бочками. Пока исправляли ошибку, возникла пауза, она помешала и нам в работе.

Все одно к одному. После этого номера я всегда зову из публики в манеж мальчика или девочку, предлагая им прыгнуть с бочки, и жду, когда ребенок прижмется к матери и замотает головой, как бы говоря: «Нет, я боюсь...».

А тут мальчик быстро встал со своего места и деловито пошел ко мне в манеж. Я растерялся и поэтому вместо обычной фразы: «А мама твоя пойдет с бочки прыгать?» (в этом месте публика всегда смеется) — сказал нескладно, что-то вроде: «Сиди, сиди у мамы, завтра будешь!»

Конечно, никто не засмеялся. И я, не «подогретый» смехом, уныло пошел к Мише делать пародию на только что показанный номер.

Правда, потом мы «разогрелись» и вошли в ритм. Но это потребовало больших, чем всегда, усилий.

Перед окончанием первого отделения Игорь Коваленко рассказал мне, что во время сцены погрузки парохода все артисты умирали со смеху — униформист Валера долго толкался среди толпы, выбирая место, где бы упасть, и в результате упал уже за кулисами. Так что публика опять не смогла оценить его трюка.

Второе отделение прошло спокойно, без происшествий. Я был рад, когда, комментируя медвежий футбол, нашел новую реплику: «Медведь Бамбула из кавказского аула». На этой фразе зрители засмеялись.

После представления разгримировались, переоделись и, допив остатки фруктовой воды — во время работы всегда хочется пить, — сдаем ключи дежурной тете Оле.

В цирке уже пусто. На манеже лишь дрессировщик Рустам Касеев. Он заставляет свою медведицу Машку повторять трюк, который у нее не получился на представлении. Это закон цирка. Если что-то не вышло на публике, нужно обязательно повторить после работы.

Пожарники обходят помещение.

День закончился. Обычный день клоуна.

КАК Я УЧИЛСЯ ХОДИТЬ

Создавайте легенды о себе.
Боги начинали с этого.

Станислав Ежи Лец

В цирк первый раз

Никогда не забудется тот день, когда меня, пятилетнего мальчика, отец повел в цирк. Впрочем, сначала я и не знал, куда мы идем.

Помню, отец сказал:

— Юра, пошли погуляем, — и при этом заговорщически подмигнул матери.

Я сразу понял — на этот раз во время прогулки меня ожидает сюрприз. Сначала мы долго ехали на трамвае, потом шли пешком. А отец все не говорил, куда мы идем. Наконец подошли к огромному зданию, у входа которого толпилось много людей. Отец, отойдя от меня на секунду (он, как потом выяснилось, купил билеты с рук), вернулся и торжественно объявил:

— Ну, пойдем, Юра, в цирк.

Цирк! Когда вошли в зал, меня поразило обилие света и людей. И сразу слово «цирк» стало для меня реальным, ощутимым, понятным. Вот он — огромный купол, застеленный красным ковром манеж, слышны звуки настраиваемого оркестра... Было так интересно! Ожидая начала представления, я не томился, как это обычно бывает с детьми. Вдруг грянул оркестр, вспыхнул яркий свет, и на манеж, покрытый красивым ковром, вышли участники парада.

В памяти остались слоны-гиганты. Теперь понимаю, что слонов выводили на арену не больше трех-четырех, но тогда мне показалось, что их было с десяток. Были и другие номера, но я их не запомнил.

А вот клоуны остались в памяти навсегда. Даже фамилию их запомнил — Барассета. Одетые в яркие костюмы, трое клоунов выбегали на арену и, коверкая русские слова, громко о чем-то спорили.

Помню некоторые их трюки. У одного клоуна танцевала ложечка в стакане.

— Ложечка, танцуй! — приказывал он. И ложечка, позвякивая, прыгала в стакане.

Клоун после этого кланялся, и все видели, что ложечка привязана к нитке, которую он незаметно дергал.

Произвел на меня впечатление и трюк с цилиндром. Из лежащего на столе цилиндра клоун вытаскивал несметное количество предметов: круг колбасы, гирлянду сосисок, двух куриц, батоны хлеба... А затем на секунду, как бы случайно, из цилиндра высовывалась чья-то рука, и все понимали: в столе и цилиндре есть отверстия, через которые другой клоун, сидящий под столом, все и подавал.

Я воспринимал все настолько живо, что, захлебываясь от восторга, громко кричал. Один из клоунов передразнил мой крик. Все от этого засмеялись.

— Папа! Папа! — затормошил я отца. — Клоун мне ответил, он мне крикнул. Ты слышал?

Когда мы вернулись домой, я прямо с порога объявил маме:

— А меня заметил клоун. Он со мной разговаривал.

Мне настолько понравилось в цирке и так запомнились клоуны, что захотелось, как и многим детям, во что бы то ни стало стать клоуном.

Из ситца с желтыми и красными цветами мама сшила мне клоунский костюм. Из гофрированной бумаги сделала воротник-жабо, из картона — маленькую шапочку с кисточкой, на тапочки пришила помпоны. В таком виде я пошел в гости к одной девочке из нашего двора, у которой устраивали костюмированный вечер. Кто-то из ребят оделся врачом, кто-то изображал подснежник, одна из девочек пришла в пачке и танцевала. А я — клоун и понял, что должен всех смешить. Вспомнив, что, когда клоуны в цирке падали, это вызывало смех у зрителей, я, как только вошел в комнату, тут же грохнулся на пол.

Но никто не засмеялся.

Я встал и снова упал. Довольно больно ударился (не знал я тогда, что падать тоже нужно умеючи), но, преодолев боль, снова поднялся и опять грохнулся на пол. Падал и все ждал смеха. Но никто не смеялся. Только одна женщина спросила маму:

— Он у вас что, припадочный?

На другой день у меня болели спина, шея, руки, и первый раз я на собственном опыте понял — быть клоуном непросто. А вскоре я потребовал, чтобы меня снова повели в цирк: именно потребовал, а не попросил. И меня повели. На этот раз выступал с дрессированными зверями, со своей знаменитой железной дорогой дедушка Дуров, который показался мне необычайно добрым и благородным. Папа в тот же день подарил мне книгу В. Дурова «Мои звери». Это не только первая книга о цирке, память о первых посещениях цирка, о первом выступлении в роли клоуна, но и память об отце, который вручил мне эту книгу с трогательной надписью.

К нам в дом иногда приходил двоюродный брат отца — дядя Яша, полноватый, седой, с усами, напоминающий внешне Дурова. Когда он пришел к нам в первый раз, я радостно закричал:

— Дуров, Дуров к нам пришел!

— Откуда ты меня узнал? — спросил дядя, решив меня разыграть.

С тех пор он стал для меня не дядей Яшей, а Дуровым. Как только он приходил к нам, я просил, чтобы он рассказывал о животных, о дрессировке, о цирке. А дядя Яша никакого отношения к цирку не имел. Сначала он шутливо отмахивался от меня, потом стал сердиться. Своими вопросами о цирке и утверждениями, что он Дуров, я дядю просто терроризировал. После этого он стал к нам редко ходить.

Моя мама

Самое первое впечатление о маме — большая ярко-оранжевая шляпа. В то время, когда я родился, в моду вошли широкополые шляпы с лентами. Много лет в нашей комнате стояла под кроватью желтая коробка, в которой хранилась эта мамина шляпа.

В свое время матери прочили славу на подмостках сцены. В молодости она с успехом выступала в провинциальном театре. Но учиться, хотя ее и приглашали, на актерский факультет театрального института не пошла, считая, что должна жить для меня.

Любила мама рассказывать о своем детстве. Жили они у бабушки в Прибалтике, в городе Ливенгофе. Ее отец занимал пост начальника почты. В их семье всегда устраивали праздники, красивые елки. Мама любила доставать фотографии.

— Вот сидит бабушка за столом, вот я, вот твои тетки, мои сестры Нина, Мила, Оля...

Все сестры на старинных, на плотном картоне фотографиях выглядели чинными.

В Москву меня привезли в четыре года. В день нашего приезда на Белорусском вокзале играл оркестр, висели красные транспаранты с лозунгами, на улицах — флаги, портреты. Оказывается, в столице отмечали МЮД — Международный юношеский день — был такой праздник в двадцатые годы.

— Как хорошо в Москве! — сказал я маме. Мне тогда подумалось, что в Москве всегда праздник.

С вокзала к нашему дому, на Разгуляй, мы поехали на извозчике, что привело меня в восторг.

Как потом рассказывала мама, меня ввели в небольшую комнату в доме номер пятнадцать по Токмакову переулку, показали на новенькую кроватку с сеткой по бокам и сказали, что здесь мы будем жить. Осмотрев кроватку, потрогав на ней блестящие шишечки, поглядев в выходящее во двор окно, я сказал родителям:

— Ну а теперь поедем обратно к бабушке в Демидов.

Когда же выяснилось, что мы никуда не поедем, а останемся здесь навсегда, я горько заплакал.

Но вскоре к Москве привык. Мама, уходя на рынок или в магазин, строго наставляла, чтобы я ни в коем случае не выходил на улицу, а то, говорила она, «попадешь под лошадь». Рядом с нашим домом находился знаменитый на всю Москву конный парк Ступина. С утра мимо дома, цокая копытами по булыжной мостовой, проходили мощные, упитанные ломовые лошади. Потом появлялись другие подводы — худыми, изможденными лошадьми правили совершенно черные люди — угольщики, пронзительно кричавшие:

— Углей, углей! Кому углей? Уг-леее-й!!!

Позже на подводах привозили картофель и слышались крики:

— Картошка-а-а! Карто-о-шка! — кричали дядьки, сидя на мешках.

Затем приходили во двор татары с мешками. Они выкрикивали нечто подобное: «С... арье брем, паем...», что означало «Старье берем, покупаем».

Приходили и скупщики бутылок, к которым сбегалась вся детвора. Мы отдавали бутылки, а взамен получали «уйди-уйди» — небольшие свисточки с надувными шариками. Иногда за бутылки давали разноцветные, набитые опилками шарики-раскидайчики на резинках.

Маленьким я любил встречать маму: все время выходил к воротам дома и выглядывал на улицу, не идет ли она. Я узнавал ее издали, бежал к ней, а она останавливалась и, расставив руки, ждала меня.

Порой мама поступала со мной сурово. Если скажет «нет», значит, это твердо: сколько ни проси, ни клянчи.

Родителям я, как правило, говорил правду. Но если пытался обмануть маму, она строго требовала:

— А ну-ка покажи язык. Я показывал.

— А почему на языке белое пятно? Обманываешь? С тех пор пошло:

— Юра, ты вымыл руки?

— Вымыл.

— А ну покажи язык.

— Ладно, ладно, иду мыть, — говорил я.

Вспоминаю Немецкий рынок на Бауманской, там у меня всегда разбегались глаза: на лотках стояли размалеванные кошки — мне они казались прекрасными, продавались глиняные петушки-свистульки.

До сих пор у мамы стоит глиняная кошка-копилка. Вся голова исцарапана, потому что часто с помощью ножниц я извлекал через щели монетки на кино.

Эта обшарпанная глиняная кошка мало похожа на ту, яркую и красивую, которую мы купили около пятидесяти лет назад на Немецком рынке, но это именно та кошка.

До войны мама была женщиной полной, но когда я в 1946 году вернулся домой из армии, то был поражен: она похудела и стала седой.

— Мама, ты прямо с плаката «Родина-мать зовет!», — сказал я тогда.

В годы войны мама рыла окопы под Москвой, потом работала на эвакопункте санитаркой, возила раненых. После войны устроилась диспетчером на «Скорую помощь», где проработала до пенсии.

Поразительное качество матери — общительность. Если отец сходился с людьми трудно, то мать с любым человеком легко находила общий язык. У нее — где бы она ни работала, ни жила — всегда появлялось много знакомых, друзей.

Мой папа

Мой отец, Владимир Андреевич Никулин, зарабатывал на жизнь литературным трудом — он писал для эстрады, цирка, одно время работал репортером центральных газет «Известия» и «Гудок». Когда я был подростком, он казался мне гением, самым лучшим человеком на свете, лишенным каких-либо недостатков. Папа всегда был полон юмора, энергии, силы и оптимизма, хотя жизнь у него складывалась нелегко.

Детство свое отец провел в Москве. После окончания гимназии он поступил на юридический факультет университета, где закончил три курса. После революции его призвали в армию. В 1918 году он учился на курсах Политпросвета, на которых готовили учителей для Красной Армии. После окончания курсов отец просил послать его в Смоленск — поближе к родным, — мать и сестра отца учительствовали в деревне недалеко от Демидова. Перед самой демобилизацией он познакомился с моей матерью. Они поженились, и отец остался в Демидове, поступив актером в местный драматический театр. В этом же театре служила и мама — актрисой. Отец организовал передвижной театр «Теревьюм» — театр революционного юмора. Он писал обозрения, много ставил и много играл сам.

Вскоре отец с матерью переехали в Москву (папа получил письмо от своего друга, который советовал ему продолжить учебу на юридическом факультете и предложил поселиться в их квартире, потому что их семью хотели уплотнить... «И мы решили: лучше пусть будет жить кто-нибудь из своих знакомых, чем чужой» — так написал в письме друг отца Виктор Холмогоров).

В Москве мы жили тесно, материально трудно и тем не менее весело. Отец ложился спать в семь часов вечера: клал голову на подушку и накрывался сверху другой подушкой. Пока он спал, мы могли кричать, петь, танцевать — отец ничего не слышал. В одиннадцать-двенадцать вечера он вставал, заваривал крепчайший чай, выпивал стаканов шесть-восемь и садился за стол работать. Писал обычно до рассвета. Иногда утром будил нас с мамой и читал все, что сочинил за ночь. Это может показаться странным — вместо слов «доброе утро» услышать: «Ну ладно, вы проснулись, слушайте. Я прочту вам вступление к конферансу и три репризы».

Отец читал и следил за нашей реакцией. Если мы улыбались (а со сна мы могли только улыбаться), он оставался доволен.

Огромное впечатление на меня произвела фамилия отца, которую я первый раз прочел в одном из сборников репертуара для самодеятельности. Я знал, что печатают крупных писателей, известных людей. А тут под текстом стояла подпись: «Влад. Никулин». Меня это потрясло.

В Демидове отца знал весь город. Еще бы! Он создал там «Теревьюм», руководил местной футбольной командой, которую сам и организовал.

Отец много занимался со мной. Он постоянно придумывал различные смешные игры. Любимое наше занятие — лежать вместе на кровати и петь. В толстую конторскую тетрадь отец собственноручно переписал около четырехсот русских народных песен. Все их я выучил наизусть. Причем мотивы к песням мы часто придумывали сами, и, если вдруг по радио передавали какую-нибудь песню на другой мотив, я страшно удивлялся.

Иногда отец начинал поздно вечером громко петь.

— Володя, что ты делаешь, — возмущалась мать, — все же спят!

— Уже не спят, — смеялся отец, но пение прекращал. Часто дома он читал стихи Лермонтова, Асеева, Есенина, Маяковского, Северянина, Фета и других. Читал отлично. Всегда заботился о своей артикуляции, не забывал ежедневно заниматься специальными упражнениями, развивающими технику речи.

Помню, отец взял меня с собой на прогулку. Он показывал мне, десятилетнему мальчику, дом, где жил в детстве, крыши, по которым ему приходилось убегать от дворников.

И вдруг я представил своего взрослого отца бегущим по крышам — странное ощущение.

Прошло много времени. Когда моему сыну, Максиму, исполнилось десять лет, я тоже повел его на прогулку. Показывал ему дом, где жил, школу, в которой учился, забор, через который мне приходилось перелезать, и сараи, на крышах которых мы спали летом в душные московские ночи.

Наверное, Максиму тоже странно было все это слышать. Видно, все отцы любят вспоминать и показывать, как и где они жили, как проходило их детство.

Все повторяется.

Отец любил, гуляя со мной, рассказывать о шутках и розыгрышах времен его детства. Так, например, набрав телефон цирка, гимназисты вызывали администратора цирка и спрашивали:

— Вам не нужны мальчики-арабы?

На другом конце провода заинтересовывались и расспрашивали, что умеют делать эти мальчики и откуда они. Отец (а рядом стояли его приятели-гимназисты) сообщал, что их целая семья — пять братьев и они приехали в Москву искать счастья. Мальчики прыгают, танцуют, глотают шпаги, но питаются только сырым мясом.

В конце разговора назначался час встречи для просмотра мальчиков-арабов. На этом, собственно, шутка и заканчивалась. А дальше гимназисты в своем воображении рисовали картину, как чудо-мальчиков ждут в цирке, представляли, как ходит администратор, нервно теребя ус, а арабов-то нет как нет.

В другой раз отец с друзьями приклеили к дверям мясной лавки записку: «Имеются в продаже свежие соловьиные языки и верблюжьи пятки». А сами на другой стороне улицы ждали, что будет. Минут через десять из лавки выскакивал возмущенный мясник и срывал записку. Видно, кто-то из покупателей спрашивал соловьиные языки и верблюжьи пятки.

Сочинение реприз, интермедий, руководство кружками самодеятельности не давало хороших заработков. Когда нам становилось особенно трудно, отец подрабатывал уроками, занимаясь с ребятами со двора и с учениками из нашей школы русским языком и математикой.

Отец почти не пил, и начатая на каком-нибудь празднике бутылка портвейна могла месяцами простоять на подоконнике. Лишь иногда отец добавлял в чай ложечку вина.

Как-то к нам пришел дальний родственник и остался поужинать.

— А выпить-то у вас есть что? — спросил он. Папа поставил на стол начатую бутылку портвейна. Родственник ее тут же прикончил. Я удивился, как это так — выпить бутылку за вечер! Работая некоторое время репортером газеты «Известия», отец получил пропуск для посещения театров на два лица. И два раза в неделю родители ходили в театр, а возвратившись домой, обсуждали пьесу, игру актеров, оформление спектакля. Отдельные сцены отец «проигрывал» в лицах. Так, еще мальчишкой, я оказался в курсе театральных дел Москвы. Больше всего родители любили Камерный театр, второй МХАТ и Театр Мейерхольда.

Вообще, я всегда знал все наши домашние дела, слушал все разговоры отца с матерью, и что мне приятно отметить с точки зрения взрослого человека — это поразительную верность отца и матери друг другу, их любовь, заботу друг о друге.

Говоря о характере отца, вспоминаю его упрямство и некоторую прямолинейность. Он постоянно клял литераторов, которые с необычайной легкостью по совету редакторов исправляли текст в интермедиях и репризах. Отец предпочитал спорить и отстаивать свое. Дело иногда доходило чуть ли не до скандала, но заканчивалось тем, что материалы других авторов принимали, а его нет.

Часто вспоминаю отца. Иногда приезжаю на Разгуляй просто посмотреть на родные места. И вспоминаю, как много лет назад вот так же шел снег и мы с отцом (он держал меня за руку) шли по заснеженной улице в традиционный поход на Разгуляй купить что-нибудь к вечернему чаю.

Перед выходом из дому отец всегда спрашивал у матери, что купить. Мама говорила:

— Триста граммов горчичного хлеба, маленькую калорийную булочку, хорошо бы сто граммов масла, сто граммов колбаски. Ну и конфеток, если деньги останутся.

Мы с отцом одевались и шли по своему обычному маршруту.

Сначала заходили в булочную. Всегда покупали у одной и той же продавщицы. Каждой из продавщиц придумали имя.

Тихонькую черненькую юркую продавщицу в булочной мы прозвали Мышкой. Толстого, заросшего щетиной мясника прозвали Карабасом.

Когда я возвращался из булочной, отец спрашивал:

— Ты у Мышки покупал?

— У Мышки, — отвечал я. И мы улыбались. Все в семье мы были «подробниками». Когда отец или я приносили домой какую-нибудь новость, то рассказывать о ней полагалось обстоятельно, не торопясь, со всеми деталями.

Отец возвращался откуда-нибудь, а мама говорила:

— Ну рассказывай. Итак, ты пришел...

И отец начинал:

— Итак, я пришел около десяти часов утра, позвонил два раза, и дверь мне открыла соседка...

Дальше шел подробный отчет о том, как отец ходил к нашим знакомым.

Меня отец любил. Если кто-нибудь в его присутствии начинал меня ругать, он бледнел и выходил из себя. Он верил в меня, но никогда в глаза не хвалил.

Высшая форма похвалы — слова: «Это ты сделал неплохо». Относились ли эти слова к тому, как я сыграл какую-нибудь роль в драмкружке (кружок вел отец в нашей школе), или уже потом, когда он разбирал мою работу в цирке или кино.

Притягивали меня к отцу его доброта, душевность. События в школе, ссора с приятелем, впечатления от прочитанной книги, увиденного фильма — обо всем я неизменно рассказывал отцу и его мнением и советом дорожил. Отец хотел, чтобы я стал актером, и поэтому занимался со мной этюдами, художественным чтением.

Мама мечтала, чтобы я учился играть на пианино. Но если бы и собрали деньги на инструмент, то в нашей комнате его негде было бы поставить. Пришлось довольствоваться хоровым кружком в школе. Отец поддерживал во мне стремление петь, слушать пластинки, музыкальные передачи по радио. Он подарил мне толстую тетрадь, в которую я записывал слова песен, услышанных по радио или в кино.

Когда я женился и стал жить у Тани, отец очень переживал и ревновал. Приезжая к нему, я чувствовал, что он всегда рад меня видеть. Вхожу в дом, а отец спрашивает:

— С ночевкой?

— Да, — отвечал я.

Отец радовался, заваривал чай и смотрел на меня влюбленными глазами.

Наша квартира

В коммунальной квартире под номером один на первом и единственном этаже деревянного, с облупившейся зеленой краской дома мы занимали девятиметровую комнату. Окно с занавесочкой, зеленые обои, небольшой квадратный обеденный стол в углу, за ним же занимался отец, а я умудрялся делать уроки. Рядом — кровать родителей, здесь же сундук, на котором спали часто гостившие у нас родственники. По всем углам комнаты лежали кипы газет и журналов (отец запрещал их выбрасывать). На ночь из коридора для меня приносили раскладушку. Это была деревянная походная кровать, проданная нам старушкой соседкой по двору. На ней во время русско-японской войны спал в походах ее покойный муж, полковник русской армии. Кроватью я гордился. Мне даже казалось, что она до сих пор пахнет порохом. Правда, в первую же ночь я провалился на пол: гвоздики, державшие мешковину, проржавели, да и сам материал прогнил. Раскладушку полковника на другой день отремонтировали, прибив новый материал, и я спал на ней до окончания школы.

Остальные шесть комнат в квартире занимала семья Холмогоровых. Старики Холмогоровы — в прошлом домовладельцы — жили вместе со своими взрослыми сыновьями Гавриилом Михайловичем и Виктором Михайловичем, с их женами (я их называл тетей Галей и тетей Калей) и их дочерьми Ниной и Таней. Всего в квартире жило одиннадцать человек.

С девочками, двоюродными сестрами Таней и Ниной, мы учились в школе в одном классе. Часто вместе играли.

К счастью, наша квартира не представляла собой типично коммунальную. Двери во всех комнатах не имели замков. На кухне, где с утра до вечера жужжали примусы и звякала посуда, никто никогда не ругался: наоборот, кухня в нашей квартире стала своеобразным клубом, где шли задушевные беседы женщин, обсуждались прочитанные нами книги или новый кинобоевик с Мэри Пикфорд в главной роли.

Наши семьи сближало то, что мой отец учился вместе с дядей Витей и дядей Ганей в одной гимназии.

Часто взрослые собирались в большой комнате — мы ее звали залой — послушать радио. Из Большого театра постоянно транслировались оперы. Наши мамы сидели с вышиванием в руках и, буквально млея, слушали Нежданову, Барсову, Лемешева, Козловского, Норцова. А мы, дети, любили проводить вечера в холмогоровской столовой. Усядемся за столом и, каждый занимаясь своим делом (я рисовал, выстраивал солдатиков, девочки шили платья для кукол), слушаем чтение Юлии Михайловны. Баба Юля, попыхивая папироской «Бокс», читала вслух Майн Рида, Жюля Верна, Луи Жаколио.

В маленьком узком коридорчике, напротив нашей двери, стоял огромный, окованный железом старинный сундук Холмогоровых. Это из его недр извлекались для домашних спектаклей пропахшие нафталином бабушкины салопы, кринолины, шляпы, котелки, цилиндры, кружевные пелеринки. Замок у сундука особый — с боем: повернешь в нем ключ, и слышится мелодичное — блим-бом... блим-бом... Однажды я сделал открытие: оказывается, если сильно ударить каблуком по стенке сундука, то тоже раздавалось блим-бом. Когда приходили ребята со двора, мы с Таней и Ниной демонстрировали музыкальность сундука.

В столовой у Холмогоровых висела в старинной позолоченной раме картина: портрет какого-то мужчины в парике, как у Ломоносова, с круглыми водянистыми глазами. Край холста у картины был прорван, лицо засижено мухами. Кто писал портрет и кто на нем изображен, об этом в семье никто не знал. Он достался по наследству от прабабушки бабы Юли.

Помню, подростком, запоем прочитав повесть Гоголя «Портрет», я в тот же день выбрал момент, когда все разошлись по своим комнатам, прокрался в столовую и долго смотрел в глаза изображенному человеку, надеясь уловить в его взгляде что-нибудь мистическо-демоническое, но, сколько ни простоял, ничего не уловил. Потом, взяв столовый нож, я с трепетом исследовал все щели массивной рамы, ожидая, что вот-вот нож звякнет о спрятанное там золото. Конечно, никакое золото не звякнуло, лишь из щелей выползло несколько клопов...

К Холмогоровым я относился по-разному. Старика — Михаила Гаврииловича, который иногда на нас, детей, покрикивал, я побаивался. С бабой Юлей нередко затевал спор о существовании Бога. Она регулярно ходила в церковь, крестилась перед обедом.

Из всех Холмогоровых больше всего я уважал и любил Гавриила Михайловича — дядю Ганю. Красивый, с фигурой спортсмена, с сильными, жилистыми руками, он был в доме самый деловой и самый добрый. По профессии инженер, дядя Ганя был мастером на все руки. Испортится кран, перегорят пробки, случится какая-нибудь другая поломка в доме — все исправит.

С работы дядя Ганя возвращался позже всех; усталый, с почерневшим лицом, он быстро съедал наспех разогретый обед. Нам, детям, он посвящал выходные дни. Ходить на каток, на лыжах вместе с ним — одно удовольствие. Нередко он брал нас с собой в кино. Перед обаятельной улыбкой дяди Гани не мог устоять ни один администратор кинотеатра. Дядя Ганя умудрялся доставать билеты в кино за пять минут до начала сеанса.

Первый раз в жизни я катался на легковой машине именно с дядей Ганей. В один из первомайских праздников он решил покатать нас и показать иллюминацию. Мы сели вместе с Ниной и Таней в чудесную квадратную карету без лошадей и понеслись по улицам Москвы. Мне казалось тогда, что я самый счастливый человек: и почему только никто на улицах на нас не смотрит? Ведь мы едем на автомобиле!

А вечером дед Холмогоров басом выговаривал дяде Гане:

— С ума сошел, детей баловать — на таксомоторе катать. Дядя Ганя порой, видя, что нам туговато, сам предлагал родителям дать в долг. Когда я играл у них в комнате с девочками и родители готовились к ужину, дядя Ганя всегда говорил жене:

— Юру-то накорми тоже.

Великим событием для всех в доме стало его вступление в партию. В тот же день дядя Ганя под причитания стариков демонстративно снял в кухне иконы.

— У себя в комнате вешайте их сколько угодно, а здесь общественное место. Люди ко мне придут, стыдно будет.

«Я веселый, я не грустный...»

«Я веселый, я не грустный...» — так начиналась песенка, которую мы, дети, пели на нашем первом домашнем спектакле. В большой столовой мы показали придуманный и поставленный отцом спектакль-обозрение «Блин», в котором принимали участие ребята с нашего двора и мой отец.

Спектакль приурочили к Масленице. В школу я тогда еще не ходил, и, если не считать попытки сыграть клоуна, «Блин» — мое первое выступление. Между интермедиями над простыней-занавесом проплывал затянутый желтой бумагой обруч. С обратной стороны он подсвечивался лампочкой (всю техническую часть — свет, раздвижение занавеса — обеспечивал дядя Ганя). Это и был Блин: с глазами, ртом, носом. На всю жизнь запомнилась песенка, которую мы пели хором:

Я веселый, я не грустный,
Я поджаристый и вкусный,
Я для Юрок, Танек, Нин —
Блин! Блин! Блин!..

В финале спектакля после веселых приключений в лесу мы все садились за стол и ели настоящие, специально испеченные для представления блины со сметаной и маслом.

Помню и другой спектакль-обозрение, в котором мы изображали наших кинокумиров: я — Гарольд Ллойда (канотье, роговые очки, пиджачок и ослепительная, как мне казалось, улыбка), а мой друг Коля Душкин — Дугласа Фербенкса (у него платок на голове, в ушах серьга, в руках хлыст), другие — Мэри Пикфорд, Вильяма Харта. Все мы пели, танцевали.

Мамины сестры часто дарили мне книги. Среди них — «Маугли» Киплинга (ее я знал наизусть), «Робинзон Крузо» Дефо, «Каштанка» Чехова.

Над «Каштанкой» я плакал. И зачем она ушла от клоуна?.. Я ненавидел мальчишку, сына столяра, который на веревочке давал мясо собаке. И почему она вернулась к столяру, где пахло клеем, стружкой и где ее снова могли мучить? Этого я не понимал. На мой взгляд, Каштанка поступила неправильно.

Животных — это пошло от отца — я любил. Сколько разных белочек, ежиков, черепах, кошек и собак перебывало в нашей квартире! Помню одноглазого Барсика, глаз он потерял в драке; полусибирскую кошку, которую отец окрестил Родней; кота Дотика. Отец мог подобрать на улице голодного, облезлого кота, принести домой и долго выхаживать. Как только появлялась в доме лишняя кошка, мама, несмотря на мольбы отца, куда-нибудь ее пристраивала.

Отец любил животных и серьезно разговаривал с ними, как с людьми, уверяя, что они все понимают, но просто не подают вида. У отца все в семье были такими — почти со священной любовью к животным. Брат отца, дядя Миша, держал дома семь собак шпицев и нескольких кошек.

Со всеми кошками, собаками, со своими игрушками я мог разговаривать часами, потому что верил, что они меня понимают и им это интересно. Только они ответить не могут.

Как-то я бросил камень в дерево, и отец сказал:

— Что ты сделал, дереву же больно...

И я поверил в это.

Никогда не забуду подарок отца — детекторный приемник. Чтобы поймать радиостанцию, приходилось долгое время крутить рычажки настройки. Наконец в наушниках раздавалось сначала хрипение, а потом слышался голос диктора, пение. Часами я наслаждался первым в моей жизни приемником. Поймать удавалось только Московское радио.

Потом в доме появился громкоговоритель. Потрясенный, я смотрел на издающую звуки «тарелку» — все так хорошо и чисто звучало. В двенадцать ночи мы слушали бой часов кремлевской башни, потом звучал «Интернационал». Сначала слышался шум улиц, площади, бибиканье машин, а затем били куранты.

«А что, если, — думал я, — попросить кого-нибудь пойти на площадь и крикнуть, можно ли будет это услышать?» Хотелось самому пойти туда и чтобы кто-нибудь слушал мой голос по радио.

Мне доставляло удовольствие слушать по радио песни.

К музыке, к песням я тянулся с детства.

Славилась в нашей семье исполнением песен тетя Мила. Голос у нее приятный, пела она всегда с чувством. А когда я слышал «Русалка плыла по реке голубой» в ее исполнении, песню на слова Лермонтова, мне становилось грустно и даже хотелось плакать.

В Москве меня, еще дошкольника, повели на оперетту «Корневильские колокола». Оперетта мне понравилась.

Отец одного из моих товарищей по двору собирал пластинки и часто устраивал у себя вечера прослушивания, на которые приглашались ребята. С удовольствием по многу раз мы слушали Л. Утесова, В. Козина, И. Юрьеву, Т. Церетели, а также старинные граммофонные пластинки.

В годы моего детства многие отмечали Рождество. Но нелегально, дома. Запрещалась и елка. Во многих школах висел тогда плакат: «Не руби леса без толку, будет день угрюм и сер. Если ты пошел на елку, значит, ты не пионер».

Дома отец с кем-то разучивал репертуар для самодеятельности, и я услышал такие строчки: «Долой, долой монахов, раввинов и попов! Мы на небо залезем, разгоним всех богов».

— Папа! Значит, Бог есть? — спросил я.

— Почему? — удивился отец.

— Ну как же, — говорю я. — Раз залезем и будем разгонять, значит, Бог есть? Значит, он там, да?

Хотя елку родители мне не устраивали, но в Деда Мороза, приходящего к детям на праздники, я верил. И перед Новым годом всегда выставлял ботинки, зная, что Дед Мороз обязательно положит в них игрушку или что-нибудь вкусное. Случалось, что несколько дней подряд я выставлял ботинки, и Дед Мороз все время в них что-нибудь оставлял. Но в одно январское утро я подошел к ботинку, а там лежал завернутый в лист бумаги кусок черного хлеба, посыпанный сахаром.

— Да что, Дед Мороз обалдел, что ли? — спросил я громко, возмущенно и с горечью (у родителей, оказывается, просто деньги кончились, и они ничего не смогли купить).

Отец сказал:

— Надо будет мне поговорить с Дедом Морозом.

На следующий день Дед Мороз положил в ботинок пряник в форме рыбки.

Зимой, когда на дворе стояли сильные морозы, мама с утра, кутаясь в платок, говорила отцу:

— Володя, надо затопить пораньше печку.

Отец, надвинув на глаза кепку, прихватив колун и пилу, шел со мной в сарай. Мы пилили сырые дрова. Потом он их колол. Затем вместе приносили дрова домой, с грохотом сбрасывали их на железный лист, прибитый к паркету около кафельной печки.

Конечно, я любил щепками и корой растапливать печь, а потом, когда сырые дрова разгорались, смотреть на огонь.

Вечерами, стоя спиной к печке, грелась мама. Отец пил чай. Я лежал на раскладушке и слушал, как родители переговариваются.

Потом начинал мечтать. Представлял себе, что есть у меня удивительная машина. Управляется она кнопками. Я на ней еду куда хочу. Машина способна пройти везде: и по ямам, и по горам, даже по воде. А если нужно, она пойдет и по воздуху. И когда я так минут пять на своей машине «ехал», то обычно засыпал.

Наш двор

Когда я смотрю на картину Поленова «Московский дворик», мне сразу вспоминаются дворики нашего переулка. За кирпичным двухэтажным флигелем одного из домов нашего двора находился небольшой — он мне казался громадным — неухоженный сад. Посреди него холм, обсаженный кустами, мы называли его курганом. Между высокими деревьями в центре сада разбили клумбу, а кругом рос дикий кустарник, вдоль забора — трава с зарослями лопуха. С годами сад уменьшался, потому что засохшие деревья спиливались и на освободившемся месте появлялись деревянные сарайчики.

Во дворе собирались ребята из нашего и соседних домов. Старшие гоняли голубей, играли в «расшибалочку», тайком курили в саду за курганом. Мы же, мелюзга, играли в «казаков-разбойников», прятки, лунки, салочки. Позже узнали о волейболе и футболе. Во время футбола часто вылетали стекла в квартирах. И время от времени сообща собирались деньги на стекольщика.

Событием для всех становился приход в наш двор музыкантов, шарманщиков с попугаем. Иногда приходил аккуратно одетый человек и, положив перед собой шляпу на землю, начинал петь. Он исполнял много песен. Мы стояли вокруг и слушали артиста. Тут же открывались многие окна домов. Все с интересом слушали концерт, а потом бросали завернутую в бумажку мелочь.

В душные летние московские ночи некоторые ребята спали на крышах сараев. Приносили из дома какие-нибудь старые шубы, коврики, матрасы, расстилали их на крышах и устраивались на ночь. Когда я стал постарше, мать, к величайшей для меня радости, иногда тоже разрешала мне ночевать на крыше. Обычно нас собиралась компания из пяти-шести человек. Конечно, о сне не могло быть и речи. Сначала пели песни, потом вполголоса каждый рассказывал страшные истории, необычайные случаи.

Лежа на спинах, смотрим на небо, усеянное звездами, и слушаем звуки ночной Москвы: длинные гудки паровозов доносятся с Курского вокзала, резкие клаксоны автомобилей и отдаленный звон трамваев. Засыпали, как правило, когда небо совсем светлело. А иногда, заснув, вдруг просыпались от крупных капель дождя. Тогда разбегались досыпать по домам.

Все ребята во дворе имели прозвища. Зудилина звали Будильником, одного парня — Паташоном, другого Сапогом, а меня Психом.

Как-то во дворе одному из ребят я сказал:

— А ты у нас псих ненормальный.

— Что такое псих? — переспросили меня.

— Сумасшедший, психически больной, — объяснил я. Все засмеялись, и меня с тех пор начали называть Психом. Кроме обычных игр, мы любили довольно странные развлечения. Кто-то придумал розыгрыш — «проведите меня». Из компании ребят, собиравшихся у ворот нашего дома, выбирался один — «заводила» (обычно выбирали меня, так как я, по мнению товарищей, делал все очень натурально). «Заводила» должен отойти по переулку метров за сто от нашего дома и, выбрав кого-нибудь из прохожих, обратиться с просьбой:

— Проведите, пожалуйста, меня, а то ребята вон из того дома хотят меня побить.

И тут разыгрывалась сцена нападения. Толпа у ворот кричала издали:

— Вот он, вот он! Бей его, бей!

Я, моля о защите, прижимался к прохожему. Женщина или мужчина, сопровождавшие меня, начинали кричать на ребят, взывали к милиции. А друзья делали вид, будто нападают на меня. Когда опасность, якобы угрожавшая мне, миновала, я благодарил защитника и нырял во двор какого-нибудь дома, где некоторое время пережидал. А потом начиналось все сначала. Один раз нас «купили». Здоровый дядька в меховой дохе, взяв меня крепко за руку, сказал:

— Идем со мной, не бойся.

А когда поравнялся с группой моих товарищей, вдруг, подтолкнув меня к ним, крикнул:

— А ну-ка дайте ему как следует!

И стал ждать, что будет.

Друзья мои растерялись, а я стоял как дурак. Надо же, попался такой кровожадный дядька. Мой приятель Толя, по прозвищу Паташон, с обидой крикнул ему вслед:

— Тебе самому надо дать!

Мистификация не состоялась.

Возникала у нас и вражда. Подерутся двое парней из разных дворов, и начинается месть. Мы боимся ходить в одиночку мимо их двора, они — мимо нашего. В зависимости от «военной обстановки» менялся и мой маршрут в школу. Приходилось делать крюк, чтобы миновать дом номер семь, где мог получить затрещину. Пользовался и системой проходных дворов, что помогало, но не всегда. Как-то иду я через «нейтральный мирный двор», спокойно насвистываю песенку, а тут подбегают ко мне мальчишки:

— Из какого дома?

— Из пятнадцатого.

— Это у вас Витька Сапог живет?

— У нас.

— А-а... Так это он нашего Алика вчера отлупил?

И тут мне, конечно, досталось. Ближе всех во дворе мне был Коля Душкин. Дружба наша возникла после драки, во время которой я поранил Николаю голову рукояткой пугача. Увидев залитое кровью лицо товарища, я убежал в сад и спрятался в кустах, уверенный, что убил Колю. Нам было по семь лет, и мой страх, паническое желание куда-то скрыться, я думаю, можно понять и объяснить. Через несколько часов мы помирились, потом стали закадычными друзьями.

На всю жизнь сохранился у меня в памяти первый услышанный анекдот. Мне рассказал его Коля Душкин: «К одному офицеру приходит полковник и стучится в дверь. Открывает денщик, а полковник говорит: “Передай своему барину, что пришел полковник”. Денщик вбегает, бледный, к офицеру и говорит: “Ой, барин, к вам пришел покойник”. И барин от страха полез под кровать».

Я долго смеялся. Подходил ко всем во дворе, рассказывал анекдот и обижался, если кто-то не смеялся.

Когда нам исполнилось по двенадцать лет, мы с Колей заключили между собой «Союз Красной маски». Книгу «Красная маска» Николай прочел еще летом в деревне, куда ездил отдыхать со своим отцом-железнодорожником. Захлебываясь от восторга, он не раз пересказывал мне подробно содержание книги о добром разбойнике Красная маска и его верном друге Иоганне. Так Коля стал Красной маской, а я Иоганном (сокращенно Ио). По условиям нашего тайного союза Иоганн обязан беспрекословно подчиняться всем указаниям вожака. Никто из ребят ни во дворе, ни в школе о нашей тайне не знал, но часто во время игр если начинался спор о чем-либо и я входил в азарт, то раздавался грозный голос Коли:

— Ио!

И я тут же смирялся.

В маленьком чуланчике в подвале нашего дома мы проводили регулярно тайные собрания общества.

Окошко без стекла, выходившее в палисадник, служило нам тайником. Если просунуть руку в окошко и сбоку у стенки отодвинуть доску, то в нише можно обнаружить наши сокровища: красную маску из бархата, старинную металлическую пороховницу, наполненную настоящим порохом, ржавый кинжал в ножнах и, главное, свернутую в трубку бумагу, на которой мы записали клятву верности друг другу. Клятву мы подписывали кровью — выдавливали ее из пальцев, предварительно уколов их гвоздем. Во время тайных совещаний наши сокровища извлекались, а текст клятвы непременно перечитывался. Потом мы по очереди играли кинжалом, а иногда, отсыпав щепотку пороха, поджигали его. Красную маску Коля надевал только один раз, когда мы подписывали клятву. С тех пор я доверял Николаю все свои тайны, он рассказывал мне все о себе.

Во время революционных праздников всем двором мы ходили смотреть проход воинских частей на Красную площадь. Чтобы не проспать войска, проходившие по Гороховскому переулку, мы вставали в шесть часов утра. Будил меня всегда Николай. Накануне, ложась спать, я привязывал к ноге длинную бечевку и конец ее выводил в форточку. Коля дергал за бечевку, и я тут же вставал.

В Октябрьские праздники в шесть утра еще темно. Невыспавшиеся, мы дрожим от утреннего холода. И вот слышим цоканье копыт вдалеке, и появляются первые ряды кавалеристов. С завистью мы смотрели на красноармейцев с шашками и пиками. Хоть бы один раз так прокатиться! «Вот так, наверное, — думал я, глядя на кавалеристов в буденовках, — они и идут в бой. Вот бы проехать на лошади, с шашкой на боку!» Даже от одной этой мысли захватывало дух.

Во дворе мы часто играли в войну. На соседнем дворе в бывшей старообрядческой церкви находился

«Театр рабочих ребят». (Был такой в тридцатые годы.) И как-то через щель в заборе мы увидели, что грузовик подвез к театру массу диковинных вещей: пальму, уличный фонарь, собачью будку и стог сена. Стог — фанерный каркас, обклеенный крашеной мочалкой, — мы притащили к себе во двор. Лучшего помещения для штаба и придумать невозможно.

Играли допоздна в войну. Вечером во дворе появился милиционер с пожилым человеком, у которого был растерянный вид. Потом мы узнали, что он работает реквизитором в театре.

Милиционер, увидев на «стоге сена» надпись «Штаб», деловито спросил:

— Где начальник штаба?

Я вышел вперед. На голове пожарная каска, руки в старых маминых лайковых перчатках — вполне начальственный вид.

— Так, — сказал милиционер. — Стог — быстро в театр. Там через пять минут начинается спектакль. А сам пойдешь со мной в милицию.

Стог мы отнесли, а до милиции дело не дошло. Простили по дороге.

Так закончилось мое первое соприкосновение с театром. А потом я был и в самом театре, смотрел «Чапаева». Когда в конце спектакля Чапаев погиб, я горько заплакал. А после окончания спектакля бежал радостный к матери, сидящей в другом конце зала, и, зареванный, но со счастливой улыбкой, кричал:

— Мама, мама! Он жив! Он выходил кланяться.

Многие пьесы, которые мы смотрели с ребятами в соседнем театре, потом разыгрывались нами во дворе. Мне давали роли злодеев, а все героические исполнял Коля Душкин. Он считался самым красивым мальчиком не только в нашем дворе, но и во всем переулке.

Что Коля красивый мальчик, я узнал от мамы, которая каждый раз в разговорах с соседями восхищалась его красотой. Среднего роста, крепко сбитый, с большими черными глазами, Коля и сам знал, что он красивый. Как-то раз он сказал мне, что к празднику ему сошьют белую матроску, которая пойдет к его глазам.

Во время наших футбольных баталий Коля великолепно стоял в воротах, а позже стал вратарем сборной школьной команды.

После военных событий на озере Хасан приехал с Дальнего Востока Миша Душкин, старший брат Коли. Он участвовал в боях, и его наградили медалью «За отвагу». Для нашего переулка это стало событием. К нам во двор приходили посмотреть на Михаила из других домов. Ну конечно, мы, подростки, не отходили от него ни на шаг. По просьбе Николая его брат разрешил мне даже потрогать медаль рукой. Коля ходил рядом с братом сияющий, и, когда мы спрашивали его, о чем рассказывал брат, как там в бою, Коля хмурил свои черные пушистые брови, делая серьезное лицо, и говорил:

— Жарко там было. Жарко!

После седьмого класса Коля поступил в военную спецшколу. Я в душе завидовал ему. Прельщала военная форма. Но когда я намекнул родителям о спецшколе, они в один голос стали возражать, а отец сказал:

— Военный из тебя получится никудышный, не твое это призвание.

Образцовая школа

Хотя я родился в декабре 1921 года, в школу решили меня отправить в 1929 году, не дожидаясь исполнения восьми лет (в то время в первый класс принимали с восьми лет).

Первый раз в школу (правда, с опозданием на пятнадцать дней, потому что мы задержались в деревне) меня повела мама. Школа от дома была довольно далеко, и дважды требовалось переходить дорогу. Встретила нас учительница Евгения Федоровна. В пенсне, в синем халатике с отложным белым кружевным воротничком, она сразу мне понравилась.

— Пойдем, Юра, в наш класс, — сказала она и увела меня от мамы.

Я просидел первый урок. Все шло хорошо. Для меня, правда, все было ново и чуть страшновато, но интересно. Читать, считать и немножко писать меня научили до школы родители, и я не чувствовал на уроке, что отстал от ребят.

Началась перемена. Евгения Федоровна вышла из класса, и тут все ребята накинулись на меня с криком: «Новенький! Новенький!». С испугу я начал дико орать. К счастью, в класс вошла Евгения Федоровна.

На другой день мама, подведя меня к школе, ушла. Я вошел в вестибюль и растерялся: забыл, где находится наш класс. Подходил ко всем и спрашивал:

— Вы не скажете, где класс, в котором учительница в пенсне?

Почему-то меня повели в четвертый класс. Там действительно учительница носила пенсне, но меня она, конечно, не признала. С опозданием, к концу урока, я все-таки попал в свой класс.

Уже в первом классе я стал понимать, что есть профессии куда более интересные, чем клоун. Например, пожарник или конный милиционер. И все-таки, когда учительница спросила: «Кто хочет участвовать в школьном концерте?» — моя рука тут же взметнулась вверх.

Первая роль — Горошек. С большим куском картона, на котором нарисовали зеленый горошек, я участвовал в сценке «Огород». Нас, десятерых мальчиков, поставили в ряд на сцене, и каждый по очереди, сделав шаг вперед, должен был произнести несколько стихотворных строчек об овоще, который он изображал. Мне велели выучить такие строчки:

Вот горошек сладкий,
Зерна, как в кроватке,
Спят в стручках усатых.

Последним в строю — возможно, из-за маленького роста — поставили меня. Все ребята быстро прочли стихи. Настала моя очередь. Я делаю шаг вперед и от волнения вместо стихов произношу:

— А вот и репка!

После этого я помолчал и встал на свое место. Зал засмеялся, ибо получилось неожиданно — все читали стихи, а один просто назвал овощ, при этом перепутав горох с репкой. Посрамленный, я ушел со сцены. За кулисами учительница, посмотрев на меня строго, сказала:

— А ты, Никулин, у нас, оказывается, комик!

После концерта я сделал два вывода: первый — быть артистом страшно и трудно, второй — в школе комиков не любят.

16-я школа (потом ей дали номер 349), в которой я учился, считалась образцовой. К нам постоянно приезжали различные методисты, инспектора, часто посещали школу зарубежные делегации. С нами работали педологи. Они определяли умственные способности. Была такая профессия в конце двадцатых — начале тридцатых годов — педолог. На основании различных тестов делали заключения о развитии ребенка, его умственных способностях. Меня педологи продержали очень долго. Все я делал не так. И они пришли к выводу, что способности мои очень ограниченны, чем отец крайне возмутился. Он ходил к ним выяснять отношения и доказывал, что я нормальный ребенок с хорошими задатками.

Мне запомнились встречи с нашими любимыми писателями Львом Кассилем и Аркадием Гайдаром.

Аркадий Гайдар, с короткой стрижкой, внешне напоминающий боксера, остался в памяти как человек энергичный и обаятельный. Он читал нам главы из книги «Военная тайна».

Я в то время учился в шестом классе и занял второе место на районном конкурсе за рассказ «Ванька-разведчик», поэтому меня подвели к Гайдару и сказали:

— А это у нас начинающий писатель.

Аркадий Петрович пожал мне руку и сказал:

— Приходи во Дворец пионеров (он назвал число), я буду беседовать с ребятами, которые пишут.

К сожалению, на эту встречу я не попал — заболел очередной ангиной.

Лев Кассиль — худой, с вытянутым лицом, с милой, доброй улыбкой — увлекательно рассказывал нам о своей поездке с советскими футболистами в Турцию.

Часто бывали у нас и артисты Московского театра юного зрителя, встречи с которыми тоже запомнились. И мы просмотрели все тюзовские спектакли.

Для многих костры — это запах смолы, отсветы огня, темное небо над головой. А у нас костры проводились в школе. Красной бумагой обертывали лампочки, резали алый шелк на длинные ленты, прикрепляли их к вентилятору. Обкладывали все это сооружение поленьями, и костер начинал «полыхать». Вокруг костра мы пели, танцевали, декламировали.

В то время все увлекались танцем «Лезгинка» — ходили на носочках, размахивали руками с криками «асса». И вот на одном из костров я появился с утрированно большим кинжалом в зубах (сделал его из доски), в огромной папахе и, исполнив несколько танцевальных па, стал мимически изображать, будто бы вокруг меня что-то летает. Я отбиваюсь, отмахиваюсь — ничего не помогает. И тогда в ужасе вместо привычного «ас-са» вопил на весь зал: «Пчела! Пчела!» Все ребята смеялись.

Отец вел в нашей школе драмкружок. Мама входила в состав родительского комитета, помогала в библиотеке выдавать книги, постоянно шила костюмы для участников художественной самодеятельности. Этой работе родители отдавали много времени. Отец постоянно ставил сатирические обозрения, которые сам придумывал. Он написал для меня и моего товарища по классу клоунаду на школьную тему.

В свой кружок отец принимал всех желающих. Занимались в нем и ребята, которые плохо учились. Отец любил ребят. Он открывал способности у тех, на кого учителя махнули рукой. И впоследствии, когда учителя говорили ему, что эти ребята стали лучше себя вести на уроках, исправили плохие отметки, он страшно гордился, что это результат благотворного влияния искусства.

Остался у меня в памяти и школьный вечер, посвященный творчеству Горького. Сценарий вечера написал отец, включив отрывки из «Детства» Горького. Я играл Алешу Пешкова. Выходил с книгой сказок Андерсена и читал (так начиналась инсценировка): «В Китае все жители — китайцы и сам император — китаец...»

Не знаю почему, но в дни подготовки к вечеру мечталось: а что будет, если вдруг приедет к нам в школу Горький? Посмотрит он нашу инсценировку, ахнет и скажет: «Как здорово этот мальчик сыграл Горького! Верно, я был таким».

Играть Горького мне нравилось. Конечно, я не говорил на «о» и вообще старался оставаться самим собой. Просто представлял себе — я маленький Горький. Чем ближе подходил день спектакля, тем больше верилось, что Горький приедет к нам. Но Горький на вечер не пришел.

Играл я однажды и роль мальчика-китайца в небольшой пьеске. Действие происходило в годы Гражданской войны. Мальчика-китайца красные посылают на станцию, занятую белыми, поручая ему любым способом отвлечь их внимание. Мальчик показывает белогвардейцам фокусы, и, пока те смотрят его выступление, красные окружают станцию и потом занимают ее.

Чтобы сыграть своего китайца похожим, я по совету отца ходил на рынок и долго присматривался, как ведут себя китайцы-лоточники, как они разговаривают, как двигаются.

Мне пришлось научиться немного жонглировать и попотеть вместе с отцом, придумывая и разрабатывая технику фокусов. Шарик, который пропадал таинственно из моих рук (он уходил на резинке в рукав), неожиданно появлялся под фуражкой у поручика (был заранее спрятан такой же).

Ребята-зрители принимали мои фокусы всерьез и потом долго допытывались, как я это делал. Но я хранил профессиональные тайны и ничего не объяснял.

В финале нашей постановки, когда станцию занимали красные, я с криком: «Последний фокус!» — показывал пустую корзинку, а затем выхватывал из нее красный флаг (он был спрятан под двойным дном). Зрители принимали конец спектакля на ура и долго аплодировали.

В детстве были у меня свои боги. Среди них — певцы Лемешев, Козловский, артист кино Михаил Жаров. Как-то я шел по улице в центре Москвы и вдруг увидел Михаила Жарова. Пять улиц я шел за ним. Смотрел влюбленными глазами. Артистов считал людьми удивительными, недосягаемыми.

Когда закрылся «Театр рабочих ребят», то в его помещении организовали Дом художественного воспитания детей.

В нем открыли несколько кружков: танцевальный, драматический, музыкальный и фото. Я записался в драматический. Драматической студией, как мы именовали кружок, руководил артист Преображенский, которого мы все очень любили. Стараясь развить фантазию, он ставил с нами этюды. Помню, он предложил нам массовый этюд.

— Вообразите себе, что сцена — улица, — сказал он. — Я выйду на улицу и начну смотреть на небо. Просто так. Каждый из вас — прохожий. Вы должны подходить ко мне по одному и тоже смотреть заинтересованно наверх, думая, что на небе что-то происходит. Но нужно не просто подойти, а и сказать свою фразу.

Начали этюд. Каждый студиец подходил к смотрящему вверх преподавателю. Слышались фразы:

— Ой, а что там, наверху?

— Батюшки, неужели дирижабль?

— Что же такое там, на небе?

И так далее.

Я стоял, дожидаясь своей очереди, лихорадочно думал, что бы такое сказать. Решение пришло неожиданно, когда я подходил к толпе глазеющих на небо.

— Уж не медведь ли? — спросил я, заинтересованно глядя наверх.

Все замерли. А потом раздались смешки.

— Что-о-о? — спросил преподаватель.

— Уж не медведь ли? — повторил я несколько неуверенно, глядя ему в глаза.

— Почему медведь? — В голосе педагога послышался металл.

— Ну... чтобы... смешно, — залепетал я.

— А мне не смешно! — зарокотал поставленный голос. — Чтобы больше это не повторялось!

Много-много лет спустя, уже работая в цирке, на одном из детских спектаклей на вопрос партнера: «Отгадай, что у меня лежит под шляпой?» — я наивно спрашивал: «Трамвай?» — и публика смеялась.

Может быть, тогда, в детской студии, я не так сказал, как нужно, а может быть, преподавателю отказало чувство юмора?

Хотя нет, как сейчас помню, одно из его заданий звучало так:

— Отрежьте свою голову, положите ее в чемодан и унесите со сцены.

До седьмого класса я учился в образцовой школе. А потом два седьмых класса решили соединить в один восьмой — часть ребят поступала в спецшколы, в техникумы, другие пошли работать, а на два восьмых класса не хватало учеников. В восьмой класс отбирали лучших по учебе и поведению. Я в этот список не попал. Как потом узнал, на педсовете долго обсуждали мою кандидатуру, решая вопрос, оставлять меня в школе или нет. С одной стороны, хотели оставить, потому что отец много делал для школы, но с другой — учился я средне, на уроках часто получал замечания...

Решение педсовета меня устраивало — появилась возможность перейти в школу-новостройку рядом с домом. В ней учились ребята из нашего двора. Теперь я, как и все, мог перелезать через забор, сокращая путь от дома к школе.

Груша из торгсина

В начале тридцатых годов в Москве открылись специальные магазины — торгсины (торговля с иностранцами). Те, кто имел золото или серебро, мог сдать его в торгсин и прямо в магазине получить в обмен продукты или промтовары.

Помню, тогда в нашей квартире долго обсуждали историю о старушке, которая принесла в торгсин самовар, а ей сказали:

— Иди, бабушка, домой. Мы медь не принимаем.

— А он не медный, — ответила старушка, ставя самовар на прилавок.

— Неужели серебряный? — заинтересовались приемщики и, взяв пробу, ахнули: самовар оказался золотым.

В молодости старушка слыла известной певицей. Однажды компания купцов-золотопромышленников пригласила ее на пароход, где она им много пела. Певица настолько пленила купцов, что они, сложившись, подарили ей небольшой самовар из чистого золота, на котором сделали надпись: «Нашему дорогому соловушке...».

— Где же вы хранили самовар? — спросили старуху.

Она сказала, что самовар стоял на полке на кухне в коммунальной квартире.

У меня в копилке лежал старинный царский двугривенный. От кого-то я узнал, что серебряные царские монеты принимают тоже. Перед днем рождения мамы я с одной из теток пошел в торгсин менять двугривенный на подарок.

Мы робко подошли к прилавку и подали двугривенный. Его приняли, но купить на царские деньги мы могли лишь сочную, красивую, обернутую в папиросную бумагу грушу дюшес. Так мы и сделали. Грушу я подарил маме.

И первая любовь...

Часто на моих днях рождения бывала она, моя первая любовь. Началась любовь в шестом классе. Небольшого роста, худенькая девочка со светлыми, аккуратно подстриженными волосами раньше не очень меня привлекала. Учился я с ней с первого класса. И в дом она к нам приходила часто, дружила с Ниной Холмогоровой. И вдруг на одном из уроков она посмотрела на меня так ласково своими зелеными, как у рыси, глазами, что я понял — в мире нет лучше и красивее этой девочки. С тех пор я стал часто о ней думать и смотреть на нее по-другому. Через некоторое время решил проводить ее из школы до дома, хотя и пришлось для этого сделать приличный крюк.

По дороге говорили о любимых книгах: я — про Конан Дойля, она — про Эдгара По. С тех пор начали обмениваться книгами. Провожать от школы до дома вскоре перестал, боялся, что ребята начнут дразнить. Но любить ее продолжал.

Часто я рисовал в своем воображении такие картины: нападает на нее кто-то, а я ее защищаю. Когда она приходила к Нине в гости, сердце у меня начинало необычайно биться. Тогда я залезал на крышу самого высокого сарая в нашем дворе и терпеливо ждал, когда она выйдет из дома. Именно оттуда мне хотелось крикнуть ей: «До свидания!» — чтобы, обернувшись, она увидела, как бесстрашно стою я на самом краю крыши. А при мысли о том, чтобы признаться ей в любви и сказать, как она мне нравится, краснел. Казалось, она и не подозревала о моих чувствах. Разговаривала со мной так же, как и со всеми остальными ребятами из нашего класса. Я все чаще стал разглядывать себя в отцовское зеркало и страшно переживал, что голова у меня какая-то продолговатая, дынькой, как говорила мама, и нос слишком большой. Таким я казался себе в тринадцать лет.

Порой ее провожал в школу отец. Это был хмурый, неразговорчивый человек. Он доводил дочь до ворот и, сухо кивнув ей головой, шел на работу. А я думал: «Вот какой он, даже не поцелует. Ведь так приятно было бы ее поцеловать!» В своих мечтах я целовал ее бесконечно. Почему-то целовал в щеку или в макушку — там, где сходились ее беленькие волосы. Но потом, узнав, что она с отцом ходит регулярно тренироваться в стрельбе из винтовки, проникся к нему уважением и сам решил записаться в стрелковый кружок. Но после первого же занятия меня с приятелем из тира выгнали, потому что мы стреляли по лампочкам на потолке.

Помню, девочки Холмогоровы устраивали дома маскарад. Я оделся пиратом: шляпа, нарисованные углем усы, а за поясом настоящий кремниевый пистолет из сундука старика Холмогорова (с этим пистолетом когда-то воевал его дед в Крыму).

А девочка пришла в костюме Петера: в кино тогда шла модная картина «Петер» с участием знаменитой Франчески Гааль, которая в фильме переодевалась в мужскую одежду. Девочка надела большую кепку, широченный пиджак, лицо разрисовала веснушками и пела песенку Петера на немецком языке, смешно подтягивая широкие брюки. Я слушал и млел.

На уроке пения в школе мы хором разучивали песню Бетховена:

Гремят барабаны, и флейта поет,
Мой милый уводит отряды в поход.

Учитель пения вызвал к роялю меня и ее и попросил спеть песню на два голоса. Поем мы, а я представляю, что это она провожает меня в поход, а я — в латах, в руках щит и меч — сижу на лошади... Пою и чувствую, как краснею. Поем-то перед всем классом. Вдруг все поймут, что я ее люблю? Но моего состояния, к счастью, никто не заметил. Только она сказала потом на перемене:

— Что это ты пел и весь надувался?

Как-то в порядке наказания классный руководитель посадил меня рядом с ней за парту. Девочка всегда хорошо себя вела, и классный руководитель рассчитывал, что она положительно воздействует на меня. Большей радости, чем сидеть рядом с ней, трудно было себе представить. От восторга я стал выкидывать разные штучки, смешил свою соседку до слез. Райское житье длилось неделю. Кончилось тем, что меня пересадили на первую парту рядом с мрачным мальчиком-отличником, который не только не хотел разговаривать со мной на уроке, но и списывать не давал.

Когда я перешел в другую школу, мы перестали с ней видеться, но каждый день я вспоминал ее. Со всевозможными хитростями узнал у одной из девочек ее домашний номер телефона и один раз позвонил. Но, услышав резкий голос отца, бросил трубку на рычаг.

В новой школе из девочек никто не нравился, хотя в десятом классе любовь у нас процветала вовсю. А три пары из нашего класса сразу по окончании школы поженились.

«Спартак», «Динамо» и другие

Лет до десяти к футболу я относился довольно равнодушно, но отец все-таки часто водил меня на стадион посмотреть очередной матч. При этом, обращаясь к матери, он восклицал:

— Боже мой, ну что у нас за сын — никак к спорту не может привыкнуть!

Отец хотел, чтобы я знал и любил спорт.

И своего он добился. Я полюбил футбол и яростно болел за «Динамо», а отец — за «Спартак». Спорили мы, отстаивая каждый свою команду, до хрипоты. Дома у нас висела таблица футбольного первенства страны. Рядом с ней портреты футболистов. Одну из стен нашей комнаты мы посвятили футболу. На картоне я нарисовал, а потом вырезал фигурки футболистов, примерно по двадцать пять сантиметров каждая, и у каждого футболиста была своя форма. На стенке — гвоздики. Первый гвоздик — первое место, гвоздик пониже — второе место и так далее.

Под каждой фигуркой прикреплялась булавкой продолговатая бумажка, на которой крупными буквами писали количество очков, которое набрала команда, а ниже — количество сыгранных матчей.

По тому, как я рисовал фигурки, легко можно было определить мое отношение к командам. Плохая команда — игрок нарисован с распухшим лицом (в то время в футболе существовал такой термин — «эти припухли», «эти запухли» — значит, крупно проиграли), хорошая команда — фигурка футболиста красивая: игрок выглядит статным, волевым. Таким я нарисовал динамовца. Представителя «Спартака» я нарисовал несколько в утрированном виде. И один товарищ отца, часто бывавший у нас дома, потребовал, чтобы спартаковца я перерисовал.

Мой школьный приятель Шурка Скалыга «болел» за киевское «Динамо». Киевлянина я нарисовал с длинными усами, опущенными вниз, а поверх майки — украинская свитка.

У отца на столе лежали справочники и литература по футболу, которую он собирал с начала тридцатых годов.

Мы замирали у нашей тарелки-репродуктора, когда раздавались звуки футбольного марша, и ждали, когда на фоне шума стадиона зазвучит неповторимый, с хрипотцой, голос спортивного комментатора Вадима Синявского: «Говорит Москва... Наш микрофон установлен на московском стадионе “Динамо”...»

Были у отца свои приметы. Каждый раз, выходя из дома, он должен был обязательно потрогать пальцем «на счастье» кошку-копилку, поцеловать в голову нашу собаку Мальку, дать ей кусочек сахару и, проходя по переулку, подержаться за почтовый ящик у дома номер семь.

Однажды мы слушали по радио трансляцию футбольного матча. Играл «Спартак».

«Спартак» проигрывал 0:1, а до конца оставалось всего пятнадцать минут. В волнении отец подошел ближе к репродуктору и встал в дверях. И вдруг «Спартак» сравнял счет, а за минуту до конца забил второй гол и выиграл со счетом 2:1.

С тех пор каждый раз, когда играл «Спартак», отец, слушая радио, за пятнадцать минут до конца матча, независимо от того, какой был счет, вставал в дверях.

— Так будет вернее, — говорил он.

Обыкновенная школа

В нашу 346-ю обыкновенную школу, куда я перешел, никакие делегации не приезжали, не приходили к нам и писатели, артисты не устраивали для нас концерты. Только один раз к нам пришла женщина в белом халате и целый час популярным языком учила нас, как уберечься от глистов.

Я покривил бы душой, если бы сказал, что в школе вел себя примерно. Нет. Когда чувствовал, что меня могут вызвать, а уроки не выучены, то прогуливал. За прогулы наказывали. И тут я придумал новый способ. Во время переклички я прятался под парту.

— Никулин, — говорил учитель.

— Нет его. Он болен! — кричал я из-под парты.

Учитель ставил в журнале отметку о моей болезни (это значило, что меня уже не могут вызвать к доске), и я тогда вылезал из-под парты.

Правда, однажды в конце урока историк вдруг посмотрел на меня и, не поверив своим глазам, спросил:

— Слушай, Никулин, тебя же нет, как ты появился?

— Что вы, Тихон Васильевич, — я старался говорить как можно увереннее, — я все время здесь, на уроке.

В классе всегда круговая порука, поэтому все подтвердили правоту моих слов.

На всякий случай меня пересадили за первую парту, чтобы я сидел перед учительским столом. Но от этого я не стал лучше.

Так, поспорив с кем-то из учеников, что смогу целый урок стучать карандашом по парте, я тут же принялся осуществлять свое намерение. С самого начала урока через каждые две-три секунды я тихонько стучал карандашом по парте, понемногу усиливая звук. Учитель постепенно привык к этому звуку и не пытался найти виновников, хотя стук в течение всего урока раздражал его. Этот странный психологический опыт мне удался, и пари я выиграл.

Увлекались мы и катанием карандашей под партой: все сидят вроде бы спокойно, а шум в классе невыносимый.

Всякое бывало в школе. Меня даже хотели исключить на две недели. Произошло это так. На перемене я зашел в соседний класс, а ребята возьми да и запри меня в шкафу.

Начался урок. Я сижу закрытый в шкафу. Мне это надоело, и я начал стучать.

— Кто это стучит? — строго спросила учительница.

Все в классе молчат. Только учительница начинает объяснение урока, я опять стучу.

— Кто стучит? — уже зло спросила учительница.

Все продолжали молчать. А мне надоело сидеть в духоте, я крикнул:

— Это я стучу, это я!

В классе хохот. Пока меня открывали, пока я изображал клоунаду «Освобождение», урок, в общем, оказался сорванным, за что и собирались меня на две недели исключить из школы.

Когда меня ругали за то, что я плохо запоминал даты, формулировки теорем, мать, защищая меня, говорила:

— У Юры плохая память, не надо его ругать.

— Ну да, плохая, — возражал отец, — раз помнит все анекдоты, значит, память хорошая.

Анекдоты я действительно запоминал отлично.

Когда я еще учился в образцовой школе, ребята со двора уговорили меня по-смешному здороваться с их немкой — Софьей Рафаиловной.

К великому восторгу своих товарищей, я встречал у ворот нашего дома полную женщину с портфелем, идущую неторопливой походкой по переулку, и, кланяясь низко, церсмонно ей говорил:

— Здравствуйте, Софья Крокодиловна!

Все ребята хохотали.

Не думал я тогда, что встречусь с ней на уроках в 346-й школе.

Конечно, Софья Рафаиловна меня запомнила, потому что здоровался я с ней (к удовольствию всех дворовых ребят) по многу раз. И может быть, поэтому, а скорее всего просто потому, что я плохо учил немецкий язык, у меня возникли трудности на ее уроках.

Отец, успокаивая меня, как-то пошутил:

— А ты особенно не огорчайся. Возьми и скажи ей, что немецкий учить незачем. Если же будет война с немцами, так мы с ними разговаривать особенно не будем.

Я последовал совету отца. На одном из уроков, после того как я долго не мог ответить на вопросы, Софья Рафаиловна меня спросила:

— Ну почему ты ничего не учишь?

— А зачем мне, — ответил я, — знать немецкий? Если будет война с немцами, мы с ними особенно разговаривать не будем.

Класс грохнул от хохота, а учительница обиделась.

Не считаясь примерным учеником, со многими учителями я все-таки дружил, и учиться у них мне нравилось.

Часто с теплотой я вспоминаю и образцовую и обычную школы, в которых учился. Остались в памяти и многие школьные друзья.

«Аттестат получите потом...»

Так мне сказали на школьном вечере, посвященном окончанию десятилетки. Последний школьный вечер... Это было летом 1939 года. На четвертом этаже школы десятиклассники праздновали окончание, и я оказался единственный в своем классе, которому не вручили аттестата. И все из-за чертежей, которые я не сделал. У меня потребовали сдать чертежи почти за весь год.

Последний вечер в школе. Танцы. Я не танцевал — не умел. На радиоле проигрывали модные пластинки того времени: «Брызги шампанского», «Девушка играет на мандолине», «Рио-Рита» и другие.

Учителя мило улыбались. Директор школы сказал нам свои добрые напутственные слова.

Вечер закончился около часа ночи, и мы пошли на улицу. Гуляли долго. Вернулся домой поздно, но меня никто не поздравил с окончанием школы. И правильно — я же не получил аттестата.

Целый месяц после школы пришлось сидеть дома и заниматься черчением. Закончив чертежи, я позвонил своему преподавателю и сказал:

— Здравствуйте, Никифор Васильевич. Это Никулин. Я сделал чертежи.

— Молодец. Приходи.

Пришел домой к учителю. Он долго расспрашивал меня о дальнейшей жизни, о планах. Угостил чашкой кофе. В конце нашей беседы он взял пачку моих чертежей, как-то странно улыбнулся и сказал:

— Молодец.

Потом взял и всю пачку порвал. Это был как удар по сердцу. В то же время я понимал: теперь аттестат заслужен честно. Никифор Васильевич при мне позвонил директору школы и сказал, чтобы аттестат выдали.

Иногда я приезжаю в переулок, где прошло детство. Переулок не узнать: осталась школа, осталась старая церковь. А там, где стояли четыре наших дома, значившихся под номером 15, вырос громадный многоэтажный домина, одно из парадных которого приходится как раз на то место, куда когда-то выходило крыльцо нашего одноэтажного деревянного домика с облупившейся зеленой краской.

С ЧЕГО НАЧИНАЮТСЯ КЛОУНЫ

Будьте самоучками, не ждите,
пока вас научит жизнь.

Станислав Ежи Лец

«Вечерка» помогла

Обычно мы с отцом покупали газету «Вечерняя Москва» в киоске на Елоховской площади. Где-то в середине сентября 1946 года мы купили газету и на четвертой странице прочли объявление о наборе в студию клоунады при Московском ордена Ленина государственном цирке на Цветном бульваре. Возникла идея: а что, если попробовать?

На семейном совете долго обсуждали: стоит или не стоит поступать в студию?

Мама склонялась к театру, считая, что рано или поздно, но мне повезет.

— Все-таки театр благороднее, — говорила она. Отец придерживался другого мнения.

— Пусть Юра рискнет, — настаивал он. — В цирке экспериментировать можно. Работы — непочатый край. Если он найдет себя — выдвинется. А в театре? Там слишком много традиций, все известно, полная зависимость от режиссера. В цирке многое определяет сам артист.

И я решил поступать в студию цирка.

Документы принимали в маленькой комнате (теперь там одна из секций гардероба для зрителей). Невысокий мужчина с копной рыжих волос регистрировал заявления и анкеты, проверяя правильность их заполнения.

Он выполнял роль секретаря приемной комиссии и показался мне тогда представительным. Потом выяснилось, что он тоже из поступающих — Виктор Володин.

Мастерскую клоунов набирал режиссер цирка Александр Александрович Федорович. В 20-е годы он, как и отец, руководил художественной самодеятельностью на одном из предприятий столицы, и они раньше нередко встречались по работе.

Первый тур, на который допускались все, проходил в крошечной комнате красного уголка. Вызывали по одному человеку. Я долго ждал и наконец предстал перед комиссией, сидящей за столом, покрытым красной скатертью. Прочел Пушкина. Хотел читать басню, но тут подзывает меня Федорович (он был в заграничной кожаной куртке на «молниях») и спрашивает:

— Скажите, пожалуйста, вы не сын ли Владимира Андреевича Никулина?

— Сын.

— Что вы говорите? — удивился он. — И что же, решили пойти в цирк?

Мне показалось, что в вопросе прозвучало какое-то сожаление.

— Да, — говорю, — люблю цирк. Хочу стать клоуном.

— Ну что ж, очень рад. Очень рад. Так мы вас прямо на третий тур допустим. Привет папе передавайте.

Привет я передал, а сам нервничал: конкурс-то большой. Во-первых, поступали многие из тех, кто не прошел в театральные институты и студии, во-вторых, допускали к экзаменам с семилетним образованием, что увеличило число желающих стать клоунами, в-третьих, цирк рядом с Центральным рынком, и некоторые его завсегдатаи и приезжие тоже почему-то, то ли из баловства, то ли серьезно, решили испытать счастье.

Одному из них я понравился.

— Если не примут, — говорил он, — ты приходи ко мне. Мы семечками торговать будем. С мячиком.

— Как с мячиком? — удивился я.

— Очень просто, — объяснил он. — Пойдем к поезду и купим мешок семечек за тысячу рублей. Потом найдем старуху и предложим ей по шестьдесят копеек за стакан, если оптом возьмет. Старуха, конечно, согласится, потому что сама будет продавать семечки по рублю. Первые два-три стакана мы ей насыплем полностью, а потом я незаметно теннисный мячик (я его в рукав спрячу) в стакан подложу и буду дальше отмерять... Лапища у меня огромная, мячика никто не увидит. Полное впечатление, что стакан наполняется доверху. Ты в это время начнешь ей что-нибудь заливать.

Наступил день третьего тура. Поцеловав на счастье нашу собачку Мальку, я, страшно нервный и невыспавшийся, в шинели и сапогах, пошел в цирк.

Кандидаты в Карандаши

Пожарник держит экзамен в музыкальную школу. Его спрашивают:
— Какая разница между скрипкой и контрабасом?
Пожарник, подумав:
— Контрабас дольше горит.

Из услышанных анекдотов

Экзамен проходил на ярко освещенном манеже. В зале собралось довольно много народу: сотрудники Главного управления цирков, работающие в программе артисты, униформисты, уборщицы, знакомые и друзья поступающих (моих знакомых в зале не было).

Комиссия занимала первый ряд, в центре сидел в своей кожаной куртке А. Федорович. Рядом с ним — художественный руководитель цирка Ю. Юрский. В комиссию также входили известный жонглер В. Жанто, режиссер Б. Шахет, инспектор манежа А. Буше, директор цирка Н. Байкалов и другие.

Первым экзаменовался мужчина лет тридцати, довольно пьяный — для храбрости, что ли, выпил? Он не придумал ничего лучшего, как встать на стул и запеть гнусавым голосом:

Кашка манная, ночь туманная,
Приходи ко мне, моя желанная...

Пел противно, но смешно. Не по исполнению, а просто оттого, что вышел дурачок, да еще пьяный, и голос у него гнусавый... Многие смеялись. Но нас, тех, кто держал экзамен, бил колотун.

Ожидая своей очереди, волнуясь, я наблюдал за сдающими экзамен. Вот полный, комичный на вид, обаятельный Виктор Паршин. Как и все, он сначала прочел стихи и басню, а потом ему дали задание: будто бы идет он за кулисы и там встречает только что вышедшего из клетки тигра. Как нужно реагировать? Виктор Паршин, спокойно посвистывая, пошел за кулисы и выбежал оттуда с диким криком, опрокидывая стулья, и через весь манеж пронесся к выходу. По-моему, сделал он это просто здорово.

Запомнился мне Анатолий Барашкин, которого попросили сделать этюд: заправить воображаемый примус керосином и разжечь его. Это он выполнил классически!

Высокий худощавый Георгий Лебедев поразил всю комиссию великолепным чтением стихов Владимира Маяковского.

Экзаменовались Илья Полубаров и Виктор Смирнов. Раньше они занимались в цирковом училище. Оба прекрасно жонглировали, владели акробатикой и нам казались сверхталантливыми и сверхумелыми. Они легко делали флик-фляки, каскады, разговаривали между собой, употребляя цирковую терминологию: «оберман», «унтерман», «шпрех»... Их, конечно, приняли.

Своей артистической внешностью среди всех выделялся Юрий Котов, приехавший из Орла. Он довольно успешно прочитал стихи Сергея Михалкова: «Я приехал на Кавказ, сел на лошадь первый раз...».

Экзаменовался и самый юный из нас — Николай Станиславский. По поводу его фамилии многие иронизировали, говоря: «Вот и Станиславский в цирк пришел».

Смотрел я на всех и думал: «Куда мне с ними тягаться?»

Пришла моя очередь выходить на манеж. Прочел стихи, басню, дали мне этюд: будто потерял я на манеже ключ от квартиры и ищу его. Придумал не самое оригинальное. Сделал вид, что долго ключ ищу, а всюду темно. Зажигал настоящие спички (мне казалось, если зажигать спички на ярко освещенном манеже, то будет смешно), но никто находку не оценил. И вот наконец кидаюсь на ковер и что-то поднимаю — увы, это оказался не ключ, а плевок. Руку вытер о себя брезгливо. В зале засмеялись.

Потом экзаменовались и другие. Среди них Борис Романов. Своей общительностью, чувством юмора, а также тем, что он пришел на экзамен, как и я, в солдатской шинели (а у меня еще долго после войны ко всем, кто носил солдатскую шинель, оставалось отношение доброе), он привлек мое внимание, и мы познакомились. Для начала он рассказал мне анекдот.

На экзамене профессор спрашивает нерадивого студента:

— Вы знаете, что такое экзамен?

— Экзамен — это беседа двух умных людей, — отвечает студент.

— А если один из них идиот? — интересуется профессор.

Студент спокойно говорит:

— Тогда второй не получит стипендии.

От Бориса я узнал, что он воспитывался в детдоме, его учебу в театральном техническом училище (он собирался стать гримером) прервала война. Конечно, тогда я и не предполагал, что мы станем друзьями и мало того — партнерами, что Бориса примут у нас дома, полюбят и он будет завсегдатаем наших вечеров в Токмаковом переулке.

В три часа дня закончился последний тур, а в шесть часов вечера вышел какой-то человек со списком и буднично, в алфавитном порядке зачитал фамилии всех принятых. Среди них произнес и мою. Всего в студию зачислили восемнадцать человек, а пятерых взяли кандидатами.

Я сразу позвонил домой.

— Папа, меня приняли.

— Ну и хорошо. Приезжай скорее!

Приехал домой и подробно все рассказал. А в восемь вечера в Камерном театре (потом он назывался Театром имени Пушкина) проходил последний тур конкурса, на который меня тоже допустили. И я решил поехать.

И надо же! И здесь после конкурса мне сообщили, что меня приняли в студию.

Бывает же так: то всюду отказ, а тут в один день две удачи.

Вернулся домой поздно, и долго с отцом и матерью обсуждали минувший день.

Куда идти: в студию Камерного театра или в студию цирка?

Отец вновь повторил свои доводы о том, что в цирке легче и быстрее можно проявить себя, найти новые интересные формы клоунады, и я решил идти в цирк.

Стране нужны клоуны

В трамвае сидит старушка. Рядом с ней стоит тощий, изможденный студент.

— Ты чего же, милый, такой худой? — обращается к нему старушка.

— Задают много, — отвечает он.

— Ты, наверное, отличник?

— Нет...

Старушка, видя перекинутый через руку студента плащ, предлагает:

— Давай, милый, я хоть плащ твой подержу, а то ведь тебе тяжело...

— Это не плащ, — отвечает парень, — это студент Сидоров. Вот он — отличник.

Из услышанных анекдотов

Веселое, голодное студенчество было у нас в цирковой студии. Нам, правда, выдавали рабочую продовольственную карточку, получали мы и талоны на сухой паек, а также стипендию — пятьсот рублей. Ни в одном институте не давали такой большой стипендии.

Главное управление цирков Комитета по делам искусств отпустило значительные средства на студию. Стране нужны были клоуны. К нам пригласили преподавателей различных дисциплин. Любили все у нас технологию цирка. Каждый раз занятия по этой дисциплине вели разные люди. Приглашались старые мастера, которые беседовали с нами о специфике, технологии цирка, рассказывали о своей жизни, работе. Много времени провел с нами Александр Борисович Буше, неповторимый режиссер — инспектор Московского цирка. (Его и еще ведущего программу Роберта Вагановского из Ленинградского цирка зрители всегда встречали аплодисментами.)

Живая энциклопедия

На манеж выходит Рыжий и говорит Белому:

— Здравствуй! — и протягивает руку.

— Боже мой, какие у тебя грязные руки! — удивляется Белый.

— Грязные? — переспрашивает Рыжий. — Да ты бы посмотрел на мои ноги.

Старинная цирковая реприза

Дмитрий Сергеевич Альперов, когда появился у нас в студии, выглядел патриархом.

Полный, огромный, он вошел, тяжело дыша, и зычным, густым голосом попросил:

— Помогите мне снять шубу.

Мы кинулись снимать с него тяжелую шубу на лисьем меху. Шапка у него тоже меховая, боярская. Он медленно подошел к столику, сел, посидел минут пять и, отдышавшись, вытащил из кармана огромные часы.

Дмитрий Сергеевич Альперов... Когда я учился еще в девятом классе, отец подарил мне книгу Д.С. Альперова «На арене старого цирка». Она стала моей любимой книгой. Я читал ее несколько раз. И потом время от времени довольно часто заглядывал в нее, чтобы перечитать описание какой-нибудь классической клоунады. Книга его, пожалуй, одна из немногих, интересна и профессионалам, и любителям цирка.

До войны, еще мальчишкой, я видел клоуна Альперова на арене. В памяти остался его громкий голос.

И вот Альперов у нас в студии. Он посмотрел на свои огромные плоские серебряные карманные часы (они выглядели клоунскими — теперь бы их назвали сувенирными) с золотыми стрелками, зеленым циферблатом, и я сразу подумал: сейчас что-нибудь с часами произойдет — взорвутся они или задымятся, а может быть, заиграет какая-нибудь музыка... Но часы просто тикали. Он посмотрел на них еще раз и положил на стол около потертой тетради со своими записями.

В комнате тихо. Альперов рокочущим голосом начал рассказывать о старом цирке. Видимо, готовясь к встрече, он записал план, поэтому время от времени заглядывал в тетрадку. Мы сразу же перенеслись на пятьдесят лет назад и попали в мир старого, дореволюционного цирка.

— Клоун Рибо, — гремел голос Альперова, — выходил в манеж и встречал мальчика с удочкой, который шел ему навстречу по барьеру. Рибо переносил мальчика через манеж, воображая, что идет по воде. Делал он это поразительно смешно.

Я записывал в своей тетради: «Ловить в манеже рыбу, воображая, что он заполнен водой...» (Через десять лет эта запись послужила толчком для создания пантомимической клоунады «Веселые рыболовы».)

Многое из рассказов Дмитрия Сергеевича звучало для нас просто неправдоподобно.

На что только не шли клоуны, чтобы вызвать смех у публики! Тот же Рибо — это был его первый трюк, — появляясь в манеже, показывал публике свой большой кулак и потом засовывал его целиком в рот. Зрители смеялись. «Уродство», — сказали бы мы сегодня.

— И у него был такой большой рот? — спросил я.

— Да нет, — ответил Альперов. — Рот вообще-то большой, но он еще специально сделал операцию — разрезал углы рта примерно на полтора сантиметра, что было не очень заметно, но зато давало возможность засунуть весь кулак.

Затаив дыхание слушали мы и рассказ Альперова о замечательном Рыжем клоуне Эйжене. Особенно мне запомнилось, как он делал одну клоунаду.

Белый и Рыжий клоуны ссорятся, и Рыжий говорит:

— Я вызываю тебя на американскую дуэль. Американская дуэль заключается в том, что два человека кладут в шляпу две записки, на одной из которых написано «Жизнь», а на другой — «Смерть». Тот, кто вытащит записку «Смерть», должен кончить жизнь самоубийством.

Белый долго заставляет Рыжего подойти к шляпе и взять записку, тот долго отказывается. Наконец Рыжий не выдерживает и говорит: «Ладно, я буду тащить первым». Дрожащей рукой он вытаскивает записку, разворачивает ее и начинает читать: «Сме... сме... сметана!»

Белый подходит и уточняет: «Не сметана, а смерть. Да, смерть. Ты вытащил смерть. Вот теперь иди и застрелись».

Рыжий брал концертино и играл печальную мелодию.

— Я последний раз играю для вас, — трагическим голосом говорил он публике.

Закончив игру, Рыжий уходил за кулисы, и тут наступала зловещая пауза. Полная тишина. Все ждали, что будет дальше. Раздавался резкий выстрел. А через две секунды на манеже появлялся радостный Рыжий с криком: «Я промахнулся!»

Альперов рассказывал, что эту клоунаду Эйжен исполнял виртуозно. Без всякого утрированного грима, одетый почти в обычный костюм, в момент, когда его посылали стреляться за кулисы, он брал концертино — маленькую гармошку — и на ломаном русском языке прощался с публикой, объявляя, что играет перед ней в последний раз. Он играл «Славянский танец» Дворжака и медленно, опустив голову, уходил за кулисы стреляться. И делал все так искренне, что некоторые даже плакали.

И потом, когда после выстрела, от которого зал вздрагивал, Эйжен появлялся, публика встречала его аплодисментами и смехом.

Многое из услышанного я уже читал в книге Альперова. Во время беседы я напомнил Дмитрию Сергеевичу один из эпизодов, рассказанных в ней.

Он прямо засветился.

— Так вы читали мою книгу?

— Да, конечно, она мне понравилась. Я очень жалею, что не взял тогда на встречу с Альперовым его книгу и не попросил ее надписать.

Узнав в учебной части домашний телефон Альперова, первого мая 1947 года я решился ему позвонить.

— Слушаю, — сказал он своим зычным голосом.

— Здравствуйте, Дмитрий Сергеевич. С вами говорит студиец из цирка Юра Никулин.

— Слушаю вас, что вы хотите?

— Хочу вас поздравить с праздником Первого мая и пожелать вам доброго здоровья.

— То есть как? Просто поздравить и все?

— Да, поздравить и пожелать вам доброго здоровья. И все.

Наступила пауза.

— Ну хорошо. Спасибо, — как-то неуверенно сказал Альперов и повесил трубку.

После праздников он пришел к нам в студию и сразу спросил:

— Кто мне звонил первого мая?

Я встал.

— Вы меня поздравляли с праздником? — удивленно переспросил Альперов. — Спасибо вам большое. Вы знаете, я думал, что это розыгрыш. Ведь из цирка меня никто с праздником не поздравил. Я не сомневался, что это розыгрыш.

И он начал рассказывать о розыгрышах, которые бывали раньше в цирках. Например, приезжал артист в цирк, выходил на манеж, и обязательно во время первой репетиции кто-нибудь сбрасывал на его голову мешок с опилками. Или прибивали галоши к полу: человек — в галошах, а сдвинуться не может и падает.

После этих рассказов я понял, почему Дмитрий Сергеевич странно прореагировал на мое поздравление.

Умирал Альперов тяжело. У него началась водянка. Он лежал распухший. Кто-то, не подумав, послал ему приглашение в цирк на открытие сезона. Он плакал, кричал: «Я хочу пойти на премьеру!» А сам не мог даже встать.

Прощались с ним на манеже. Это первая панихида, которую я увидел в цирке.

Посреди манежа на возвышении стоял открытый гроб. Рядом на стульях сидели близкие Дмитрия Сергеевича. Свет притушен, только один прожектор освещал лицо Альперова, и тихо-тихо играл оркестр. Мне все казалось, что Альперов сейчас возьмет и скажет: «А вот помню, в цирке Чинизелли...».

В тот же вечер после похорон Альперова в цирке шло очередное представление. Манеж был ярко освещен, гремела музыка, и у меня никак не укладывалось в сознании, что несколько часов назад здесь стоял гроб и все плакали, а сейчас все смеются.

Не было посыла

«Подсадка – цирковой прием, основанный на включении в номер, главным образом в комических целях, артистов под видом зрителя».

Цирковая энциклопедия

Занимаясь в студии, мы дневали и ночевали в цирке. Спустя два месяца нас начали занимать в парадах, подсадках. Первой подсадкой для нас всех стала клоунада «Шапки», которую исполняли клоуны Демаш и Мозель (по афише – Жак и Мориц).

Требовалось в клоунаде «Шапки» изобразить зрителя, сидящего с кепкой в руках. Клоуны брали кепку и в пылу спора, как бы невзначай, вырывая ее друг у друга, отрывали козырек. Зритель-подсадка, сидящий в первом ряду, к великой радости публики, переживал, нервничал. Правда, в конце клоунады выяснялось, что кепка цела, а разрывали другую. Ловкой подмены кепок никто в публике не замечал.

Помню, с каким трепетом готовился я к первой в моей жизни подсадке.

Сидел дома и долго думал, как же сделать, чтобы все выглядело естественным. Решил взять с собой книгу (буду как бы студентом, пришедшим в цирк), которая «случайно», когда у меня будут отбирать кепку, упадет на пол...

Во время клоунады волновался, но сделал все правильно, и зрители смеялись. В антракте за кулисами ко мне подошла жена Мозеля и сказала:

— А вы молодец! Все сделали точно. Настолько, что я на секунду даже испугалась — у того ли человека взял муж кепку. (Она не знала меня в лицо.) У вас такой глупый вид, вы так хорошо испугались, молодец!

Демашу и Мозелю тоже понравилось, как я все делал, и они обратились к руководству студии, чтобы по субботам и воскресеньям (самые ответственные дни в цирке) в подсадке занимали меня.

Некоторые мои товарищи шли в подсадку неохотно. Так, в клоунаде «Медиум» сидящего в подсадке бьют по голове палкой и выгоняют из зала. Поэтому кое-кто из моих друзей, считая это унизительным для себя, увиливал от подсадки. А я шел, считая, что любое участие в представлении пойдет мне на пользу.

Работу в подсадке мы вместе с педагогами разбирали на уроках актерского мастерства. Все действия анализировались по кускам, много говорилось о внутреннем состоянии актера.

С «внутренним состоянием» у Бориса Романова вышел казус.

Он должен был в определенный момент клоунады «Печенье» в исполнении клоунов Любимова и Гурского встать со стула (это кульминационный момент клоунады) и таким образом дать сигнал артистам, что пора кончать антре. Но Романов почему-то не встал и этим смазал финал клоунады.

Вне себя от ярости кричал за кулисами Гурский, размахивая своими исписанными руками (Гурский писал на пальцах и на ладонях текст клоунады, который всегда плохо знал):

— Где этот подлец, который нас опозорил на публике?!

Побледневший Романов вежливо и тихо объяснял:

— Понимаете, по внутреннему состоянию не возникло у меня посыла, чтобы я встал. По Станиславскому, если бы я встал, выглядело бы неоправданно...

Если бы Борис честно признался, что забыл встать, то, наверное, ему бы все сошло, но «внутреннее состояние» сначала лишило Гурского дара речи, а потом он заорал хорошо поставленным голосом:

— Да плевать я хотел на твой посыл! Тоже мне, гений! Видите ли, у него нет посыла!!! Вот я тебя пошлю сейчас... (Кстати, и послал...)

С тех пор Борис Романов в подсадках у Любимова и Гурского не участвовал.

А некоторые умники...

В один американский цирк пришел наниматься артист.

— Что вы умеете делать? — спросил его директор.

— Во время своего выступления я съедаю сто куриных, сто утиных, сто гусиных и пятьдесят страусиных яиц. Мое прозвище Яичный король.

— Но в воскресные дни у нас по четыре представления.

— Согласен.

— Да, но скоро начнутся рождественские праздники. И мы будем давать представления через каждый час.

— Но когда же я буду обедать?

Из иностранного юмора

— А некоторые умники говорят, что легко работать клоунаду! — эту фразу сказал Мозель, пожилой, опытный мастер, артист, представления с участием которого я старался не пропускать. Медленно передвигая ноги в огромных клоунских ботинках, тяжело дыша, он поднимался по лестнице, ведущей в артистическое фойе. Лицо у него покрылось испариной, парик съехал набок, а на кончике забавного клоунского носа повисла выступившая сквозь гуммоз большая капля пота. Фраза, которую он бросил на ходу, ни к кому конкретно не относилась. Артист говорил как бы сам с собой. Но так как на лестнице никого, кроме меня, не оказалось, то я принял его фразу за начало разговора.

— Если бы вы знали, как тяжело работать на утреннике! — продолжал Мозель. — Ребята шумят, приходится их перекрикивать, чтобы донести текст, так что к концу клоунады голоса уже не хватает.

— Почему же вы не даете на утренниках «Стрельбу в яблоко»? — спросил я. — В ней нет слов, ее очень хорошо принимают ребята.

— Милый мой! — ответил клоун. — Ведь мы давали эту сценку целых полтора месяца... Нужно менять репертуар, а клоунад без текста у нас больше нет.

В тот вечер, придя домой, я сделал в тетрадке следующую запись: «На детских утренниках нужно стараться детям больше показывать, чем рассказывать. Дети любят действие, смешной трюк. На утренниках текст доносить трудно».

Я с большой радостью посещал студию. Приходя к десяти утра на занятия, уходил из цирка после вечернего представления. Спектакли в то время шли в трех отделениях и заканчивались около двенадцати ночи. Стараясь общаться со старыми артистами, я все время бывал за кулисами, смотрел, как они готовятся к выходу, с удовольствием слушал их разговор, познавая историю цирка не только по книгам, а и по рассказам артистов, которые участвовали в легендарной пантомиме «Черный пират», лично знали семью Труцци, работали в частных цирках.

Кто не проклинал станционных смотрителей...

В гимназии на уроке литературы учитель спрашивает:

— Петров, кто написал «Евгения Онегина»?

— Не знаю, господин учитель.

— Иди домой и приведи своего отца! Ученик пришел домой и все рассказал отцу. Тот его выпорол. На другой день отец пришел к учителю и сказал:

— Я все выяснил, господин учитель. Это он, но больше никогда не будет.

Из гимназических анекдотов

Технику речи вела в студии артистка Московской эстрады Т. Мравина. В процессе занятий она заставила всех выучить наизусть пушкинского «Станционного смотрителя».

И с тех пор, часто даже проснувшись ночью, я вдруг неожиданно вспоминал: «Кто не проклинал станционных смотрителей, кто с ними не бранивался? Кто в минуту гнева...». И так довольно большой кусок.

Прошло много лет. Однажды, когда я уже работал в цирке и снимался в кино, у меня дома раздался телефонный звонок.

— С вами говорят из Театра Пушкина. Мы ставим «Станционного смотрителя». Нам кажется, что лучшего исполнителя на главную роль, чем вы, трудно представить. Не согласились бы вы выступить у нас как гастролер, только в этом спектакле сыграть Самсона Вырина?

Ужас! Я вспомнил, как учил текст, как мучился, и, сказать по правде, испугался. Поэтому от приглашения отказался.

У Мравиной я постоянно получал замечания: то ей не нравилась моя дикция, то я говорил в нос, то забывал текст. Но были у нее и любимцы. Среди них Георгий Лебедев, голосом которого она прямо наслаждалась.

— Ну, Лебедев, — говорила она, — прочтите нам из «Станционного смотрителя».

И Георгий Лебедев прекрасно поставленным голосом читал.

На уроках техники речи мы учились и смеяться. Мне эти занятия давались с трудом. Смех у меня выходил неестественным, неискренним. Наверное, это происходило оттого, что я считал — клоун не должен смеяться сам. И для себя решил: когда буду работать на манеже — пусть публика смеется надо мной, а я постараюсь сохранить невозмутимый вид. Для меня идеалом невозмутимости, вызывающей смех, был популярный американский комик Бастер Китон, фильмы с участием которого нам специально показывали.

Конечно, можно смеяться так, как это делали знаменитые артисты цирка Бим — Бом. Они смеялись потрясающе. У них целый номер строился на смехе. Сначала начинал смеяться Бом и заражал своим смехом Бима. Публика, видя покатывающихся от смеха Бима и Бома, не могла удержаться, и тогда в зрительном зале возникал всеобщий хохот. Смех всегда заразителен, если он только настоящий смех, а не подделка. Но я понимал: то, что органично для Бима — Бома, для меня не годится.

Часто вспоминаю рассказ Дмитрия Альперова о клоуне Киссо.

Этот клоун выходил из-за форганга — занавеса в проходе — и шел мимо специально выстроенной шеренги униформистов. А одного толстенького, неказистого на вид униформиста ставили ближе к манежу. Киссо бодро проходил мимо строя униформистов, внимательно их осматривая, и останавливал свой взгляд на последнем униформисте. И будто бы неожиданно хихикал оттого, что видел перед собой толстенького смешного человека. Киссо, как бы стесняясь своего смеха, отворачивался в сторону, а потом, не выдерживая, вновь смотрел на этого униформиста и тут же прыскал. Униформист делал вид, что не обращает внимания на смех клоуна: чего, мол, смеетесь-то, я стою, нахожусь на работе, в том, что я толстенький, моей вины нет. И униформист даже делал обиженное лицо. А Киссо начинал смеяться еще больше и призывал публику взглядом поддержать его — смотрите, вот стоит смешной человек и не понимает, что он смешон. И публика вслед за клоуном начинала хохотать.

Смеется публика, все громче и громче хохочет Киссо. Возникал такой заразительный смех, что никто не мог удержаться. Смеялись над Киссо. Смеялись вместе с Киссо. Смеялись над униформистом. Хохотали оттого, что кто-то смешно смеется.

Иногда Киссо выжидал момент, когда публика переставала смеяться, и снова, краем глаза взглянув на униформиста, начинал хохотать. Зрители его поддерживали.

Финал — неожиданный. Обессилев от смеха, Киссо падал на опилки, как бы теряя сознание. Его клали на носилки и уносили с манежа. В момент, когда его проносили мимо униформиста, над которым он смеялся, Киссо приподнимал голову, смотрел на него пристально и тонким голосом издавал звук: протяжное «и-и-и...» — и падал в изнеможении на носилки.

Труднейший номер, требующий большого физического напряжения.

Альперов рассказывал о Киссо со всеми подробностями. На одном из выступлений, когда Киссо, блистательно исполняя коронный номер, довел зал до неимоверного хохота, он, как всегда, упал на ковер. Его положили на носилки и понесли за кулисы. И в тот момент, когда требовалось приподнять голову и увидеть смешного униформиста, Киссо почему-то этого не сделал. Все поняли уже за кулисами. Клоун умер.

Свеча горит на голове

Раздается звонок в квартиру. Хозяйка открывает дверь.

— Здравствуйте, я настройщик. У вас рояль?

— Да, но мы вас не вызывали.

— Зато меня вызывали ваши соседи.

Из услышанных анекдотов

Музыкальным воспитанием занималась с нами Евгения Михайловна Юрская, жена художественного руководителя цирка Юрия Сергеевича Юрского. Их семья жила при цирке вместе с маленьким сыном Сережей, ставшим впоследствии известным артистом.

Уроки Евгении Михайловны проходили весело, интересно, эмоционально. Она придумывала различные музыкальные этюды, разучивала с нами песни, старалась воспитать у нас вкус к музыке.

В студии многие удивились, когда на вопрос, кто на чем хочет учиться играть, я выкрикнул: «На банджо!». Большинство, естественно, хотели научиться играть на трубе, аккордеоне, саксофоне... А я — на банджо. Желание играть на этом инструменте возникло после просмотра английского фильма «Джордж из Динки-джаза», герой которого пел песни, аккомпанируя себе на банджо. С просмотром этой картины мне все время не везло. Помню, в годы войны я получил задание отвезти пакет в штаб армии. Отнес пакет и, имея три часа свободного времени, решил посмотреть «Джорджа из Динки-джаза» в кинотеатре «Молодежный». Об этой картине я много слышал. И, узнав, что она демонстрируется в блокадном Ленинграде, обрадовался.

Только начался фильм, объявили тревогу. Сеанс прервали. Все ушли в бомбоубежище. Через несколько дней я опять оказался в Ленинграде с пакетом. Пошел посмотреть этот фильм в тот же кинотеатр. Но через десять минут после начала сеанс прервали из-за артобстрела. Когда он закончился, я вернулся в кинотеатр, но всем объявили: «Нет света, сеанса не будет».

В третий раз объявили демонстрацию фильма у нас на батарее. «Ну теперь-то уж я посмотрю эту картину», — думал я. Ирония судьбы: оказалось, что в коробку вложили другую картину. В 1944 году, когда наша батарея охраняла аэродром под Псковом, вдруг нам привезли фильм «Джордж из Динки-джаза». На сеанс шел с трепетом, ожидая, что сейчас что-нибудь произойдет и я опять не увижу картины.

Но на этот раз, к счастью, привезли именно «Джорджа...», отлично работала наша передвижка, и я с огромным удовольствием от начала до конца посмотрел фильм.

Артист, исполнявший главную роль, мне понравился. А когда отец (мы вместе с ним посмотрели эту картину сразу после войны) сказал мне, что я чем-то похож на актера, сыгравшего роль Джорджа, то я еще больше полюбил этот фильм.

Мое желание учиться играть на банджо решили удовлетворить и сообщили, что со мной будет заниматься артист Александр Макеев. Сам Макеев! Я прямо замер от радости.

Братьев Макеевых я видел в цирке еще до войны. Они выступали с превосходным номером. Двое красивых юношей в синих с блестками костюмах спускались по лестнице со сцены на манеж, исполняя на саксофонах лирический вальс Дунаевского. Затем они показывали силовой акробатический номер. В годы войны один из братьев, Володя, погиб, Александр был в партизанах и после окончания войны вернулся в цирк. Он блестяще владел многими музыкальными инструментами.

Долго уговаривал меня Макеев не браться за банджо. Но я настаивал на своем. На складе цирка нашли разбитый инструмент без струн, с прорванной кожей. Я долго ходил с ним по мастерским, умоляя починить. Наконец кожу, которую невозможно было достать, нашли. Натянули на банджо, и начались уроки.

Забрав банджо домой, я стал репетировать.

Звуки из наших окон разносились по двору: скрябающие, пронзительные и довольно противные. Народ испуганно смотрел на наши окна. Увы, с каждым днем я все больше и больше разочаровывался в инструменте и в конце концов сказал Макееву, что, пожалуй, учиться на банджо не буду. Так с музыкой ничего не вышло.

Мне очень нравилось жонглировать. Цирковой столяр вырезал мне из фанеры кольца. Я обмотал их изоляционной лентой и начал ежедневно тренироваться дома. Стою около кровати и бросаю кольца. Вся посуда убиралась в шкаф, потому что в первый же день я своими кольцами разбил любимую чашку отца.

На занятиях по жонглированию наш педагог Бауман, отлично знающий историю цирка, рассказывал о многих интересных номерах. Как-то рассказал и о таком трюке. Выходил на манеж человек в цилиндре, в верхней части которого было отверстие. В это отверстие артист по очереди ловил подброшенные вверх подсвечник, свечу, горящую спичку и спичечный коробок. Когда он снимал цилиндр, удивленные зрители видели, что на голове у него стоит подсвечник с горящей свечой, а рядом лежат спички.

Я услышал об этом номере и подумал, как это эффектно выглядит, но как, наверное, трудно исполнить.

— А ничего трудного тут нет, — сказал Бауман, — под цилиндром на голове стоит заранее приготовленный второй подсвечник с уже зажженной свечой и коробком спичек. Внутри же цилиндра — решетка, на которой задерживаются падающие предметы.

Я тогда решил: обязательно сделаю подобный номер.

Для этого пришлось изготовить специальный цилиндр. Когда он был закончен, я долго возился с решеткой. И ко всему еще придумал колпачок, который должен прикрывать пламя свечи. В колпачке, чтобы не гасла свеча, сделал специальные дырочки для воздуха.

Но как только цилиндр с горящей свечой надевался на голову, то горячий стеарин стекал мне на волосы. Пришлось придумывать приспособление, задерживающее стеарин. Наконец, когда все технические детали были выполнены, начал репетировать. Однажды, правда, свеча упала, и у меня загорелись волосы. Но я все-таки своего добился.

Когда из Подмосковья к нам домой приехала мамина сестра, я сказал:

— Одну минуточку подождите.

Сам вышел в коридор, где приготовил свечку, надел цилиндр и вернулся в комнату. Сразу же показал первый номер в своей жизни. Самые благодарные зрители: мама, отец и тетка — смеялись.

Два месяца репетиций для одной домашней премьеры. Но, осваивая трюк, я научился мастерить, работать с реквизитом, придумывать. И, уже выступая на манеже, придумывая репризы с исчезновением яйца, выскакиванием бантика из пистолета вместо пули, я всегда вспоминал свой первый трюк с цилиндром.

Мы — жулики

В темном переулке.

— Гражданин, вы не видели поблизости милиционера?

— Нет.

— Тогда снимайте пальто.

Из услышанных анекдотов

«Мы — жулики» — так сказали мы себе с Борисом Романовым, когда получили в производственных мастерских первый раз в жизни костюмы, сшитые специально для нас. Мы уже ходили на примерку и чувствовали себя настоящими артистами, которым шьют костюмы.

Вот мы с Романовым получили в мастерской по два больших пакета с костюмами для новой клоунады.

Пешком с улицы Мархлевского пошли вниз по бульварам к цирку. Кто-то из нас вспомнил рассказ о Тарханове, который иногда, поднимаясь по лестнице к себе домой, любил делать различные актерские этюды.

— А давай мы с тобой сделаем этюд, будто бы мы жулики, — предложил Борис.

Кто такой жулик? Жулик должен нести ворованные вещи. Он должен идти крадучись и испуганно оглядываться.

Среди бела дня две фигуры: один — тощий, длинный (это я), другой — пониже и поплотнее (это Борис) — свернули с Трубной площади к Цветному бульвару. Проходя мимо милиционера, мы специально задержали шаг, а когда отошли немножко, то, изображая испуг, обернулись.

Увидев, что милиционер нас заметил, мы замедлили шаг и почти на цыпочках, ужасно переигрывая, продолжали идти с пакетами. Краем глаза мы заметили, что милиционер нами заинтересовался. Отошли на некоторое расстояние от него и услышали короткий свисток. Тогда мы пошли быстрее. Услышали продолжительный, пронзительный свисток. Мы ускорили шаг, а милиционер за нами. Догнал нас и говорит:

— Стойте! Ваши документы! Мы начали шарить по карманам, а Борис сказал:

— Мы документы в бане забыли.

— А-а, так, понятно, — сказал милиционер и сразу взял нас крепко за руки.

Вокруг собрался народ.

— Да мы из цирка.

— Из какого цирка? — спросил милиционер.

— Из Московского.

Вид у нас непрезентабельный. Оба в старых солдатских шинелях. Романов говорит:

— Да мы костюмы получали. У нас и документы есть.

— Какие документы?

Мы вытащили накладные без печати, с неразборчивой подписью, что выдали нам при получении костюмов.

— А как вы докажете, что вы из цирка? — допытывался милиционер.

— У нас пропуска есть, — сказал я.

И мы вытащили свои удостоверения. Милиционер придирчиво рассмотрел их и, вернув с неохотой, спросил:

— А что вы в цирке делаете?

— Учимся, — честно сказали мы.

— Ну ладно, идите.

Подходим к цирку, оглядываемся и видим: милиционер продолжает за нами следить, ждет — войдем мы или нет.

Нас смотрит начальство

На экзамене профессор спрашивает студента:

— Вам как лучше, задать один трудный вопрос или два легких?

— Один трудный, — отвечает студент.

— Тогда так: где впервые на земном шаре появились обезьяны?

— На Арбате.

— Почему?

— А это уже второй вопрос.

Из услышанных анекдотов

Управляющий цирками Н. Стрельцов, художественный руководитель цирка Ю. Юрский, самый знаменитый клоун Карандаш, дрессировщик и клоун В. Дуров, силовой жонглер В. Херц, директор циркового училища, в прошлом жонглер В. Жанто — все они сидели в экзаменационной комиссии, которая оценивала результаты нашей работы за первый учебный год. Из гостей в комиссию пригласили И. Раевского, артиста и педагога МХАТа.

Мы нервничали. Первый раз нашу работу смотрели руководство цирка, начальство из Главного управления.

Подбадривали нас, хотя и сами волновались, М. Местечкин и А. Федорович.

Отрывок, который мы показали с Георгием Лебедевым из «Женитьбы» Гоголя (я играл Кочкарева), никакого впечатления на комиссию не произвел.

Во время же этюда, в котором я принимал участие, все хохотали. А в конце экзамена мы показали массовый этюд — капустник. Тема капустника — цирк. Мы отталкивались от программы, идущей в то время в Москве. Известную дрессировщицу Ирину Бугримову изображал Кузовчиков, а трех львов на тумбах — Романов, Савин и я. Львы вели себя нагло. Вместо работы они чесались, зевали, отмахивались от шамберьера и полностью игнорировали все команды дрессировщицы. Пародию на партерных акробатов сделали Паршин и Станиславский. Я изображал силового жонглера Всеволода Херца, который в то время выступал с блестящим номером. Я выходил на манеж в халате с неимоверно широкими плечами. Когда с меня снимали халат, то все видели, что в плечи халата вставлена палка, а я оставался в трусах: предельно худой, с бутафорскими гирями. Это вызывало смех.

На просмотре присутствовали артисты, участники программы. Многие из них, видимо, впервые смотрели капустник и пародию на самих себя, поэтому воспринимали все бурно и хохотали буквально до слез.

После капустника Раевский, не зная моей фамилии, говорил:

— Вот студент, длинный этот, в отрывках никак себя не проявил. Я даже решил, что он бездарный. Но в этюдах, в капустнике как здорово все у него получалось. Способный парень.

Трех студийцев после экзамена отчислили по профнепригодности, а трех кандидатов, наоборот, перевели в студийцы. Меня просмотр окрылил. И конечно, немалую роль в этом, как я понимаю, сыграло мнение Раевского.

Наиболее успевающих студийцев местком цирка решил отметить. К великому восторгу нашей семьи, мне вручили ордер, по которому я мог в магазине купить галоши.

Первая елка

Однажды один бездарный комик предложил тогда еще безвестному юмористу Джерому К. Джерому продать ему за пять фунтов несколько острот, которые комик хотел выдать за свои. — Эта сделка для нас обоих невыгодна, — ответил Джером. — Если у меня увидят пять фунтов, то решат, что я их украл. Если от вас услышат хорошую остроту — поймут, что вы ее украли.

Из услышанных историй

Примерно за месяц до начала традиционных елочных представлений в цирке Федорович предложил всем подумать о детской клоунаде для этих спектаклей. Отец придумал для меня с Романовым довольно интересную, на мой взгляд, клоунаду. Я должен играть в ней Лентяйкина, а Романов — положительного клоуна. Действовало там и снежное чучело. По сценарию в чучело залезал Романов, и оно, пугая Лентяйкина, как бы его перевоспитывая, било метлой.

Клоунаду мы принесли в студию. Увы, руководству она не понравилась. Об этом нам пришлось с горечью сообщить отцу.

Через две недели другие авторы написали другую клоунаду, где осталось почти все то же самое, только снежное чучело заменили на бутафорскую елку. Именно в эту елку должен залезать человек, и потом елка, наказывая Лентяйкина, хлестала его ветвями. Правда, Лентяйкина переименовали в Неумейкина.

Узнав, как поступили с его клоунадой, отец обиделся.

— Это же хамство. Ну как так можно? — сокрушался он.

Так в первый раз я столкнулся с плагиатом в цирке.

Нашими переживаниями, конечно же, никто не интересовался. Каждому дали задание отрепетировать эту клоунаду, а лучшим обещали дать возможность отработать ее на утренниках.

После долгих репетиций мы с Борисом Романовым показали наш вариант на утреннике. Маленькие зрители не знали, что от их восприятия зависит наша судьба — работать нам или не работать, и вовсю шумели. Никак нам не удавалось завладеть их вниманием. Зато Котов с Кузовчиковым работали хорошо.

Когда директор цирка Н. Байкалов посмотрел нас, он сказал:

— У нас идут платные спектакли. Романов и Никулин слабо работают. Незачем выпускать их на манеж. Пусть показывают клоунаду Котов с Кузовчиковым.

Байкалов был прав, и мы на него не обиделись. Так комом прошла наша первая елка.

Хождение по мукам

— Доктор, вы удаляете зубы без боли?

— Не всегда. На днях я чуть было не вывихнул себе руку.

Просто анекдот

Из небольшого этюда, который мы с Борисом Романовым условно назвали «Сцена у художника», отец придумал клоунаду «Натурщик и халтурщик». Над ней мы серьезно работали.

Сюжет несложный: художник-халтурщик (Борис Романов) берет натурщика (эту роль играл я) для своей картины «Галоп эпохи». Натурщик сидит верхом на стуле, как на коне, на нем пожарная каска, а в руках пика. Ко всему этому у него болит зуб и от флюса распухла щека. Поэтому он все время вскакивает с воображаемого коня и орет от боли. Чтобы успокоить боль, художник дает ему несколько раз глотнуть спирта. Натурщик начинает спьяну петь, танцевать, а в конце, увидев мазню халтурщика, рвет картину.

Репетировали клоунаду долго. Наконец получили разрешение выступить с ней на манеже. Мы хотели, чтобы нам подыграл Карандаш, работавший в то время в программе Московского цирка. Но он отказался. Несолидно, видимо, считал он, подыгрывать студентам, да и, наверное, антре ему не нравилось.

Первое самостоятельное выступление!

В цирке!!!

На манеже!!!

Это произошло 25 октября 1948 года. Такой день запоминается на всю жизнь.

Нас поставили седьмым номером в первом отделении.

Инспектор манежа Александр Борисович Буше громко объявил:

— Клоуны Никулин и Романов!

И мы показывали «Натурщика и халтурщика». Работали как во сне. Публика кое-где смеялась. Но если говорить откровенно, прошли весьма средне. Правда, Александр Александрович и все студийцы поздравляли нас с дебютом, говоря, что для первого раза мы выступили неплохо.

Но на другой день нас сняли с программы. Почему и кто снял, мы выяснить никак не могли.

Наш художественный руководитель говорил, что это по инициативе Шахета, тот переадресовал нас к Юрскому, который, в свою очередь, отправлял к Байкалову. И никто нам толком не объяснил, почему сняли клоунаду. Правда, мы с Романовым догадывались, что инициатива принадлежит Карандашу. Думается, что он, в общем-то, был прав. Для Московского цирка клоунада получилась слабой.

— Не огорчайтесь, — говорил мне режиссер Борис Шахет. — Впереди еще много выступлений, много радостей. Но знайте, для вас нужно писать репертуар специально, и я об этом подумаю. Непременно.

На память о первом самостоятельном выступлении Александр Александрович Федорович подарил мне и Романову по книге. В книги он вклеил программки Московского цирка с нашими фамилиями. Эта книга до сих пор стоит у меня на полке — «Хождение по мукам» Алексея Толстого.

Но до этого выступления у меня был еще один выход на манеж, когда мне предложили заменить в клоунаде «Лейка» заболевшего партнера Карандаша.

Роль несложная: требовалось выйти на манеж и обратиться к ведущему со словами: «А сейчас я покажу вам интересный фокус. Подождите немного, я принесу из-за кулис свою аппаратуру». Сказав это, мне полагалось уйти с манежа и появиться снова только к концу клоунады для того, чтобы опрокинуть на голову одному из клоунов ведро с водой.

Помню, вбежал я в освещенный зал и растерялся. Публика сидела вокруг, и я не смог допустить, чтобы стоять к кому-то спиной. Поэтому стал вертеться на месте. Пока вертелся, забыл слова. Тогда, остановившись против ведущего с открытым ртом, я от страха замер. Старый опытный Буше сразу все понял. Он бодро спросил меня:

— Насколько мне известно, вы собираетесь показать нам фокус, но вам надо принести аппаратуру?!

— Да!!! — закричал я в отчаянии.

— Ну, тогда идите и принесите, — распорядился Александр Борисович.

За кулисами на меня накинулись артисты, ругая и успокаивая одновременно. Пока шел номер, я несколько пришел в себя и под конец клоунады, как это и полагалось, вышел на манеж и довольно бойко опрокинул на голову одному из клоунов ведро с водой. Затем снова вышел на манеж и с достоинством поклонился публике.

За кулисами меня чуть не избили, потому что ведро я надел на голову не тому, кому требовалось.

И я еще раз понял: сидя за столом студии, можно изучить досконально все, но без настоящей практики клоуном не станешь. Поэтому с радостью принял приглашение Карандаша поехать с ним в Одессу на пятидневные гастроли.

В связи с соревнованиями на первенство Союза по боксу (они в то время всегда проводились в цирке) представления отменили, и Карандаш решил использовать свободные дни для выступления в Одессе.

Бутыль масла и 36 анекдотов

На рынке:
— Почем ваши синенькие?
— Дура, это цыплята.

Записка на дверях парикмахерской: «Парикмахерская закрыта на футбол».

Записка на керосиновой лавке: «Керосина нет и неизвестно».

Записка на дверях лифта: «Лифт вниз не поднимает».

Первый раз в жизни с моим сокурсником по студии Ильей Полубаровым я летел самолетом в Одессу. Мы очень волновались. Карандаш тоже. Для него это были как бы пробные гастроли, ибо в те годы Михаил Николаевич нигде, кроме Москвы, не работал.

Почему выбор Карандаш остановил на нас? Думаю, что большое значение сыграла наша внешность.

Карандаш всегда точно подбирал себе партнеров. Он правильно считал, что цирк — в первую очередь зрелище. Внешность клоунов играет огромную роль. Если один клоун высокий, другой должен быть маленьким. Один веселый, второй грустный, один — толстый, другой — худой.

— У партнеров должно быть всегда какое-то противоречие, разница характеров, даже во внешнем рисунке, — постоянно говорил нам Карандаш.

Маленький, кругленький блондин в очках, постоянно улыбающийся. Таким выглядел Полубаров. Я худой, длинный, сутулый и внешне серьезный. Это сочетание вызывало улыбку.

Михаил Николаевич еще в Москве посмотрел нас в клоунских костюмах. С налепленными носами, в больших ботинках, мы смотрелись довольно сносно. Несколько раз по ночам Карандаш репетировал с нами. Вылетали мы все вместе — Карандаш со своими собачками, Полубаров и я. Все оделись по-зимнему. Я, как всегда, надел шинель.

Михаил Николаевич четко организовывал все свои дела. И на этот раз его жена Тамара Семеновна — она работала у него ассистенткой — заранее вылетела из Москвы, чтобы в Одессе принять багаж, отправленный поездом, провести репетицию с униформой и оркестром, проследить, чтобы в аэропорту нас встретила машина.

Мне тогда исполнилось 26 лет. К тому времени, уже пройдя войну, пережив блокаду в Ленинграде и, в общем-то, познав жизнь, я не испытал многих ощущений, которые знакомы даже мальчишкам. Так, я ни разу еще не плавал на пароходе, а тут вдруг сразу самолет! Я страшно волновался, когда входил в самолет.

Мы приземлились в Одессе и увидели людей в летних костюмах.

Теплынь. Солнце. Море. Улыбки. Улицы все в зелени.

В пять часов дня мы приехали в цирк. Реквизит уже распакован. Электрики стояли на местах. Униформисты ждали команды начать репетицию. На кассовом окошечке красовалась надпись: «Все билеты на гастроли Карандаша проданы».

Перед выступлением Карандаш всегда нервничает, а тут как-то особенно разволновался. Он путал, где что лежит, долго не мог найти необходимых вещей из реквизита. Только отрепетировали, и нужно сразу начинать гримироваться. Начали гримироваться, выяснилось — не взяли с собой зеркало.

Карандаш мечется по комнате, руки у него трясутся.

Я из Москвы взял с собой кусок отбитого зеркала и поставил его на подоконник. Спокойно гримируюсь. Карандаш ко мне подскочил, схватил осколок зеркала и бац его об пол. Разбил на мелкие кусочки.

«Ну все, — думаю, — гастроли для меня сорваны».

Он так кричал, что я убежал в чужую гардеробную, где и закончил гримироваться.

Но спектакль прошел отлично. Принимали, как говорится, на ура.

Карандаш, радостный, ходил по цирку и, потирая руки — его любимый жест, — говорил нам:

— Это пробный шар. Теперь мы выедем на всю зиму. Махнем в Сибирь!

(Верно, позже мы совершили большую поездку в Кемерово, Челябинск, а летом — по Дальнему Востоку.)

Мне приходилось видеть артистов в минуту упоения успехом. Приходилось слышать аплодисменты и скандирование. Но такого триумфа, какой выпал на долю Карандаша в Одессе, я никогда ни до, ни после не видел.

Он по праву считался клоуном номер один. Он купался в славе. Люди его знали и по фильмам «Старый двор», «Карандаш на льду», которые шли по стране.

И вдруг Карандаш приезжает в Одессу! Сенсация!

Мы влились в программу Одесского цирка. В первый день показали одно представление, а в остальные три дня мы давали по четыре представления. Остались на пятый день. За четыре с половиной дня мы выступили шестнадцать раз.

Около цирка стояла конная милиция. Спекулянты продавали билеты втридорога.

Карандаш нас взял с собой в Одессу для того, чтобы мы участвовали в его клоунадах «Автокомбинат», «Сценка в парке», «Лейка» и «Сценка на лошади».

В программе вместе с нами работали клоуны Сергей Любимов и Владимир Гурский. Жена Любимова решила взять надо мной шефство.

— Юра, — сказала она, — ты должен домой привезти из Одессы продукты.

И я вспомнил, что папа просил купить тахинной халвы.

На рынке я купил большую бутыль ароматного подсолнечного масла, полмешка белой крупчатой муки, а для отца — его любимую тахинную халву.

Из Одессы, кроме продуктов, я привез отцу и тридцать шесть новых анекдотов, которые услышал в гостинице.

Это произошло так. В один из вечеров после работы я зашел в номер к одному из артистов эстрады. Там в компании начали рассказывать анекдоты. Я тихонько сижу. Вдруг слышу — один анекдот новый, второй, третий... Я старался их запомнить, но куда там. Анекдоты все прибывали и прибывали. Тогда я вытащил пачку сигарет и на коробке двумя-тремя словами стал записывать.

Из привезенных домой анекдотов больше всех отцу понравился тридцать шестой: «Кошка бежала за мышкой, но мышка юркнула в норку. Тогда кошка залаяла по-собачьи. Мышка удивилась и решила посмотреть, почему это кошка лает как собака. Она высунулась из норки, тут ее кошка схватила, съела и, облизнувшись, сказала: “Как полезно знать хотя бы один иностранный язык”».

Мы продолжаем спотыкаться

Плывет океанский пароход. В кают-компании один из пассажиров, фокусник, развлекает команду. Вся команда, и даже попугай капитана, сидя на жердочке, смотрит с интересом фокусы. Фокусник показывает всем пустое покрывало. И вдруг вынимает из-под него аквариум с рыбками. Все аплодируют. Попугай от восторга хлопает крыльями.

Фокусник накрывает аквариум покрывалом, потом сдергивает его — аквариум исчез. В это время пароход налетает на мину. Взрыв! Пароход затонул.

На волнах лишь обломок мачты, на которой сидит попугай.

Он смотрит внимательно на воду и говорит: «Интересно, что он нам еще покажет?»

Из иностранного юмора

Собрав всех студийцев, наш художественный руководитель сказал:

— У меня есть мысль сделать массовую клоунаду, не похожую на все, которые шли в цирке. И такая клоунада есть. Клоунаду нам прочли. Многим она не понравилась, но тем не менее ее одобрил художественный совет цирка, приняло руководство студии, и для нас всех, оказывается, даже заказаны костюмы.

Смысл клоунады такой: молодые, как их называли, новые, современные клоуны, одетые в красивые костюмы, сшитые из крепдешина по эскизам художника Рындина (шелковые шаровары, красные тапочки, пестрые курточки, разноцветные каскетки на резиночке), дают бой Старому клоуну. По замыслу автора мы, молодые, должны появляться с песней, спускаясь с лестницы и, застывая в красивых позах, приветствовать публику. После этого выбегал Юрий Котов в традиционном клоунском костюме Рыжего: в больших ботинках, в шляпе с пером и с зонтиком. Трюк с зонтиком он позаимствовал у Мозеля. Этот клоун все свои клоунады начинал с того, что выходил с зонтиком и долго искал место, куда бы его поставить. Когда он ставил его на ковер, зонтик складывался в гармошку, и Мозель, показывая на него, говорил: «Беркулез». Публика почему-то смеялась.

Тут появлялись мы. Увидев нас, Старый клоун спрашивал:

— Кто вы?

— Молодые клоуны! — отвечали мы хором.

— А что вы умеете?

Мы показывали странный, на мой взгляд, фокус с появлением и исчезновением шарика. Старый же клоун демонстрировал традиционный фокус с уезжающими ботинками.

Затем открывался большой сундук, и Старый клоун всех нас, молодых клоунов, заставлял в него влезать. Внизу незаметно открывался люк, мы уходили под арену, а как только Старый клоун радовался, что он избавился от нас, мы снова выбегали со всех сторон, хватали его и увозили на тачке за кулисы под галоп, который играл оркестр. Слабоватая клоунада.

Репетируя, мы видели, что пожарники, сторожа, конюхи смеются лишь над шутками Старого клоуна, не принимая всерьез нас, молодых.

Просмотрев нас, Юрский сказал:

— Это нужно дорабатывать.

Однако клоунаду так и не доработали. Она попросту провалилась.

Костюмы в дальнейшем использовали для парадов, прологов, а о клоунаде никто и не вспоминал.

Все артисты не без основания говорили: «Ну какие вы клоуны?!» — а Карандаш мрачно заметил:

— Вы играете клоунов, а нужно ими быть. И вообще непонятно, чему вас учат в вашей разговорной конторе? (Так он называл нашу студию.)

Гениальный Мишо

Некто набирает в три часа ночи номер телефона. Сонный голос отвечает:

— Слушаю...

— Это телефон 233-18-44?

— Вы с ума сошли? У меня вообще телефòна нет.

Из абстрактных анекдотов

Однажды Александр Александрович вошел в класс какой-то загадочно-торжественный и начал рассказывать о знаменитом клоуне Мишо.

— Гастролей знаменитого клоуна, — рассказывал он, — все парижане ждут с нетерпением. Только пятнадцать дней в году выступает на манеже известный клоун Франции. Как правило, весной. Стоит появиться имени Мишо на афишах, и у касс цирка сразу выстраивается огромная очередь желающих купить билеты на представления с его участием, хотя и продаются они по повышенным ценам.

После обычных номеров программы в конце отделения ведущий выходит на манеж и произносит только одно слово:

— Мишо!

Публика взрывается аплодисментами. Скандирование продолжается все время, пока, освещенный прожекторами, медленно выходит из-за занавеса на манеж, склонив голову, одетый в традиционный костюм клоун Мишо с безвольно опущенными руками. Посредине манежа он останавливается, выдерживает паузу и резко вскидывает голову.

Публика видит его ослепительную улыбку.

Он начинает радостно смеяться. Он как бы впервые вдруг замечает зрителей и начинает смеяться над ними, показывая на них пальцем и хлопая себя руками по бедрам.

Публика начинает потихоньку смеяться.

Артист смеется еще сильнее и громче.

И весь зал заражен его смехом.

Тогда клоун начинает визжать и кататься по манежу. Зрители, глядя на его веселье, просто умирают от смеха.

Так начинает свое выступление знаменитый Мишо.

Когда же зал грохочет и сотрясается от смеха, Мишо внезапно становится серьезным.

Как бы вспомнив что-то, он лезет во внутренний карман пиджака и вытаскивает оттуда маленькую собачку и, держа ее на ладони левой руки, вынимает из кармана правой рукой сигару, которую затем вставляет собачке в рот.

Вспыхивает зажигалка. Собачка, прикурив, сидит на ладони, дымя сигарой.

— Курите сигары табачной фирмы «Пеликан»! — говорит громко Мишо.

После этой фразы собачка убегает с манежа.

Мишо подают скрипку. В это время из бокового прохода вылетает белый голубь. Он садится артисту на плечо.

Мишо играет на скрипке какую-то очень простую мелодию.

Вдруг артист начинает фальшивить. Никак не удается одна нота.

Мишо нервничает, бьет смычком по скрипке. Лопаются струны.

Скрипка отброшена на ковер. Артист вынимает из кармана блестящую монетку, показывает ее публике, пробуя на зуб, как бы проверяя, не фальшивая ли, свистит в два пальца, и от этого свиста взлетает голубь.

Мишо подбрасывает монету вверх. Голубь налету ловит ее. Садится на плечо к артисту и отдает монету.

Снова свист, и голубь взлетает и ловит подброшенную монету, возвращаясь обратно на плечо к артисту.

Третий раз монета летит под самый купол цирка.

Голубь стремительно пикирует на нее, но, промахиваясь, падает и, ударившись грудью о манеж, неподвижно застывает на ковре.

Мишо кидается к мертвому голубю. Поднимает его, рассматривает и бережно кладет на ковер.

После этого артист начинает метаться по манежу, заламывает руки, замечает скрипку, хватает ее и, поспешно натянув одну из струн, начинает играть печальную мелодию. На одной струне. Он играет, и крупные слезы текут по его худому лицу. Слезы... по лицу...

И вместе с артистом начинает плакать, нет, не плакать — рыдать весь зрительный зал. Зал, который несколько минут назад покатывался от смеха.

Оборвалась мелодия. Мишо роняет скрипку. Потом поднимает голубя, прижимая его к груди, и, низко опустив голову, медленно бредет по манежу к выходу. И у самого выхода с манежа он вдруг резко поворачивается к публике и подбрасывает голубя вверх...

Голубь летит вокруг манежа. Мишо свистит и машет ему рукой. Играет оркестр. Зал раскалывается от криков и бури аплодисментов...

После рассказа Александра Александровича мы все некоторое время сидим молча, и кто-то, нарушая тишину, вдруг говорит:

— Вот это артист!

Лично я был потрясен. На меня рассказ о Мишо произвел сильное впечатление. Я отчетливо себе все представлял и мучительно думал, как же клоун так здорово сумел выдрессировать голубя.

О зарубежном цирке в то время мы почти ничего не знали и поэтому все, что слышали о работе иностранных артистов от других, всегда принимали на веру.

Много лет спустя, будучи во Франции, я расспрашивал многих деятелей цирка о великом Мишо, о его трюках, но все в ответ лишь пожимали плечами.

Выяснилось, что никакого Мишо не было.

Видимо, наш художественный руководитель сам придумал эту историю, чтобы, как он говорил, «бередить нашу фантазию». Нас это действительно взбудоражило, неделю мы все обсуждали услышанное. Мишо для меня остался вершиной клоунского искусства. Искусства, которого мы никогда не достигнем, но к которому нужно стремиться, стремиться.

Я надеваю рыжий парик

Белый: Почему у тебя такие большие ботинки?
Рыжий: Потому что я привык жить на широкую ногу!

Старинная клоунская реприза

На одном из занятий нам рассказали, как известный артист Борис Тенин, любивший цирк, решил выступить на манеже с клоунадой. До этого он в одном из спектаклей сыграл удачно роль клоуна. И вот артист захотел попробовать себя в качестве клоуна в цирке. Он отрепетировал клоунаду, но во время его выступления никто даже не улыбнулся.

Он был несмешной. Он не был клоуном. Он только играл его. Борис Тенин переделал клоунаду, ввел в нее музыкальные инструменты и новые трюки. И снова провал.

Известный талантливый артист ушел из цирка расстроенный.

Играть клоуна или быть клоуном? Это принципиальный вопрос. Я считал тогда, что клоуна играть нельзя. Мне казалось, что надо родиться смешным человеком. Если такой человек поставит перед собой задачу смешить людей, то у него это получится.

В студии высказывались разные мнения о клоунаде, о масках современного клоуна. Одни считали, что самое главное — это придумать маску, походку, и пусть образ не имеет никакого отношения к человеку, выступающему на манеже.

Существовало и такое мнение, что клоуну совершенно необязательно быть смешным человеком по натуре. Ведь некоторые клоуны в жизни довольно грустные люди, а порою и нудные.

Возникало много споров и о новой, современной клоунаде. Некоторые требовали напрочь отказаться от традиционных масок Рыжего и Белого.

«Долой большие носы, рыжие парики и большие ботинки!» Этот лозунг бросил Байкалов. И он нашел поддержку у некоторых режиссеров и артистов. Клоунов стали одевать в хорошо сшитые модные костюмы. Работали они в нормальных ботинках. На манеже со старыми репризами действовали этакие «красавчики».

Карандаш говорил нам:

— Это все временно. Публика этого кушать не будет. Клоун должен быть таким, каким его привыкли видеть. Нельзя сразу отрываться от старого. Я вот сколько искал грим и костюм. Все постепенно надо делать. От старого не отрывайтесь.

У нас с Борисом освоение образов началось с поисков грима. Борис сделал мне парик. Мы решили — пусть будет мой герой с короткой стрижкой под мальчика, этакий великовозрастный дурачок, длинный, худой, нескладный. Отсюда появился парик, выкрашенный красным стрептоцидом и ставший поэтому ярко-рыжим. Был вылеплен длинный нос и нацеплены большие очки без стекол. Очки с молодым лицом не вязались, но нам казалось, что так будет смешнее. Помню, что мне очень хотелось сделать большие резиновые уши, оттопыренные, как у обезьяны. Потом эта идея почему-то отпала.

Теперь от того грима у меня, конечно, ничего не осталось. Я вообще стараюсь как можно меньше гримироваться. Но в то время мы были уверены: без яркого характерного грима выходить на манеж нельзя.

Долго ломали головы над костюмами. Наконец для меня придумали: маленькая кепочка, кургузый зеленый пиджачок с короткими рукавами, нелепые лыжные штаны, два помпончика, висящие на шнурочке вместо галстука, и длинные, остроносые клоунские ботинки.

Загримированные и одетые в клоунские костюмы, мы с Борисом подолгу рассматривали друг друга. В сомнении я стоял перед зеркалом, пристально рассматривал себя, двигался, пробовал читать стихи и никак не мог понять, удачно найдены грим и костюм или нет. Но Борис меня успокоил:

— А ты знаешь, вроде смешно... Ей-богу, смешно!

Только выйдя на публику, я понял, что все наши поиски — это еще далеко не то, что нужно. И, видимо, придется еще долго и упорно пробовать разные костюмы, искать другой грим, прежде чем появится маска, внешний облик, который приведет к успеху.

Клоун по диплому

Один учитель жалуется другому:
— Ну и класс мне попался тупой. Объясняю им теорему — не понимают. Второй раз объясняю — не понимают. Третий раз объясняю — сам понял, а они все равно не понимают...

Из гимназических анекдотов

Александр Александрович часто нам говорил:

— Хорошо бы из нашей студии выпустить артиста — циркового Райкина, или пусть кто-нибудь из вас создаст Теркина на манеже. Думайте, думайте! Бередите фантазию!!

Увы, когда мы заканчивали студию, все понимали, что не стали ни Райкиными, ни Теркиными в цирке. Пришла пора каждому свой номер готовить к сдаче руководству. Меня и Бориса Романова направили в специальную студию Главного управления цирков по подготовке номеров, чтобы «довести» наш номер. Художественный руководитель студии, в прошлом акробат, при первой же встрече сказал нам:

— Клоунаду я вам сделаю. Сам в свое время работал в цирке. Поэтому прекрасно знаю клоунаду. Я сам придумаю ее, сам ее напишу и поставлю.

Когда я об этом рассказал отцу, он заметил: «Ну значит, и сам будет ее смотреть».

— Это будет иллюзионная клоунада, — заявил наш режиссер. — Вещи то появятся, то пропадут, есть такое специальное приспособление. Вы, Никулин, выйдете на манеж с большим ящиком, вытащите из него ящик поменьше, поставите на большой и спрячетесь в него от Романова, а сами незаметно (чертежи системы секретных дверей я сделаю сам) перелезете в другой ящик. Это смешно, проверенный трюк. Когда же маленький ящик, где якобы сидит Никулин, поднимется на лонже под купол, то ящик рассыплется и вниз упадет чучело, изображающее Никулина. Униформисты его поймают и быстро унесут за кулисы. Так быстро, что зрители не поймут — чучело это или живой Никулин падает. И тут вы сами появитесь из большого ящика.

Нам это понравилось. Тем более что говорил сам руководитель студии. Начали репетировать. Но ничего не получилось. Ящики сделали такими, что их невозможно было поднять, механизм секретных дверей не срабатывал, я все время застревал в этих дверях.

А вот чучело — его делали в мастерских Большого театра — получилось похожим. Сначала в бутафорском цехе с моего лица и рук сняли слепки. Меня раздели до трусов, положили на холодный стол, голову и руки поместили в специально приготовленные ящики. Потом заткнули ноздри и уши ватой, сунули в рот трубочку из картона, чтобы я мог дышать, и сказали:

— Сейчас будем заливать гипс.

Там был один художник — удивительно мрачный тип. Он, равнодушно оглядев меня, скомандовал:

— Ну, начнем захоронение.

Меня предупредили: когда польется гипс — он холодный, а при затвердении нагреется.

Это был кошмар. Я перестал слышать и видеть. Сначала гипс был противно холодный, потом он действительно стал нагреваться и все сильней и сильней сдавливал мне голову и руки. И я подумал: «Вот так замуровывают людей».

Затем гипс сняли и по этой форме отлили руки, голову. Сделали туловище. Потом чучело одели в такой же точно клоунский костюм, как у меня.

Нам было по 27 лет. Ну что мы могли сделать с чучелом? Ясное дело — разыгрывать всех. То подвяжем фигуру на крюк, будто бы человек повесился. Кто-то входит в гардеробную и в ужасе оттуда выскакивает: Никулин повесился! Чучело выглядело натурально и раскачивалось в петле тоже весьма натурально. Или входил человек к нам в гардеробную, а на него падало чучело. Крики были, обмороки. К фигуре привязывали ниточки — можно было двигать руками, ногами. Приходили гости и с удивлением смотрели, как два Юрия Никулина играют между собой в шахматы.

Нашу клоунаду с ящиками после первого же просмотра забраковали. Тогда с нами начал работать другой режиссер, тоже бывший цирковой акробат, который решил поставить нам старое антре «Шапки». В свое время «Шапки» мастерски исполняли Демаш и Мозель. У нас же получалось плохо.

— Учтите, это самая трудная клоунада, — сказал как-то, придя на нашу репетицию, Карандаш. — Нужно уметь каждую шапку, которую надевает Рыжий, как следует обыграть, преподнести публике с разной обыгровкой. Что идет Мозелю, не годится для вас. Ищите свое.

Пришлось нам и «Шапки» бросить. Фактически для выпуска у нас осталась лишь клоунада «Натурщик и халтурщик». Она считалась принятой руководством, и ее включили в наш репертуар.

Остальные студийцы готовили с режиссерами свои клоунады, но они тоже, как выяснилось позже, оказались не очень удачными. Некоторые же ребята заканчивали свою учебу вообще без репертуара и без всяких перспектив на дальнейшую работу в цирке.

Никакого специального выпускного показа не было. Каждый отдельно сдавал свою клоунаду руководству и тогда получал зачет.

А 25 ноября 1948 года все собрались на втором этаже Московского цирка. Заместитель начальника главка произнес небольшую речь, смысл которой сводился к тому, что нам еще предстоит много работать, чтобы утвердить себя, и, пожимая каждому руку, вручал дипломы.

Конечно, все мы хорошо представляли, что главное впереди. Студия нас взрастила, но «дозревать» на публике придется уже самим. Как и все, я получил красную картонную книжечку — диплом.

Так я стал клоуном по диплому.

После окончания учебы в студии я задумался о нашей с Борисом Романовым дальнейшей работе. Мы — клоуны по диплому. Что мы имели с Романовым? Одну сомнительную клоунаду, почти не проверенную на публике, три клоунских костюма, бутафорскую фигуру Никулина, толстую бамбуковую палку, расщепленную на конце, чтобы слышался треск, когда ударяешь этой палкой по голове партнера, и громадную никелированную английскую булавку, подаренную нам клоуном Любимовым. И все?! Нет.

Была еще у нас жажда работать на манеже, желание искать, пробовать. Конечно, мы с Борисом Романовым были людьми наивными, считая, что достаточно выучить текст (хорошо бы смешной), иметь забавные костюмы, выйти на манеж — и все у нас легко получится. Мы очень хотели побыстрее выйти на публику и только в будущем поняли, что нам многого не хватало, что мы не владели даже азами профессионализма.

КАК Я СТАЛ КЛОУНОМ

Клоун должен белить свое лицо,
чтобы его могущественные противники
не заметили, как он бледнеет.

Станислав Ежи Лец

Еще в студии я решил завести записную книжку, чтобы записывать в нее рассказы цирковых актеров, анекдоты, смешные случаи. Я купил толстую общую тетрадку в клеточку. И спустя много лет, листая эту тетрадку, всегда мысленно переносился в то время, когда делал первые шаги на манеже или, уже став профессиональным артистом, выезжал с цирком за пределы страны.

Одна из коротеньких записей в тетрадке в клеточку — фраза:

«Мама русского клоуна плакала»

Весной 1958 года поздней ночью в маленьком шведском городке Боросе мы, артисты советского цирка, после трех представлений должны были выехать в Гётеборг — место основных гастролей нашей труппы.

Воздушная гимнастка Валентина Суркова, Михаил Шуйдин, я и переводчица пересели из автобуса (нам не хватило мест) в машину нашего импресарио господина Алквиста, важного, упитанного человека с маленькими усиками а-ля Гитлер.

Громадная распластанная американская машина неслась со скоростью сто миль в час по прямому шоссе. На широком переднем сиденье за рулем — администратор фирмы, рядом сам Алквист и переводчица. Сзади я и Миша, а посередине маленькая усталая Валентина. Сначала молчим. От усталости не хочется говорить. Неожиданно Валя тихо запела: «Степь да степь кругом...». И пошли русские песни, которые мы с наслаждением пели одну за другой: они по-особенному, по-родному звучали во время этой ночной поездки. Господин Алквист пытался даже подсвистывать. Когда мы перестали петь, Алквист через переводчицу спросил меня:

— Юрий, почему вы в жизни совершенно другой, чем на арене?

— Такая уж у меня профессия — клоун.

— А когда вы захотели стать клоуном?

— С пяти лет, после первого посещения цирка, — ответил я.

— И с тех пор вы думали об этом? — спросил Алквист.

— Нет, потом я мечтал стать пожарником, конным милиционером.

— Я тоже хотел быть пожарником, — улыбнулся Алквист.

Возникла пауза. Чтобы как-то поддержать разговор, я рассказал старый анекдот: «Одна пожарная команда все время опаздывала на пожары, и после очередного опоздания брандмейстер издал приказ: “В связи с тем что команда систематически опаздывает на пожар, приказываю со следующего дня выезжать всем за 15 минут до начала пожара"».

Все засмеялись. Алквист спросил:

— Юрий, а как реагировали ваши родители на то, что вы пошли работать в цирк?

— Мама возражала. Она больше любила театр, а отец поддержал меня.

— А когда мама увидела вас в первый раз в цирке клоуном? Как она реагировала?

— Ну как реагировала? Естественно, растрогалась и даже прослезилась.

На этом разговор закончился.

На следующий день утром в наш номер гостиницы с багровым лицом влетел руководитель поездки Байкалов и, поздоровавшись, с ходу набросился на меня:

— Когда вы успели дать это дикое интервью?

Мы с Мишей переглянулись и честно сказали, что никакого интервью никому не давали.

— Не давали? — возмутился Байкалов. — А это что?

И он протянул нам утренний выпуск гётеборгской газеты, на первой странице которой был помещен большой портрет де Голля с крупным заголовком: «Де Голль приходит к власти», а ниже фотография поменьше — мы с Мишей, загримированные, в клоунских костюмах. Над фотографией жирный заголовок статьи: «Мама русского клоуна плакала: сын должен стать пожарником».

В статье рассказывалось о нашем цирке. Журналист как бы ходит по цирку, разговаривает с людьми, наблюдает за подготовкой к представлению. После «разговора» с гимнасткой Валентиной Сурковой, «королевой воздуха», которая смотрит внимательно, как подвешивают ее аппарат, ибо «маленькая ошибка —

смерть!», корреспондент подходит «к двум серьезным мужчинам, которые спорят между собой».

«Серьезные мужчины» — это Шуйдин и я. В разговоре с журналистами я сообщаю (так написано в статье):

«... — Когда моя мама увидела меня на арене, она горько заплакала. Она была против того, чтобы я стал клоуном. Всю жизнь мама мечтала, чтобы ее сын стал пожарником.

— Но, мама, — возразил я, — ведь пожарные всегда опаздывают на пожары.

На что она мне ответила:

— Если бы ты стал пожарным, ты бы приезжал за пятнадцать минут до пожара».

Кончалась статья фразой: «Да, действительно, матери всего мира одинаковы».

Когда мы с Шуйдиным и переводчицей — свидетельницей разговора — объяснили нашему руководителю, что никакого официального интервью никто из нас не давал, а просто возникла беседа с импресарио во время переезда, Байкалов перестал волноваться и гневно смотреть на нас. Тем не менее, уходя из номера, он, обернувшись в дверях, сказал с сожалением:

— Все же нет у тебя, Никулин, бдительности.

Позже выяснилось, что наш импресарио, кроме всего прочего, был совладельцем трех гётеборгских газет и статью он написал сам.

Когда я, вернувшись с гастролей, рассказал об этой истории дома, «мама русского клоуна» долго смеялась.

А в самом деле, почему я стал клоуном? Как становятся клоунами?

Наверное, чтобы идти в клоуны, нужно обладать особым складом характера, особыми взглядами на жизнь. Не каждый человек согласился бы на то, чтобы публично смеялись над ним и чтобы каждый вечер его били, пусть не очень больно, но били, обливали водой, посыпали голову мукой, ставили подножки. И он, клоун, должен падать, или, как говорим мы в цирке, делать каскады... И все ради того, чтобы вызвать смех.

Чем лучше работает клоун, тем больше смеха. В детстве, в школе, а потом уже в армии мне нередко приходилось, так сказать, придуриваться: делать вид, будто что-то не понимаю, задавать заведомо глупые вопросы, заранее зная, что они вызовут смех у окружающих.

Почему люди смеялись? Думаю, прежде всего потому, что я давал им возможность почувствовать свое превосходство надо мной. Поэтому мои неожиданные вопросы, ответы, действия и выглядели смешными. Окружающие понимали, что сами они на подобное никогда не пошли бы. Рассказывая анекдоты, разыгрывая знакомых, я, как правило, сохранял невозмутимый вид, отчего юмор становился острее, лучше доходил.

Это я проделывал еще на уроках истории в школе. Отвечая о царствовании Ивана Грозного, я серьезно рассказывал абсолютно вымышленные, дикие истории из жизни царя. И когда ошарашенный учитель под хохот класса спрашивал меня, откуда мне это известно, я отвечал, что где-то читал.

Или помню, как в первые недели службы в армии на занятиях по топографии при виде обыкновенного циркуля в руках у помощника командира взвода я просил объяснить, что это такое и как это называется. Помощник командира взвода меня еще не раскусил и поэтому терпеливо объяснял, даже писал на доске слово «циркуль». Я делал вид, что никак не могу выговорить это слово, а мои товарищи сидели красные, давясь от смеха, и слезы текли по их щекам.

А в тяжелые дни войны во время затишья после бомбежки или обстрела я старался разрядить гнетущую обстановку каким-нибудь анекдотом или смешной историей.

Иногда эти шутки заканчивались для меня печально.

Мы, солдаты и сержанты, получая увольнительные, хотели пофорсить. Вот и я достал себе офицерскую фуражку, носить которую значит нарушать форму одежды.

Гуляю по Риге в одно из увольнений, уже в мирные, послевоенные дни, и тут меня заметил патруль и забрал.

Привели в военную комендатуру, а там таких, как я, полно. Фуражки наши поснимали и положили на стол.

Мы стоим с обнаженными головами. Те, кто нас привел, надевают наши фуражки, примеривают на свои головы. «Наверное, выбирают себе», — подумал я. Вдруг вошел чернявый старший лейтенант и с ходу, взяв фуражку, надел ее на голову и посмотрел в дверное стекло, как в зеркало.

Я как ни в чем не бывало изрек:

— Вот еще один пришел к шапочному разбору.

Все засмеялись. Старший лейтенант тоже.

Он постепенно всех отпускал, заменяя фуражки на пилотки. Я остался последним.

Получил пилотку... и десять суток ареста. Чернявый лейтенант оказался начальником гауптвахты.

Правда, мне повезло: через три дня наступили Октябрьские праздники, и меня досрочно освободили и направили в часть.

Я всегда радовался, когда вызывал у людей смех. Кто смеется добрым смехом, заражает добротой и других. После такого смеха иной становится атмосфера: мы забываем многие жизненные неприятности, неудобства.

Много доброго можно сделать, если у тебя хорошее настроение. Так и на войне. Смеясь, мы забывали об угрозе смерти, которая ежечасно нас подстерегала, становилось легче жить, появлялись оптимизм и вера...

Я лично на себе все это испытал, и не раз. Слышать смех — радость. Вызвать смех — гордость для меня.

Я тренировался. Одна и та же шутка в различных жизненных ситуациях звучит по-разному. Есть шутки, которые живут долго, а есть как мотыльки — только один день.

Впервые задумываясь о тайнах профессии клоуна, я считал, что клоуны — это люди, заряженные юмором, они знают особые секреты смешного и, стоит им захотеть, они сделают так, что вы будете валяться от хохота.

Я наивно считал, что самые счастливые женщины — жены клоунов. У них в семье всегда весело, каскад шуток за столом, какие-то необыкновенные развлечения, бесконечные импровизации и упражнения в остроумии.

В двадцать пять лет, начав учиться в студии, я с обожанием смотрел на каждого клоуна, ибо все они представлялись мне людьми романтичными и удивительными. Спустя год я мог уже довольно трезво судить о клоунах. Постепенно начиная разбираться в секретах их профессии, понимал, что многое я просто придумал.

«Носом в опилки»

Опилки на манеже нужно уметь правильно разравнивать граблями. Эту науку я так и не могу постичь, хотя много раз стоял в униформе. Ближе к барьеру опилок должно быть больше, иначе не смогут работать лошади. Сегодня у меня заправка опилок получилась буграми, и старший униформист, переделывая мою работу, ругался.

Из тетрадки в клеточку.
Декабрь 1948 года

По-настоящему цирк для меня начался после того, как я закончил студию.

На другой день после получения дипломов мы с Борисом Романовым пришли в цирк просто посмотреть репетицию. Сели в зрительном зале. Почему нас потянуло в этот день в цирк — трудно сказать. Но потянуло! Так бывает в жизни. Когда ты не очень осознанно совершаешь тот или иной поступок, куда-то идешь, и именно тогда и приходит тот случай, который круто меняет твою судьбу.

В моей жизни не раз определяющую роль играл именно случай. Анализируя прошлое и раздумывая о нем, я прихожу к выводу, что он бывает только у тех, кто ищет, кто хочет, кто ждет появления этого случая и делает все от себя зависящее для того, чтобы исполнить свою мечту, желание.

Так произошло и со мной на этот раз. Сидим мы с Борисом Романовым в зрительном зале и смотрим репетицию. Вдруг в боковом проходе появился в своем аккуратном рабочем синем комбинезончике Карандаш. Несколько минут он наблюдал за репетирующими акробатами, а потом, как бы случайно увидев нас, сказал:

— Вы, интеллигенты, не зайдете ли на пару минут ко мне в гардеробную. Есть разговор.

Мы с Борисом поднялись в его гардеробную.

— Носом в опилки надо, — начал разговор Карандаш, — работать на публике. Хотите со мной поехать в Сибирь на гастроли? У меня проверенные клоунады, репризы. Будете моими ассистентами и партнерами. И свои клоунады сможете, если захотите, между делом прокатывать. Обретете опыт. Я вас многому научу.

Выслушали мы Михаила Николаевича и растерялись. Никак не ожидали от него получить приглашение работать вместе. Попросили дать нам возможность подумать до следующего дня. Карандаш согласился.

Партнеры Карандаша!

Предложение выглядело заманчивым. Мы рассказали о нем своим товарищам по студии, уверенные, что услышим от них слова одобрения. Но почти все говорили, чтобы мы ни в коем случае не шли работать к Карандашу.

— Вы с ума сошли! У вас диплом, а вы в ассистенты пойдете... — говорили многие.

Только Александр Александрович Федорович, выслушав нас внимательно, грустно посмотрел, вздохнул и сказал:

— Решайте сами. Боюсь, что он станет вас переучивать, навязывать свое, то, что выгодно только ему. Но в то же время работа с ним — школа. К манежу привыкнете. Кто его знает? Как этап — это вполне может быть. Подумайте...

Имя Карандаша, овеянное легендами, произносилось непременно с улыбкой. Карандаш — эпоха в цирке.

Часто о нем рассказывал мне отец, которому еще перед войной заказали написать брошюру о творчестве Карандаша. Отец встречался с ним несколько раз, бывал у него дома. И о каждой встрече с артистом подробно рассказывал нам с мамой.

— Слушать его можно часами, — говорил отец. — О многих явлениях в цирке у него оригинальные и меткие суждения.

Тогда же я узнал о трудном пути, который прошел артист, прежде чем стать знаменитым клоуном. Отец с увлечением начал работать над брошюрой, но так и не закончил ее — помешала война.

Помню, кто-то из ребят на одном из занятий в студии крикнул: «Карандаш! Карандаш приехал». И мы все высыпали в коридор, чтобы посмотреть на Михаила Николаевича, который приехал в Московский цирк за несколько дней до открытия программы с его участием. В то время Карандаш находился в зените славы.

Маленький, подвижный, в хорошо сшитом модном костюме, волосы чуть тронуты сединой — таким я его увидел в первый раз. Его серо-голубые глаза чуть прищурены. Волосы расчесаны на аккуратный пробор. Движения мягкие. Он выглядел моложе своих сорока пяти лет.

Спустя некоторое время он побывал у нас на занятиях в студии, прочел лекцию «О смешном в цирке». Карандаш говорил высоким голосом, но совершенно не таким, как на манеже. Внимательно смотрел этюды, которые мы показывали.

Через несколько дней в перерыве между занятиями он подошел ко мне в коридоре и спросил:

— Как ваша фамилия?

— Никулин.

— А вы ко мне, Никулин, заходите в гардеробную. Я вам многое расскажу. Вас этому не научат в вашей разговорной конторе.

Через несколько дней, поборов стеснительность, я с волнением постучался и вошел в его гардеробную.

Это была небольшая продолговатая комната с одним окном, выходящим на цирковой двор. С правой стороны стоял трельяж. Огромное в деревянной раме зеркало. На столе перед зеркалом деревянная болванка для парика. Рядом стопочка лигнина — специальной мягкой бумаги для снятия грима. Тут же большая коробка с гримом и около десятка всяких флакончиков. По стенам комнаты развешаны фотографии. Все под стеклом, аккуратно окантованные. На одной из них Карандаш в маске гитлеровца стоит у бочки на колесиках. (Бочка изображает фашистский танк.) На другой — Карандаш снят со своей любимой собачкой Пушком, на третьей он стоит в белом парусиновом костюме, с клоунским громадным портфелем.

На вешалке — несколько костюмов. Отдельно висят два пиджака: трюковый, из-под которого в нужный момент может пойти дым, и зеленый, в который вмонтированы маленькие электрические лампочки. Под Новый год в зеленом пиджаке Карандаш появился на публике. Из зрительного зала лампочки не видны. Карандаш выходил на манеж, и Буше его спрашивал:

— Карандаш, а почему ты без елки?

— А зачем мне елка? — чуть капризно и удивленно отвечал он, а сам нажимал на выключатель, спрятанный в кармане, и по всему пиджаку загорались лампочки. Они мигали, и Карандаш, будто маленькая зеленая елочка, под смех и аплодисменты зала уходил с манежа...

Вдоль стен комнаты стояли два добротных черных кофра с блестящими медными замками. Кофр — большой сундук, окованный железом, с отдельными секциями для обуви, одежды, которая может храниться в нем прямо на вешалках. На кофрах сидели две черные лохматые собаки. Они залаяли, когда я вошел.

Но самое главное — хозяин комнаты. В синем комбинезоне, со стамеской в руках, он стоял посередине комнаты. Трудно было поверить, что передо мной знаменитый артист.

Полчаса, почти не делая пауз, он говорил. Большую часть того, что говорил Карандаш, я не понимал. Речь его была сумбурной, да и я волновался и отвлекался. (То меня отвлекал лай собак, то я засматривался на сундуки, гадая, что же в них спрятано, то рассматривал узоры на занавеске, которая разделяла комнату пополам.) Но основной смысл речей Карандаша понял: он не согласен с тем, как нас учат и чему учат.

— Больше носом в опилки!

Эта фраза звучала рефреном. Он повторял ее раз десять.

Гардеробная Карандаша!

Впервые войдя в эту комнату, я радовался тому, что Карандаш меня пригласил к себе.

Михаил Николаевич работал тогда в Москве весь сезон, трижды менял свой репертуар. Десятки раз мы смотрели его замечательные номера: «Сценку в парке», клоунаду «Лейка», занятную интермедию с ослом и массу реприз.

«Вы еще не артисты...»

— Замуж за артиста? И думать не смей! — возмутился отец.

И все-таки он пошел с дочерью в театр, чтобы увидеть ее избранника. В антракте отец сказал:

— Можешь выходить за него! Он вовсе не артист!

Из тетрадки в клеточку.
Май 1947 года

В Московском цирке шло представление. После выступления блестящей конюшни Бориса Манжелли неожиданно в амфитеатре появился Карандаш. Как всегда, выбрав удачный объект среди публики (на этот раз он указал пальцем на толстую, краснощекую девчонку), Карандаш с возгласом: «Александр Борисович, Кукарача пришла!» — стал спускаться к манежу.

(Публика засмеялась, так как все помнили смешное название американского фильма «Кукарача».)

В седьмом ряду у самого прохода сидели два парня. Один из них попытался подставить клоуну ножку. Карандаш в ответ на это натянул ему на глаза кепку, а потом закричал инспектору манежа:

— Александр Борисович, тут ребята просят, чтобы я их чему-нибудь научил!

— Ну, правильно, Карандаш, — ответил серьезно Буше. — Надо передавать молодежи свой опыт.

Тогда Карандаш чуть ли не насильно вытащил на манеж этих парней: одного, маленького, в телогрейке и кепочке, все время улыбающегося, и другого, видимо дружка первого, — длинного, одетого в старое кожаное пальто, висевшее на нем как на вешалке, в сапогах и надетой набекрень морской фуражке. Длинный все время стеснялся и пытался уйти с манежа. Карандаш его удерживал.

В это время из первого ряда поднялся подвыпивший пожилой гражданин в очках и довольно бойко перелез через барьер. Карандаш растерялся.

— Что, тоже учиться? — спросил он гражданина.

Тот кивнул головой и подошел к стоящим посреди манежа парням.

Заинтригованный зрительный зал засмеялся: чему же будет учить Карандаш?

А он, поздоровавшись с ними за руку, стал проводить комический медосмотр. Пожилого человека в очках заставил несколько раз присесть, затем послушал у него пульс и пощелкал себя пальцами по горлу, как бы спрашивая: не выпиваешь ли?

Тот, ощерившись беззубым ртом, полез к Карандашу обниматься.

— Нет, не годится! — сказал Карандаш и отправил мужчину на место.

После этого он начал осматривать двух парней: пощупал бицепсы у маленького — остался доволен, а потом долго искал мускулы у длинного, пытаясь их прощупать сквозь рукава кожаного пальто. Затем, заставив ребят снять пальто и телогрейку, скомандовал:

— Давайте лошадь!

На манеж вывели одну из лошадей Манжелли.

— Сейчас начнем учиться верховой езде! — объявил Карандаш.

И тут начался комический номер. Карандаш по очереди сажал парней на лошадь. Они пугались. Лошадь на ходу сбрасывала незадачливых наездников. Парни, прикрепленные к лонже, летали вокруг манежа. Зрители, глядя на этот каскад трюков, на растерянных парней, буквально валялись от смеха. А парни после езды собрали вещи (во время «учебы» они потеряли кепку и фуражку, а у одного из них слетел сапог). В финале, перепутав свои пальто, они возвращались на места.

Вместе со зрителями над этой сценкой смеялись билетеры, музыканты оркестра с дирижером, артисты, стоящие в проходах. Билетерши рассказывали, что, уходя из цирка, многие зрители говорили:

— Ну и посмеялись сегодня. Надо же, как повезло. Такое не всегда увидишь! Каких обормотов из публики вытащил. Есть же такие!

Эту сценку видели и мои товарищи по студии, а я не мог посмотреть ее со стороны, потому что играл в ней роль длинного парня из публики.

В толстой тетрадке в клеточку, на странице с датой 20 апреля 1947 года, записано:

«Карандаш предложил мне репетировать с ним “Сценку на лошади”».

Началось все с того, что Карандаш обратился к художественному руководителю студии с просьбой дать ему двух студийцев для участия в клоунаде, которую он придумал. Выбор Карандаша пал на самого маленького по росту Анатолия Барашкина (того, который блестяще заправлял керосином примус на экзамене) и меня.

Карандаш пригласил нас к себе и долго рассказывал о клоунаде. Мы с Барашкиным должны как зрители сидеть в публике, а Карандаш после конного номера вытащит нас на манеж и начнет учить верховой езде. Там с нами должен произойти ряд комических трюков, ибо мы на лошади ездить не умеем. В этом заключалась суть номера.

— Будем репетировать и придумывать по ходу, — сказал в заключение нашей беседы Карандаш.

Прежде чем репетировать клоунаду, Михаил Николаевич велел нам начать учиться ездить на лошади.

— Не будете уметь ездить, разобьетесь на первом же представлении.

В течение трех недель мы ежедневно приходили в шесть часов утра в цирк и под руководством опытного дрессировщика лошадей Бориса Манжелли учились ездить верхом.

К концу занятий мы даже могли самостоятельно, стоя на лошади, сделать несколько кругов по манежу.

После этого началась работа над клоунадой. Первую репетицию Карандаш назначил на одиннадцать часов утра. Мы с Барашкиным пришли без пяти минут одиннадцать.

— Почему так поздно явились на репетицию? — закричал на нас Карандаш.

— Как поздно? Ведь еще без пяти одиннадцать, — залепетали мы.

— Артист обязан быть готовым к репетиции за полчаса. Надо все принести, проверить, настроиться. Чтоб это было в последний раз!

С тех пор мы приходили на репетицию за час до начала, переодевались, готовили лонжу и «настраивались».

Время репетиций для Карандаша было священным. Рассказывали, что, когда Карандаш еще учился в цирковом техникуме, он познакомился с девушкой и пригласил ее в кино. А чтобы не опоздать на репетицию, он завел дома будильник и положил в карман. В середине сеанса звонок будильника переполошил всех окружающих. На репетицию Карандаш не опоздал, но, говорят, девушка с ним больше не встречалась. Репетируя «Сценку на лошади», я впервые испытал на себе, как делается клоунада. Карандаш приходил на репетицию, держа в руках листок бумаги. Видимо, он заранее разрабатывал трюки, текст и все это записывал. Все, что он придумывал, пробовалось по нескольку раз. Мы с Барашкиным ощущали себя пешками. Куда нас ставил Карандаш, там мы и стояли, по команде падали, по команде двигались. Все распоряжения выполняли беспрекословно, не раздумывая и не обсуждая их. Один только раз я робко сказал:

— Наверное, главное, Михаил Николаевич, чтобы публика не узнала, что мы артисты.

Карандаш, услышав мою реплику, недовольно хмыкнул и назидательно произнес:

— Вы еще не артисты. Надо, чтобы публика не узнала, что вы свои.

Трудным оказался характер у Карандаша. Когда мы что-нибудь не понимали или делали не так, Михаил Николаевич нервничал, кричал на нас. Понятно, он привык работать с профессионалами, а тут перед ним совсем зеленые ученики.

Месяца через полтора «Сценку на лошади» решили попробовать на воскресном утреннике. Конечно, все студийцы стояли на площадке амфитеатра и ждали нашего выхода.

Не все приняла публика, но во многих местах смеялась. Назавтра репетировали снова и решили показать

«Сценку на лошади» на вечернем представлении. В ходе спектаклей, подкрепленных ежедневными репетициями, «Сценка» постепенно обрастала трюками, различными корючками. Карандаш ввел в нее четвертого партнера, который выходил под пьяного. То, что на публике не проходило, отбрасывалось. От спектакля к спектаклю я постепенно смелел и стал кое-что предлагать от себя, что принималось неплохо зрителями. Раздумывая об образе человека, которого я изображал, решил — это провинциал, случайно зашедший в цирк. Человек из какого-нибудь небольшого городка приехал на Центральный рынок — то ли грузчик, то ли речник. Отсюда и костюм подобрал соответствующий. Получалось смешно. Выходил такой обалдуй, да еще с приятелем, на манеж, и его насильно сажали на здоровенную лошадь.

Во время первых спектаклей я по-настоящему боялся и вел себя так, как действительно бы вел себя человек, впервые вытащенный на манеж. Потом эти свои действия и состояние зафиксировал и закрепил. Получилось убедительно. И зрители верили, что я из публики, а не «свой». А к этому и стремился Карандаш во время репетиций.

К концу сезона «Сценка» так хорошо проходила, что после нее стало труднее работать другим номерам. Тогда решили нашей клоунадой заканчивать отделение.

В антракте одного из представлений меня вызвали в кабинет Байкалова. Захожу я к нему и вижу: сидит рядом с ним человек с седыми висками и при моем появлении встает.

— Ну вот, Юра, — сказал Байкалов, — тебе хочет сказать несколько слов Юрий Александрович Завадский. Знаешь такого?

Завадский! От неожиданности я прямо рот открыл. Я хорошо помнил, как родители с восторгом обсуждали каждое посещение театра-студии Завадского. Спектакли, которые ставил и в которых играл Завадский, вызывали в то время восхищение всей театральной Москвы. У матери в альбоме хранился портрет Завадского, где знаменитый артист и режиссер был снят в шляпе. А тут Завадский передо мной, высокий, благородный, но совсем не величественный. Он внимательно посмотрел на меня и, протягивая руку, спросил:

— Как вас зовут?

— Юра.

— Ну что ж, спасибо вам, Юра, за доставленное удовольствие. Мне вы понравились. Должен вам сказать, если вы будете работать над собой, из вас получится хороший актер.

— Ну что же ты стоишь? — подтолкнул меня Байкалов. — Скажи спасибо. (Байкалов говорил со мной, как с ребенком.) Скажи, что будешь серьезно учиться и работать.

Как прилежный и послушный школьник, я повторил все слова Байкалова. И не только слова, но и интонацию. Завадский улыбнулся и попрощался со мной. Встреча эта запомнилась мне на всю жизнь.

Прошло много лет. Как-то, зайдя к артисту Ростиславу Яновичу Плятту (мы с ним живем в одном доме и часто заходим друг к другу обменяться новыми анекдотами), я застал его разговаривающим по телефону с Завадским.

— Передай привет Юрию Александровичу, — попросил я Ростислава Плятта.

Он передал привет. А Завадский попросил узнать: помню ли я нашу первую встречу в цирке? Я сказал, что, конечно, помню.

Когда же Ростислав Плятт (это произошло несколько позже) рассказывал Завадскому о моих безуспешных попытках поступить в свое время во вспомогательный состав Театра Моссовета, то Завадский заметил:

— И хорошо, что не взяли, а то испортили бы человека. И он не нашел бы себя.

Артист второй категории

Первый раз увидел на манеже выступление сестер Кох. Когда Зоя Кох, находясь на самой высокой точке своего аппарата — гигантского «Семафора», — почти под куполом цирка, вдруг запела, я вздрогнул.

Гимнастка поет? В цирке?! Но через несколько секунд я понял, что это действительно цирк, и притом высочайшего класса. Не забыть бы взять у Зои Болеславовны заметку в стенгазету.

Из тетрадки в клеточку.
Декабрь 1948 года

«Сценку на лошади» мы показывали, когда я учился в студии. И вот снова приглашение идти к Карандашу. Целый день мы с Борисом Романовым раздумывали: соглашаться работать с ним или попытать счастья самостоятельно? После долгих раздумий, взвесив все «за» и «против», мы решили согласиться.

На следующий день о своем решении сообщили Карандашу. Он спокойно, как будто знал, что мы иначе и не можем поступить, сказал:

— Ну и чудненько. («Чудненько» — его любимое слово.) В пятницу пакуем реквизит.

Через несколько дней мы поехали в свой первый город Кемерово как партнеры Карандаша, как артисты второй категории при норме тридцать выступлений в месяц.

Лежим мы с Борисом на верхних полках вагона. Поезд идет в Кемерово. Что нас там ждет? Последние дни мы много репетировали с Карандашом, и теперь каждый из нас знал, что предстоит делать в программе. Во время одной из продолжительных стоянок на перроне ко мне подошел Карандаш (он ехал в мягком вагоне) и сказал как-то тихо и несколько просительно:

— Никулин, попросите Романова, чтобы он не привязывал чайник к чемодану. Все-таки вы солидные люди, работаете в группе Карандаша, а тут — чайник.

Сразу же в вагоне мы с Борисом решили чайник к чемодану, чтобы не позорить «фирму», больше не привязывать.

Кемерово встретило нас сорокаградусным морозом. Декабрь. Сибирь. А оделись мы довольно легко — шинели и легкие ботиночки. Правда, у меня в чемодане лежали заботливо положенные мамой подшитые валенки, но после истории с чайником я не рискнул их надеть. С вокзала на лошади, запряженной в сани (Карандаша встречали на машине), нас с Борисом привезли в цирк. Основательно продрогшие, мы зашли в здание, покрытое высокой шапкой снега. Оно показалось мне в первый момент маленьким и неказистым, но внутри привычно запахло конюшней, свежими опилками, и я почувствовал себя в родном доме.

Премьера назначена на завтра. После утомительного дня — распаковка багажа и репетиции — первое представление.

«Сценка на лошади» шла в программе четвертым номером. После нее мы с Борисом бежали гримироваться для клоунады «Автокомбинат». Потом я переодевался в костюм дворника для номера с разбитой статуей Венеры. В третьем отделении программы (в цирках в то время представления шли в трех отделениях) показывали клоунаду «Лейка», в которой нам с Карандашом приходилось обливаться водой.

В программе участвовал и Жорж Карантонис, который приехал в Кемерово работать коверным клоуном на весь сезон. Но в дни наших гастролей он выступал только в одной клоунаде «Шапки», где великолепно подыгрывал Карандашу. Мягкий, обаятельный клоун с огромными печальными черными глазами. От многих коверных, которых я видел в провинции, он отличался интеллигентностью. Единственно, чего ему, как мне кажется, не хватало и в жизни, и на манеже, — напористости, уверенности в себе. Уж очень застенчивым и деликатным был Карантонис. Я с ним быстро подружился и нередко заходил в его гардеробную, в которой он поддерживал идеальный порядок: каждая вещичка имела постоянное место, костюмы он заботливо покрывал чехлами, парики держал в картонных коробках, грим в специально сделанных цинковых баночках.

Нам с Борисом приходилось трудно. Днем репетировали с Карандашом, вечером — представление. Между репетициями и представлениями выполняли поручения Карандаша — чинили реквизит, приводили в порядок костюмы.

Костюмы, которые сшили нам в студии и разрешили взять после выпуска, Карандашу не понравились, и он, открыв один из своих многочисленных сундуков, быстро подобрал нам новые.

Мне достался костюм мышиного цвета — короткие брюки, белая рубашка с узким черным галстуком. На голове соломенная шляпа-канотье. На ногах узкие длинноносые туфли. Грим мне Карандаш тоже сделал по-своему: рыжий парик, курносый нос из гуммоза, на веках глаз поставил черные точки. Эти точки при моргании придавали лицу глупое выражение.

Если «Сценка на лошади» проходила довольно гладко (помогала комическая ситуация, да и я знал, что и как делать, — в Москве все обкаталось), то в клоунаде «Комбинат бытового обслуживания» — ее между собой мы называли «Автокомбинат» — я долго не мог найти себя. Играл роль неудачливого Рыжего, который выдавал себя за директора химчистки и заталкивал Карандаша в большой ящик — «Автокомбинат». После чего Карандаш, пройдя обработку, появлялся из ящика в обгорелом костюме, черный от копоти.

Публика на этой клоунаде смеялась. Зрители хорошо принимали все, что делал Карандаш. Реагировали и на трюки, которые я проделывал (падение с лестницы, тушение пожара, взрыв бочки), но стоило мне остаться один на один со зрителем и произнести текст, в зале воцарялась гробовая тишина.

Когда «Автокомбинат» в Москве с Карандашом исполняли клоуны Демаш и Мозель, то Рыжий — Мозель — всегда вызывал смех. Крутил ручку трещотки Демаш, а Мозель так пугался, кричал и дрожал от страха, что публика заливалась смехом. У нас же Романов вертел ручку, я орал, пугался, дрожал, а в зале тишина. Пробовал я бежать и, спотыкаясь о барьер, падать (отбивал себе бока и колени), зарывался в опилки, но никакого эффекта. Тогда Карандаш придумал приспособление: дал мне в руку авоську с пустыми железными консервными банками. Когда я падал и банки с шумом рассыпались в боковом проходе, смех возникал. Но как далеко мне было до мозельского успеха. Не получалось у меня и с первым выходом в клоунаде.

— Клоун выходит на манеж, и публика должна сразу принимать его смехом, только тогда пойдет все как надо. Клоун должен сказать публике свое смешное «Здравствуйте», — учил меня Карандаш.

Я же появлялся в своем кургузом костюмчике, в канотье, и публика встречала меня не только молча, а, пожалуй, даже с некоторым недоверием.

— Никулин, попробуйте, что ли, петь на выходе... — посоветовал как-то Карандаш.

Я выбрал популярную в то время песню «Закаляйся, если хочешь быть здоров» из фильма «Первая перчатка». Пел ее истошным голосом, пел дико, так, что публика, сидящая близко, вздрагивала, а дети в зале пугались. Песня не помогала. Но на одном из представлений решил петь куплет не сначала, а со строчки «Водой холодной обливайся...», и в слове «холодной» голос у меня вдруг сорвался. Слишком высоко взял. В зале засмеялись. Ага, думаю, уже на правильном пути. Так постепенно, по крупицам, выуживал смех у публики.

Карандаш нас с Борисом почти никогда не хвалил. Высшая похвала — услышать от него: «Сегодня делали все правильно».

Ассистентом у Михаила Николаевича работала его жена Тамара Семеновна. Умная, обаятельная, образованная и скромная женщина. В одной из реприз Карандаша она выходила на манеж — играла буфетчицу.

Мы с Борисом Романовым, в то время начинающие артисты, с трудом привыкали к кочевой жизни. И Тамара Семеновна во всем нам помогала. В Кемерове я заболел. Температура — сорок. Врач определил воспаление легких. Через день запланирован переезд в Челябинск, а через четыре дня там премьера. Болезнь переносил тяжело, боялся осложнений — на фронте болел туберкулезом, и легкие стали слабыми. Подняла меня на ноги Тамара Семеновна. Она с трудом раздобыла редкое лекарство, ставила мне банки, поила чаем с малиновым вареньем, которое предусмотрительно захватила из Москвы, и к премьере в Челябинске я, по словам Бориса Романова, выглядел как огурчик.

Публика в Кемерове, да и во всех других городах, во время наших сибирских гастролей брала кассы цирка приступом. По просьбе директора мы работали почти без выходных, отгуливали их в дороге. По субботам и воскресеньям давали по четыре представления. Конечно, это большая нагрузка. Тем более что от нас зависела вся техническая часть выступлений. Мало того что мы должны по нескольку раз за время представления переодеваться, в антрактах готовить реквизит, но и перед началом представления обязаны были чистить животных, заряжать «автокомбинат», собирать бочку, выгуливать собак. То есть кроме самих выступлений набиралось много разных мелочей.

Хотя мы страшно уставали, возвращались в гостиницу, еле волоча ноги, засыпали с чувством радости: работаем в цирке, мы — артисты.

Здравствуй, Ленинград!

В Ленинграде по выходным дням встречаюсь с фронтовыми друзьями. Первым разыскал Ефима Лейбовича, своего армейского партнера по клоунаде. Он вместе с Михаилом Факторовичем приходил сегодня в цирк на представление.

— Ты знаешь, — сказал Михаил, зайдя в гардеробную в антракте, — не обижайся, но в армии, когда ты давал концерты, все казалось остроумнее и смешнее. Ты был живым, а здесь все не то.

Из тетрадки в клеточку.
Апрель 1949 года

К концу гастролей по Сибири Карандаш объявил нам с Борисом Романовым, что после небольшого перерыва мы поедем на гастроли в Ленинград.

Сообщение Михаила Николаевича меня и обрадовало и испугало. Испугало, ибо я считал, что, прежде чем начинать работать в таких городах, как Москва и Ленинград, хорошо бы побольше обкататься в провинции, а обрадовало тем, что я предвкушал удовольствие от встреч с однополчанами-ленинградцами, с которыми не виделся более трех лет.

Думаю, что и Карандаш по-особому относился к предстоящим гастролям. Именно в Ленинграде в 1934 году он впервые после долгих поисков вышел на манеж как Карандаш. (До этого он выступал в образе Рыжего Васи и Чарли Чаплина.)

Путь из Сибири в Ленинград проходил через Москву, и мне удалось три дня провести дома. В первый же вечер за чаем домашние слушали подробный отчет о прошедших гастролях. Мы с Борисом изображали в лицах тот или иной эпизод нашей поездки. Услышав историю о чайнике, все смеялись.

— Привязывай в следующий раз кофейник, — предложил отец. — Все-таки это будет интеллигентнее.

А в конце вечера отец спросил меня:

— Ну ты доволен, что работаешь у Карандаша?

— Да, — ответил я не задумываясь. И сказал это искренне: у Карандаша я познавал то, чему меня не могли научить в студии.

А мама, разливая чай, как бы невзначай сказала:

— Ты у меня прямо настоящим артистом стал и держишься как-то по-другому.

На следующий день я зашел в цирк и рассказал о своих впечатлениях Александру Александровичу Федоровичу. (После закрытия студии он остался работать режиссером в Главном управлении цирков.)

— Это все хорошо, что вы с Романовым привыкаете к манежу, — сказал Александр Александрович. — Но не забывайте о главном: думайте о своем репертуаре, готовьтесь к самостоятельной жизни. Не вечно же вам быть у Карандаша.

Александр Александрович сообщил, что Карандаш собирается набирать группу учеников. Это известие прозвучало для меня новостью, и я удивился и чуть обиделся, что Михаил Николаевич ничего об этом нам с Борисом не сказал. «Странно, — подумал я, — к чему бы это?»

В Ленинград мы приехали солнечным морозным днем. На этот раз и нас с Борисом везли на машине. Я смотрел на Невский проспект 1949 года: оживленная толпа, военных мало, сверкают витрины магазинов, звенят трамваи, плавно катят троллейбусы, и даже появились такси. Только временами нет-нет да и увидишь следы войны — разбитую стену дома или пустырь, огороженный забором. И я невольно вспоминал и сравнивал нынешний Невский с тем, каким видел его в дни блокады.

Через десять минут подъехали к Ленинградскому цирку на Фонтанке, в котором я дважды бывал, когда служил в армии. На фасаде цирка огромный рекламный щит: силуэты маленького человека в шляпе домиком и собаки, а во всю длину щита яркая надпись: «Каран д'Аш» (тогда еще имя Карандаша писалось на французский манер).

Поселили нас с Борисом на частной квартире недалеко от цирка. Одну комнату своей двухкомнатной отдельной квартиры сдавала цирку дворничиха Рая, женщина в годах, энергичная и деловая. Комнаты смежные.

— Через меня будете ночью ходить. Не шуметь и разуваться в коридоре, — строго сказала нам Рая при первой встрече.

В квартире у Раи, кроме нескольких старинных картин в массивных золоченых рамах, висело по стенам девять часов различных систем. Все они ходили, но время показывали разное. Квартира напоминала и склад ковров. Ковры висели в комнатах и в коридоре, а также в три слоя лежали на полу. Это все Рая приобрела в годы войны. Вставала она ни свет ни заря и бежала занимать очереди в промтоварных магазинах. Через несколько дней мы с Борисом поняли, что основной источник ее доходов — спекуляция. Изредка в квартире появлялся двоюродный брат Раи. Он приезжал из Тосно с двумя громадными, туго набитыми чем-то мешками, которые сваливал в углу кухни, и долго о чем-то шептался с нашей хозяйкой на татарском языке.

Потом мешки куда-то исчезали, а спустя некоторое время появлялись новые. Я все время пугал Бориса, что вот-вот нагрянет милиция и мы тоже будем отвечать за темные дела Раи как соучастники. Ночью все часы дружно тикали, как полк кузнечиков, а некоторые будили нас мелодичным боем.

На премьере нас с Романовым зрители приняли средне. Только одна «Сценка на лошади» прошла прилично. На следующий день Михаил Николаевич сообщил нам, что «Автокомбинат» с ним будут делать Демаш и Мозель. (Эти клоуны после Москвы обосновались в Ленинградском цирке.) От этого известия мы расстроились: нас вроде бы отстраняют от работы. Нас, которые старались делать все как можно лучше. Нас, которые беспрекословно выполняли каждое распоряжение Карандаша. Его решение показалось нам несправедливым. Чувство обиды возникло не только к Карандашу, но и к Венецианову — художественному руководителю Ленинградского цирка, который, как потом выяснилось, и предложил нас заменить Демашем и Мозелем. Хотя некоторое время спустя я понял, что Венецианов поступил правильно, — «сырые» мы были с Борисом и до Ленинграда, конечно, не доросли.

На второй день гастролей произошел случай, который надолго остался в памяти. Приучая к цирку, Михаил Николаевич посвящал нас во всякие клоунские хитрости. Один из первых «секретов», которые он раскрыл, — изготовление хлопушек. Еще занимаясь в студии, я видел, как во время исполнения некоторых клоунад на манеже со страшным треском и дымом эффектно взрывались хлопушки. Спросив у одного из старых клоунов, как их делают, услышал уклончивое: «Сами делаем, есть такой состав».

Карандаш тоже сам готовил хлопушки. Сначала я наблюдал со стороны, как он священнодействует, а потом начал ему помогать: нарезал бумагу длинными полосками, готовил тоненькие веревочки с узелками, разогревал столярный клей и, узнав наконец, как готовится взрывчатая смесь, получил разрешение самостоятельно сделать пару хлопушек.

Маленькие, аккуратные, с виду напоминающие конфетки с двумя петельками на концах, они развешивались для просушки. Через несколько часов, высохнув, хлопушки готовы для работы. Стоило такую «конфетку» дернуть за петельку — раздавался взрыв с огнем и дымом. Взрыв, оглушительный по звуку. Хлопушка — штука опасная. У одного воздушного гимнаста хлопушкой оторвало палец на руке, видел я и клоунов с лицами, покрытыми синенькими точками, — тоже результат неосторожного обращения с хлопушкой.

В Ленинграде, обнаружив, что запасы бертолетовой соли на исходе («бертолетка» входит в состав взрывчатой смеси), Карандаш попросил меня раздобыть ее. Зная, что «бертолетка» — взрывчатое вещество, я сразу представил себе, какие трудности и неимоверные хлопоты ожидают меня.

— Михаил Николаевич, а где ж искать «бертолетку»? — наивно спросил я Карандаша.

— Ну, Никулин, проявите находчивость, — сказал он так же, как не раз говорил мне в армии старший военфельдшер Бакуров.

Но все вышло необычайно просто. Когда я спросил старшего униформиста, пожилого человека, отлично знающего цирк, где клоуны обычно достают «бертолетку», он сказал:

— Иди в Ботанический сад к сторожу. Там «бертолеткой» от каких-то мошек посыпают дорожки.

Я поехал на Петроградскую сторону. Нашел в Ботаническом саду сторожа и попросил его помочь мне. Сторож открыл сарай, и я увидел там бочку, наполненную огромными кусками бертолетовой соли. Завернув в газету кусок примерно с килограмм, я принес его в цирк. Карандаш ахнул:

— Сколько заплатили?

— Ничего, — ответил я.

— Ну и чудненько, спасибо, крошка. («Крошка» — еще одно любимое слово Карандаша.) Теперь нам хватит лет на пять!

Я радовался. Карандашу угодил и себе про запас отложил граммов двести.

Когда я наконец-то научился делать хлопушки, то Карандаш поручил мне готовить их для работы. Перед началом каждого спектакля я должен был заряжать хлопушками «автокомбинат» и смачивать керосином факел для «пожара».

В первый же день, когда вместо нас с Борисом в «Автокомбинате» вышли Демаш и Мозель, я встал в боковом проходе зрительного зала, чтобы посмотреть, как работают эти клоуны. Они были в ударе. Смех возникал после каждой их реплики, после каждого движения. И я с завистью слушал смех зрителей. Но вот доходит дело до первого взрыва в бочке. Мозель дергает рубильник (после этого и должен раздаваться взрыв) — взрыва нет. Должен начаться пожар — нет огня.

Я похолодел. Боже мой! Я ведь забыл зарядить реквизит! В голове промелькнула мысль: подумают, что нарочно это сделал, решив насолить старым клоунам, как бы в отместку за то, что нас отстранили от участия в клоунаде.

Без взрывов и пожара под жидкие аплодисменты публики закончилось это антре. Подходя к гардеробным, я уже издали слышал в свой адрес ругань Карандаша, Демаша и Мозеля. И я решил сразу не входить. Пусть, думаю, немного остынут, а то, чувствую, скандал будет страшный.

В антракте на ватных ногах вошел в гардеробную Михаила Николаевича, ожидая скандала и разноса.

— Никулин, почему не было хлопушек? — ледяным тоном обратился ко мне Карандаш.

— Я забыл их заправить.

— Идите и не делайте этого больше никогда. Внимательнее будьте, — холодно сказал Карандаш и, демонстративно отвернувшись (как бы давая мне понять, что разговор закончен), начал поправлять грим. С того дня хлопушки заряжались вовремя.

А вечером ко мне подошел Мозель и участливо спросил:

— Попало?

— Кажется, пронесло, — ответил я.

Жак и Мориц

Сегодня за кулисами страшно ругались и спорили клоуны Демаш и Мозель (по афише Жак и Мориц). Они долго выясняли, кто из них первый придумал при выходе Мозеля на манеж кричать «Полундра!». Мы, артисты, униформисты, присутствуя при их споре, смеялись, а они чуть не подрались.

Из тетрадки в клеточку.
Апрель 1949 года

В 1963 году, гастролируя в Японии, я получил письмо с опечалившим меня известием: в Ленинграде скончался Григорий Захарович Мозель. Умер один из последних клоунов-буфф, талантливый Рыжий. Клоунской пары Демаш и Мозель не стало.

С этими артистами я познакомился, еще учась в студии. Клоуны Жак и Мориц работали в Москве целый год. (Обычно буффонадные клоуны принимают участие в программе два-три месяца, но многие любители цирка ходили специально на Жака и Морица, и поэтому дирекция решила оставить их на весь сезон.)

Демаш и Мозель — одна из лучших клоунских пар, которые мне удалось видеть. Они работали по целому сезону в таких городах, как Москва, Ленинград, Киев, Одесса. В каждой программе (программы менялись через два-три месяца) они показывали новые клоунады.

Первым на манеж выходил Демаш и восклицал:

— А где мой партнер? Он опять опаздывает?

И тогда с криком «Полундра!» из противоположного прохода появлялся Мозель. Видя веселое лицо кругленького, толстенького, добродушного простака с голубыми глазами, коротко остриженными рыжими волосами (работал в парике), в маленькой шляпке, надетой набекрень, и в огромных ботинках, публика сразу смеялась. Григорий Захарович всегда прекрасно подавал текст, но говорил почему-то с небольшим иностранным акцентом.

Джузеппе Паскальевич Демаш — Жак происходил из обрусевшей цирковой итальянской семьи и в отличие от Мозеля — Морица говорил без всякого акцента. Как актер Демаш слабее Мозеля, да и внешность у него не Белого. Мелковат он казался для этой роли. И голос у него чуть хрипловатый. Но вместе пара смотрелась великолепно. За пятнадцать лет совместной работы артисты притерлись друг к другу, и просто не верилось, что у Морица может быть другой партнер.

Клоуны-профессионалы высшей категории (они и в приказах числились артистами высшей категории), Демаш и Мозель были настоящими традиционными Белым и Рыжим. Выглядели клоуны на манеже аккуратными, чистенькими. У многих Рыжих бросалась в глаза нарочитая небрежность в костюме. Демаш и Мозель выходили в отутюженных костюмах, и мне представлялось, что и белье на них белоснежное, накрахмаленное.

В жизни Демаш замкнутый, не очень-то разговорчивый. Мозель более открытый, общительный, добрый и отзывчивый. Он любил, когда их хвалили (а кто этого не любит?), и слишком близко принимал к сердцу любую критику. Если в рецензии на программу их вдруг в чем-то упрекали — что бывало очень редко, — он бушевал за кулисами.

Подходил к каждому встречному с газетой и, тыча пальцем в статью, возмущался:

— Вы читали, что этот мерзавец про нас написал?! — И, не дожидаясь ответа, продолжал: — Вы с ним согласны?

«Клоун — король манежа. Умрет клоунада — кончится цирк» — любимое выражение Мозеля.

Демаш и Мозель блистательно делали старое антре «Отравленный торт».

Демаш давал Мозелю коробку с тортом и просил отнести его на именины какой-то знакомой Марии Ивановне. Дорогу он объяснял так:

— Ты пойдешь сначала направо, потом повернешь налево, затем опять прямо и оттуда спустишься вниз в метро. Выйдешь из метро и увидишь ее дом. Зайдешь к Марии Ивановне, отдашь торт, поздравишь ее с именинами и вернешься в цирк.

Объяснив все это, Демаш уходил с манежа, а Мозель открывал коробку с тортом и хитро говорил:

— Ага, сначала направо, — при этих словах он брал кусок настоящего торта с правой стороны и мгновенно съедал его, — потом — налево, — брал кусок торта с левой стороны, — теперь вниз, — он засовывал в рот последний кусок. — И спускаюсь в метро. — При этих словах он похлопывал себя по животу.

Публика отчаянно хохотала. Но только Мозель успевал проглотить последний кусок торта и спрятать под ковер пустую коробку, как на манеже появлялся Демаш.

— Ну как, отдал торт? — спрашивал он строго.

— Отдал, — отвечал радостно Мозель, — прямо в руки. — И похлопывал при этом себя по животу.

— Ну и прекрасно! Давно я хотел отравить эту Марию Ивановну, — спокойно говорил Демаш. — В торт я положил яд! Значит, будет все в порядке.

Мозель падал, дрыгал ногами и истошно кричал:

— Ох, умираю, плохо мне. Полундра!.. — и затихал.

К нему подбегали униформисты. Они укладывали бездыханное тело клоуна в ящик из-под опилок; когда же ящик поднимали, публика видела, что он без дна, а посредине манежа с венком на шее и свечкой в руках сидел Мозель. Ящик-гроб медленно несли к выходу. За ними со свечкой в руках, как бы хороня самого себя, шел Мозель, а рядом с ним Демаш, и они оба плакали. Так они и покидали манеж под аплодисменты и смех зрителей.

С не меньшим успехом исполняли клоуны и традиционное антре «Вильгельм Телль», в котором Демаш пытался попасть из ружья в яблоко, лежащее на голове Мозеля. На детских утренниках они показывали старинную клоунаду «Кресло». Демаш изображал кресло, используя для этого специальный чехол, — кресло чихало, падало, кусало Мозеля за палец. Дети от восторга визжали.

Многие поколения артистов цирка прошли через классические клоунады, и каждое поколение их развивало, оттачивало, убирая все лишнее. Поэтому классические клоунады действительно законченные цирковые произведения.

Я старался как можно чаще бывать в гримерной у Демаша и Мозеля. Смотрел, как они гримируются, расспрашивал о трюковом реквизите, о том, как сделать приспособление для слез, которые фонтаном бьют из глаз.

Я ходил за этими клоунами буквально по пятам, стараясь ничего не пропустить. Каждый день все, что они говорили мне, все, что я видел, записывал.

Демаш и Мозель в работе выкладывались до конца. Манеж они покидали обессиленные, тяжело дыша. Как-то в беседе со мной Мозель сказал доверительно:

— Ты учти, Белому работать труднее, чем Рыжему, ведь он ведет антре. Я работал Белым и все это испытал на себе.

Представив себе маленького Мозеля в роли Белого, я фыркнул.

— Ты не фыркай, — прикрикнул он, — я тогда знаешь какой стройный был и очень даже на лицо ничего.

Мозель полез в сундук и вытащил толстый старинный плюшевый альбом с фотографиями времен его молодости. Я не стал спорить и подумал: действительно, от Белого многое зависит, но прекрасный Белый с бездарным Рыжим не будет иметь успеха. А вот хороший Рыжий даже при среднем Белом потянет антре, как в паре Демаша и Мозеля.

Старые клоуны довольно часто говорили, что для них, клоунов-буфф, наступают тяжелые времена.

— Вот, — жаловались они, — «Клептоманию» запретили делать.

А «Клептомания» — их коронная клоунада. Белый жалуется Рыжему:

— Моя жена страдает клептоманией. Она берет чужие вещи, и мне приходится наутро все возвращать владельцам. Да вот она сама идет! — восклицал Белый.

Под зловещую музыку на манеж выходила жена Белого. (Эту роль играла жена Мозеля.) Она шла как сомнамбула, с вытянутыми руками, подходила к дрожащему от страха Рыжему, снимала с него шляпу и уносила ее за кулисы. Рыжий волновался, Белый успокаивал его:

— Не беспокойся, утром я тебе шляпу верну... Через минуту женщина появлялась. Подходила к Рыжему и, забрав у него из кармана бумажник, уходила.

— Не волнуйся, не волнуйся, — успокаивал Белый, — утром я тебе все верну.

В процессе клоунады женщина выходила на манеж еще несколько раз и на глазах у публики забирала у Рыжего часы, пиджак, галстук... В последний приход она брала под руку самого Рыжего и вела его к выходу.

— Куда вы, куда? — кричал Белый.

— Не беспокойся, — отвечал Рыжий, — утром я тебе ее верну.

Даже эту устаревшую клоунаду Демаш и Мозель делали смешно.

Мозель был первым клоуном, заставившим меня задуматься над тем, каким мне быть на манеже. Все его реплики я повторял про себя, как бы примериваясь к своим будущим выступлениям. В то время я почему-то думал, что мне ближе всего образ флегматичного, малоподвижного клоуна, смотрящего всегда в одну точку и медленно произносящего текст.

Отец, посмотрев меня на манеже, сказал:

— Стоять и не двигаться тоже нужно уметь, паузы должны быть органичными, а ты в паузах пустой, стоишь как бебка. («Бебка» — любимое слово, выдуманное отцом. И я понимал: «стоять бебкой» — это плохо.)

В последние годы Демаш и Мозель работали в Ленинградском цирке под руководством режиссера Георгия Семеновича Венецианова.

Гастролируя после смерти Мозеля в Ленинграде, я встретился с Демашем. Он вышел на пенсию и имел право работать только два месяца в году. Когда мы «сочиняли» елку, Венецианов сказал:

— Надо обязательно придумать в ней роль для Демаша.

И мы придумали роль дворецкого, который должен стоять и открывать дверь. Роль никому не нужная, но тем не менее считалась ролью, и Демаш исправно приходил на репетиции. А за час до начала представления он начинал гримироваться, потом делал гимнастику и страшно нервничал перед выходом на манеж. В роли ни одного слова, но он относился к ней так, будто это у него главная роль.

Вас зовет папа

Один человек пришел в аптеку и спрашивает:

— Что у вас есть от моли?

Ему предложили шарики нафталина.

Посетитель купил коробочку и ушел домой.

На другой день он пришел в аптеку и попросил продать ему сто коробок.

— Зачем вам так много? — спросили его.

— А я бросаю шарики в моль и не всегда попадаю.

Анекдот, рассказанный Л. Куксо.
Из тетрадки в клеточку.
Апрель 1949 года

На выходные дни Михаил Николаевич уезжал в Москву, где шли просмотры кандидатов в группу учеников Карандаша. (Михаил Николаевич обставил набор широкой рекламой, целой системой экзаменов и собеседований.) После очередного возвращения из столицы Карандаш, весело потирая руки, сообщил нам, что он наконец-таки отобрал себе в ученики трех человек.

— Ребята они хорошие, способные, — рассказывал он. — Один — танкист, второй — полярный летчик, а третий — непонятно кто, но смешной.

И мы поняли — Карандаш подобрал себе новых партнеров, что время нашей работы у него подходит к концу, и были готовы тут же расстаться с ним. Но по просьбе Михаила Николаевича согласились поехать еще в два города. Вместе с нами в поездку Карандаш брал новых учеников.

— Пусть привыкают и осматриваются, — сказал он.

Снова Москва, приятная встреча с друзьями и, конечно, вечер в Токмаковом, у нас дома, с полным отчетом о гастролях в Ленинграде. Отец, выслушав нас, сказал:

— Наверное, пора вам начинать работать самостоятельно. Это хорошо, что осталось два города и вы на свободе.

Опять вокзал. На этот раз поездка в Саратов.

В одном вагоне с нами ученики Карандаша. Один, высокий, худой, по комплекции чуть напоминающий меня, — Леонид Куксо (это о нем говорил Карандаш «полярный летчик»). В разговоре выяснилось, что Карандаш все перепутал. Полярным летчиком был отец Леонида. Второй, маленький, худой, со всклокоченными волосами, — Юрий Брайм («непонятно кто, но смешной», сказал о нем Карандаш). Третий, небольшого роста блондин с зачесанными назад волосами, бывший танкист, — Михаил Шуйдин (здесь Карандаш ничего не перепутал).

В поезде ученики в лицах рассказывали об экзаменах. Более трехсот человек подали заявление с просьбой принять их в группу Карандаша. Многих привлекала романтика цирка и возможность работать со знаменитым клоуном. После трех туров оставили трех человек. Они и поехали с ним в Саратов.

Как только мы приехали в этот волжский город, Карандаш сразу взял учеников в оборот: ввел в подсадку, заставил ежедневно заниматься жонглированием и акробатикой.

После каждого спектакля Карандаш прямо в гардеробной, не разгримировываясь, проводил разбор нашей с Борисом Романовым работы. Ученики, как правило, тихо стояли в уголке и внимательно слушали. Жили мы с ними дружно: вместе обедали, ходили в кино и не считали их своими потенциальными соперниками.

Ученики держались вместе. За Карандашом ходили, как цыплята за наседкой. Карандашу, как мне кажется, нравилось быть в роли учителя. Он любил иной раз, показывая на Куксо, Брайма и Шуйдина, сказать кому-нибудь с гордостью:

— А это вот мои ученики.

Он часто собирал их у себя в гардеробной и вел с ними длительные беседы.

Как-то Борис заметил:

— А Карандаш-то с учениками как папа с детьми.

Так с легкой руки Бориса мы стали называть между собой Карандаша папой.

Однажды я разыграл учеников. Как-то Карандаш спросил меня:

— Где ученики?

Я ответил, что они сидят в гардеробной.

— Позовите-ка их, пусть быстро зайдут ко мне.

Вхожу в нашу гардеробную, не спеша сажусь, закуриваю, перебрасываюсь парой незначительных фраз с Борисом, а потом с нарочитой озабоченностью, но при этом улыбаясь, говорю как бы между прочим ученикам:

— Да, тут папа меня встретил. Велел вам срочно к нему зайти.

Глядя на мое лицо с фальшивой улыбкой, ученики заулыбались, уверенные, что я их разыгрываю.

— Ладно травить. Знаем твои розыгрыши, — сказал Куксо.

— Разыгрывай кого-нибудь другого, — мрачно добавил Шуйдин.

— Да мне-то что, — ответил я смеясь, — а вы как хотите.

— Ну дай честное слово, что папа нас зовет, — потребовал Брайм.

— Пожалуйста, честное слово, — говорю я, а сам давлюсь от смеха.

Ученики посмеялись и с места не сдвинулись. Куксо начал рассказывать очередной анекдот. А минут через десять в нашей гардеробной резко распахнулась дверь, и на пороге мы увидели разъяренного Карандаша.

— Никулин, вы сказали товарищам, что я их жду? — спросил он.

— А как же, — ответил я спокойным тоном.

— Так почему же я должен ждать? Почему?! — побагровев, закричал Карандаш и топнул ногой.

Учеников как ветром сдуло.

Пришел Карандаш к себе, а они уже стоят, выстроившись, в его гардеробной.

Разнос Карандаш устроил им приличный. Через полчаса они вернулись понурые и злые. Мы с Романовым еле сдерживали смех. Брайм и Шуйдин не хотели на нас смотреть. А Куксо, тот ничего, воспринял все спокойно. Посмотрел на меня и сказал:

— Ты молодец. Ничего не скажешь. Разыграл здорово!

Дня через два я снова захожу в нашу гардеробную и, видя трех учеников, улыбаясь, говорю:

— Папа вас кличет.

Не успел рот закрыть, а их уж нет. Тут я перепугался. Карандаш-то их вовсе и не звал. На этот раз от Карандаша попало мне, правда, не так сильно, как ученикам, но все же.

— Ну как вам мои ребята, нравятся? — спросил как-то меня Михаил Николаевич.

Я, как всегда, постарался ответить уклончиво: рано, мол, еще о них судить. Карандаш же, будто и не услышав меня, сказал:

— Хорошие ребята. Вот Шуйдин — мужик серьезный. Он по-настоящему цирк чувствует.

«Румянцев — это для домоуправления»

Клоун Сергей Курепов рассказывал, что в тридцатые годы в цирке работали акробаты под псевдонимом Братья Вагнер. Настоящие же их фамилии — Преступляк и Кровопущенко.

Из тетрадки в клеточку.
Май 1949 года

Итак, вместе с Михаилом Шуйдиным мы остались у Карандаша, человека талантливого, сложного по характеру и трудного в общении.

Расставаясь с партнером Борисом Романовым, я не терял друга. Это радовало. Наши отношения сохранились на долгие годы.

Михаил Николаевич отказался от Брайма и Куксо. Правда, в судьбе своих бывших учеников он принял участие: помог Куксо устроиться в клоунскую группу Константина Бермана, а Брайму поступить в цирковое училище. Борис Романов после разрыва с Карандашом ушел в очередной отпуск, сказав, что свою судьбу он будет устраивать самостоятельно. Вскоре Борис нашел себе партнера, с которым долгие годы успешно выступал в жанре сатирической клоунады. Впоследствии Борис увлекся режиссурой цирка. И на этом поприще добился прочного положения, поставив немало хороших номеров и интересных спектаклей.

С первых же дней, став постоянными партнерами Карандаша, мы с Мишей поняли, что попали в жесткие руки.

— Что я от вас буду требовать? — сказал нам Михаил Николаевич, стоя посреди своей гардеробной, когда начались репетиции в Московском цирке. — Прежде всего дисциплины и трудолюбия. Вы, Шуйдин, теперь не просто ученик, но и партнер. Вы, Никулин, не временный работник. Вы работаете вместе со мной. Я не потерплю опозданий на репетиции и отлынивания от дела. Вот вам тетрадки, — он вытащил две маленькие тетрадки. — В них, пожалуйста, записывайте все мои замечания и задания, а также вопросы, если они у вас возникнут. Потом вы мне будете их задавать, а ответы записывать. Прошу вас найти себе псевдонимы, Никулин и Шуйдин — для цирка не звучит. Вот, например, Жак и Мориц, Фриц и Франц, Бим и Бом... Поняли? Думайте над этим.

В первый же день Михаил Николаевич попросил нас записать двадцать пунктов условий нашего содружества. Потом он долго говорил о будущих клоунских костюмах для нас, гриме, новом репертуаре, предстоящих гастролях. Беседа кончилась напоминанием искать псевдонимы.

Высшим оскорблением для себя Михаил Николаевич считал, когда в рецензии указывали его настоящую фамилию или когда к нему кто-нибудь обращался: «Товарищ Румянцев...».

Он тут же начинал кипятиться и, перебивая человека, кричал:

— Я — Карандаш. Запомните — Карандаш! Румянцев — это для домоуправления.

Вспомнили мы с Мишей историю, рассказанную нам кем-то, о музыкальных эксцентриках Иванове и Гаврилове. В одном из городов они работали в программе вместе с Карандашом. Долго убеждал их Михаил Николаевич придумать псевдонимы, считая, что у эксцентриков и имена должны звучать эксцентрично.

Но Иванов и Гаврилов отмахивались от предложения Карандаша. Как-то, придя в цирк и увидев, что художник пишет огромный рекламный стенд с перечнем номеров программы, Карандаш сказал ему:

— Ошибочка тут у вас. Вы неправильно написали фамилии. Поправьте. Надо писать: «Музыкальные эксцентрики Шизя и Френик».

Художник безропотно — сам Карандаш велел — замазал фамилии Иванов и Гаврилов и написал: «Шизя и Френик».

Артисты, увидев, как их «окрестил» Карандаш, схватились за головы и сразу придумали себе псевдонимы — Кисель и Клюква, под которыми работали долгие годы.

По мере того как Михаил Николаевич отвергал все наши предложения — а мы придумали более сотни псевдонимов, — я стал задумываться, а нужны ли они вообще. Знаменитые клоуны Берман, Боровиков, Вяткин, Лазаренко, Мусин выступали под своими фамилиями. Псевдоним, как мне кажется, пришел от старого цирка. Правда, некоторые артисты брали псевдонимы из-за неблагозвучности собственных фамилий. Так, борец Жеребцов выступал как Верден, а настоящая фамилия Буше — Гнусов.

В Московском цирке нам с Мишей отвели комнатку без окна и вентиляции, как раз напротив гардеробной Михаила Николаевича. В ней узкий длинный столик с несколькими настольными лампочками. Притащили мы в комнату ящик с нашими костюмами и моей бутафорской фигурой.

К десяти утра мы приходили в цирк. Мише было трудно. Он жил в Подольске и тратил на дорогу в оба конца больше четырех часов. Я же на двух трамваях добирался от дома до цирка за полчаса. В десять часов хлопала дверь черного входа артистического фойе, и появлялся Карандаш, держа на поводке двух черных скотчтерьеров — Кляксу и Пушка, которых он после вечернего представления забирал домой.

Через пять минут мы с Мишей заходили к нему в гардеробную и выслушивали план работы на день. Михаил Николаевич, уже переодевшись в свой синий комбинезон, раскладывал на столе листки с записями. Он заранее все дела расписывал на бумаге черной тушью (эта система записей сначала меня удивляла, а потом привлекла, и я сам стал свои планы на день записывать). Карандаш сообщал нам, чем мы будем сегодня заниматься, что репетировать, какой нужно подготовить реквизит.

Иногда Михаил Николаевич отправлялся в магазины покупать что-нибудь для работы.

— Никулин, пойдемте со мной, — говорил он. И я покорно шел за ним.

Я понимал: что бы ни говорил Михаил Николаевич, лучше всего с ним соглашаться. И еще, как я потом понял: Михаилу Николаевичу всегда хотелось, чтобы кто-нибудь находился рядом с ним.

Зашли мы с ним как-то на рынок и увидели в хозяйственном ларьке большой ряд чугунков. Поднял Карандаш один из них, пощелкал пальцем, и раздался мелодичный звон.

— А что, Никулин, не купить ли нам эти горшочки? Мы сделаем музыкальную репризу. Как вы думаете? Представляете, ложками начнем бить по горшкам — вот смеху будет!

Михаил Николаевич посмотрел на меня внимательно. Я молчал. Так продолжалось секунды три.

— Ну вот, видите, вы согласны. Значит, покупаем.

Насколько помню, ни разу ни на одно из предложений Михаила Николаевича я не ответил словом «нет».

Так и на этот раз мы купили дюжину чугунков и долго потом с Мишей в слесарной мастерской цирка напильниками снимали с них слой металла, добиваясь, чтобы каждый издавал определенную ноту, надеясь, что из семи горшочков мы составим гамму.

К сожалению, из нашей затеи ничего не вышло. Мы сточили чугунки до дыр. Их потом пришлось выбросить. Спустя двадцать лет, зайдя в мастерскую цирка поточить зубило, я заметил под железным хламом в углу старый горшочек с обточенными боками. Многое вспомнилось.

Порой Михаил Николаевич открывал дверь в нашу гардеробную и, видя, что мы с Мишей сидим и разговариваем, произносил свою сакраментальную фразу:

— Ну что, лясы точите? — И сразу давал задание: — Пожалуйста, пойдите в мастерскую к слесарям и найдите мне трубочку диаметром пять миллиметров и длиной полметра.

Задания он придумывал мгновенно, и это действительно требовалось для дела. Поэтому мы всегда удивлялись, если Михаил Николаевич приходил к нам и вдруг садился играть в нарды. Играл он с азартом. Переживал во время игры, как ребенок. При выигрыше бурно торжествовал, а если проигрывал — ругался и обижался.

Самым трудным и в то же время полезным для нас становились репетиции. Карандаш тщательно репетировал каждую репризу или клоунаду. Каждый кусочек он отрабатывал часами, обращая наше внимание на мельчайшие детали. Так на практике мы познавали тонкости клоунского ремесла. Мне казалось тогда, что Карандаш забывает о внутреннем состоянии актера. Он тщательно отрабатывал только внешний рисунок действия и манеру подачи текста.

Манеж и зрительный зал цирка обязывают артиста двигаться и говорить не так, как на сцене. Десятки раз Михаил Николаевич рассказывал нам о том, как в одном из цирков в годы войны давали концерт (сбор шел в фонд обороны) крупнейшие мастера эстрады — Хенкин, Гаркави, Русланова. И большие артисты вдруг потерялись на манеже и покидали его под жидкие аплодисменты. «Лучше б я пять раз выступил на эстраде, чем в этом сарае», — говорил с досадой Владимир Хенкин, уходя с концерта. Эти слова Хенкина любил напоминать нам Карандаш.

Оказывается, в цирке можно подавать текст, совершенно не напрягая голоса, и тебя все услышат. Важно только знать места, откуда звук не будет гаситься куполом цирка. Да и сам звук нужно посылать несколько вверх одновременно с поворотом головы. Поэтому-то клоуны, произнося текст, находятся в постоянном движении. Сами движения и проявления эмоций должны быть несколько преувеличенными, чтобы зритель их и с галерки увидел. Всегда надо учитывать, что часть звука поглощается боковыми проходами, а часть уходит под купол цирка и искажается. На манеже есть такие места, где можно кричать во все горло, а зрители тебя все равно не услышат.

Все это я понял не сразу. От репетиции к репетиции, от представления к представлению искал лучшие места по слышимости, учился правильно подавать текст.

Как «увидеть», как «обрадоваться», как «огорчиться», как «испугаться» — все это Михаил Николаевич показывал на репетициях, непременно повторяя свою любимую фразу:

— Публика, глядя и в спину клоуна, должна догадываться, о чем он думает.

Я это понимал, когда смотрел, а потом и принимал участие в знаменитой «Сценке в парке». Клоунада «Сценка в парке», или, как мы ее называли, «Венера», — гордость Карандаша. Длилась она минут семь-восемь и всегда имела огромный успех у зрителей.

Содержание «Венеры» простое. Карандаш в парке случайно разбивает стоящую на пьедестале статую Венеры. И, боясь дворника, который до этого несколько раз уже прогонял его из парка, сам влезает на пьедестал и, натянув до пят свою белую рубашку, изображает статую. Прибежавший дворник, увидев необычную фигуру на пьедестале, потрясен, а потом, разоблачая Карандаша, долго гоняется за ним по парку.

Работа над этой клоунадой многому научила меня. Михаил Николаевич показывал, как выгодно выбрать мизансцену, учил выжидать реакцию зала, «проскакивать» пустые места. Когда я не понимал что-то, Михаил Николаевич нервничал, кипятился и покрикивал:

— Вся клоунада построена на проверенных тысячу раз трюках. Никулин, поймите это. Нужно только правильно, четко и вовремя все делать.

В зале гас свет. Играла музыка. Манеж в темноте. (В это время униформисты ставили реквизит.) Из амфитеатра по лестнице спускался Карандаш, освещенный лучом прожектора. В руках он нес шайку и веник. Человек шел из бани. Когда Карандаш перелезал через барьер, зажигался свет, и все видели уголок парка. Для этой сценки Михаил Николаевич просил одного из музыкантов свистеть в свисток, имитирующий соловья. На зеленом газоне стоит статуя Венеры. Рядом садовая скамейка, которую я, дворник, крашу. Потом дворник метет дорожку.

С подметанием у меня поначалу ничего не получалось.

— Вы же не метете, — возмущался Михаил Николаевич на репетициях, — а просто без толку машете метлой. Мусор-то нужно собирать в кучку. Поймите это.

На одной из репетиций он взял в руки метлу и стал показывать, как надо мести. У него все получалось естественно, легко и красиво.

После показа я взял метлу, но у меня опять выходило не то. Тогда Михаил Николаевич попросил ассистента принести старую газету. Порвав ее на мелкие кусочки и разбросав их по манежу, Михаил Николаевич скомандовал:

— А теперь подметайте! Только как следует.

И я подмел настоящий мусор.

— Вот видите, теперь у вас все правильно. Давайте попробуем без мусора. Вы запомнили, как делали?

Или другой эпизод «Венеры», когда Карандаш присаживается на только что покрашенную скамейку и решает покурить. Дворник, заметив его, начинает гнать из парка.

— Ну, ну... толкайте же меня, толкайте. Толкайте по-настоящему, — нервничая и злясь, кричал Михаил Николаевич.

Не мог я сильно толкнуть Карандаша. Для меня он оставался учителем, уважаемым человеком, и мне было неловко выталкивать его по-настоящему.

На одной из репетиций, после того как я продолжал вежливо подталкивать Карандаша, он вышел из себя. Мимо манежа в этот момент проходил рослый акробат. Михаил Николаевич подозвал его и попросил:

— Ну-ка толкните меня посильнее.

Флегматичный акробат ухмыльнулся, посмотрел спокойно на Михаила Николаевича и так толкнул его, что тот упал. Я ахнул от удивления и думал, что Карандаш обидится. А он спокойно поднялся, отряхнул брюки и сказал ему:

— Спасибо, идите. — А потом обратился ко мне: — Вот видите, Никулин, он не боится. Конечно, так сильно толкать не стоит, но все-таки давайте смелей.

Когда Карандаш окончательно разваливал статую, я, стоя в боковом проходе, выжидал, пока он влезет на пьедестал, опустит до пят белую рубашку, подсунет под рубашку руки, изображая груди у Венеры, и только тогда вбегал в парк. Вбегал, видел обломки статуи и странную Венеру, стоящую на пьедестале. Эта часть клоунады мне тоже никак не удавалась.

— Никулин, надо выдерживать паузы, — сердился Михаил Николаевич. — Публика должна смаковать момент, когда вы беретесь за рубашку. Дайте зрителю отсмеяться, не торопитесь.

Порой казалось, что из меня делают механического робота.

— Никулин, вы не выдерживаете нужных пауз, — без конца повторял Михаил Николаевич, — весь ритм ломаете. Поймите же, это все очень просто. Смотрите, — Карандаш начинал показывать, — вы подбежали к обломкам. Теперь посмотрите на них и сосчитайте про себя: раз, два, три. Потом поднимайте глаза на меня: раз, два, три, четыре, пять. После этого идите, наклоняясь чуть в сторону: влево два шага медленно и вправо четыре шага — побыстрее. Потом подходите ко мне, щупайте край рубашки и про себя считайте: раз, два, три. Сосчитайте и стаскивайте меня. Вот и все. Это же просто. Выучите это, отрепетируйте. Поняли?

В душе я протестовал, но на спектакле послушно старался делать так, как просил мастер.

В финале клоунады Карандаш, убегая, лез под скамейку, а я, хватая его за ноги, должен был крепко держать края брюк, для того чтобы Карандаш мог из них легко вылезти. Каждый раз руки у меня в этот момент дрожали. Я никак не мог ухватить брюки за края. Первое время Карандаш долго бился под скамейкой, дожидаясь, пока я своими «деревянными» руками не стащу с него брюки. Потом за кулисами он долго ругал меня:

— Никулин, поймите, это же финал клоунады! Мне нужно быстро убежать! Раз! Два! Раз, раз, раз, — при этом он бил кулаком по своей ладони, — и без штанов убегаю. Из-за плохого, по вашей вине, финала вся клоунада идет насмарку.

Месяца через два, усвоив ритм клоунады и делая почти все автоматически — ощущая себя заводной игрушкой, — я вдруг на одном из представлений почувствовал, что у меня появилось внутреннее оправдание всех пауз и движений, и стало сразу намного легче работать. У моего «деревянного» дворника движения стали естественными.

Раньше Михаил Николаевич часто ставил мне в пример одного акробата, который до этого великолепно делал с ним эту сцену. Теперь же Михаил Николаевич все реже вспоминал о нем.

К нашей с Мишей Шуйдиным работе Карандаш относился ревниво. Когда кто-нибудь из артистов пытался дать нам совет, то Михаил Николаевич выражал свое неудовольствие и непременно напоминал, что слушать мы должны только его и советоваться должны только с ним.

В одной из программ, когда мы работали в Москве, выступали с клоунадой Любимов и Гурский. Кроме клоунады они в прологе исполняли сатирические куплеты «Фонарики». Неожиданно Любимова и Гурского отозвали из Москвы на открытие одного из периферийных цирков. Некому стало петь «Фонарики». Байкалов попросил инспектора манежа Буше срочно организовать репетицию для нас с Мишей.

— Пусть карандашевские хлопцы попробуют, — сказал Байкалов. — Если у них получится прилично, выпустим в прологе.

Карандашу об этом ничего не сказали. Утром репетируем в артистическом фойе, поем, заглядывая в бумажки:

Фонарики, сударики,
Горят себе, горят...

При этом бойко подпрыгиваем. И вдруг видим входящего с собаками Карандаша. Он посмотрел на пианиста, на нас и спросил:

— А это что такое?

Мы прервали репетицию и смущенно ответили:

— Да вот, Михаил Николаевич, репетируем, нас попросили выступить в прологе.

— А меня спросили об этом? — вскипел Карандаш и скомандовал: — А ну-ка марш в гардеробную!

Мы покорно положили листки с текстом в карманы и ушли.

Через час в цирке разразился скандал. Карандаш, оказывается, нашу репетицию воспринял как личное оскорбление, возмутившись тем, что без ведома мастера заняли его учеников-партнеров. Он доказывал Байкалову, что нам рано еще выходить на манеж с исполнением куплетов, что это нас может испортить. У него, Карандаша, свой подход, и он сам знает, что нам можно, а что нельзя...

Так «Фонарики» никто в прологе и не пел.

Бывало, Михаил Николаевич придирался по пустякам, из-за мелочей долго и нудно читал нотации. Иногда же он удивлял тем, что спокойно реагировал на значительные промахи в работе.

Так, в дни школьных каникул, когда мы давали по четыре представления ежедневно, Шуйдин в антракте прилег на диван отдохнуть и заснул. Его никто не разбудил, и во втором отделении, в репризе, в конце которой должен появиться Миша, он, естественно, не вышел. Карандаш, не закончив репризы, вне себя от ярости ушел с манежа (публика так и не поняла репризы), потом ходил злой за кулисами и на всех кричал.

В гневе Карандаш даже разбил реквизитную тарелку об пол.

Именно в этот момент Миша проснулся и сломя голову кинулся вниз, к манежу, ожидая бури.

— Где вы были? — набросился на него Карандаш.

— Я заснул, — честно признался Шуйдин.

— Ну что же вы, крошка, — неожиданно миролюбиво сказал Михаил Николаевич. — Не надо так больше.

Четыре билета на память

Старый униформист дядя Леша рассказывал, что когда коверные клоуны Антонов и Бертенев приезжали на гастроли в какой-нибудь город, то на премьере всех ошеломляли первой репризой. На манеж клоуны с криком вывозили тачку с большим ящиком. В ящике было спрятано около пятидесяти кошек.

(Накануне премьеры местные мальчишки притаскивали кошек клоунам в обмен на контрамарки в цирк.)

Когда ящик открывали, то бедные кошки, просидевшие несколько часов без еды в темноте, при виде яркого света впадали в неистовство. С безумными воплями они кидались во все стороны, очумело прыгали по головам зрителей. Эффект был потрясающий.

Из тетрадки в клеточку.
Июль 1949 года

Заканчивая выступления в Москве, мы готовились к поездке на Дальний Восток. Карандаш решил лететь самолетом. Главное управление цирков запротестовало, считая это слишком дорогим удовольствием. В то время артисты редко летали. Но Михаил Николаевич, педантично все подсчитав, доказал, что всю нашу группу вместе с животными и реквизитом выгоднее посылать во Владивосток самолетом, чем поездом. На дорогу поездом уйдет больше десяти дней, а вылетая самолетом, мы смогли бы начать гастроли через три дня, и сборы от первого дня работы окупят все расходы.

Ранним июльским утром 1949 года Карандаш, Тамара Семеновна, жонглер Абдуллаев, рабочий по уходу за животными и мы с Мишей, пристроившись на железных откидных сиденьях транспортного самолета, в центре которого стояли груды ящиков с реквизитом, а в хвосте был привязан двумя веревками осел Мишка, поднялись с Внуковского аэродрома. Только самолет оторвался от взлетной полосы, как ослик от испуга подогнул ноги, присел и в таком положении на полусогнутых ногах, загораживая проход в туалет, провел всю дорогу. Никакие силы не могли сдвинуть осла с места — ни морковка, ни угрозы, ни пинки, ни ласка.

Летчики в дороге рассказывали нам, что с этого самолета в годы войны по ночам сбрасывали наших десантников в тыл к немцам. Я сидел на железной холодной скамейке и представлял себе, как ночью в освещенном тусклой лампочкой самолете вот так же летели парашютисты и в ожидании сигнала прыгать молча курили.

Перелет с двумя остановками занял сутки. Во Владивостоке мы быстро распаковались, провели черновую репетицию и, как и планировалось, через два дня выступали.

Цирк шапито стоял в оживленном месте, в Приморском парке. Город чистый, весь в зелени. На улицах много моряков. Когда выдавались свободные часы, мы с Мишей часто ходили к морю. Гуляли, смешавшись с толпой, по залитой солнцем набережной. На рейде стояли военные корабли.

Запомнилось мне название гостиницы «Золотой Рог». Мы-то жили на частной квартире, но в дни зарплаты ходили обедать в ресторан при этой гостинице. Приятное название — «Золотой Рог». Я вспоминал Грина и город Зурбаган. Там ведь тоже могла быть гостиница «Золотой Рог».

Успех Карандаша во Владивостоке превзошел все ожидания. С утра у касс цирка выстраивалась длиннующая очередь. План перевыполнялся в два раза. Дирекция ликовала. Сотрудникам цирка обеспечена премия. Трудно достать билеты на представление, и все просят об этом одолжении дирекцию. Делом своей чести Карандаш считал проходить во всех городах с аншлагами. Он и мысли не допускал, что может возникнуть спад в сборах.

В один из последних дней гастролей во Владивостоке разыгралась непогода. На море шторм, хлещет дождь, и Карандаш заволновался: не скажется ли это на сборах?

Вечером, перед представлением, директор цирка, как всегда, подошел к Михаилу Николаевичу и спросил:

— Ну как, начинаем? Почти аншлаг.

— Как почти?! — встрепенулся Карандаш.

— Да не волнуйтесь. Осталось только четыре билета, и те от брони. Дождь публику отпугнул.

Михаил Николаевич резко встал, подошел к вешалке, достал из висевшего пиджака деньги и, протянув их мне, распорядился:

— Никулин, быстро в кассу и купите эти четыре билета.

Когда я принес билеты, он сказал:

— Возьмите их себе на память. — И добавил весело: — Вот теперь аншлаг. Можно начинать.

Так и хранятся у меня четыре билета Владивостокского цирка с неоторванным контролем.

Во время представления я посмотрел, пустуют ли эти четыре места в первом ряду. Нет, их кто-то занял. (В цирке всегда несколько человек разными способами проходят бесплатно.)

Во Владивостоке Карандаша буквально засыпали цветами. В воскресные дни мы не знали, куда девать цветы. Они стояли в банках, кувшинах, тазах, ведрах и даже в пожарных бочках. Иногда цветы преподносили и нам с Мишей. Преимущественно цветы дарили молоденькие девушки. Было приятно.

Михаил Николаевич для своих гастролей подбирал специальную программу. Он брал номера с минимальным реквизитом, ритмичные, легкие. И на этом фоне Карандаш всегда выигрывал.

Вместе с нами выступала артистка М. Шадрина с номером «Человек — счетная машина». Артистка за секунды складывала, вычитала, перемножала, делила любые десятизначные числа. Карандаш после нее показывал пародию. Он выносил на манеж подставку с двумя рядами полочек, на которых стояли три бутылки и три тарелки. Из публики вызывали человека и просили его расставить в любом порядке эти бутылки и тарелки. Карандаш же стоял к полочке спиной и, не глядя, говорил, в каком порядке стоят бутылки и тарелки. Когда же инспектор манежа спрашивал: «Карандаш, как же ты отгадываешь?» — он меланхолично отвечал: «Десять лет репетировал», а сам показывал на будку, где сидели электрики и откуда Миша попеременно показывал то тарелку, то бутылку, подсказывая Карандашу, какой предмет нужно называть.

Зрители отлично принимали эту пародию.

На одном из представлений Михаил Николаевич по какому-то незначительному поводу поругался с инспектором манежа, разнервничался и отказался заполнять очередную паузу.

Миша и я стояли в этот момент за кулисами. Миша — в клоунском костюме, а я собирался идти гримироваться на следующую клоунаду.

— Идите что-нибудь сделайте, пока уберут реквизит, — сказал нам Карандаш.

Реприз у нас своих нет. Мы вспомнили старую репризу со стулом.

— Беги скорей и садись в подсадку в первый ряд, — сказал Миша, и я, схватив чье-то пальто, нахлобучив чужую кепку, сел на откидное место в первом ряду.

В паузе Миша вышел на манеж со стулом. Он поставил спинку стула на лоб и начал им балансировать. По ходу репризы стул упал и сильно ударил Мишу. Публика засмеялась, а якобы рассерженный Миша схватил стул и сделал вид, что бросает его от злости в публику. В последнюю секунду Миша задержал стул в руках, а я «от испуга» брякнулся на пол. Хохот поднялся страшный. Реприза проверенная. Она и в Москве отлично прошла, когда мы заменяли заболевшего Карандаша.

За кулисами к нам подошел Михаил Николаевич.

— Что это вы там делали?

— Да вот старую репризу со стулом.

— Не надо ее делать, — сказал он обиженным тоном. — Это старая, грубая реприза.

В следующей паузе он уже вышел сам. И с тех пор никогда больше не предлагал нам заменять его.

У каждого коверного я всегда отмечал лучшую, на мой взгляд, репризу. У Карандаша вершиной его актерского мастерства была реприза, которую он показывал, участвуя в номере канатоходцев.

В середине номера он влезал по веревочной лестнице под купол цирка на мостик. Один из канатоходцев предлагал Карандашу пройтись по канату. Карандаш, держась руками за спину артиста, осторожно шел. Пройдя половину каната, он на секунду отвлекался, чесал ногу, отпускал руки. Артист с шестом-балансом продолжал идти вперед, и Карандаш, оставшись один, тут же садился верхом на канат.

Маленький человечек, брошенный на произвол судьбы, скорчившись, держась крепко за канат руками и ногами, испуганно озирался, смотрел вниз и начинал истошно кричать. Это вызывало хохот. Хохот и жалость одновременно. Публика смеялась потому, что верила: Карандаш, их любимый артист, будет спасен. Он как-нибудь, но выпутается из этого положения. Карандаш постепенно успокаивался. Смотрел вниз на сетку. Расстояние от каната до сетки метров десять. Как бы прикидывая, Карандаш сначала бросал вниз шляпу, потом вынимал рулетку, измерял расстояние и наконец, хитро посмотрев на публику, вытаскивал из кармана свернутый моток веревки. По логике один конец веревки полагалось бы привязать к канату и только тогда спускаться, но наивный Карандаш просто перекидывал веревку через канат. Два конца веревки спускались вниз. Один почти доходил до сетки, а другой — короткий — болтался. Ликующий Карандаш, обхватив руками оба конца веревки, медленно начинал спускаться. А публика с замиранием сердца ждала, что же будет, когда закончится короткий кусок веревки и артист упадет вниз. Кусок кончался — веревка в долю секунды соскальзывала с каната, и Карандаш с большой высоты летел... в сетку. В этот момент в зале раздавалось нервное «ах».

Карандаш к моменту «прихода» в сетку ловко срывал с головы свой темный парик, незаметно прятал его в карман, и публика видела клоуна с поседевшими от страха волосами (под темный парик Карандаш надевал второй — седой), испуганно бегавшего по сетке. Он соскакивал с криком с сетки на ковер и убегал за кулисы. Эта чисто карандашевская реприза заканчивалась, что называется, под стон зрителей.

Во Владивостоке мы давали в неделю по четырнадцать-пятнадцать представлений. В одну из суббот выступали пять раз. Первое выступление — для пленных японцев — начиналось в девять утра. Пора начинать, а в зале стоит непривычная тишина. Посмотрели мы из-за занавеса и все поняли: японцы молились. Наконец началось представление.

Первый выход Карандаша. Он бодрой походкой появился на манеже, сказал первую реплику, и... тут встал пожилой японец, сидевший в первом ряду, и, повернувшись спиной к манежу, на весь зал стал переводить реплику. Карандаш сказал еще одну фразу, японец и ее перевел. Никто в зале не засмеялся. Михаил Николаевич побежал за кулисы и набросился на инспектора манежа:

— Если он еще раз скажет хотя бы одно слово, я уйду с манежа совсем.

Угроза Карандаша подействовала. Переводчик замолчал.

Мы же старались на манеже обходиться без текста. Японцы реагировали на все сдержанно, но больше всех смеялся переводчик. После представления японцы покидали цирк организованно. Шли строем и, что нас всех изумило, пели на японском языке нашу песню «Если завтра война...».

Именно во Владивостоке мы впервые увидели свои фамилии на афише и в программке. В перечне номеров писалось: «Никулины — клоунада “Автокомбинат”», а несколько ниже: «Шуйдины — клоунада “Веселый ужин”».

Что-то тихо за кулисами

Старый униформист дядя Леша рассказал, какая замечательная лошадь была у него, когда он работал берейтором у одного известного дрессировщика.

— Послушная, как собака, — говорил дядя Леша. — Однажды прихожу ночью в цирк проверить, все ли там хорошо, и слышу непонятные звуки на манеже. Иду на манеж и вижу: моя любимая лошадь сама репетирует стойку на голове. Ничего у нее не получается, а она переживает и плачет горючими слезами.

Я спросил, а как же лошадь-то ушла из стойла, ведь лошадей привязывают.

— Вот такая умная была — сама отвязывалась.

Этому я не поверил.

Из тетрадки в клеточку.
Август 1949 года

Из Владивостока мы переехали в тихий, спокойный городок Ворошилов, где проработали три недели. Именно в этом городе в местной газете я впервые в жизни прочел похвальный отзыв с упоминанием своей фамилии. Заметку я вырезал.

«Номер “Комбинат бытового обслуживания” Карандаш с успехом исполняет с артистами Никулиными». Так написал местный журналист, непонятно почему озаглавив свою корреспонденцию о цирке «На экране Карандаш».

Мне, делающему первые шаги в цирке, было приятно увидеть свою фамилию, хотя и во множественном числе. Раз меня упомянули, значит, я что-то значу. Для молодого артиста впервые прочитать о себе — большое событие.

Самым близким для меня человеком оставался Миша. Поэтому и вне цирка мы всегда держались вместе. Вдвоем ходили в кино, жили в одном номере гостиницы или на квартире. Обедали обычно в столовых, завтракали и ужинали дома — в гостиничном номере или на кухне хозяев квартиры, которую нам снимал цирк. Внешне Миша выглядел хмурым и мог показаться замкнутым человеком, но я знал, что он человек разговорчивый, с юмором.

В Ворошилове произошел случай, который прибавил несколько седых волос к моей уже начинающей седеть шевелюре.

За час до спектакля, загримировавшись, я пошел за кулисы заряжать хлопушками «автокомбинат». Таких хлопушек было три — две слабые и одна с сильным зарядом (ее мы метили красным гримом и между собой называли «атомной»). Привязал я слабые хлопушки внутри комбината, вылезаю и вдруг обнаруживаю, что «атомная», которую я только что положил на бочку, исчезла.

Глянул по сторонам — и обомлел: стоит неподалеку трехлетний малыш, сын вахтера, и собирается нашу «атомную» попробовать на вкус. Видимо, он принял ее за конфетку. А ведь стоит зубами или руками надавить на середину, и произойдет взрыв такой силы, что может покалечить человека. От звука взрывающейся хлопушки вздрагивает зрительный зал. В оцепенении смотрел я, как кроха все ближе и ближе подносит хлопушку ко рту.

Что делать? Как спасти ребенка? Неожиданно для самого себя я запрыгал на корточках перед карапузом и хриплым, противным — во рту все у меня пересохло, — срывающимся голосом запел:

— Тю-тю-тю... тю-тю-тю...

Малыш заинтересовался прыгающим клоуном и, медленно опуская руку с хлопушкой вниз, явно ожидал какого-нибудь фокуса от поющего на корточках дяди. И дядя «сделал фокус».

Продолжая петь, я подобрался к мальчику, осторожно взял из его рук хлопушку (боялся схватить сильно — может разорваться), после чего дал ему приличную затрещину. Ребенок, заорав, упал. На его крик прибежал отец и начал орать на меня. А я стоял обмякший, неспособный сказать и слова. Весь спектакль меня продолжало трясти.

А иногда хлопушки нас веселили. В момент особо хорошего, игривого настроения Карандаш перед спектаклем, полузагримированный, просовывал голову в дверь нашей гардеробной и говорил:

— Никулин, вы не находите, что за кулисами стало что-то очень тихо? Как-то все поуспокоились. Хорошо бы хлопушечку...

— Понятно, Михаил Николаевич, — отвечал я и, снимая с гвоздика хлопушку, шел с Мишей за кулисы к нашему реквизиту.

Убедившись, что за нами никто не следит, я взрывал хлопушку, толкал при этом стремянку, а Миша бросал на пол жестяное корыто. Оглушительный взрыв, шум от падающей стремянки и корыта вызывали за кулисами переполох.

На шум прибегали униформисты, испуганный инспектор манежа без фрака, из дверей гардеробных высовывались полуодетые артисты. В облаке дыма, рассеивающегося после взрыва, неподвижно стояли с виноватыми лицами я и Миша. В этот момент из своей комнаты быстро выходил Михаил Николаевич.

— В чем дело? Что произошло? — спрашивал он строго.

— Да вот, — говорил я виноватым голосом, держа обрывки веревки в руках, — привязывал хлопушку и упал, а она и взорвалась.

— Осторожнее надо. Сколько вас учить можно?! — кричал Карандаш и, пряча улыбку, быстро уходил к себе.

Когда после переполоха все расходились, Михаил Николаевич забегал к нам в комнату и, потирая руки, говорил:

— Как они все переполошились-то, а? Ну теперь встряхнулись. Спектакль живей пойдет... Это хорошо.

Который час?

Придумал шутку. С серьезным видом рассказываю всем, что в Центральной студии готовится к выпуску аттракцион «Дрессированные гигантские черепахи». Черепах привезли с острова Гаити. Под марш они делают два круга по манежу, а потом все становятся на задние лапы и кивают головами. Когда рассказываю, многие этому верят. После паузы добавляю, что аттракцион никак не могут выпустить. Когда же меня спрашивают почему, отвечаю, что не выдерживает оркестр, ибо номер с черепахами идет... пять часов. Смеются.

Из тетрадки в клеточку.
Август 1949 года

Из Ворошилова мы отправились в Хабаровск. Во время гастролей я подкопил денег и первый раз в жизни сделал солидные приобретения. В одном из магазинов Хабаровска увидел великолепное зеркало-трельяж. Зеркало красивое, каждая створка окантована металлом. Долго стоял у прилавка и все смотрел на зеркало, раздумывая: брать или не брать? Дороговатым оно показалось. Но зато как будет приятно перед таким зеркалом гримироваться! И складывается оно удобно, что немаловажно при постоянных переездах. Наконец решился и купил. Все-таки красивая вещь.

В первый же вечер, когда я гримировался перед новым зеркалом, Карандаш зашел к нам и сказал:

— Зеркало купили? Хорошее, красивое. Правильно сделали. Фирма Карандаша солидная, и вещи у нас должны быть солидными.

Потом, прищурившись, долго смотрел на зеркало и спросил:

— А где покупали?

Я назвал магазин в центре города. На другой день Михаил Николаевич купил тоже трельяж, только размером в два раза больше.

В Хабаровске сбылась и моя мечта иметь часы. Покупать часы ходили вместе с Мишей и Абдуллаевым.

Когда я учился в школе, только две девочки из нашего десятого класса носили часы, и на уроках они на пальцах показывали нам, сколько минут осталось до переменки. И вот теперь у меня собственные часы «Победа». Я часто смотрел на них, подносил к уху, проверяя, тикают ли. Артисты, униформисты, рабочие, заметив это, начали меня разыгрывать, поминутно спрашивая:

— Который час?

Я как ни в чем не бывало отвечал, лишний раз с удовольствием посматривая на новенькие часы.

В розыгрыш включился и Михаил Николаевич. Он заглянул в нашу гардеробную и попросил меня срочно зайти к нему. Я зашел. Карандаш предложил мне сесть, а потом, выдержав солидную паузу, обратился ко мне:

— Никулин, я вас вот по какому поводу вызвал... Не скажете ли вы мне... который час?

И вспомнилась мне история, которую я рассказал Михаилу Николаевичу. История, связанная с часами.

Я учился тогда в шестом классе. Играя как-то с ребятами во дворе, мы заметили парнишку небольшого роста, нашего сверстника, прилично одетого.

Он подошел к нам и деловито спросил:

— Часы никто не купит по дешевке?

Он объяснил нам, что обворован часовой магазин, где взяты двести часов. Они и продаются почти задаром, по тридцать рублей за штуку.

Мы все замерли. Тридцать рублей! В магазине часы стоили больше четырехсот рублей, и вообще часы — мечта любого мальчишки.

В тот момент я и не задумался над тем, что часы-то краденые. В голове стояло только одно: где достать деньги?

Родителей дома не было, но я знал, что отец хранит деньги в толстовке, постоянно висевшей на спинке кровати, и я залез в карман и нашел там красную тридцатку. Спускаясь по лестнице с зажатыми в кулаке деньгами, думал: «Часы куплю отцу, а он, конечно, даст их поносить».

Таинственный парень, поминутно оглядываясь, давая нам потрогать свой карман, сквозь который прощупывалось что-то твердое, четырехугольное, пояснял:

— Это образец часов — остальные дома. Показывать не буду. Карман зашит.

Почему зашит, он не объяснил. Но мы поняли: так надо.

Собрали деньги — их принесли еще трое ребят — и вручили Паташону, так мы звали одного паренька.

Прежде чем пойти за часами, парень отослал Паташона к воротам посмотреть, не следят ли за ним. Когда тот, стоя у ворот, крикнул, что все в порядке, парень скомандовал:

— Вы все останетесь здесь, а я с вашим Паташоном пойду за часами.

Как рассказывал потом Паташон, продавец часов, пройдя с ним два переулка, остановился около какого-то дома и, таинственно оглядевшись по сторонам, сказал:

— Значит, так, я ребятам оставил двое часов, а сейчас возьму остальные. Сколько у тебя денег?

— Девяносто шесть рублей, — ответил Паташон.

Взяв у Паташона деньги и сказав, что он сейчас вернется, парень исчез. Когда стемнело, Паташон понял, что продавец часов бесследно пропал. А подходя к нашему дому и увидев группу ребят, стоявших в ожидании у ворот, он еще раз убедился, что всех нас надули, и, видимо решив, что сейчас его начнут бить, заранее заплакал.

У меня все внутри оборвалось. Пропала отцовская тридцатка.

Когда я вернулся домой, папа пил чай. Я ему все честно рассказал.

— Ну что ж, больше не будешь идиотом. Жаль тридцатку, она у меня последняя, — сказал он.

Тут я не выдержал и заревел. Жаль тридцатку. Жаль отца. И особенно обидно, что меня обманули.

Карандаш, выслушав историю с часами, хмыкнул и сказал:

— Вот стервец парень-то! Но ведь, наверное, способный артист! Вы-то ему поверили...

Представление отменяется

Старый униформист дядя Леша рассказал мне, что когда-то давно один жонглер решил отрепетировать сложнейший трюк — жонглирование тремя спичками. Он стал бросать их, как бросают булавы. Это трудно. Спички легкие, и надо изловчиться, чтобы ухватить их за конец. Артист день и ночь репетировал несколько лет. И своего добился.

Объявляют публике: «Рекордный трюк — жонглирование тремя спичками!»

Жонглер исполняет трюк. А публика никак не реагирует. Цирк большой, и что там делает артист, никто и не видит.

— Ну и что же? — спросил я.

— Ничего, — ответил дядя Леша, — артист с горя повесился.

Из тетрадки в клеточку.
Сентябрь 1949 года

С Дальнего Востока опять на транспортном самолете мы вылетели в Новосибирск. Летели долго и с приключениями. Сначала не выпускалось шасси у самолета. Мы сделали десять кругов над аэродромом, и только тогда шасси сработало. А тут выяснилось, что на аэродроме авария — нет света, и нас в темноте посадить не могут. Мы все заволновались. Через несколько часов премьера (Михаил Николаевич вылетел на день раньше и провел полную репетицию с осветителями, униформистами, оркестром), а мы в воздухе.

Из безвыходного положения нас выручил Карандаш, приехавший на аэродром встречать самолет. После консультации с начальником аэродрома он собрал все такси и автомашины, стоявшие около аэропорта, и выстроил их с включенными фарами вдоль посадочной полосы. После дополнительных шести кругов над аэродромом нашему самолету разрешили совершить посадку. Никто из шоферов денег от Михаила Николаевича не взял, но все они получили право приобрести вне очереди билеты в цирк. Премьера в Новосибирске началась без опоздания.

Как и во всех городах, здесь нам сопутствовал успех. Закончили мы гастроли необычно. Накануне последнего дня работы ночью разразилась страшнейшая буря.

Шквальный ветер разнес купол шапито в клочья. Приходим утром в цирк и видим — он без крыши. Слоем снега покрыты манеж, скамейки для зрителей.

Утром дирекция объявила по городскому радио, что заключительный спектакль с участием Карандаша отменяется и билеты подлежат возврату. Мы только начали упаковывать багаж, как к Михаилу Николаевичу прибежал директор. Он умолял его выступить, потому что публика, требуя представления, отказывается сдавать билеты, купленные месяц назад. Карандаш согласился.

Цирк без крыши. Шел хлопьями снег. Публика сидела в полушубках и валенках. В паузах выходил Карандаш... В этих условиях каждый номер встречался на ура. Когда выступала М. Шадрина — «Человек — счетная машина» (она стояла посредине манежа в открытом платье), с первого ряда поднялась старушка, перелезла через барьер манежа, подошла к артистке и набросила на ее плечи пуховый платок. Публика зааплодировала.

Спектакль мы должны были заканчивать клоунадой «Лейка». (В этой клоунаде мы обливаемся водой.) В антракте как бы в пространство я сказал с тоской:

— А может быть, не будем давать «Лейку»?

— Не надо обижать зрителя, — ответил Карандаш. — Будем работать как всегда.

И мы обливались водой. Правда, перед началом клоунады по настоянию Карандаша мы выпили по сто граммов водки, чтобы не простудиться.

Директор, прощаясь с нами, долго благодарил всех артистов, и в первую очередь Михаила Николаевича, за самоотверженность.

В связи с этим вспоминается совершенно другой случай. Приехали мы в один город работать в шапито. После утомительной репетиции в первый же день приезда, за несколько часов до премьеры, Карандаш спросил нас, как мы устроились с жильем. Мы сказали, что пока нас еще никак не устроили.

— Как «не устроили»? — возмутился Михаил Николаевич и вызвал директора цирка. (Директором работал грубый, самодовольный человек.)

— Вы, Михаил Николаевич, — сказал директор, — не волнуйтесь. Для вас забронирован люкс в гостинице, а ваши ассистенты в конце концов могут переночевать и в цирке, завтра мы им что-нибудь найдем.

— А где людям отдохнуть перед работой? — спросил Карандаш.

— Ну, один день не отдохнут, — последовал ответ.

И началось. Я видел Карандаша в гневе. Но таким, как тогда... Карандаш кричал так, что у меня по коже бегали мурашки. Он размахивал руками, топал ногами. На шум сбежались униформисты и не без радости смотрели, как артист отчитывает директора. Я уже не рад был, что Михаил Николаевич узнал о том, что мы остались без жилья. А Карандаш стоял в своем махровом халате перед здоровенным ухмыляющимся директором и кричал ему:

— Вы хам! Вы не любите артистов. Мы кормим вас. Мы приносим пользу государству. Вы нас не цените! Людей надо беречь. Даже маленьких. Поймите это...

Карандаш кричал долго, исступленно, не давая директору вставить ни слова. Распалясь от собственной речи, Карандаш схватил жестяное ведро (реквизит для «Венеры») и бросил его о цементный пол так, что оно смялось.

А потом неожиданно замолчал, выдержал паузу и сказал спокойно-будничным тоном:

— Сегодня я не работаю.

— И не надо, — бросил, уходя, директор в полной уверенности, что Карандаш работать все-таки будет.

Ведь билеты-то все проданы за месяц вперед, на премьеру придет городское начальство.

До спектакля оставалось часа три. Директор надеялся, что за это время артист успокоится.

Михаил Николаевич велел нам переодеться, умыться и повел нас обедать в столовую недалеко от цирка.

За обедом молчание нарушила Тамара Семеновна.

— Может быть, все-таки отработаем? — спросила она робко.

— Тамара Семеновна, прошу вас на эту тему не говорить, — произнес Михаил Николаевич ледяным тоном. Так отстраненно, по имени и отчеству, он обращался к своей жене только в острых ситуациях.

Нам же Карандаш сказал:

— Вы не волнуйтесь. Лучше потом дадим дополнительное представление, но сегодня работать не будем. Таких директоров учить надо.

Потом помолчал и, вытянув вперед руки, сказал, обращаясь почему-то к Мише:

— А я и сам теперь работать не смогу. Видите, как руки дрожат.

После обеда пошли в цирк. Михаил Николаевич в гардеробной разбирал ящики, приводил в порядок костюмы, расставлял грим в баночках.

Вечером артисты загримировались в своих гардеробных, в оркестре настраивали инструменты. Публика уже входит в цирк. А Карандаш не гримируется — спокойно гуляет с собачками во дворе цирка. Об этом сообщили директору. И он, поняв, что Карандаш сегодня работать не будет, срочно повесил у входа в цирк наспех написанное объявление: «Сегодня представление отменяется». Зрителям, уже занявшим свои места в зале, инспектор объявил: «По техническим причинам представление отменяется». Некоторые пошли сдавать билеты в кассу, а группа наиболее «эмоциональных» зрителей решила поговорить с директором, и он, испугавшись, через конюшню убежал из цирка.

Большинство артистов и сотрудников одобряли отказ Карандаша. Михаил Николаевич в своей гардеробной занялся делами как ни в чем не бывало. Мы с Мишей молча выжидали, что будет дальше.

В знак протеста и солидарности с нами Карандаш решил в гостиницу не ехать. Вповалку мы легли спать в его гардеробной на знаменитом ковре от «Венеры».

Только улеглись, как в дверь просунулась голова экспедитора. Он робко спросил:

— Михаил Николаевич, может быть, поедете в гостиницу?

— Вон отсюда! — крикнул Карандаш. Голова исчезла.

Полночи мы проговорили. Михаил Николаевич вспоминал о том времени, когда он работал художником-плакатистом в столичном кинотеатре «Экран жизни». Рассказывал о фильмах с участием знаменитых комедийных артистов Глупышкина, Гарольда Ллойда, Чаплина, Макса Линдера. Заснули мы поздно. Цирк не отапливался, и к утру мы замерзли. Тамара Семеновна всю ночь продремала в кресле с уютно устроившимися у ее ног Кляксой и Пушком.

Утром нас с Мишей поселили в отличном номере гостиницы. (Нас туда отвезли на машине и даже вещи помогли внести.)

После этого случая директор стал тише воды, ниже травы. Любые указания и просьбы Михаила Николаевича он выполнял моментально. Впоследствии я узнал, что этот директор проворовался и попал в тюрьму.

Так и ездили мы из города в город. Я присматривался к людям, с которыми меня свела работа, стараясь как можно больше узнать и понять. Порой у меня в душе возникали тревога, сомнение, робость перед будущим.

Карандаш, видимо чувствуя мое настроение, иногда говорил мне:

— Вот вы, Никулин, в чем-то, я вижу, сомневаетесь, не верите, копаетесь в себе, а не надо это. Зачем? Смотрите, вот Шуйдин. У него все правильно идет. У Миши ясный взгляд. Он схватывает все хорошо.

С одной стороны, вроде бы моя судьба складывалась благополучно — я артист, работаю с Карандашом («У нас фирма солидная», — часто говорил Михаил Николаевич), а с другой — никаких перспектив. Ну, буду работать с Карандашом, подыгрывая замечательному артисту в его клоунадах, а дальше?..

Служащие, артисты нас в глаза и за глаза называли холуями, прихлебателями, мальчиками на побегушках. Одни говорили это зло, желая досадить Михаилу Николаевичу, видимо завидуя его успеху, другие — жалея нас. Меня не смущали подобные разговоры. Неприятно это было, но не обижало. Мы уважали и любили своего учителя. Я просто считал своим долгом погулять с собаками Михаила Николаевича, когда его рабочий по уходу за животными в дни получки физически не мог этого сделать. И порой в моем воображении рисовалось: вот наступит время, и Михаил Николаевич придумает нам самостоятельную клоунаду, и мы с Мишей начнем делать все, что захотим, а Карандаш время от времени будет только подходить к нам и давать советы. Готовя себя для будущей клоунады, оставаясь один в гардеробной, я перед зеркалом, купленным в Хабаровске, разыгрывал странные этюды. Даже не этюды, а так, импровизации: корчил гримасы, декламировал стихи, танцевал, пел, издавал всякие звуки, а то и просто выкрикивал бессмысленные, но, как казалось мне, смешные фразы. Искал смешное. А самым смешным было, когда однажды после ряда подобных упражнений я услышал тихий голос:

— С ума, что ли, сходишь?

Это сказала уборщица, которая долго смотрела из приоткрытой двери на мои импровизации перед зеркалом.

— Довел вас Карандаш, — добавила она печально.

Шкаф с дверкой

Сегодня во сне видел, что я собака. Мой хозяин — сапожник из дома №17. Он ведет меня на поводке по Разгуляю, а я разговариваю с ним на человеческом языке. Спрашиваю сапожника:

— Похож я на собаку? А он отвечает:

— Похож-то похож, но только не смотришь ты на меня преданно.

К чему бы это?

Из тетрадки в клеточку.
Январь 1950 года

Работа с Карандашом шла спокойно. Маленькая тетрадка, которую он вручил мне два года назад, оказалась вся исписанной заметками, вопросами, заданиями...

Я старался взять от учителя как можно больше. Карандаша порой было сложно понять. Начнет объяснять что-нибудь и тут же перескакивает на другое. Нередко он приводил непонятные, странные примеры. Из всего этого хаоса требовалось выбрать главное. Я на собственном опыте познал, в каких муках и сомнениях рождается каждая новая вещь. Реквизит Карандаш обычно делал себе самостоятельно.

— Пока делаешь реквизит, — любил говорить он, — привыкаешь к нему. Думаешь над реквизитом. В руках вертишь, трюки придумываются. И реквизит становится тебе родным. И работать с ним потом легче.

Увы, в отличие от Михаила Шуйдина я не любил возиться с реквизитом. Техническая смекалка, навыки владения инструментом у Миши остались с тех пор, когда он еще до войны работал слесарем-лекальщиком на заводе. Миша вырос в глазах Карандаша после случая со шкатулкой. Готовя реквизит к представлению, один из ассистентов знаменитого Эмиля Теодоровича Кио уронил за кулисами трюковую шкатулку. Она разбилась на мелкие кусочки. Гибель хитро сделанной шкатулки — в ней таинственно исчезал деревянный кубик — повергла Кио в отчаяние, ибо фокус, который он показывал с ней, был как бы вступлением к трюку с большой шкатулкой. (Из большой шкатулки неожиданно для зрителей появлялись люди.) Опытный столяр цирка Иван Щепкин, осмотрев внимательно остатки шкатулки, глубокомысленно сказал:

— Здесь и краснодеревщик не поможет.

Узнав об этом, Миша предложил свои услуги. Он подобрал обломки шкатулки и унес в столярку. Весь день он пилил, строгал, клеил, красил, а за пять минут до начала представления принес шкатулку и вручил ее Кио.

— Она же как новая! — воскликнул обрадованный Эмиль Теодорович.

— Она и есть новая, — сказал Миша, — я сделал все заново.

Кио расцеловал Мишу, и вечером «шуйдинская» шкатулка, как ее потом окрестили, «работала» в аттракционе.

Михаил Николаевич гордился Мишей. Вот столяр цирка не мог исправить шкатулку, а ученик Карандаша сумел.

Карандаш по-прежнему много с нами занимался. Он ежедневно напоминал, чтобы мы искали псевдонимы. В эти поиски включились наши друзья, мои родители. Мы с отцом перелистывали телефонную книгу, десятки словарей, энциклопедию, но все безрезультатно.

А может быть, мне и не хотелось псевдонима. Я понимал, что Карандаш мог бы добиться своего и сделать из нас с Мишей каких-нибудь Мишеля и Юрика или клоунов Типа и Топа. Но внутренне я этому сопротивлялся.

Михаил Николаевич привык к тому, чтобы инициатива исходила только от него. Он выдумывал десятки отговорок, чтобы отклонить любое наше предложение, говоря, что это еще не то, это нужно еще проверить, это, мол, не смешно или это нам еще рано.

Помню, репетировали мы клоунаду «Бракоделы», в которой Карандаш играл нерадивого директора мебельной артели. По чертежам Карандаша изготовили бракованный шкаф — кособокий, с неоткрывающимися дверцами. Шкаф качался, как на шарнирах, а под плохо пригнанной створкой зияла огромная щель. На одной из репетиций Михаила Николаевича вдруг куда-то вызвали. Стоим мы с Мишей на манеже у шкафа, а вместе с нами жонглер Костя Абдуллаев. Я шутя говорю Косте:

— А знаешь, как можно моментально заделать щель под дверцей?

— Нет, — отвечает он.

— А вот так, — сказал я и наклонил шкаф на другую сторону так, что щель под одной дверцей исчезла, но зато открылась под другой.

— Смешно. Это можно вставить в клоунаду, — сказал Абдуллаев.

— Карандаш не примет, — мрачно заметил Миша.

— Примет, примет, — успокоил его Костя, — я его сейчас уговорю. Вот увидите. Только вы молчите. Карандаша надо знать.

Вернулся Михаил Николаевич на репетицию, и к нему обратился Абдуллаев:

— Михаил Николаевич, смотрите, какую глупость Никулин придумал.

И он продемонстрировал то, что я ему только что показывал.

— Почему глупость, — обиженным тоном сказал Карандаш, — это смешно. Есть щель, и нет щели. Комиссия скажет: «Карандаш, здесь щель», а я шкаф наклоню: «Пожалуйста, нет щели». Ничего не глупость. Мы ее вставим в клоунаду. — И он, как бы услышав реакцию публики, засмеялся.

Нередко, сидя в своей маленькой гардеробной, мы с Мишей вели разговор о своей судьбе. Что нас ждет впереди? Перед нами возникла не самая отрадная картина. Практика, вникание в цирковую жизнь — все это полезно, а что же дальше? Работа с Карандашом. Работа у Карандаша. Работа под началом Карандаша. А нам хотелось самостоятельно испробовать свои силы на манеже.

Временами Михаил Николаевич становился вспыльчивым и излишне придирчивым. Партнеры, работавшие у него до нас, расставались с ним всегда со скандалом. И мы с Мишей договорились: «Если один из нас не сработается с Михаилом Николаевичем, то уйдем вместе».

Так оно и вышло. Несколько раз Миша просил Карандаша посодействовать, чтобы в главке скорее решили вопрос о его тарификации. Миша по-прежнему получал ставку ученика, и жилось ему тяжело. Михаил Николаевич тянул с решением этого вопроса, хотя вполне мог бы помочь. И, как говорится, нашла коса на камень. Миша однажды заявил Карандашу, что если вопрос о ставке затянется, то он вынужден будет от него уйти. Сказал в тот момент, когда Михаил Николаевич сидел в своей гардеробной в дурном расположении духа.

— Ну и подавайте заявление об уходе, — резко ответил он Мише.

Я сидел в гардеробной у Карандаша, когда Миша принес свое заявление.

— Чудненько, — сказал Михаил Николаевич, положив заявление на стол.

Когда Миша вышел из комнаты, он, нервно потирая руки, обратился ко мне:

— Ничего, Никулин, мы найдем другого партнера.

Весь вспотев от волнения и зажавшись, я с трудом выдавил:

— Михаил Николаевич, если Миша... то и я тоже.

— Что? Что «тоже»?! — удивленно подняв брови, спросил Михаил Николаевич.

— Уйду...

— Ну и пожалуйста, уходите... — вскипел Карандаш. — Пишите заявление.

Так я и сделал.

Карандаша наши заявления расстроили, но расстались мы с ним все-таки спокойнее, чем его прошлые партнеры...

КЛОУНА НАДО ВИДЕТЬ

Когда обезьяна рассмеялась, увидев себя в зеркале, — родился человек.

Станислав Ежи Лец

Перелистывая страницы книг с мемуарами артистов цирка, я узнавал, что в цирке работало немало талантливых клоунов, вошедших в историю нашего искусства. Но как бы подробно ни рассказывалось о клоунах, мне трудно представить, какими они были на самом деле, как работали. Клоунов нужно видеть своими глазами на манеже, чтобы иметь о них полное представление.

Искусство клоунады рождается при непосредственном контакте зрителя и артиста. И в этом я еще раз убедился, попав почти на целый год в группу клоунов при Московском цирке.

Байкалов — наш покровитель

Сегодня директор цирка Байкалов на собрании выступил с докладом «О новых путях развития современной клоунады». Режиссер Арнольд сразу после доклада во всеуслышание произнес: «Когда вагоновожатый ищет новые пути — трамвай сходит с рельсов».

Из тетрадки в клеточку.
Июль 1950 года

Когда я еще занимался в студии, отец, придя на один из просмотров и увидев входящего в зал Байкалова, спросил меня:

— А что Архиреев у вас делает?

— Какой Архиреев? — удивился я. — Это же Байкалов, директор цирка.

— Да нет. Это Архиреев Николай Семенович, — сказал отец. — Я его давно знаю. Мы с ним встречались по работе в самодеятельности.

Так я узнал, что наш директор раньше имел другую фамилию.

Впервые я увидел Байкалова на вступительных экзаменах в студию. Он сидел в центре длинного стола, который занимала приемная комиссия, и выделялся среди всех внушительной фигурой, суровым, из-под насупленных бровей взглядом. Выглядел уверенным, солидным руководителем крупного предприятия. И все мы, поступающие, понимали: главный человек за столом — директор.

Мы, студийцы, его побаивались и при встречах с ним здоровались еще издали.

С утра до вечера он в цирке. Обедал в цирковой столовой в отдельном кабинете, отгороженном от общего зала красной плюшевой занавеской. Официантки несли ему обед на подносе, покрытом белой салфеткой. К большинству сотрудников цирка, артистам Николай Семенович обращался на «ты», хотя все с ним были на «вы». Только с руководством главка Байкалов был всегда на «вы».

Все газеты и журналы, которые выписывал цирк, с утра приносили в его кабинет и лишь после того, как директор их просматривал, относили в красный уголок.

Любил Байкалов выступать на похоронах. Речи всегда говорил проникновенно, впечатляюще и нешаблонно.

Близко я узнал Николая Семеновича, встречаясь с ним на партийных и профсоюзных собраниях, на которые он приходил всегда последним. Его терпеливо ждали. Выступал он, как правило, тоже последним. Говорил хорошо, без бумажки и по-деловому, но если ругал кого-нибудь незаслуженно, то никто уже оправдаться не мог. Заключительное слово-то оставалось всегда за директором.

В одной из программ Московского цирка выступал с дрессированными собачками артист Николай Ермаков. Среди его четвероногих артистов выделялся здоровый лохматый пес по кличке Бабай. Николай Ермаков показывал сценку «В классе», где роль учителя исполнял он сам, а учеников — собаки. Нерадивого ученика, который опаздывает к началу урока, играл Бабай. Пес вбегал в класс последним, и артист укоризненно ему выговаривал:

— Ай-яй-яй! Опять Бабай опоздал.

На этой реплике в зале раздавался смех.

Как-то на очередное собрание Байкалов, как всегда, пришел последним, и кто-то из артистов вполголоса бросил реплику: «Опять Бабай опоздал».

Все засмеялись. Николай Семенович строго оглядел зал, но причину смеха не понял и как ни в чем не бывало прошел к председательскому столу. С тех пор его прозвали Бабаем. Так все между собой и говорили: «Бабай сказал», «Бабай приказал», «Бабай недоволен».

Именно Байкалов помог нам с Мишей определить дальнейшую судьбу. После ухода от Карандаша мы почувствовали себя как бы между небом и землей. Не имея своего репертуара, мы не могли влиться в конвейер и разъезжать по циркам и поэтому решили пойти в художественный отдел Главного управления цирков, чтобы поговорить о нашей дальнейшей судьбе. (С момента ухода от Карандаша везде ходили только вдвоем.)

— Знаете что, — сказали нам в главке, — отгуляйте положенный отпуск, а там и будем решать, что с вами делать. Что-нибудь придумаем. Кто-нибудь вами займется.

Этим «кто-нибудь» и оказался Николай Семенович Байкалов.

Когда в кассе мы получали у Михаила Порфирьевича отпускные и подсчитывали, сколько денег останется у нас после раздачи долгов, секретарша директора (секретарши Байкалова всегда держались так, будто после директора они в цирке самые главные) почему-то приветливо сказала нам:

— Обыскала весь цирк. Вас срочно просил зайти к себе Николай Семенович.

Мы спустились на первый этаж и робко зашли в кабинет директора.

— Присаживайтесь, хлопцы! Есть серьезный разговор, — сказал он. — Рассказывайте, чем занимаетесь. Какие планы?

Только я открыл рот, чтобы начать разговор, как зазвонил телефон и Байкалов начал говорить с кем-то о предстоящем ремонте цирка. А я сидел, рассматривая знакомый кабинет директора.

Старинная мебель: резной массивный письменный стол, красного дерева шкаф, черный кожаный диван. Хозяин кабинета — толстый человек с редкими светлыми седеющими волосами, расчесанными на аккуратный пробор, в очках. Шея у него почти отсутствовала, и большая круглая голова со свисающим двойным подбородком как бы лежала на груди. Шумно набирая воздух (он страдал одышкой), Байкалов кого-то распекал за плохую подготовку к ремонту, употребляя при этом крепкие выражения. На фоне пестрого персидского ковра, висящего на стене (подарок цирку во время гастролей в Иране, которые возглавлял Байкалов), директор выглядел божком.

Николай Семенович в цирке был настоящим хозяином: строгим, придирчивым, своенравным и беспокойным. Штат держал, что называется, в ежовых рукавицах. Любой литературный материал, который приносили авторы, в первую очередь попадал в его руки. Только после одобрения директора репризу или текст пролога передавали режиссерам. Постоянное вмешательство в творческие процессы вечно порождало конфликты между дирекцией и режиссурой. С режиссерами Арнольдом и Местечкиным у Байкалова возникали часто споры. Николай Семенович считал себя в достаточной мере творческим человеком, имеющим право диктовать решение парадов, оформление программы. Он и себя считал режиссером. Еще в 1942 году, находясь в Ташкенте, Байкалов поставил цирковую программу, которая стала основой при создании коллектива узбекского цирка. Каждую программу директор сам подбирал, сообразуясь со своим личным вкусом. Он старался снять артистические сливки и приглашал только лучших артистов. По этому поводу у Байкалова, которого упрекали в местничестве, возникали конфликты с Главным управлением цирков. Трения директора цирка с главком достигали порой такой остроты, что для улаживания конфликтов приходилось вмешиваться вышестоящим инстанциям. У меня лично создавалось впечатление, что Николай Семенович никого не боялся, ни с чем не считался и чувствовал себя при этом в полной безопасности.

В дни праздников в цирке устанавливались ночные дежурства. Иногда дежурить назначали и меня. Всю ночь я просиживал у телефона в кабинете директора, лишь изредка совершая обход здания и переговариваясь с сонными пожарниками. Во время одного из дежурств, сидя в массивном кожаном кресле директора, я от нечего делать стал перелистывать настольный календарь и на одном из листков прочел запись, сделанную красным карандашом: «Сегодня по цирку прошел слух о моем увольнении. Интересно!».

Меня это удивило, я так и не понял: серьезно ли сделал запись Байкалов или как бы издеваясь над своими противниками.

К своей работе Байкалов относился ревностно. Он почти ежедневно следил за ходом представления. Обычно пристраивался где-нибудь на площадке в амфитеатре и смотрел, как проходит тот или иной номер. Артисты никогда не знали, находится Байкалов в зале или нет. За малейший завал на манеже, допущенную небрежность в костюме артисту в тот же день устраивался разнос.

Однажды в дни школьных каникул на утреннике после выступления молодого жонглера за кулисами появился Байкалов.

— Ты что ж сегодня, друг, валишь? — спросил директор молодого артиста. Спросил спокойно, как бы по-отечески.

— Да вот, Николай Семенович, никак не проснусь, вчера поздно лег, — беззаботно улыбаясь, ответил жонглер.

— Давай-ка, брат, — сказал Байкалов, — отдохни. Сейчас одевайся и иди домой. Отоспись. Сегодня больше не работай.

На другой день жонглер приходит в цирк, а на доске приказов распоряжение главка: молодому артисту по разнарядке предписывалось поехать на работу в другой город. Никакие извинения и слезы не помогли. Директор остался непреклонным.

Священными являлись для Николая Семеновича парад-прологи. Задолго до начала репетиций он обсуждал с режиссерами, как будет поставлен пролог. Он вникал в каждую строчку текста и сам приходил на репетицию и говорил, на какой фразе стихов должен раздвинуться занавес на сцене, открывая освещенный прожекторами огромный портрет Сталина.

Об этом я вспомнил, сидя в кабинете директора, пытаясь догадаться, зачем он нас с Мишей пригласил к себе.

Байкалов, положив после разговора телефонную трубку, вдруг просветлел, как будто и не ругался по телефону, и обратился к нам:

— Вот что, хлопцы, решили мы при Московском цирке создать постоянную группу клоунов. Утверждая состав группы в главке, я назвал и ваши кандидатуры. Хотите в Москве постоянно работать?

— А что делать-то будем? — спросили мы в один голос.

Байкалов долго и увлеченно начал говорить о группе профессиональных артистов-клоунов, с которыми предполагается большая работа. Творческая и экспериментальная, подчеркнул он.

— Вы ребята дельные, способные, коммунисты. Очень хорошо, что ушли от Карандаша. Вам пора входить в самостоятельную жизнь. Мы предоставим вам полную свободу действий; найдем хороших авторов, режиссеров, художников, и я уверен, что именно так и родится массовая советская клоунада. Это главная задача создаваемой группы. Ну как, хлопцы?

Мы с Мишей переглянулись. Первое, о чем я подумал, — это радость родителей и Татьяны. Все дома обрадуются, что мы останемся работать в Москве.

— Ну как, Миша? — спросил я партнера.

— Я как ты, — ответил он. — Наверное, можно и остаться.

— Добро! — воскликнул Николай Семенович. — Отдыхайте, набирайтесь сил. В отпуске подумайте. Может, какие конкретно мысли возникнут.

Отпуск я провел у моей тетки под Москвой. Пока шел отпуск, все считал дни, когда он закончится и можно будет наконец окунуться в новую работу. Будущее мне представлялось так: при цирке создадут группу из артистов-единомышленников, и эти клоуны для каждой программы подготовят десятки различных клоунад, реприз, создадут смешной клоунский пролог. Одновременно мы с Мишей отрепетируем свою клоунаду. Пригласят для нас авторов, наверное, самых талантливых. Включат в программу массовую клоунаду, злободневную, смешную, в которой мне отведут пусть небольшую, но яркую роль (почему-то мечталось о бессловесном швейцаре или пожарном, который в конце всех обольет водой из шланга).

Долго тянулся отпуск. Наступил долгожданный день, и мы с Мишей пришли в цирк как участники клоунской группы. Цирк готовился к открытию сезона. Через три дня Байкалов провел совещание клоунской группы.

— Дорогие друзья клоуны! Московский ордена Ленина цирк выдвигает перед вами ответственную задачу — поставить клоунаду на новые рельсы, — говорил директор цирка, собрав нас в красном уголке.

Рядом с Николаем Семеновичем, заложив ногу за ногу — его любимая поза, — сидел главный режиссер цирка Арнольд Григорьевич Арнольд.

Байкалов произнес длинную речь о задачах клоунады «на современном этапе», во время которой Арнольд Григорьевич, к великому нашему восторгу (восторг мы, естественно, подавляли, боясь гнева директора), вставлял свои словечки и фразы.

После совещания мы, клоуны, собрались в нашей маленькой комнатенке (в той самой, в которой мы обитали с Мишей, работая у Карандаша) и, возбужденные перспективами и возможностями, о которых услышали, долго говорили о своих планах.

Состав клоунской группы подобрался разношерстный. По какому принципу нас соединили вместе, трудно понять.

Больше всего меня обрадовало, что в группу зачислили Леонида Куксо. Он при первой же встрече бросился мне радостно на шею. Увидев Куксо, я понял — скучать не будем. Леонид, как всегда, выглядел жизнерадостным, сыпал каламбурами, постоянно всех разыгрывал.

Сначала режиссеры Арнольд и Местечкин почти ежедневно собирали нас и много говорили о возможных репризах и интермедиях. Несколько раз к нам приходили и авторы, пишущие для цирка. Они все пытались понять, чего мы хотим. Но, судя по тому, что они никакого материала нам не предложили, авторы нас так и не поняли.

На общих собраниях клоунской группы, мы их называли сборищами, шел, как говорится, треп о возможных интермедиях, о репризах, читались юмористические рассказы, вспоминались смешные случаи. Особое очарование этим сборищам придавал Арнольд.

Однако вскоре и это прекратилось, и работу группы практически пустили на самотек. Все мы варились в собственном соку. Режиссура и дирекция цирка с трудом придумывали возможные варианты, чтобы занять нас в программах. Из всех нас самым активным оказался Леонид Куксо. Он без конца предлагал сюжеты для массовой клоунады. Одним сюжетом — клоунадой «Болельщики» — заинтересовались, и ее начали репетировать, чтобы показать на открытии цирка.

В конце сороковых — начале пятидесятых годов самым популярным и массовым зрелищем был футбол. Достать билет на стадион — проблема. В дни интересных матчей все слушали футбольные репортажи по радио. Леонид Куксо предложил поставить клоунаду о том, как в одном из учреждений сотрудники, бросив работу, слушали по радио репортаж со стадиона. Леонид не без юмора, прекрасно имитируя голос спортивного комментатора Вадима Синявского, вел репортаж. Эту клоунаду включили на открытие сезона. Каждый из нас старался выделиться и переиграть друг друга. Из-за этого на манеже получилась неразбериха. Публика смеялась больше из-за остроумного текста репортажа.

Уже тогда Леонид Куксо начал писать и песни. Писал он их, как говорится, для себя, для души. Одна из них, «Тарасовка», посвященная футболистам московского «Спартака», мне особенно нравилась. Под Москвой, в Тарасовке — отсюда и название песни, — тренировались игроки. Леонид часто к ним ездил. Он дружил со многими футболистами и не раз приглашал меня поехать вместе с ним в Тарасовку. Я отказывался, ибо «болел» за «Динамо» и считал, что ехать в «стан врагов» нечестно.

В декабре мне исполнилось тридцать лет. С грустью подумалось, что вот уже почти пять лет как я накрепко связан с цирком, а не добился хоть сколько-нибудь заметных успехов. У меня складывалось впечатление, что я топчусь на одном месте. Вот вроде бы иду по знакомому лесу, знаю все дорожки, а найти выход не могу. В то же время подсознательно чувствовал: нужно сделать какой-то один шаг, небольшой шаг вперед, и я смогу проявить себя. Я не впадал в пессимизм, стараясь смотреть с иронией на всю неразбериху в нашем клоунском коллективе.

Байкалов ревностно следил за нашей группой, но, видимо, и он понимал, что эксперимент не оправдал себя. Постоянные интриги с главком, осложнение с подготовкой новых программ не позволяли Байкалову вникнуть в наши заботы по-настоящему.

Встретив нас как-то с Куксо в коридоре, Николай Семенович спросил:

— Ну, как там у вас настроение в клоунской группе?

Я ответил:

— Поем нашу любимую песню.

— Какую? — насторожился Байкалов.

— «Славное море, священный Байкалов», — выпалил я. Николай Семенович серьезно спросил:

— А про Местечкина?

Тут нашелся Леня.

— Ну как же, — сказал он, — поем из оперетты: «Знаем мы одно прелестное Местечкин».

Байкалов засмеялся.

Конечно, он понимал юмор, хотя шутить с ним осмеливались немногие артисты. Помню, как весь цирк внимательно следил за конфликтом между Байкаловым и артистом Маяцким.

Главное управление цирков, несмотря на категорические протесты Николая Семеновича Байкалова, включило в программу аттракцион Петра Маяцкого «Шар смелости».

Именно за создание этого аттракциона Маяцкий получил премию на смотре новых произведений советского цирка. Артист работал в громадном металлическом шаре, состоящем из двух сетчатых полусфер, которые подвешивались под куполом цирка. И публика могла видеть, как бесстрашный артист вместе со своими партнерами на мотоциклах на огромной скорости ездили по окружности и по диагонали внутри шара. В финале аттракциона нижняя полусфера шара опускалась вниз, а Маяцкий на мотоцикле продолжал ездить в верхнем полушарии. Гасился свет, взрывались ракеты, прикрепленные к мотоциклу, нижняя сфера снова поднималась на тросах, и артист опускался вниз.

Как только установили громоздкую аппаратуру Маяцкого (верхняя полусфера шара намертво крепилась к куполу и висела над манежем), многие артисты начали жаловаться Байкалову на это неудобство. Воздушным гимнастам стало сложно с подвеской аппаратуры, жонглеров отвлекала сетка шара, стояки, держащие полусферу, пугали лошадей.

И Байкалов решил этот аттракцион с программы снять.

В цирке возникла напряженная обстановка. Байкалов требовал, чтобы Маяцкий немедленно размонтировал аппаратуру и уезжал работать в другой город. Петр Маяцкий вел себя так, как будто ему нет дела до распоряжения директора. Он, понимая, что бороться с Байкаловым бесполезно, решил обратиться за помощью к старейшему дрессировщику лошадей Руссо, который хорошо знал лично Буденного. (В Гражданскую войну Руссо воевал в конной армии Буденного.) Семен Михайлович Буденный несколько раз помогал Руссо в приобретении лошадей на лучших конных заводах, бывал на репетициях.

Как пошло дело дальше, кто и через какие каналы действовал, неизвестно. Только за несколько дней до премьеры в цирк позвонили от Климента Ефремовича

Ворошилова и сказали, что Ворошилов собирается на премьеру и хочет посмотреть номер «Шар смелости» Петра Маяцкого.

После представления Петр Маяцкий пошел в ложу и беседовал с Климентом Ефремовичем. О чем говорили Ворошилов и Маяцкий, никто не знал. Затем вызвали в ложу и директора цирка. Полный Байкалов с несвойственной ему резвостью вбежал по лестнице в ложу и, с трудом подавляя одышку, выслушал слова Ворошилова:

— Хороший номер у Петра Никифоровича. Он воспитывает мужество и смелость. Это красивое зрелище.

Байкалов, конечно, с ним согласился, и аттракцион Маяцкого остался в программе Московского цирка.

После премьеры в красном уголке, как всегда, собрались артисты, и главный режиссер Арнольд, оценивая аттракцион Петра Маяцкого, сказал:

— Что же касается выступления Петра Маяцкого, — здесь последовала значительная пауза... — то должен заметить — Петр Никифорович от скромности не умрет.

Все артисты, сотрудники цирка, зная историю с номером, дружно зааплодировали. Аплодировал и директор цирка Николай Семенович Байкалов.

Как я относился к Байкалову? Конечно, уважал его. Мне нравилась его любовь к цирку, стремление сделать все возможное для того, чтобы программы Московского цирка стали лучше. Хотя ко времени моего поступления в цирк он проработал всего три года, мне казалось, что он в цирке вечно. Конечно, я не одобрял его стиль работы, с трудом мог простить разносы. За годы, проведенные в цирке, я повидал немало директоров — хороших, средних, плохих. Был ли Байкалов настоящим директором? И да и нет. Многие артисты его не любили, и лишь стремление работать в столице заставляло их ладить с Николаем Семеновичем.

Целый сезон мы варились в собственном соку, предоставленные сами себе. Правда, работа в столице позволила мне увидеть лучшие номера цирка и интересных клоунов, к работе которых я внимательно присматривался.

«Все налево, Никулин — направо»

Леонид Куксо придумал загадку. Загадка: Что такое — бежит, стоит, идет? Отгадка: Это директор в дни футбольных матчей. На стадион он бежит, работа стоит, а зарплата идет. Из этой загадки коверный Константин Берман сделал репризу.

Из тетрадки в клеточку.
Март 1951 года

Сезон 1951/52 года открывался в Москве в середине сентября. За месяц до премьеры приехал коверный Константин Берман. (Его я видел раньше, когда занимался в студии.) Берман сразу же начал репетировать в массовой клоунаде «Болельщики», в которой исполнял роль директора. Я радовался встрече с этим знаменитым клоуном; хотя он старше меня всего на семь лет, я относился к нему как к человеку другого поколения, маститому клоуну.

Константин Берман работал в манере старых коверных. Его репризы или пародии продолжались ровно столько, сколько требовалось времени униформистам, чтобы убрать и поставить реквизит. Отцу моему Берман нравился.

— Это настоящий цирк, — сказал он мне после премьеры. — Смотри, Берман все может.

И верно, на манеже турнисты — и клоун «крутил солнце»; под куполом полет — и клоун изображал неловкого вольтижера, перелетая с трапеции на трапецию; вместе с эквилибристами на лестнице он показывал рискованный трюк на шестиметровой высоте. Он в любой номер входил органично, как партнер, и поэтому как бы сливался с программой.

Мне нравился эффектный выход Бермана на манеж. Клоун появлялся в оркестре, который располагался на высоте пяти-шести метров над манежем. Он проходил мимо музыкантов, здороваясь с ними на ходу, и, как бы зазевавшись, делал шаг в пустоту. Зрители пугались. А Берман летел вниз, приземляясь на небольшой мат, делал кульбит и оказывался на манеже. Появление Бермана зрители встречали аплодисментами.

Константин Берман сразу завоевывал симпатию у публики. Он не имел своего традиционного костюма, как, например, Карандаш. Брюки нормального покроя, разноцветные пиджаки, утрированный галстук в виде бабочки, шляпа с поднятыми вверх полями, большие тупоносые клоунские ботинки. Грим яркий: широкий наклеенный нос и усики, удивленно поднятые вверх нарисованные черные брови, затемненные нижние веки глаз, отчего глаза становились выразительнее. Позже, когда я искал грим, то, использовав находку Бермана, именно так гримировал свои глаза.

Все репризы у Бермана в основном носили пародийный характер. После самого трудного номера клоун появлялся на манеже и сначала будто бы безуспешно пытался повторить только что показанное. Зрители, видя, что у клоуна ничего не получается, смеялись, а он быстро «осваивался» и повторял трюк с подлинным блеском, но в комической манере. И все у него получалось задорно, весело и удивительно. Он легко прыгал с трамплина через трех слонов. Пародируя жонглеров, он жонглировал лучше только что выступавших артистов.

Детство Константина Бермана прошло в цирке.

Еще в студии из рассказов Александра Борисовича Буше я узнал, что отец Бермана работал дирижером в цирке, а сам Константин родился, как говорим мы, «в опилках».

Артисты Бермана любили. Сухопарый, среднего роста, физически сильно развитый, с зачесанными назад черными волосами, выразительным лицом, он вечно с кем-нибудь беседовал или спорил. Отчаянно жестикулируя, он постоянно с упоением рассказывал анекдоты. Любимое его занятие в свободное время — игра в домино или нарды. Он мог так увлечься игрой, что забывал выйти на манеж заполнить паузы. Порой это мешало работе. Опаздывая на выход, он просил кого-нибудь из его клоунской группы выйти на манеж и исполнить репризу. В Москве, правда, он этого себе не позволял.

Особенно тепло принимали Бермана дети. Ребята визжали от восторга, когда он потихоньку старался «украсть» чей-нибудь реквизит и хотел спрятать его под ковер или когда бросал зрителям мячик, а затем ловил его на зажатую в зубах палочку.

Верный традициям старого цирка, Константин Берман обожал розыгрыши. Например, подходил к какому-нибудь артисту, оглядывался по сторонам, как бы проверяя, не подслушивает ли кто, уводил за собой человека, выбирая место поукромнее, где можно поговорить с глазу на глаз. Заинтригованный артист шел за клоуном. После долгих поисков удобного места — затемненная площадка лестницы, ведущая ко входу на купол, или черная лестница — Берман снова опасливо оглядывался и спрашивал шепотом вконец заинтригованного артиста:

— Ты так умеешь? — И, проведя пальцами по губам, издавал звук: «Брр-лю-ммм...»

Глядя на глупое, растерянное выражение лица разыгранного, Константин от души смеялся. Рассмешить Костю мог любой пустяк. Он смеялся и на манеже. Смеялся не как клоун, который хочет заразить смехом зрителей, а потому, что увидел какое-нибудь смешное лицо или ему перед выходом рассказали анекдот. При этом от смеха он всхлипывал и непременно придерживал пальцами усы, чтобы они не отклеились.

Однажды над Константином Берманом зло подшутили. Во время клоунады он по ходу дела съедал пирожное. (Пирожное как реквизит покупалось в буфете за счет цирка. Перед клоунадой Берман бегал в буфет и выбирал его.) На одном из спектаклей униформисты разрезали лежащее на блюдечке приготовленное пирожное и внутрь положили горчицы. Константин Берман ел пирожное, делая вид, что причмокивает от удовольствия, а из его глаз текли слезы. За кулисами в тот день он дал волю своему гневу.

— Какая повидла дешевая это сделала?! — кричал он. «Повидла дешевая» — его любимое выражение.

Отлично проходила у Бермана клоунада «Мыльный пузырь». Он узнавал, что его назначали сначала директором клоунской группы, потом директором цирка и, наконец, директором всех цирков! И на глазах у зрителей клоун толстел, переставал узнавать товарищей и подчиненных, а потом, когда выяснилось, что это блеф, он лопался, как мыльный пузырь. Берман от важности раздувался в прямом смысле слова (всю технику «толстения» он разработал сам) и лопался со взрывом.

Восхищаясь его работой на манеже, я все время с некоторой грустью думал, что таким клоуном никогда быть не смогу. В тридцать лет заниматься акробатикой поздно, жонглировать я тоже не умел, высоты боялся и принимать участие в воздушных полетах не мог.

Я расспрашивал Бермана о его работе. Просил рассказать, как он придумывает репризы.

Берман охотно рассказывал. А однажды, помню, он прибежал радостный в цирк и всем сообщил, что во сне придумал репризу. Действительно, через несколько дней он показал на манеже смешную репризу с шариком и банкой. Клоун выходил в центр манежа, положив на табуретку деревянный шарик, накрывал его пол-литровой стеклянной банкой и, обращаясь к публике, спрашивал:

— Кто может поднять одновременно одной рукой шарик и банку?

Конечно, никто из публики не выходил.

— А я могу, — торжественно заявлял Берман, — и готов спорить на что угодно, что у меня это получится.

Инспектор манежа вступал в спор. Заключалось пари.

Константин Берман подходил к банке, брался за нее одной рукой и начинал тихонько, а потом с убыстрением вращать. Через несколько секунд начинал вращаться и шарик внутри банки. Клоун увеличивал скорость, и шарик (действовала центробежная сила) как бы прилипал к банке. Тогда Берман поднимал банку и, не прекращая вращения, уходил с манежа, держа банку с вращающимся шариком в одной руке. Эта реприза особенно хорошо проходила на детских утренниках. А Берман непременно сообщал всем за кулисами, что репризу он придумал во сне.

С тех пор, ложась спать, я все мечтал придумать во сне репризу. Репризы снились, но когда я просыпался и вспоминал их, то понимал, что снилась ерунда. Режиссер Арнольд придумал и поставил смешной клоунский парад. Мы появлялись перед выступлением конного аттракциона джигитов Тугановых. Выходили строем во главе с Берманом на сцену, которая находится над форгангом. Я, самый высокий, в большой кепке, в спортивной майке, замыкал шеренгу.

Эта интермедия никакого отношения к конному аттракциону не имела, но публика принимала ее хорошо.

— Все на-ле-ву! — командовал Берман.

Все клоуны поворачивались лицом к залу, а я поворачивался направо, оказываясь спиной к зрителям.

— Отставить, — говорил Берман и командовал снова: — На-ле-ву!

Опять все поворачивались лицом к залу, а я спиной. Тогда Берман командовал:

— Все налево, Никулин — напра-ву!

И тогда все получалось правильно.

Этот клоунский парад запомнился мне и потому, что во время его мы становились жертвами джигитов Тугановых. Конники стояли за занавесом, ожидая своей очереди выхода на сцену, и, развлекаясь, незаметно для публики своими шашками кололи нас через занавес. Мы взвизгивали, корчились, но продолжали делать свое дело, пытаясь сохранить невозмутимый вид.

По ходу клоунады требовалось рассчитаться по порядку. Каждый из нас старался свой номер выкрикнуть посмешнее. Кто-то делал вид, будто забыл свой текст, и, спохватываясь, выпаливал свой номер, кто-то говорил басом... Я, выкрикивая свой восьмой номер тонким голосом, добавлял: «Последний!» Публика смеялась.

Один из выходивших клоунов долго ничего не мог придумать. На одном из представлений он вышел на сцену в пиджаке, заколотом огромной булавкой, и, когда дошла до него очередь, он, заикаясь, произнес: «Че-че-чет-вертый». Убогость фантазии нас рассмешила, и каждый, стараясь побороть смех, с трудом произносил свой номер. Дошла до меня очередь выкрикнуть «Последний!», но я из-за смеха, который овладел мною, обливаясь слезами, смог лишь пискнуть что-то нечленораздельное. Мои друзья решили меня разыграть. Они подговорили Буше (он с удовольствием включался в розыгрыши), и Александр Борисович сообщил мне по внутреннему телефону, что Байкалов недоволен мной и вызывает к себе. Уныло я вошел в кабинет директора.

— Я больше, Николай Семенович, не буду. Простите, не выдержал, — сказал я.

— Чего не будешь? — удивился Байкалов.

Тут я понял, что меня разыграли. Пришлось рассказать Байкалову, как я ожидал от него разноса за то, что рассмеялся на сцене. Николай Семенович строго посмотрел на меня и сказал:

— Разболтались вы там все. Один булавку дурацкую надел, джигиты вас саблями в зад тычут...

Оказывается, Николай Семенович все прекрасно знал, у него отлично была поставлена информация обо всех делах цирка. Каждый артист точно знал: даже если Николая Семеновича Байкалова нет в зале, он все равно будет знать, хорошо или плохо прошло представление, кто завалил номер, кто опоздал на выход, о чем говорят артисты между собой. Информация...

Когда зайчики лают

В купе поезда едет пожилой раввин. На верхней полке попутчик — молодой человек. Ложась спать, молодой человек спрашивает:

— Сударь, вы не скажете, который час?

Раввин, не говоря ни слова, поворачивается к стенке и засыпает. Утром поезд подъезжает к Харькову. Оба пассажира проснулись и начали готовиться к выходу. Раввин посмотрел на свои часы и сказал попутчику:

— Молодой человек, вы вчера меня спрашивали, который час. Так вот, сейчас половина девятого.

— Почему же вчера вы промолчали, когда я спросил вас? — удивленно заметил молодой человек.

— Видите ли, если бы вчера я вам ответил, который час, вы бы меня спросили, куда я еду. Я бы ответил, что в Харьков. Вы бы мне сказали, что тоже едете в Харьков и что вам негде ночевать. Я, как добрый человек, пригласил бы вас к себе в дом. А у меня молодая дочь. Вы бы ночью наверняка ее соблазнили, и она бы от вас забеременела. Вам пришлось бы на ней жениться.

— Ну и что из этого? — воскликнул молодой человек.

— Так я вчера подумал: зачем мне нужен зять без часов?

Любимый анекдот А. Арнольда.
Из тетрадки в клеточку.
Апрель 1951 года

Арнольд Григорьевич Арнольд — человек неимоверного темперамента, удивительной энергии, оптимист по натуре — один из самых лучших режиссеров цирка.

Высокого роста, чуть сутуловатый, с орлиным носом и густыми бровями, с вечной сигаретой, зажатой в уголке рта, он запоминался с первого взгляда. Про него можно сказать, что Арнольд Григорьевич жизнь провел как бы импровизируя. Есть такой тип людей, обладающих огромным талантом, способностями, и от щедрости души и от непонимания того дара, которым их наделила природа, они все делают легко, свободно, относятся ко всему иронично и, я бы даже сказал, не очень серьезно. Такие люди способны на гораздо большее, чем они успевают сделать в жизни.

Мне кажется, что Арнольд никогда не готовился к репетициям. Он приходил в цирк на репетицию, быстрым взглядом оценивал, что происходит, мгновенно схватывал ситуацию, на лету включался в работу, тут же придумывал мизансцены, трюки, изменял текст. И все это проделывал с блеском, с иронией и, как правило, с поразительным результатом. Любая сценка, интермедия, любой номер в руках у Арнольда становились лучше. Репетиции он проводил шумно, эмоционально, яростно жестикулируя. Если артист что-нибудь делал не так, то Арнольд Григорьевич выбегал на манеж, великолепно показывал, как надо делать, и при этом ругал актера, иногда и маститого. Ругал так, что все кругом лежали от хохота и артист, которого ругали, тоже смеялся. На Арнольда никто не мог обижаться. Артисты уважали своего главного режиссера за юмор, выдумку, знания. Превосходно зная психологию актеров, Арнольд легко находил общий язык с любым участником представления.

Арнольд Григорьевич служил в цирке своеобразной палочкой-выручалочкой. Помню, как приглашенный из театра довольно известный режиссер ставил у нас новогоднее елочное представление. (В то время я еще занимался в студии.) Нас, студийцев, этот режиссер, как и всю труппу, мучил целый месяц. И на генеральной репетиции, за день до премьеры, все поняли, что спектакль не получился. Возникла паника. Билеты проданы, реклама развешана. Не заменять же елочное представление обычным спектаклем!

— Мы опозорены! — кричал, хватаясь за голову, Байкалов. — Такого не было за всю историю Московского цирка! Срочно вызывайте Арнольда.

Позвали Арнольда, и он всех выручил. Арнольд Григорьевич оставил на ночь всю труппу и все переделывал, перекраивал. Он заменил сюжет, придумал новых персонажей. С нами, студийцами, особенно не церемонился.

Когда Барашкин, исполнявший роль пня, удивился, почему он должен перед Бабой Ягой дрожать, Арнольд ему сказал:

— Не спрашивай почему! Делай как говорят, а то дам по шее, и все.

Обращаясь ко мне и Романову, он сказал:

— Вы будете зайчиками!

Я усмехнулся.

— Зайчик? С моим ростом?

— Да! — крикнул Арнольд. — Будешь зайчиком с твоим ростом! И не ухмыляйся своей идиотской улыбкой. Ты зайчик-переросток. Вера Никитична, — обратился он к костюмерше, — у вас есть костюмы зайчиков?

— Есть, — ответила костюмерша.

— Найдите костюмы и напяльте на этих долговязых! — гремел Арнольд. — Они будут прыгать в лесу и лаять.

— Почему лаять, Арнольд Григорьевич, мы же зайчики?

— Идиоты! — бушевал Арнольд, как всегда не выбирая выражений. — Когда зайчик лает, это смешно. И пусть, — предложил он, — кто-нибудь спросит Деда Мороза: «Отчего это зайчики лают?» — а Дед Мороз ответит: «Наверное, сумасшедшие».

До четырех ночи репетировали елку. Многие из артистов остались ночевать в своих гардеробных, а в десять часов утра — премьера. От представления, которое готовилось месяц, почти ничего не осталось. Только саму елку да монолог Деда Мороза не тронул Арнольд. Мы выбегали зайчиками и лаяли. Наш лай встречали смехом не только дети, но и взрослые. Премьера прошла великолепно.

— Взрослые, — говорил Арнольд Григорьевич, — должны от елки тоже получать удовольствие. Дедушкам, бабушкам, папам и мамам осточертела история про Красную Шапочку и Серого Волка, которую они знают с детства. Обязательно нужно вставлять в детские представления несколько реприз для взрослых.

Это замечание мастера я запомнил и, став коверным, принимая участие в создании детских спектаклей «Трубка мира», «Айболит в цирке» и других, всегда старался сделать несколько реприз специально для взрослых.

Я всегда смотрел на Арнольда с обожанием. Он многое сделал в цирке, несмотря на богемный образ жизни, на его любовь, как говорят в нашей среде, к «дежурству». Стоят актеры и вроде бы от нечего делать разговаривают, вспоминают, рассказывают анекдоты, то есть занимаются чем угодно, кроме работы. Про них так и говорят: «Эти дежурят». «Дежурить» — зря потратить время. Но я лично любил «дежурства», где узнавал немало нового, интересного для себя.

Если Арнольд не в цирке, значит, его надо было искать либо на бегах, либо в бильярдной Центрального дома работников искусств. Про него так в шутку и говорили, что в свободное время от бильярда, бегов и «дежурств» он ставит номера в цирке.

Слушая Арнольда Григорьевича, я поражался его памяти.

Даты, названия пьес и фильмов, фамилии актеров театра и кино, эстрады и цирка — он все помнил, все знал и всегда очень к месту вспоминал. Человекэнциклопедия. Он дружил со многими знаменитыми актерами, писателями, поэтами, художниками, композиторами, режиссерами. Часто он рассказывал нам о своей дружбе с Владимиром Маяковским. Если бы кто-нибудь записал рассказы Арнольда, то, думаю, вышла бы интереснейшая книга воспоминаний.

Арнольд любил анекдоты и прекрасно их рассказывал сам. Выступления на наших собраниях всегда шли под хохот зала, не говоря уже о его словечках и фразах, которые он мог бросить как бы невзначай и они становились крылатыми.

Помню, выступал у нас на собрании один артист, который около часа говорил ни о чем. Когда он закончил, ему из вежливости похлопали и тут же услышали голос Арнольда, который с неподражаемой интонацией сказал о выступавшем:

— За что люблю его? За лаконичность!

В зале хохот и аплодисменты.

Арнольд Григорьевич мог одновременно заниматься сразу несколькими делами: сниматься в кино, танцевать на эстраде, ставить новые представления в цирке, играть на бегах и в карты (к игре он относился серьезно), проводить время с интересными людьми, писать сценарии, консультировать артистов эстрады...

Когда в тридцатых годах режиссер Григорий Александров ставил фильм «Веселые ребята», то на роль иностранного дирижера он пригласил своего друга Арнольда. Присутствуя на съемках, Арнольд придумывал смешные трюки, которые вошли в картину. Рассказывали: сидит-сидит Арнольд Григорьевич на съемке, а потом вдруг скажет:

— На корову надо надеть шляпу-канотье. Это будет смешно.

Верно, когда видели корову в шляпе, все в зале смеялись.

У Арнольда был свой любимый трюк в жизни. Входя с улицы в помещение, он обычно останавливался в дверях и искал глазами какой-нибудь вбитый в стену гвоздь. Найдя его, он снимал с головы кепку и, прицелившись, кидал ее с большого расстояния так ловко, что она повисала на гвозде. Каждый раз все восхищались ловкостью Арнольда и просили повторить трюк. Арнольд Григорьевич с охотой брался выполнить просьбу, но, как правило, кепка во второй раз падала на пол. Тогда он с остервенением начинал ее бросать до тех пор, пока она снова не повисала на гвозде.

«Гениально, но не смешно»

Сегодня узнал, что скульптуры спортсменов, украшающие станцию «Площадь Свердлова», скульптор Манизер лепил с артиста цирка Александра Ширая. Такой идеальной красоты фигурой обладал он в то время. Я видел его на днях в цирке. Свой акробатический номер он уже давно не работает. Занимается режиссурой. Но фигура у него по-прежнему как у молодого: стройная, подтянутая, только голова вся седая.

Из тетрадки в клеточку.
Апрель 1951 года

Из клоунов, работавших в московской группе, кроме Леонида Куксо, я дружил и с Григорием Титовым. Всю жизнь он провел в разъездах по городам. Самый старший из нас, самый опытный, он вызывал уважение, и я прислушивался к его советам. Григорий советовал нам с Мишей подумать о работе коверными. Он считал, что мы с Мишей хорошо сочетаемся и из нас получится хорошая пара.

Практически группа наша развалилась. Нашу с Мишей судьбу решил Арнольд Григорьевич Арнольд, поставив нам клоунаду, замысел которой родился случайно.

Цирк готовился к приему новой программы. В один из дней, уныло наблюдая репетицию приехавших артистов, мы сидели с Леонидом Куксо в зрительном зале.

— Вам с Мишей, — сказал Леонид, — надо сделать свою клоунаду, необычную. Начните ее как-нибудь нестандартно. Но чтобы сразу заинтриговать публику. Например, пусть кто-нибудь из вас выйдет на манеж и поставит на стол здоровый восклицательный знак.

Как бы развивая эту дикую, на мой взгляд, идею, я предложил шутя:

— Может быть, лучше поставить знак вопроса, все-таки тайна какая-то? Неразрешенный вопрос?

— А что — вопрос?.. Это мысль. Это хорошо! — подхватил Куксо. — Вот, мол, мы задаем вам вопрос...

Я вспомнил забавные рисуночки в журнале «Пионер» тридцатых годов. Художник изобразил целую серию картинок «Приключения с вопросом». Черненький знак вопроса какой-то человек заострял, увязывал, утрясал...

Об этом я рассказал Леониду. Мы еще около часа поговорили на эту тему, и Леонид обещал написать нам интермедию под названием «Наболевший вопрос».

Через два дня он написал интермедию и отдал ее, как поступали все авторы, Байкалову.

Придумали так: на манеж выходит клоун (предполагалось, что эту роль буду играть я) с завязанным горлом и огромным портфелем в руках. Его встречает второй клоун (второго клоуна должен был играть Миша), который, выяснив, что первый охрип и ничего не может сказать, спрашивает:

— Где ты сорвал голос? И вообще, где ты пропадал? Если не можешь говорить, то покажи, что с тобой произошло.

Первый клоун молча вынесет из-за кулис стол с графином воды и, стоя в позе оратора, начнет размахивать руками и беззвучно шевелить губами.

— Все ясно, — расшифрует второй клоун, — ты сорвал голос, выступая на совещании. (Первый в знак согласия кивнет головой.) А что стояло на повестке дня?

Тогда первый клоун вытащит из портфеля большой деревянный черный вопросительный знак и поставит его на стол. По тому, какие манипуляции проделает с вопросом первый, второй догадается вслух, что на совещании вопрос «стоял ребром», потом его «поднимали на должную высоту», «заостряли», «утрясали», что он был «текущий» и в конце концов «вопрос остался открытым».

В финале клоунады выяснится, что совещание по этому вопросу длилось пять дней, и второй клоун спросит:

— И вы пять дней не работали, а все заседали? Так какой же был вопрос?

У охрипшего клоуна прорежется голос, и он скажет:

— Вопрос об экономии рабочего времени.

Николай Семенович Байкалов в нашем присутствии (мы пошли к нему втроем — Леонид, Миша и я) дважды прочитал интермедию, поморщился и сказал:

— Нужно ли это? Знаете что, покажите Арнольду. Если он решит, что это любопытно, репетируйте. А там посмотрим.

Арнольда Григорьевича мы разыскали в цирковой столовой и уговорили при нас прочитать текст. Во время чтения он дважды хмыкнул. Для пущей убедительности тут же в столовой, бегая между столиками, мы изображали, кто и как будет выходить и что мы собираемся делать с вопросом.

— Это будет смешно, — сказал Арнольд, — особенно в исполнении таких кретинов, как вы. Хорошо. Я поставлю вам это антре. Готовьте реквизит.

Окрыленные, мы бросились в постановочную часть цирка заказывать реквизит.

— Какой еще бутафорский вопрос? — заявили нам в постановочной части. — Во-первых, нужно подать заявление на его изготовление, заявление подписать у главного режиссера, директора, а потом послать на утверждение в главк. Во-вторых, нужно точно определить размеры, сделать чертежи, и, в-третьих, сейчас все мастерские загружены, и вам никто к премьере этого не сделает. Портфель из дерматина, может быть, изготовим.

В тот же день Миша пошел к нашему цирковому столяру Ивану Щепкину, выклянчил у него обрезки досок и лист фанеры, и через три дня бутафорский вопрос был вчерне готов. Сверху у него открывалась крышка, и мы могли наливать туда воду из графина, чтобы публика поняла, что вопрос был «текущий», нижнюю часть вопроса Миша смонтировал из двух деревянных треугольников, которые под ударом топора отлетали, и все могли увидеть, как вопрос «заострялся».

Пока нам делали портфель, мы несколько раз прошли интермедию на манеже. После этого мы позвали к нам на репетицию Арнольда Григорьевича. Он, скрестив руки на груди, стоял с мрачным видом в центральном проходе. Смотрел молча, выпятив вперед нижнюю губу. Не успели мы закончить антре, как он, легко перепрыгнув через барьер и подойдя к нам, сказал с каменным выражением лица:

— Гениально, но не смешно.

В течение десяти минут он предложил нам ряд трюков и мизансцен, которые в корне изменили все, что мы до этого репетировали. Трюки прямо «лезли из него». Яростно жестикулируя, он все показывал на манеже.

— Зачем? Зачем ты вынимаешь из кармана маленький, невидимый с пятого ряда топорик, чтобы заострить вопрос? — кричал он мне на ухо, как глухому. — Это же цирк! И почему у тебя с собой топор? Ты что, предвидел, знал, что тебе придется все объяснять партнеру?

— Нет, — согласился я.

— Ты должен бежать за кулисы и выбегать оттуда с огромным мясницким топором, а вся униформа и твой кретин-партнер, увидев топор, должны разбежаться в ужасе в разные стороны, тогда будет смешно. Ты понял?

— Да, — быстро согласился я, хотя сразу понять все было трудно.

— Теперь графин, — продолжал Арнольд. — Ты выносишь стол с графином. Тоже получается, что все приготовлено нарочно, а ты выноси только стол, а графин с водой вынимай из кармана пиджака. Но до этого пошарь по всем карманам, а потом уже вынимай. Это будет смешно...

Сказал все это Арнольд и ушел.

Несколько раз мы репетировали клоунаду и снова пригласили Арнольда Григорьевича. Он пришел к нам и, увидев, что мы выполнили все его замечания, удовлетворенно сказал:

— Вот теперь другое дело.

Здоровый топор мне подарил мясник, который жил у нас во дворе. Кривое топорище, лезвие все выщерблено. Позже мясник пришел на представление специально, чтобы посмотреть на свой топор. Через несколько дней, встретив меня во дворе, сказал:

— А мой топор-то ничего. Смешной. — И добавил: — Ты приходи в магазин, хорошее мясо выберу.

Через несколько дней назначили просмотр программы. Волновались мы страшно. По двум сторонам центрального прохода на первых рядах сидели небольшие группки людей. Слева — руководство Московского цирка, справа — представители Главного управления цирков.

Нет ничего хуже для клоуна, когда люди с серьезными лицами деловито просматривают его работу. Так, в полной тишине, не услышав ни единого смешка, мы показали «Наболевший вопрос». После просмотра все удалились на совещание. На обсуждении обговаривались все номера. Только о нашем «Вопросе» никто не сказал ни слова, будто его и не было. Арнольд Григорьевич, увидев наши кислые лица, сказал:

— Посмотрим, может быть, и пустим ваш «Вопрос».

Это «может быть» нас испугало. Тогда Леонид Куксо, помня, как скептически отнесся к нашему номеру Байкалов, решил все-таки помочь нам и отправился прямо в художественный отдел главка. Он обратился к начальнику художественного отдела Алексею Семеновичу Рождественскому. Леонид представился как автор интермедии и сказал, что вот Московский цирк хочет попробовать «Наболевший вопрос» в программе. Нужно согласие главка.

— Ну если в цирке хотят, пусть включат сегодня вечером этот «Вопрос», а я посмотрю, — ответил Алексей Семенович.

Леонид от Рождественского побежал к Байкалову и сообщил ему:

— Рождественский предлагает пустить «Вопрос» на публике.

— Ну если Главное управление берет на себя ответственность, пускай сегодня ребята покажут свою клоунаду, — сказал Байкалов.

Так мы впервые вышли с «Наболевшим вопросом» на манеж. Интермедия прошла хорошо. Смех возник в самом начале и продолжался до конца. Покидали мы манеж под вполне приличные аплодисменты. И Буше нам сказал: «Спасибо».

С каждым днем номер проходил все лучше и лучше. В газете «Известия» появилась небольшая рецензия на программу, в которой «Вопрос» назвали актуальной репризой, а о нас с Мишей написали, что мы «молодые и способные».

— Молодцы! — сказал нам Арнольд.

Правда, позже Байкалов почему-то решил «Вопрос» снять с программы. Тогда Леонид Куксо позвонил по телефону и, представившись (фамилию он сказал неразборчиво) сотрудником газеты, обратился к Байкалову:

— Вот тут в «Известиях» похвалили молодых клоунов Никулина и Шуйдина. Они показали, на наш взгляд, талантливую интермедию «Наболевший вопрос». Затронули важную проблему — борьбу с бюрократизмом. А у вас в цирке почему-то интермедия не идет. В чем дело?

Байкалов обещал разобраться и все выяснить. Вечером мы снова показывали клоунаду на манеже.

К сожалению, «Наболевший вопрос» — наша единственная работа с Арнольдом.

В последние годы жизни Арнольд Григорьевич работал в студии циркового искусства, готовил программы для Кио, руководил «Цирком на льду». Мы с ним часто встречались. Порою он мне говорил:

— Юра, мечтаю поставить для тебя скетч, номер для эстрады. Поразительный номер.

К сожалению, номер он мне так и не поставил. Арнольд Григорьевич любил розыгрыши. Как-то я проходил в цирке мимо группы артистов, с которыми беседовал Арнольд. Заметив меня, он подмигнул собеседникам и, явно решив меня разыграть, крикнул издали:

— Юра, вы не знаете?..

Я быстро ответил:

— Нет, не знаю.

Все засмеялись, а Арнольд, указывая на меня, сказал:

— Видите, он не знает.

Мой ответ ему понравился, и с тех пор, где бы мы ни встречались, Арнольд, увидев меня, кричал издали:

— Юра, вы не знаете?..

А я моментально отвечал:

— Нет, не знаю.

Обычно никто юмора в этом не улавливал, но Арнольд был доволен и улыбался.

Помню, пришел я как-то в цирк, и Арнольд по привычке спросил у меня:

— Юра, вы не знаете?..

— Нет, не знаю, — ответил я и вдруг впервые заметил, что Арнольд мне в ответ не улыбнулся, как это бывало раньше. Он уже тяжело болел. Руки у него тряслись, глаза потускнели, двигался медленно. В цирке стали между собой говорить: «Арнольд-то сдает».

Известие о его смерти застало меня во время работы в Калинине. Мы приехали на похороны в Москву.

Прощались с Арнольдом Григорьевичем Арнольдом, с человеком, про которого с полным правом можно сказать: Арнольд — эпоха в цирке, режиссер, обогативший наш цирк.

Арнольд Григорьевич жил радостно, щедро раздавая радость другим. Может быть, в этом и есть счастье жизни?

«Маленький Пьер»

В цирк привезли толстые бамбуковые шесты. Наверное, кому-нибудь будут делать реквизит. Мы уговорили кладовщика отрезать нам небольшой кусок. С такими бамбуковыми палками (в цирке ее называют «батон») работали старые клоуны. Один конец «батона» расщепляется. Если такой палкой ударить по голове, раздается сильный треск. Но говорят, что человеку не больно.

Мы с Мишей расщепили наш «батон», а потом с полчаса друг друга били по головам. Звук получался громкий. Но если ударить сильно, то все-таки больно.

Из тетрадки в клеточку.
Май 1951 года

В Московском цирке работал аттракцион под руководством Эмиля Кио. Мне нравилось выступление прославленного иллюзиониста, и больше всего — пантомимическая сценка «Домик». Действие сценки происходит за рубежом. На манеже стоял домик, в котором от полицейских скрывался рабочий (роль рабочего играл сам Кио). Полицейские тщательно обыскивали домик (когда рабочий входил в него, публике показывали, что там никого нет) и вместо рабочего обнаруживали в нем почтальона, повара, служанку и целую ораву детей. В конце сценки полицейские все-таки настигали рабочего и сажали его в клетку. Мгновение — и на глазах у зрителей в клетке вместо рабочего оказывались полицейские вместе с начальником полиции. Сценка шла без единого слова на фоне музыки и великолепно принималась зрителями.

Каждый раз, когда я смотрел «Домик», про себя мечтал: «Вот бы нам сделать такую клоунаду, какую-нибудь комическую сценку без слов».

Однажды я поделился своими мыслями с отцом. С ним я по-прежнему обговаривал все наши цирковые дела, и он оставался для меня главным советчиком.

— Ну что же, — сказал после некоторого раздумья отец. — Подобных пантомим-клоунад давно не ставили в цирке. Надо придумать тему и сюжет.

Через несколько дней, придя к отцу в Токмаков переулок, я застал его в радостном возбуждении.

— Сюжет есть! — торжественно сказал он, показывая мне обложку одного из журналов с репродукцией картины Ф. Решетникова «За мир», на которой художник изобразил двух французских мальчишек, расклеивающих листовки.

— Ну и что? — спросил я, внимательно рассмотрев картинку.

— Как «что»? Вы с Мишей полицейские, мальчик будет расклеивать листовки, а вы будете его ловить. Действие происходит в каком-нибудь французском городке на бульваре. На манеже поставим — пока я еще не придумал, что именно, но что-то такое, куда мальчик сможет прятаться.

Через неделю родилось название пантомимы-клоунады — «Маленький Пьер».

День за днем мы придумывали комические трюки, положения, составляли список возможного реквизита. Долго не могли решить, что же будет стоять в сквере. Возникла мысль о статуе, за которой или в которую сможет спрятаться мальчик, но от этого варианта, вспомнив статую Венеры у Карандаша, мы сразу отказались.

Отец каждый день ходил в читальный зал библиотеки имени Пушкина, где просматривал книги и журналы с видами Парижа. На одной из картинок он увидел скульптуру льва. За эту идею — использовать льва — мы ухватились и начали фантазировать.

Лев на пьедестале. Под пьедесталом можно пролезать, а у льва кто-нибудь отобьет голову. Мальчик спрячется в статую, прикроется отбитой головой, а лев потом «оживет».

Когда возник вопрос, кто нам клоунаду поставит, отец сказал:

— А что думать? Обратитесь к Местечкину. Он режиссер тонкий, со вкусом. Знает цирк, и выдумка у него есть.

Прежде чем говорить с Местечкиным, по установившейся традиции мы пошли к Байкалову. Довольно подробно рассказали ему о своей затее, дали прочесть сценарий отца.

— Ну что же, детская клоунада, — сказал он, потирая свое полное лицо, — это хорошо. Детский репертуар нам нужен. Даю добро. И против Марка, — так он всегда называл Местечкина, — не возражаю.

Марк Соломонович внимательно прочитал сценарий, и он ему понравился. Через несколько дней начались репетиции. Больше всего мы промучились со статуей льва. Сначала никак не могли придумать, каким должен быть лев. Мы с Мишей ходили по Москве и искали у старинных домов подходящих львов.

Узнав, что школьный товарищ, ставший дипломатом, только что вернулся из Франции, я обрадовался. Более часа я пытал его, какие скульптуры львов он видел в Париже. Увы, ни одной статуи льва мой приятель толком не вспомнил. Но зато рассказал мне про львов французский анекдот.

Бродячий скрипач идет по пустыне. Вдруг его окружают львы. Они собрались беднягу разорвать. И тот с отчаяния заиграл печальную мелодию Мендельсона. Львы, потрясенные музыкой, мирно расселись вокруг музыканта. Они слушали скрипача, и слезы умиления катились из их глаз. Им стало стыдно, что они хотели съесть такого прекрасного музыканта. Вдруг из-за пригорка вышел старый лев. Он подошел сзади к скрипачу и спокойно откусил музыканту голову.

— Что ты наделал? — набросились на него львы. — Ведь он так прекрасно играл Мендельсона!

Старый лев, приложив лапу к уху, крикнул:

— Что?! Не слышу...

Старый лев был глухим.

Отцу анекдот понравился. Он рассмеялся и сказал:

— Будем надеяться, что вам с «Маленьким Пьером» никто голову не оттяпает.

В конце концов льва нарисовала художница Анель Судакевич, которая делала эскизы костюмов. Много часов мы провели в мастерских Большого театра, обсуждая с бутафорами, как сделать статую льва, чтобы при ударе стремянкой у нее отвалилась голова, но при этом не ломалась и не крошилась. (Отбивать-то голову придется на каждом спектакле.) На репетициях стремились к тому, чтобы предельно обыгрывать каждый предмет реквизита. И реквизит «заиграл». Например, такая страшная по размерам в глазах некоторых скептиков деталь, как фигура льва, обыгрывалась нами больше всего. Собственно говоря, вокруг нее и строилось все действие. Именно в разбитую статую прятался от погони мальчик и, раскачивая головой льва, пугал полицейских, а через отверстие в пьедестале статуи пролезали все участники погони.

Несколько дней занял у нас трюк с кистью. По ходу пантомимы трусливый полицейский садится на кисть, забытую мальчиком на скамейке. Кисть в клее, она прилипает к штанам полицейского. Тот с силой отрывает ее от штанов вместе с куском материи. Никак мы не могли решить эту задачу. Испробовали буквально сотни вариантов (вплоть до магнита!). В конце концов придумали сложное приспособление с острыми гвоздями, торчащими у меня сзади. Я садился на кисть, в которую входили гвозди. Я вставал, и кисть висела у меня на штанах. (Потом, уже во время нашего выступления с клоунадой, кто-нибудь за кулисами, подходя ко мне близко, натыкался на гвозди и, конечно, с криком отскакивал.)

Мучились мы и с полицейскими дубинками. Как сделать их настоящими с виду и в то же время, чтобы при ударе не было больно? Кто-то из артистов подсказал: «Возьмите велосипедную камеру, сложите ее пополам, вставьте в матерчатый чехол, надуйте, и у вас получится дубинка».

Попробовали. Получилось здорово. Создавалось полное впечатление, что дубинка тяжелая. При ударе раздавался громкий звук, а боли мы никакой не ощущали.

Возникла сложность и с велосипедом. В нашей сценке на велосипеде появлялся Безработный. Мы попросили, чтобы нам купили велосипед. Но в главке сказали:

— Велосипед — это капитальное приобретение, на него нужны специальные фонды. Подайте заявку, и на будущий год, если разрешение будет получено, велосипед приобретут.

Нас выручил мой сосед по квартире дядя Ганя. Он подарил нам свой старый, купленный еще до революции немецкий велосипед «Дукс», который выглядел вполне на зарубежный манер и прослужил нам верой и правдой несколько лет.

Ночь. Тускло горит фонарь. На скамейке, стоящей неподалеку от статуи льва, спит Безработный... Так начинается клоунада «Маленький Пьер».

Действующих лиц немного: подросток Пьер, два полицейских и Безработный, который помогает мальчику одурачить полицейских.

Многое в нашей сценке зависело от мальчика. Юного исполнителя мы нашли быстро. Бывший цирковой борец Б. Калмановский (он выступал в свое время с И. Заикиным и И. Поддубным) работал инспектором в главке и жил с семьей в маленькой комнатке при цирке. Его десятилетний сын Саша, стройный, хрупкий мальчик с ангельским лицом, сразу приглянулся нам.

— Вы, пожалуйста, не волнуйтесь, — сказал я родителям, когда они после наших долгих уговоров наконец разрешили сыну репетировать с нами. — С вашим мальчиком ничего не случится.

Но на второй же репетиции мальчик, упав со стремянки, сломал руку.

И мы поняли: для работы нужно брать крепкого, тренированного циркового парня. Марк Соломонович посоветовал нам поговорить с Сергеем Запашным. В то время в программе цирка с огромным успехом шел номер двух акробатов — братьев Запашных. Младшему — Славику — было двенадцать лет. Работали они замечательно. Мало того что показывали сильные трюки, братья и выглядели необычайно артистичными. Разговор со старшим братом Сергеем занял несколько минут. Выслушав меня, он сказал:

— Пусть Славик идет к вам в клоунаду. Это ему только на пользу. В будущем пригодится.

Так с нами начал репетировать Славик. У него сразу же пошло хорошо. Настоящий цирковой паренек, он все схватывал на лету.

С самого начала работы над клоунадой мы искали музыку.

В голове у меня отложился мотив марша, который я слышал в детстве. Я напел его Местечкину, и он мотив одобрил. На репетиции пианист наиграл этот марш. Но когда дело дошло до оркестровки, главный дирижер цирка (он когда-то руководил военным оркестром), человек, явно напуганный жизнью, спросил настороженно:

— А чей это марш?

Мы сказали, что не знаем.

— Тогда он не пойдет, — отрезал дирижер.

— Почему? — спросили мы.

— Музыку неизвестных авторов исполнять мы не имеем права.

— А что случится? — поинтересовался я. — Какая разница, кто написал ее?

— А мало ли что? — ответил дирижер, вкладывая в эти слова особый смысл.

Тогда Местечкин заказал музыку Модесту Табачникову. Этот композитор уже несколько раз писал для цирка и хорошо чувствовал его специфику.

Мы приезжали к Табачникову домой и каждый раз, прослушивая фрагменты написанной им музыки, к великому ужасу жены композитора, сдвигая мебель в стороны, отрабатывали отдельные куски номера. В результате музыка получилась удачной.

Начались репетиции. Наш неутомимый режиссер заставлял репетировать и днем и ночью. Местечкин бередил нашу фантазию, увлекал идеей номера, заставлял филигранно отделывать каждый эпизод.

Как-то, ожидая начала очередной репетиции, я сидел в зале, а рядом со мной примостился на ступеньках маленький мальчик, сын уборщицы. На манеже шла репетиция какого-то номера с оркестром. Музыканты исполняли заунывную мелодию, по ходу которой раздавались резкие, короткие аккорды с ударом барабана. Когда раздался один из громких аккордов, я, сделав вид, что испугался, вздрогнул. Мальчик, увидев мою реакцию, засмеялся. Снова аккорд. И снова я вздрогнул. Парень засмеялся сильней. Так продолжалось несколько раз. В голове промелькнуло: а что, если ввести в «Маленького Пьера» этот прием? Я, полицейский, остаюсь один. Мне страшно. Каждый резкий, неожиданный, зловещий аккорд в оркестре пугает меня, и я начинаю вздрагивать. Мы использовали потом этот прием в номере, и его хорошо принимали зрители.

Когда репетиции подошли к концу, нашу клоунаду захотел посмотреть Байкалов. Но Местечкин ему решительно заявил:

— Просматриваться будем только на публике. Пусть начальство приходит и смотрит вместе со зрителями.

Первая проба на зрителе! Утренник. Волнуемся страшно. Наверное, грим не смог скрыть нашу бледность. Заметно нервничал и Местечкин, хотя и говорил бодро нам:

— Не волнуйтесь. Все будет в порядке!

Цирк полон ребятишек. Погас свет. В оркестре раздались первые аккорды музыки. Как всегда, все боковые проходы заполнили артисты программы. (Цирковые артисты непременно смотрят новые работы товарищей.) Где-то в амфитеатре стоял Байкалов.

— «Большие дела маленького Пьера. Сценка из жизни современной Франции»! — громко объявил Александр Борисович Буше.

Дети принимали клоунаду восторженно. Переживали за судьбу Пьера. В эпизоде, когда полицейские подкрадываются к мальчику (Пьер их не видит), ребята подняли такой крик («Полицейские! Полицейские! Беги!»), что мы растерялись.

За кулисами мы стояли мокрые от пота, едва держась на ногах, потому что полностью выложились за девять минут работы на манеже. А нас обнимали и поздравляли с успехом артисты, униформисты и какие-то совсем незнакомые люди.

Через неделю Байкалову пришла мысль попробовать этот, как считалось, детский номер вечером на взрослой публике. Зрители приняли нас тепло, много смеялись.

После выступления нам даже пришлось вернуться на манеж и еще раз поклониться.

В репертуарном отделе «Маленького Пьера» признали лучшей клоунадой на политическую тему, принципиально новой по форме, и отцу оплатили ее по высшей ставке. С «Маленьким Пьером» мы выступали в Москве до окончания сезона. К концу сезона нам сообщили, что мы должны, как и все, начать работать по городам Союза, переезжать из цирка в цирк, или, как говорят у нас, работать на конвейере. Клоунская группа Московского цирка к этому времени окончательно распалась, и мы серьезно задумывались о своей судьбе. С каким репертуаром начинать самостоятельную жизнь? «Наболевший вопрос» мы делать не могли — почти во всех цирках коверные исполняли этот номер, увы, не спросив на то нашего согласия. Оставался только «Маленький Пьер». Но кто будет играть мальчика Пьера? Искать в каждом городе подростка и репетировать с ним — от этой идеи лучше сразу отказаться. В каждом городе придется работать месяца полтора-два. Только успеешь отрепетировать с юным исполнителем — и уезжать пора.

Сидя как-то в Токмаковом переулке, мы поделились своими проблемами с родителями.

— Дело серьезное, — сказал отец.

А мама вдруг предложила:

— Что там раздумывать? Пусть мальчиком станет Таня. Она маленькая, худенькая, наденет брюки и вполне сойдет за мальчика.

Таня загорелась этой идеей и выпалила:

— Обрежу косички, подстригусь под мальчика. Давайте попробуем.

Очередной отпуск мы проводили под Москвой, в Кратове. Репетировала Татьяна в моих старых брюках, подвязанных веревкой, и в отцовской кепке, постоянно сползающей ей на глаза. Репетировали в лесу.

Вернувшись в середине лета в Москву, мы пошли на прием к заведующему художественным отделом Союзгосцирка Рождественскому (я чувствовал, что он ко мне хорошо относится, и поэтому мы с Мишей и Таней решили обратиться за помощью именно к нему) и рассказали о своей затее ввести Таню в номер. Рождественский решил Таню посмотреть. После просмотра он дал свое согласие на участие Тани в «Маленьком Пьере».

Так Таня стала артисткой цирка.

Удивительные Лавровы

Сегодня вечером ходили с отцом в гости к одним эстрадным артистам. У них дома увидел телевизор. До этого только слышал о телевидении. Весь вечер никто ни о чем не говорил. Все смотрели телевизор. Это действительно чудо! Кино дома! Хозяева рассказывали, что даже футбольные матчи можно будет смотреть по телевидению. Вот это здорово!

Из тетрадки в клеточку.
Июль 1951 года

После показа номера Рождественскому я долго ходил по родному цирку, с которым мне предстояло снова расставаться. Надолго ли? Обошел фойе, заглянул в зрительный зал, зашел в администраторскую, посидел даже в красном уголке. Цирк подновляли к открытию сезона. Вовсю работали плотники, штукатуры, маляры. Всюду стояли ведра, стремянки, лежали штабеля досок, пахло краской, опилками и, конечно, конюшней. Этот стойкий запах цирка ничем невозможно перебить. Во дворе, прикрытые брезентом, стояли ящики с костюмами и реквизитом артистов. Эти ящики приготовили к отправке в разные города страны. Среди них я заметил и кофры, по бокам которых масляной краской была выведена фамилия владельцев — «Лавровы».

Братья Лавровы — клоуны-буфф. Впервые я увидел этих клоунов в работе, еще учась в студии. Помню, весть о том, что они приезжают работать, взбудоражила меня. До этого мне о них много рассказывал отец, который относился к Лавровым с обожанием.

Когда братья приехали в цирк, я с любопытством рассматривал их издали, надеясь отыскать во внешности, поведении характерные клоунские признаки. Тогда еще новый человек в цирке, я наивно полагал, что клоуны в жизни должны нести следы своей профессии. Но Лавровы ничем не отличались от акробатов, жонглеров, гимнастов.

Комичным в жизни выглядел только Николай Лавров. Среднего роста, с худым продолговатым лицом, покрытым синими пятнами (как я потом узнал, в него во время работы один из братьев случайно выстрелил из ракетницы), с маленькими глазками. Голова на длинной шее наклонена вперед. Ноги его, шаркая по паркету модными в то время ботами «прощай молодость», слегка заплетались.

Лаврентий Лавров — высокий, худощавый, подтянутый; «интересный мужчина» — говорят о таких женщины. Он держался солидно, говорил с апломбом, не спеша, слегка растягивая слова. Лаврентий — самый молодой из братьев.

Петр Лавров, элегантно одетый, деловой, выглядел старше своих пятидесяти пяти лет. Он уже заметно поседел, был полноват, с внимательными глазами, которые чуть прикрывали тяжелые веки. Во время нашей первой встречи он сразу спросил меня:

— У вас тут марками никто не увлекается?

Узнав, что у меня есть целый альбом марок (я продолжал по инерции собирать их со школьных лет), он оживился и попросил альбом принести. Моя коллекция Петра Лаврова повергла в ужас. С минуту он смотрел на меня открыв рот как на сумасшедшего. Дело в том, что все марки, около шести тысяч, я намертво приклеил столярным клеем к листам толстой конторской книги.

— У тебя же марки все бракованные, — сказал с возмущением Лавров, — впрочем, кое-что могу купить.

Он поставил несколько крестиков над марками царской России. Узнав, что марки у меня все загублены, я расстроился, но ни одной марки не продал.

Три родных брата. Три совершенно разных характера. В то время еще был жив их отец Лаврентий Никитич Лавров (настоящая фамилия Селяхин). Ему тогда исполнилось 80 лет, и жил он в Тбилиси. О нем рассказывали легенды. Он перепробовал многие цирковые жанры — был акробатом, канатоходцем, воздушным гимнастом и наконец стал клоуном.

Мальчиком его взял в учение итальянский канатоходец, с труппой которого он долго скитался по Европе. Вернувшись на родину, Лаврентий Лавров подготовил с участием дрессированных животных — кабана, собаки и петуха — клоунский номер.

Своих детей — четверых сыновей и двух дочерей — он вводил в репризы, интермедии, клоунады. Став взрослыми, дети сделали самостоятельные номера и работали в разных цирках.

В последние годы (Лаврентий Никитич прожил девяносто лет) любил Лавров рассказывать о своей жизни. Врал он при этом артистически. Вот одна история, которую он часто вспоминал:

— Иду я раз по Невскому проспекту в Петербурге и вдруг слышу: «Лаврик! Лаврик!» Оборачиваюсь и вижу: карета, а в ней — царица. Я подошел, поздоровался. Спрашиваю: «Куда едете?» Царица распахивает шубу, и я вижу у нее на коленях золотой чайный сервиз. «Вот, — говорит царица, — еду закладывать сервиз за двести рублей. Нужны деньги». Ну, я ей даю двести рублей. Она благодарит и едет обратно во дворец. А через несколько дней — я об этой встрече и забыть забыл — вдруг в цирк приезжает генерал. «Лаврова вызывает царь!» Еду во дворец. Меня ведут к царю. Он благодарит меня, возвращает деньги и приглашает поужинать. Я ему отвечаю, что остаться не могу: вечером у меня в цирке представление. «Ничего, — говорит царь, — не волнуйся. Я позвоню и все улажу». Пили мы с ним до утра. «Лаврик, — сказал мне царь, — мы с тобой друг на друга похожи. Давай поменяемся: я в цирк пойду, а ты за меня будешь...» Я ответил: «Я Лавров — известный клоун, дрессировщик собак. А ты кто?» Царь смутился, а потом сказал: «Ну ладно, поезжай домой, но если надумаешь — пиши».

Братья Лавровы работали в традиционной манере буффонадных клоунов.

Лаврентий — Белый клоун. На манеж выходил в традиционном костюме: в блестках, жабо, голый, как бы побритый, череп (на голову надевал чулок с нашитым клочком волос), совершенно белое лицо, черные, резко очерченные брови, ярко-красные губы. Двигался по манежу важно, говорил громко, отчеканивая каждое слово.

Петр — Рыжий клоун. Надевал парик со стоящими дыбом зелеными волосами. На манеже держался с достоинством, как бы стараясь подчеркнуть свою интеллигентность. Костюм простой — коричневый пиджак в белую полоску с чуть-чуть укороченными рукавами и немного тесноватый, белый стоячий воротничок, яркий широкий галстук, полосатые брюки, большие клоунские лаковые желтые ботинки. На кончике сделанного из папье-маше курносого носа забавно держались очки в железной оправе. Петр с серьезным видом произносил глупые фразы, заторможенно реагируя на происходящие на манеже события. Он выглядел смешным, делал все легко и непринужденно. Но, приглядываясь к нему, я понимал, что у него все тщательно продумано и выверено. Слишком по-актерски он все делал.

Самый смешной и самый талантливый из братьев — Николай — Рыжий клоун. Парик он надевал ярко-рыжий, тоже, как и у Петра, со стоящими дыбом волосами, длинный, утиный нос приклеен как-то по-особому смешно. Лицо Николай Лавров покрывал однотонным гримом, отчего его маленькие, чуть с косинкой глаза становились совсем крошечными, как бусинки, глаза-буравчики. Костюм на костлявой фигуре висел как на вешалке. Вид клоуна дополняли огромного размера ботинки. Иногда он снимал ботинок и начинал им угрожать партнеру. Его худая фигура металась по манежу, и одно это уже вызывало смех. Когда же Николай снимал пиджак, оставаясь в одних брюках на лямках, его тонкая шея, покатые, домиком, плечи, длинные худые руки — все находилось в движении. Руками он то жестикулировал, то шарил по карманам, то просто всплескивал ими и хлопал себя по бедрам. От этих его движений становилось еще смешнее.

Казалось, что Николай Лавров ничего не играет, а просто живет на арене, двигается как маньяк, оставаясь весь в себе. Глядя на него, создавалось впечатление, что он думает все время о чем-то очень важном.

Голос у Николая слабее, чем у братьев, сиплый, видимо из-за пива, которое он любил и употреблял не в меру, но интонация, оттенки, с какими он произносил реплики, получались непередаваемо смешными. Любая его реплика вызывала гомерический смех у публики, хотя могла быть наивнейшей, наиглупейшей, бессмысленной.

«Это у него от Бога. Он от Бога смешной и гениальный человек», — говорил о Николае Лаврове скупой на похвалы Арнольд.

Часто импровизируя, Николай Лавров на представлении без конца менял мизансцены. Братья за кулисами его ругали за это, потому что они все заранее продумывали, выверяли и импровизации Николая их сбивали. Но неуправляемый Николай оставался верен себе. Порой вместо ответной реплики — то ли он забывал ее, то ли ему просто не хотелось ее произносить — он вдруг замирал и молча, в упор просто смотрел на партнера. Публика смеялась. Смеялась над тем, как он смотрел!

А «как он смотрел» — передать словами невозможно, это нужно было видеть. Если у Петра и Лаврентия выверенные, специально отрепетированные походки, то Николай двигался так же, как и в жизни, шаркая, чуть заплетая ногами, а при беге шлепал всей подошвой по ковру.

Конечно, многие репризы Лавровых сегодня покажутся устаревшими, примитивными, но в то время они проходили отлично. Вот, например, реприза «Картина».

Петр выходил с рулоном бумаги в руках.

— Что это у тебя там? — спрашивал у него Лаврентий.

— О, я нарисовал чудесную картину! — заявлял с восторгом Петр.

— Какую?

— Корова пасется на лугу.

— Ну покажи, — просил Лаврентий.

Петр разворачивал рулон, и все видели чистый лист бумаги.

— Вот, — говорил Петр, — корова на лугу ест траву.

— Но я ничего не вижу, — удивляется Лаврентий. — Где трава?

— Траву съела корова.

— А где корова?

— А корова съела траву и ушла. Что она, тебя должна дожидаться?

Наивная реприза, но публика смеялась, как смеялась и на другой репризе в исполнении Николая и Лаврентия.

На манеж выходил Николай и торжественно заявлял:

— Я делаю в цирке чудеса!

— Какие? — спрашивал Лаврентий.

Николай задумывался, потом, хлопнув себя ладонью по лбу, вскрикивал:

— Все! И потом, выбрасывая в сторону руки, добавлял:

— И ничего!

Эти слова «Все!» и «Ничего!» можно тысячу раз прочесть и никакого смысла в них не найти. Но то, как их выкрикивал Николай, почему-то у всех вызывало смех.

Между собой братья постоянно ссорились. Да и на манеже свои репризы, интермедии, клоунады они строили на драках, криках, ссорах, скандалах, выстрелах. Думается, что это шло от темперамента артистов. Иногда они между собой так ругались, что, казалось, никакая сила не заставит их больше выйти вместе на манеж. Но наступал вечер, и весь цирк, смотря на клоунское трио, снова хохотал.

Братьев часто критиковали, упрекая в том, что у них устаревший репертуар, несовременные характеры масок.

С нами, студийцами, братья держались по-разному. И здоровались мы с ними по-разному: «Здравствуйте, Петр Лаврентьевич», «Здравствуйте, Лаврик», «Здравствуйте, дядя Коля».

Братья Лавровы с успехом выступали во многих городах. Но, пожалуй, больше всего их любили в Тбилиси.

Редкий сезон Тбилисского цирка обходился без участия в программе Лавровых.

Десятки раз и всегда с неизменным удовольствием я смотрел, как работают Лавровы, стараясь понять и разгадать их профессиональное умение смешить людей. Даже репетиции, на которых Лавровы, пробуя различные варианты текста, новые трюки, мизансцены, проходили все «вполноги», стали для меня полезными, ибо репетировали настоящие мастера.

Ценили ли их тогда? Я считаю — мало. В Москву приглашали работать редко. Кампания борьбы со старой, «безыдейной» клоунадой сказалась и на Лавровых.

В Московском цирке борьбу со старой клоунадой возглавил Байкалов. Он даже к нам с Мишей подходил, наступая на носки наших больших клоунских ботинок, и всегда приговаривал:

— И когда же вы откажетесь от старых традиций? Это же все идет с Запада. С космополитизмом надо бороться.

Мы с Мишей отвечали:

— Пусть нас снимут с программы, но большие ботинки мы оставим. Клоун должен оставаться клоуном.

— Ну что вы находите хорошего в этих дурацких образах Лавровых? — удивленно спрашивал нас директор цирка.

От Лавровых требовали, чтобы они готовили репертуар на современную тему. Но клоуны могли великолепно исполнять только старые антре, которые впитали в себя с детства. При всем своем желании они не смогли перестроиться.

К сожалению, талантливое трио братьев Лавровых продержалось всего восемь лет. В середине пятидесятых годов Лавровы разошлись. Дядя Коля, сменив нескольких партнеров, вышел на пенсию, Лаврентий и Петр выступали порознь с другими партнерами.

Пьер и пэр

В Калинине мне рассказали, что у клоуна Николая Лаврова, когда он ехал поездом в Пензу, взорвались в чемодане хлопушки.

Подложив под голову злополучный чемодан, Лавров спал на второй полке. Ночью вагон сильно тряхнуло, от этого взорвались хлопушки. Взрыв, дым и паника среди пассажиров. Кто-то нажал на стоп-кран. Поезд остановился. Прибежала поездная бригада. И только тогда Лавров проснулся и, сонный, глядя на всех, спросил спокойно:

— Что, уже Пенза?

Из тетрадки в клеточку.
Август 1951 года

Учеба в студии клоунады, работа под руководством Карандаша, участие в клоунской группе Московского цирка, первые гастрольные поездки, но не самостоятельные (что и как делать, где жить — об этом думали и решали другие) — все это, конечно, дало мне некоторый опыт, помогло сделать первые шаги в овладении профессией. Но как мало всего этого, особенно для такого человека, как я, не очень решительного по характеру, можно даже сказать осторожного, испытывающего скорей огорчение, чем радость (неизвестность меня пугает), когда в моей судьбе происходили переломы. И поэтому, когда мы готовились к первой самостоятельной поездке из Москвы в Калинин — в этот город мы получили разнарядку, — страшно волновались.

Как нас там встретят? Как примут? Как устроимся с жильем?

На вокзале в Калинине нас встретил экспедитор цирка и повез в цирк на трамвае.

Летний Калининский цирк — деревянное, обшарпанное здание с пристройками и большим двором — стоял в парке. У входа мы увидели большой щит с перечнем номеров программы. Где-то в середине списка упоминался и наш номер: «Никулин и Шуйдин. Клоунада».

Оставив чемоданы во дворе у проходной, мы отправились вместе с экспедитором выбирать квартиру.

— У меня есть несколько адресов, — сказал экспедитор, — походим, посмотрим.

Раньше мы с Мишей при выборе квартиры придерживались лишь одного требования: только бы недалеко от цирка. Теперь же я придирчиво осматривал предлагаемые комнаты и комнатушки. Предстояло жить с женой. Хотелось так подобрать комнату, чтобы нам не пришлось в нее входить через хозяев, чтобы можно было готовить. После двухчасовых поисков мы остановились на квартире недалеко от рынка, и до цирка ходьбы минут десять. Комнату сдавала одинокая женщина. Сама она переселилась на кухню.

Выбрав комнату, мы вернулись в цирк. Инспектор манежа, плотный мужчина с надменным лицом, не вынимая изо рта сигары и не протянув нам руки, поздоровался небрежным кивком головы, будто и не видел нас. Показав на одну из дощатых дверей, он сказал:

— Тут ваша гардеробная.

Открыли мы дверь и зашли в маленькую полутемную комнатку, в которой и повернуться-то негде. Когда мы спросили у инспектора о времени репетиции (премьера — через два дня), он, рассмеявшись, произнес:

— Репетиция? Зачем вам, клоунам, манеж? Один разик на генеральной пройдете, и хватит с вас.

Мы начали доказывать, что без репетиции не можем. У нас новая партнерша, сложный номер, связан с пробежками, каскадами.

Услышав о каскадах, инспектор снизошел до нас.

— Ах, каскады, — сказал он, — значит, у вас номер акробатический. Ладно, так и быть. Сегодня вечером и завтра днем можете использовать манеж. Но не больше чем по часу.

В Калинине нам пришлось представляться директору цирка Ауде. Об этом человеке я много слышал. Мнения о нем ходили самые разные. Многие посмеивались над ним, особенно над его любовью ходить в черкеске, папахе и с кинжалом, но считали, что с ним вполне работать можно.

Еще в Москве я услышал историю, связанную с Ауде. Историю о том, как любитель футбола Ауде, работая до войны директором Симферопольского цирка, организовал в городе матч между местной командой и сборной артистов цирка. Об этой игре мне рассказывал жонглер Николай Ольховиков, который участвовал в матче.

Болельщики до отказа забили стадион. От артистов цирка все ожидали необыкновенной игры, чуть ли не с акробатическими трюками.

Незадолго до этого к двадцатилетию советского цирка ряд артистов наградили орденами. В футбольной программе против фамилии Николая Ольховикова, игравшего левого крайнего, стояло «орденоносец».

Начался матч. В первом ряду на трибуне в своей неизменной черкеске, папахе, с кинжалом сидел Ауде, который бурно переживал все перипетии игры. Конечно, артисты цирка играли всерьез, без всяких трюков, что разочаровало местных болельщиков.

Почти до конца матча ни одной из команд не удалось забить гол. И вдруг за пять минут до конца игры в ворота симферопольцев назначили одиннадцатиметровый. Пробить его хотел один из акробатов, довольно сильный игрок. Только он приготовился пробить по воротам, как на весь стадион раздался крик Ауде:

— Отставить!

Директор цирка выбежал на поле и, расталкивая игроков, взяв за руку Николая Ольховикова, во всеуслышание объявил:

— Пусть пробьет Коля! Он — орденоносец!

Николай Ольховиков пробил и... промазал. Так и закончился матч вничью.

Ауде расстроился и грозился Ольховикову объявить выговор по цирку.

И вот мы встретились с этим директором.

С гладко выбритой головой, небольшого роста, Ауде важно восседал в своем кабинете. Когда зашел разговор, как писать о нас в программках, он авторитетно заявил:

— Какие могут быть Пьеры во Франции. Пьеры — это в Англии. Они буржуазия.

Долго мы старались втолковать, что есть разница между французским мальчиком Пьером и пэром в Англии, он с нами не соглашался. Ауде сам позвонил в Москву и говорил с Рождественским. После разговора с начальством он успокоился и с нами согласился.

Первая репетиция прошла плохо. Мы нервничали. Больше всего Таня. Через два дня ей впервые в жизни предстояло выходить на публику. Мизансцены, которые она знала наизусть, на репетиции путала.

Репетицию с оркестром назначили на следующий день. Я стеснялся делать замечания дирижеру. В Москве на репетициях всегда сидел Местечкин. И я помню, как он заставлял дирижера повторять музыку несколько раз, пока не добивался полной синхронности оркестра с нашими действиями.

В Калинине мы все делали впервые. Впервые самостоятельно репетировали, впервые самостоятельно выбирали квартиру, впервые самостоятельно решали и многие другие вопросы. Казалось бы, полная свобода действий. Но именно свобода действий и пугала меня. Мне все казалось, что мы сделаем что-нибудь не так.

К своему ужасу, мы обнаружили, что в цирке нет круглого фойе. Публика из зала сразу выходила в парк. Во время работы нам предстояло бегать вокруг цирка по парку. (Полицейские, гоняясь за Пьером, все время появляются в разных проходах.) В Москве это просто. Мы обегали как можно быстрее фойе и появлялись на манеже из противоположных проходов. Здесь же эти пробежки приходилось делать в парке на глазах гуляющей публики.

В день премьеры провели еще одну репетицию. Коверный Сергеев, которого мы попросили сыграть роль Безработного, легко вошел в номер и делал все органично и точно.

На репетициях мы несколько раз втолковывали инспектору, что объявлять нас надо так: «Маленький Пьер. Сценка из жизни современной Франции». Но инспектор почему-то все-таки объявлял: «Маленький Пьер. Сценка из жизни современной Англии». Услышав это, мы ахнули. Мы же выходим на манеж, одетые в форму французских полицейских: в мундирах, пелеринах, в белых перчатках. При чем тут Англия? К счастью, никто этого не понял.

Премьера прошла хорошо. Таня, за которую я особенно волновался, на манеже, хотя и двигалась как в трансе, нас не подвела. Публика приняла ее за настоящего мальчишку. В программке она значилась: «Пьер — артист Тиша Никулин». Покидали мы манеж под аплодисменты. Сидя в своей ложе, в папахе, черкеске, с кинжалом на поясе, аплодировал и директор цирка Ауде. (В годы Гражданской войны Ауде воевал на Кавказе в конных частях и с тех пор в торжественные дни облачался в этот костюм.)

На премьере Миша поранил себе руку о гвоздь в скамейке. К концу номера его белая перчатка набухла от крови.

В антракте врач цирка перевязал руку и сделал Михаилу противостолбнячный укол.

В цирке используют канифоль. Воздушные гимнасты натирают ею руки для того, чтобы они не скользили, канифоль втирают в подошвы обуви акробата-прыгуна. Канифоль, попав в кровь, может стать причиной серьезного заболевания. Именно это и послужило причиной смерти выдающегося итальянского жонглера Энрико Растелли. Вырвав утром зуб, днем он много репетировал. У него был такой трюк — держа в зубах палочку, он ловил на нее мяч. Палочка была наканифолена. Канифоль попала в ранку от удаленного зуба, и через день у него распухла щека и началось заражение крови. Умер он в 1933 году, в возрасте тридцати четырех лет, в расцвете своей славы.

К счастью, у Миши все обошлось благополучно.

После премьеры мы продолжали ежедневно репетировать с Таней, которая от спектакля к спектаклю работала все лучше и лучше. За кулисами Татьяне както передали записку от зрителей. Писали две девочки. Они очень хотели познакомиться с исполнителем роли Пьера и назначили Тише Никулину свидание.

О премьере, о том, как устроились в Калинине, мы подробно написали домой. Кроме писем, которые мы посылали почти ежедневно, иногда в Москву и звонили.

Родители тоже писали нам письма. Особенно я любил получать толстые, подробные письма от отца. Он присылал мне новые анекдоты. Анекдоты отец любил и отлично их рассказывал сам.

У нас в Токмакове часто собирались мои друзья, приятели отца. И, как правило, во время чаепития шел обмен анекдотами. С отцом советовались, как лучше анекдот рассказать, подать. Конечно, анекдот должен быть коротким. Длинные анекдоты слушать скучно. Хотя бывают и среди длинных анекдотов хорошие, если у них конец неожиданный.

В связи с этим мне запомнилась история с анекдотом, завершение которой произошло в Калинине.

Еще учась в девятом классе, я с моим школьным приятелем Шуркой Скалыгой поехал как-то на стадион. Висим мы на подножке (в то время у трамваев не было автоматически открывающихся и закрывающихся дверей), а рядом с нами два парня, с виду студенты. Один из них и говорит другому:

— Слушай, мне вчера рассказали интересный анекдот.

Мы с Шуркой насторожились.

— Один богатый англичанин, — начал рассказывать парень, — любитель птиц, пришел в зоомагазин и просит продать ему самого лучшего попугая. Ему предлагают попугая, который сидит на жердочке, а к его каждой лапке привязано по веревочке. «Попугай стоит десять тысяч, — говорят ему, — но он уникальный: если дернуть за веревочку, привязанную к правой ноге, попугай будет читать стихи Бернса, а если дернуть за левую — поет псалмы». — «Замечательно, — вскричал англичанин, — я беру его». Он заплатил деньги, забрал попугая и пошел к выходу. И вдруг вернулся и спрашивает у продавца: «Скажите, пожалуйста, а что будет, если я дерну сразу за обе веревочки?»

И тут парень, который слушал анекдот, вдруг сказал:

— Нам выходить надо.

И они на ходу спрыгнули с трамвая.

Пришел я домой и все рассказал отцу. Целый вечер мы гадали, какая может быть у анекдота концовка. Наверняка что-нибудь неожиданное. Мы перебрали сотни вариантов, но так ничего и не придумали.

Прошло много лет. В годы войны, когда мы стояли в обороне под Ленинградом, как-то один мой товарищ рассказывает в землянке:

— Послушайте, ребята, хороший анекдот. В одном магазине продавали дорогого попугая. У него к каждой лапке привязано по веревочке. Как дернешь за одну, так он частушку поет, как дернешь за другую — начинает материться.

— Ну?! — воскликнул я в нетерпении.

Только солдат хотел продолжить рассказ, как его срочно вызвали к комбату. И он больше в землянку не вернулся. Его отправили выполнять задание, во время которого он получил ранение и попал в госпиталь.

И вот в Калинине во время представления стою я как-то за кулисами рядом с инспектором манежа, и он мне вдруг говорит:

— Знаешь, хороший есть анекдот. О том, как в Америке продавали попугая с двумя веревочками.

— Ну?! — замер я в потрясении.

— Сейчас объявлю номер. Подожди.

Вышел инспектор манежа объявлять номер, и с ним стало плохо, сердечный приступ. Увезли его в больницу.

Я понял, что больше не выдержу, и на следующий день пошел к нему в больницу.

Купил яблок, банку сока. Вхожу в палату, а сам весь в напряжении... Если сейчас упадет потолок и инспектора убьет, я не удивлюсь.

Но потолок не упал. Просто мне медицинская сестра показала на аккуратно застеленную койку и сказала:

— А вашего товарища уже нет...

Ну, думаю, умер. А сестра продолжает:

— Его час назад брат повез в Москву, в больницу.

«Еще не все потеряно, — подумал я. — В конце концов, вернется же он обратно». Но до конца наших гастролей инспектор так и не вернулся.

Отец был потрясен этой историей.

— Прямо мистика какая-то, — говорил он, — жуть берет.

Спустя три года я снова попал в Калинин. В цирке инспектором манежа работал другой человек.

— А где прежний инспектор? — сразу же спросил я.

— А он ушел из цирка, — ответили мне. — Работает здесь, в Калинине, на радио.

В первый же свободный день я отправился на местное радио, отыскал комнату, где работал бывший инспектор. Два раза переспросил сотрудников, там ли их начальник (инспектор на радио возглавлял какой-то отдел), и, когда мне сказали, что он сидит на месте, я с трепетом постучался в дверь и вошел в кабинет.

Он сидел за столом и, увидев меня, воскликнул:

— О! Кого я вижу.

Я же про себя говорил: «Тише ты, тише. Не очень радуйся. Сейчас что-нибудь произойдет».

Проглотив слюну, набрав воздуха, я выпалил:

— Привет! Что было с попугаем, у которого на ногах были привязаны веревочки?

— У какого попугая? — опешил бывший инспектор.

Я напомнил об анекдоте.

— А-а-а... Да-да... Такой анекдот был. Понимаешь, начало я, кажется, помню: продавали попугая в Америке... но вот концовку я забыл.

— Как забыл? — обмер я. — Ну вспомните, вспомните, — умолял я.

Он задумался, потом радостно воскликнул:

— Вспомнил! Сейчас расскажу. Только быстренько схожу к начальнику, подпишу текст передачи.

— Нет! — заорал я. — Сейчас расскажите, и я уйду.

И он рассказал.

Оказывается, когда покупатель спросил продавца, что будет, если дернуть сразу за обе веревочки, то вместо продавца неожиданно ответил сам попугай: «Дур-р-р-рак! Я же упаду с жердочки...»

Так я наконец узнал концовку анекдота.

В первый же выходной день мы с Таней поехали в Москву. Да и другие артисты, благо Калинин недалеко от столицы, решили съездить домой. Нас собралась группа — человек десять. Взяли билеты на проходящий поезд. К сожалению, грозная проводница, как мы ни уговаривали ее, ни за что не хотела пустить нас в вагон, хотя там были места. Так и провели мы около пяти часов в тамбуре.

Дома мы подробно рассказывали о нашем дебюте. Калинин нам понравился. Цирк находился на берегу Волги, и часто после представления мы бежали купаться. Через две недели работы мы почувствовали себя в программе своими людьми. Быстро познакомились с артистами, с некоторыми подружились и вместе ходили в театр и кино.

В один из первых вечеров нашей работы в цирк пришел средних лет мужчина, лысоватый, с гладко выбритым лицом. Все здоровались с ним подобострастно. Оказывается, это репортер местной газеты, постоянно пишущий о цирке. Я видел, как несколько артистов в антракте угощали его коньяком в буфете. Держался он уверенно, об увиденных номерах говорил с интонацией, не допускающей возражений. После представления репортер подошел и к нам с Мишей.

— А что, — сказал он, — у вас неплохой номер. Его, наверное, нужно похвалить... Молодых я поддерживаю.

Мы поблагодарили репортера, но в буфет его не пригласили. Тем не менее через пару дней в газете появилась солидная рецензия, кстати говоря, написанная весьма профессионально, в которой нас похвалили. Эти газеты с первой рецензией мы купили и, вырезав из них статью с упоминанием наших фамилий, разослали родственникам и друзьям.

В Калинине к концу гастролей нам изготовили пять больших ящиков для реквизита и костюмов. Запомнился мне этот город еще и тем, что именно в Калининском цирке я познакомился с удивительным клоуном, коверным Алексеем Сергеевым.

Мусля

Сегодня мне рассказали о том, как вечером после работы, посидев с приятелями, изрядно выпив, клоун Мусля решил остаться ночевать в цирке. Он забрел на конюшню, открыл клетку, где сидел знаменитый лев Цезарь дрессировщика Эдера, и зашел в нее.

Утром перепуганные служащие обнаружили спящего Муслю рядом с Цезарем. Прибежал на конюшню сам Эдер.

— Подымись спокойно, — шептал Эдер проснувшемуся Мусле, — без резких движений, медленно выходи из клетки.

Мусля из клетки выходить отказался.

— Да, я вылезу, а вы меня потом побьете, — жалобно сказал он.

Долго уговаривал дрессировщик выйти из клетки клоуна. Только после того, как Эдер дал честное слово, что он и пальцем не тронет Муслю, тот как ни в чем не бывало вышел из клетки.

Из тетрадки в клеточку.
Июль 1951 года

Странные судьбы бывают у артистов цирка. Мало в каких книгах, рассказывающих о цирке, об искусстве клоунады, в специальных справочниках упоминается фамилия клоуна Сергеева. Но кого из старых, опытных артистов ни спроси о нем, тут же воскликнут:

— А-а-а!.. Сергеев. Мусля! Это гений. Таких больше нет.

Помню, еще занимаясь в студии клоунады, кто-то из нас спросил у Буше:

— Александр Борисович, а кто, на ваш взгляд, самый лучший коверный?

— Ну, Карандаша я не беру, — ответил после некоторого раздумья Буше, — он не в счет. А вот Серго — это да!

Во время учебы мы слышали много знаменитых фамилий: Альперов, Антонов и Бартенев, Коко, братья Лавровы, Демаш и Мозель, Эйжен. А вот о Серго — впервые.

— Если увидите Серго в работе, — добавил Буше, — поймете, что он великий коверный.

И действительно, когда в Калинине я увидел клоуна Серго (артисты между собой Алешу Сергеева называли Мусля), я убедился — Буше был прав.

Почему все его звали Мусля? Долго я не мог допытаться. А потом кто-то из старых артистов объяснил мне:

— Да все очень просто. Серго обращается ко всем, как француз, только говорит не «мсье», а «мусля».

И верно, он и ко мне подходил в цирке и говорил:

— Слушай, муслюшка, каким номером идете?

Клоун Серго всегда как бы стоит перед моими глазами — тихий, незаметный человек, удивительно скромный.

Встретит его кто-нибудь на улице — небольшого роста, коренастый, рыжеватые, чуть выбившиеся из-под кепки вьющиеся волосы, добрые голубые глаза — и подумает: обычный работяга. Такой Серго с виду.

Зубы желтые от табака, но, когда он улыбался, работая на манеже, улыбка получалась ослепительно доброй и застенчивой. Красивый, но красотой негромкой, чисто русской. Выглядел чуть старше своих тридцати пяти лет. Часто можно было застать его сидящим за кулисами на скамеечке и о чем-то думающим.

В жизни Мусля говорил отрывисто, высоким голосом, так что с трудом можно было разобрать, что он хочет сказать. А на манеже обходился почти без текста.

На манеж он выходил в сдвинутой немного на затылок обыкновенной зеленой фетровой шляпе, в потрепанном темно-зеленом пиджаке, в широких коричневых штанах на лямках, в чуть-чуть утрированных ботинках с загнутыми вверх носами. Подкрашенные брови, слегка подмазанные губы — как он говорил для свежести — вот и весь его грим. За костюмами своими он не следил. Забывал сдавать рубашки в стирку. Добрые костюмерши входили в его гардеробную, которую он никогда не закрывал, и сами забирали рубашки.

Основное в его работе — обыгрывание простых предметов. Грабли, тросточка, тачка, на которой увозят ковер... Иногда он обыгрывал реквизит, который только что на манеже использовали артисты. Отличный акробат. Прекрасно стоял на руках, делал поразительные каскады. Самое удивительное: что бы Муся ни показывал, все выглядело смешно и трогательно одновременно. Люди смеялись, а сердце могло сжиматься от грусти. «Муся — тонкий, щемящий клоун» — так сказал о нем Сергей Курепов. Точно сказал.

У Муси, как говорится, все было от Бога. Он мог выйти на манеж, взять любой первый попавшийся предмет — мяч, стул, метлу, булаву — и так все обыгрывать, что весь зал начнет хохотать. Он обладал великим даром импровизатора. Сохранив способность воспринимать все как ребенок, он умел по-настоящему радоваться на манеже и заражал этой радостью других.

У Муси получался образ — думаю, что это выходило у него подсознательно, — неудачника, который хочет все сделать, но ничего у него не получается. Образ, напоминающий маску Чарли Чаплина, но совершенно своеобразный.

Только Муся мог исполнять, казалось бы, пустяковую, примитивную репризу, которую он нежно называл «Пальчик».

Он выводил за руку на середину манежа инспектора и, отойдя от него на несколько шагов, вытягивал вперед руку и указательным пальцем манил инспектора к себе. Тот подходил вплотную к клоуну, а палец продолжал двигаться. Инспектор некоторое время стоял, глядя на этот двигающийся палец, а потом как бы в раздражении ударял клоуна по руке. Но палец продолжал его манить к себе. Тут уже пугался сам Муся.

Он с неподдельным ужасом смотрел на палец, который никак не мог остановиться. Зрители видели удивительное действие, когда клоун пытается остановить шевелящийся палец. Он зажимал руку под мышку, прятал ее в карман, становился на палец ногой, а палец все равно продолжал двигаться. Наконец Муся клал неукротимый палец на барьер и бил по пальцу молотком. От страшной боли клоун подпрыгивал и быстро клал палец в рот. Палец двигался во рту, отчего щеки у Мусли смешно оттопыривались. Когда он извлекал палец изо рта, один из униформистов подавал клоуну пилу-ножовку. Муся подносил ножовку к пальцу, и вдруг палец, как бы испугавшись, замирал. Облегченно вздохнув, сияющий клоун уходил с манежа, но около самого выхода палец снова оживал. Муся, с отчаянным криком отбросив ножовку, убегал за кулисы.

Пустяк, примитив — двигается палец, а клоун пугается. Но как делал это Муся! Я каждый раз смотрел «Пальчик», смеялся вместе со зрителями и верил, что палец Мусли сошел с ума.

Некоторые коверные пытались скопировать эту репризу. Ничего у них не получалось. Это было органично только для Мусли, маленького, лохматого, наивного, смешного, странного человека.

К сожалению, я застал Муслю, когда он начал сходить с манежа. Но и то, что я видел, поражало. Настолько поражало, что каждый раз я, как почти и все артисты, занятые в программе Калининского цирка, отработав свой номер, спешил в боковой проход посмотреть его репризы.

Когда ему кричали: «Алеша, пауза!» — он бежал к своему ящику, стоящему за кулисами, буквально нырял в него так, что виднелись одни торчащие ноги из ящика; порывшись, он вытаскивал первый попавшийся предмет — пистолет, бутафорскую гирю, нож — и выбегал на манеж.

А иногда он просто выходил, смотрел чуть-чуть растерянно, улыбался — чувствовалось, что клоун еще не знает, как и чем займет паузу. Другой бы растерялся, заметался по манежу, смутился, а Муся нет. Ему все нипочем. Он оглядывал манеж и, заметив (чистая импровизация), что запутался трос у униформистов, стремглав бежал помогать его распутывать, но делал это так, что трос запутывался окончательно. Униформисты ругали его (по-настоящему, чуть ли не матерились шепотом!), а публика смеялась. Когда же трос все-таки распутывали и униформисты уходили с манежа, Мусля, улыбаясь всем, под аплодисменты, удивленный, словно не понимая, почему аплодируют, покидал арену.

Отлично проходила у Мусли реприза со шляпой. За что-то обидевшись на инспектора, он, сжав кулаки, грозно наступал на него, сердясь, снимал с себя пиджак и кидал его на манеж. А потом срывал с головы шляпу и сердито бросал ее на ковер. В тот момент, когда шляпа касалась ковра, ударник в оркестре бил в барабан. Услышав громкий звук (как так, бросил шляпу и раздался стук?), пораженный Мусля поднимал шляпу и снова бросал ее на ковер. Снова раздавался удар в барабан. С удивлением и одновременно со страхом Мусля осторожно поднимал шляпу и внимательно ее рассматривал. Раздавалась короткая барабанная дробь — шляпа, будто живое существо, трепыхалась в руках клоуна. Отбросив шляпу, Мусля в ужасе убегал и прятался за барьер. Через несколько секунд, чуть успокоившись, он подкрадывался к шляпе и осторожно дотрагивался до нее тросточкой. Снова короткий удар барабана. Испуганный Мусля, дрожа от страха, отбегал в сторону.

Но любопытство брало свое. Накрывшись с головой пиджаком, Мусля осторожно подползал к шляпе и с трепетом поднимал ее. На его лице отражалась внутренняя борьба: бросить шляпу или нет? Наконец он решался это сделать. Только рукой замахивался, чтобы бросить шляпу... как в оркестре раньше времени ударяли в барабан. И тут клоун понимал — его разыгрывают. Он успокаивался, грозил пальцем барабанщику и, спокойно надев шляпу, веселый, под аплодисменты публики покидал манеж.

Много позже, работая с Мишей коверными, мы вспомнили эту репризу и попробовали ее сделать. Не получилась она у нас, хотя мы и ввели смешные, на наш взгляд, трюки (в конце у нас даже хлопушка взрывалась). Показали мы эту репризу только три раза.

— Мальчики, — сказал нам Буше за кулисами, — придумывайте свой репертуар. Муслю вам все равно не повторить.

Лишь один упаковочный ящик стоял у Мусли в гардеробной. В этом ящике все навалено: реквизит, костюмы, личные вещи. Но репертуар у Мусли разнообразный — каждый день он показывал какие-нибудь импровизации.

Очень мне нравилась в его исполнении реприза со стулом. Выходит Мусля с венским стулом и пытается сесть на него. А у стула отваливается ножка, и клоун падает. Мусля пытается починить стул. Вставляет одну ножку — отваливается другая, и так несколько раз подряд. Муся реагирует на это с таким огорчением, с такой неподдельной детской серьезностью и так трогательно смотрит на сломанный стул и держит в руках ножки, что зал начинает хохотать. А Муся все быстрее и быстрее пытается чинить стул. И все — в убыстренном ритме, под нескончаемый хохот зала. Наконец стул починен. Клоун садится на него, а стул со взрывом разлетается на мелкие кусочки.

Муся точно умел выбирать человека из публики, с которым он разыгрывал целую пьесу. Делал это Муся гениально, так что зал стонал от хохота. Зрители с вниманием следили за безмолвным диалогом между клоуном и выбранным им человеком.

Муся, выходя на первую репризу, внимательно разглядывал зрительный зал, и вдруг его внимание привлекал какой-нибудь человек в первом ряду. Он подходил ближе, внимательно смотрел на него и будто бы о чем-то договаривался. Бывало, что выбранному человеку он симпатизировал и так на него долго смотрел, делал такие жесты, что все понимали: клоуну нравится этот зритель или зрительница. Зрительницы были чаще.

И каждый раз, выходя на ту или иную репризу, он начинал с того, что смотрел в сторону своего нового партнера из публики, с которым у него завязывались свои личные отношения, развивающиеся от репризы к репризе. (Например, он звал этого человека починить стул.) Стоило Мусе посмотреть на этого зрителя (а зал уже ожидал, что клоун посмотрит), все смеялись.

Что бы Муся ни показывал, все выглядело у него великолепно. Вот перед исполнением очередной репризы он снимал пиджак — и зрители видели рваные рукава рубашки и драную спину. А раздевался он важно, как денди. Денди снимает пиджак, а под ним — лохмотья. Многие клоуны, используя эффект неожиданности, выступали с этим трюком, но лучше всех его делал Мусля.

Много раз я видел репризу «Здесь курить нельзя». Реприза проверенная и, как мы говорим в цирке, проходная. Десятки коверных исполняют ее. Но лучше всех «Здесь курить нельзя» делал Мусля.

Содержание репризы несложное: коверный закуривает, а инспектор отбирает у него горящую папироску. Клоун достает другие горящие папироски — из кармана, шляпы, ботинка и даже у кого-нибудь из публики... Достает и курит. А инспектор снова отбирает...

Но как это делал Мусля! Как удивительно он передразнивал походку инспектора, как искренне обижался, что у него отбирают папироску, как мучительно думал, где же достать следующую, как радовался, лицо его просто светилось, когда он находил выход из положения — доставал очередную папироску, как он наслаждался, делая затяжку.

Мусля делал репризу, а на манеже сновали униформисты, устанавливая громоздкий реквизит к очередному номеру. Но публику ничего не отвлекало. Все не отрываясь смотрели на проделки коверного, на его жесты, мимику.

Многие репризы для себя Мусля придумывал самостоятельно. Некоторые коверные воровали у него репертуар и выдавали за свой. Когда Мусля узнавал об этом, он не обижался, не сердился. Он просто придумывал новое. А ведь придуманные репризы он мог зарегистрировать в Главном управлении авторских прав и в случае, если этот репертуар будут исполнять другие, получать за это деньги. Нет, Мусля и не думал об этом. Он просто работал. Часто после представления, когда униформа убирала клетку, а артисты, прежде чем разойтись по домам, группками сидели на местах, беседуя, вдруг в зале появлялся Мусля.

Он садился сзади беседующих и начинал играть на скрипке. Играл просто так, для своих. И артистам это нравилось. Разговоры кончались. Люди сидели и слушали. А иногда Мусля просто садился днем на места в пустом зрительном зале и играл на скрипке. Его спрашивали:

— Что, Мусля, разучиваешь новую музыку?

— Нет, — отвечал он, — это я репетирую репризы. Я играю, а сам представляю, как вечером репризы буду делать. У меня ведь поэтому каждый раз работа разная.

Странный клоун Мусля. Удивительный, непонятный, незаурядный человек, он мог бы стать лучшим клоуном страны, а может, и мира. Но его словно не заботил собственный успех. А может быть, действительно не заботил?

Мусля всегда так строил свои репризы, что зрители не могли догадаться, как эта реприза пойдет, какой следующий шаг сделает клоун, что он собирается показать, чем удивить... Мусля всегда чуть-чуть «обманывал публику».

Так, например, он выходил со скрипкой и стулом, и публика, помня предыдущую репризу со стулом, который взрывался, ожидала, что и со скрипкой произойдет то же самое. А он на скрипке просто играл. Играл прекрасно.

— Ты понимаешь, муслюшка, — говорил он мне как-то, — я нот не знаю. Не знаю! Но сыграть могу что хочешь. Зачем ноты? Нужно просто чувствовать душу музыки.

Мусля гастролировал в одном из городов Сибири. Первый раз в этот город на гастроли приехал знаменитый скрипач, лауреат всесоюзных и международных конкурсов, музыкант с длинным перечнем званий. И он поселился в гостинице. По воле случая люкс скрипача оказался соседним с маленьким номером, который занимал Муся.

Утром знаменитый музыкант, трудолюбивый и точный человек, три часа играл на скрипке, репетируя новое сложное произведение. А вечером (концерт гастролера намечался через два дня), чтобы развеяться, решил пойти в цирк. Его, как почетного гостя, конечно же, усадили в первом ряду.

Смотрит он программу, вежливо аплодирует после каждого номера, улыбается, а порой и хохочет над репризами Мусли. И вдруг!..

На манеж на очередную репризу вышел Мусля со своей старенькой, с облупившейся краской скрипочкой и исполнил три коротенькие музыкальные импровизации. Исполнил так, что зрители слушали затаив дыхание, — он играл мастерски. Но самое удивительное для скрипача-гастролера оказалось то, что он услышал фрагменты произведения, ноты которого имели только два человека в стране — он сам и композитор, который написал это произведение специально для музыканта.

Знаменитый скрипач кинулся за кулисы к клоуну и спросил у него с удивлением:

— Где вы взяли эту вещь?

— А сегодня утром, — ответил простодушно Мусля, — в гостинице услышал. Кто-то рядом играл. Мне мотивчик понравился, я и запомнил его.

— Так вы же гений. Это невероятно. Запомнить и по слуху сыграть эту вещь! Невероятно!!! Нет, я должен с вами поближе познакомиться.

После представления в цирке знаменитый скрипач в модном костюме отправился в ресторан с маленьким человеком, одетым скорее бедно, чем скромно.

Три дня после этого Мусля отсутствовал в цирке. Первый концерт скрипача в городе тоже пришлось отменить. Никто не мог найти ни клоуна, ни скрипача. Потом выяснилось, что они три дня играли друг другу на скрипке и никого не пускали в номер, не отвечали на телефонные звонки (чтобы их не беспокоили, знаменитый музыкант заплатил горничной, дежурной по этажу и администратору). Когда играл Мусля — плакал скрипач, когда играл скрипач — плакал Мусля.

Слабовольный человек Мусля. Любил выпить. Это его губило. Всегда есть завистники, готовые на все, лишь бы как-то удовлетворить свое чувство зависти и напакостить другому, человеку более талантливому, более известному, чем они.

Работал в одной программе с Муслей посредственный клоун — музыкальный эксцентрик, дурной человек. Достаточно привести одну из его реприз, и станет понятным, что он собой представлял. Например, он выходил на манеж и говорил:

— Есть рыба большая, а есть маленькая. Большая рыба — большая, а маленькая — тюлька. Есть свисток, а у меня свистюлька. — И артист свистел в свою «свистюльку».

Порой этот клоун выступал и коверным. Придя в цирк и видя, что Мусля трезвый, он ставил ему стакан водки, после чего тот хмелел и не мог работать. Тогда Муслю заменял тот бездарный артист. К сожалению, Алеша не умел отказываться. Он считал, что предлагающему выпить нельзя отказать. Этим можно обидеть человека.

Муслю все любили. Он вызывал к себе доброе отношение. И он всех любил, ко всем относился по-доброму. Со всеми всегда вежливо здоровался — с вахтерами, униформистами, с конюхами, уборщицами. Единственно, кого он держал в страхе, — дирекцию цирка. Он мог сорвать спектакль. Сорвать, потому что слишком много выпил. В его судьбе, как мне кажется, есть что-то общее с судьбой артиста Петра Алейникова. И того и другого сгубила неуемная любовь почитателей, которым, видимо, льстило общение с артистом.

Как-то из Москвы в Минский цирк, где коверным работал Муся, приехали Местечкин и Байкалов, чтобы отобрать номера для столичной программы. Посмотрели первое отделение. Байкалов в восторге от Мусли.

— Слушай, Марк, этого коверного непременно нужно брать к нам в Москву.

В антракте клоуну сказал кто-то шутя:

— Мусля, а ведь Байкалов с Местечкиным тебя специально приехали смотреть.

Мусля заволновался, разнервничался и кинулся в буфет.

Во втором отделении Муслю как подменили. Он вышел тихой, заплетающейся походкой на манеж, постоял, лег на барьер и заснул. Заснул по-настоящему. Униформа унесла его с манежа, и больше в этот вечер он не выходил. Конечно, в Москву его не взяли.

Добрый человек Мусля. Помню, он подарил нам с Мишей несколько трюков, открыл секрет, как из кармана вынуть горящую свечку. Научил нас доставать изо рта бесчисленное количество яиц. Дал рецепт получения газа для надувания воздушных шаров, чтобы они летали.

Невозможно было без улыбки смотреть на Муслю, когда он готовился к переезду в другой город. Обычно артисты упаковывают свой багаж ночью. К утру багаж должен быть готовым к отправке. Мусля ночью, после того как отмечал окончание работы в программе, упаковываться не мог. Утром его будили в гардеробной (он часто после представления оставался ночевать в цирке) и спрашивали:

— Где твой багаж? Мы ведь уже отправляем все на вокзал.

Мусля сосредоточенно смотрел своими голубыми невинными глазами на инспектора манежа, странно моргал и, судорожно хватая все, что попадалось под руки, бросал в свой единственный ящик. Ящик не закрывался. Тогда Мусля, встав на крышку, ногами уминал все вещи. Скрипка при этом ломалась, костюмы мялись, грим вылезал из тюбиков.

А в другом городе он одалживал у кого-нибудь смычок, склеивал свою скрипку, с грехом пополам приводил в порядок костюмы и начинал работать.

Я никогда не видел, чтобы Мусля с кем-нибудь ссорился, на кого-то сердился. Нет, когда его ругали, он все выслушивал и приговаривал при этом одну и ту же фразу:

— Муслюшка, ну не надо, не ругайте. Муслюшка, ну не надо, не ругайте. Муслюшка... Ну не надо...

Мне рассказали странную историю о Мусле.

Мусля, работая в Баку, как-то поздно возвращался из цирка. Дул холодный осенний ветер, шел сильный дождь. Мусля, решив переждать дождь, зашел под навес на какой-то стройплощадке. Потом в темноте нашел там теплое местечко и прилег. Ночью просыпается и — о ужас! — не может двинуть ни рукой, ни ногой. Мусля горько заплакал, решив, что его разбил паралич.

Он долго плакал, а потом заснул. Проснулся от странного звука. Тук-тук, тук-тук... Оказывается, рядом люди стучат ломами и страшно ругаются. Проснувшись окончательно, он увидел, что это рабочие вырубают его из... застывшего асфальта! В цирк он пришел грязным, с остатками битума на одежде. Костюм пропал. Но Мусля не унывал. Смеясь, он всем говорил:

— Вот же как хорошо все кончилось! А я ведь думал, паралич разбил меня.

В историю эту я не очень-то поверил. Но когда работал с ним в Ереване и стал очевидцем еще более странной истории, тогда поверил и в эту.

После представления Мусля, напившись, решил пойти с одним из акробатов посмотреть — такое им взбрело в голову, — как живут люди в Турции. Пьяный акробат убедил Муслю, что Турция находится за горкой, недалеко от цирка. Для храбрости они выпили еще, вышли из цирка, добрели до какой-то горки, легли на землю и поползли в Турцию.

Ползли всю ночь. Выбились из сил и к утру заснули. Днем проснулись. Руки, ноги разодраны. Одежда порвана. Оказывается, они всю ночь ползали вокруг одного пригорка на окраине Еревана...

Когда в цирке Муслю расспрашивали об этом путешествии, он смотрел своими голубыми глазами и жалобно говорил:

— А нам хотелось Турцию посмотреть. Мы бы посмотрели и сразу же обратно вернулись.

Приехав работать в один из городов, я снова увидел Муслю. Грустная произошла встреча. Он кинулся ко мне, сказал, что рад нашему приезду, долго расспрашивал о работе. И вдруг, отведя в сторону, странно посмотрел на меня, весь задрожал и, словно сообщая тайну, зашептал:

— Спаси меня. Умоляю. Меня хотят убить. Видишь, стоят экспедитор и двое униформистов. Это все... понимаешь, одна шайка... шайка! На улице стоят убийцы. Спаси меня. Умоляю. Меня хотят убить. Меня убьют...

Пока я соображал, как бы помочь другу, ко мне подошел кто-то из артистов и тихо сказал:

— Не обращай внимания. Это у него галлюцинация. Все от водки. Третий день.

Постепенно, на глазах у всех, спивался Мусля. Ему не разрешили работать в больших цирках — он перешел в группу «Цирк на сцене». Приехав на гастроли в один из волжских городов, я случайно узнал, что в Доме культуры на окраине города работает «Цирк на сцене», коверный — Серго. В наш выходной день с Мишей решили посмотреть это представление. В тот день Мусля работал трезвый, и зал стонал от хохота.

Прощаясь, я спросил у него:

— Ну как, Алеша, больше не пьешь?

— Только во время переездов, — ответил он.

— А переезжаете часто?

— Каждый день, — сказал спокойно Мусля и посмотрел на меня чуть виноватыми глазами. Посмотрел так, что у меня сжалось сердце.

Спустя много лет, когда мы работали в Москве, в антракте к нам зашел Мусля. Он рассказал, что поступил работать в Барнаульскую филармонию на договор, пить бросил, но вот беда — не на что доехать до Барнаула.

Мы решили ему помочь. Но условились, что выдадим не деньгами, а сами купим билет до Барнаула. Дали билет, купили еды на дорогу и распрощались. Как я слышал, он действительно около полугода работал от Барнаульской филармонии, а потом опять сорвался, и его снова уволили. За прежние его заслуги, за талант Муслю взяли в какой-то цирк униформистом.

Что это? Судьба? Может быть, и судьба. Горестная судьба талантливого человека. А может быть, виноваты те, кто все время окружал его и не сумел помочь, мало ценил его? Может быть... А может быть, ему просто не повезло в личной жизни, и, будь с ним рядом друг, партнер или просто товарищ — я имею в виду человека настоящего, волевого, доброго, умеющего прийти на помощь, а не идти на поводу; или будь с ним рядом жена, умная женщина, которую он любил бы и ради нее бросил бы пить, а она помогала бы ему, следила за ним, — может быть, тогда все сложилось бы у Сергеева иначе.

И тогда, уверен, афиши с его именем украшали бы лучшие города нашей страны и мира. И он снимался бы в кино, выступал по телевидению и пользовался огромной популярностью.

Только спустя много лет я смог оценить талант, пожалуй, даже гениальность Мусли. А тогда я воспринимал его просто как хорошего комика, восторгаясь, смотрел репризы и думал, что с подобными клоунами мне еще не раз предстоят встречи.

Увы, работая в цирке более четверти века, побывав во многих странах мира, я ни разу не увидел коверного, подобного Мусле. Было немало хороших артистов, ярких, запоминающихся, способных, но такого, как Муся, не встречал. И ругаю себя за то, что в свое время не познакомился ближе с этим человеком. Суета цирковой жизни, частые переезды — все это помешало мне ближе узнать Муслю. Как и многие артисты, которые его любили, я жалел этого человека, сокрушаясь вместе с ними, что вот, мол, жаль — такой талантливый и погибает.

Бывали у меня моменты, когда я обижался на Муслю. После того как он срывал представление, я утром подходил к нему и говорил с укором:

— Что ж это ты, Муся?

А он, виновато опустив глаза и теребя дрожащими руками полы пиджака, отвечал с печальной улыбкой:

— Муслюшка, ну не надо... Я не хотел. Муслюшка, не ругай меня, не надо...

Более десяти лет прошло с нашей последней встречи. Я слышал о том, что Муся где-то в Казахстане. Но где точно и кем работает, никто мне сказать не мог. И только когда часть этой книги была опубликована в одном из журналов, я получил от Мусли странное и грустное письмо. Он писал о том, что живет в городе Ош. От местного спортобщества разъезжает по районам и выступает вместе с одним силачом. Он писал и о своих бедах, о том, что никак не может восстановить утерянный паспорт, выхлопотать себе пенсию. В письме сообщал, что собирается приехать в Москву и рассказать «много жизненных смешных кусочков».

Я ответил на это письмо. К сожалению, нам увидеться не пришлось. Спустя месяц, весной 1977 года, я получил письмо от одного из художников, который дружил с Муслей. Этот человек написал мне, что Музля умер. Два дня он не выходил из своей комнатки, а потом зашел к хозяину квартиры, попросил спички, чтобы прикурить, и только прикурил, «как начал медленно оседать вниз». Когда приехала «скорая помощь», было уже поздно. Именно в день смерти и пришло мое письмо, как писал художник. Так Мусля его и не прочитал. Когда встал вопрос о похоронах, то долго пробивали место на кладбище, ибо у Мусли не было паспорта. «На кладбище его повезли прямо из морга. На похоронах народу было человек около двадцати». Так окончилась жизнь удивительного человека и клоуна.

Клоун Мусля. В Энциклопедии цирка о нем восемь строк.

«Серго (настоящие фамилия и имя — Сергеев Алексей Иванович) (р. 1915 г.) — коверный клоун. В 1926 году начал творческую деятельность в Воронежском любительском цирке как акробат и вольтижер на рамке... с 1933 года — коверный клоун. С. — клоун широкого диапазона, обладал талантом импровизатора, был автором своих реприз, играл на муз. инструментах, работал во мн. цирковых жанрах. Расцвет его творчества приходится на 30–40-е гг.». Вот и все, что сказано о великом мастере клоунады.

ЖИЗНЬ НА КОЛЕСАХ

И из мечты можно сделать варенье.
Нужно только добавить фруктов и сахара.

Станислав Ежи Лец

После Калинина с Татьяной и Мишей мы переезжали из города в город, работали в стационарных цирках и передвижных — шапито. Так начиналась наша жизнь на колесах.

Мы свистим по-цирковому

Старый турнист Клодо рассказал мне, как в небольшом городке ему сняли комнату у хозяйки, женщины злой и бесцеремонной. Она, не стучась, заходила к нему в комнату, придиралась по пустякам. Клодо решил ее попугать. Пригласил к себе партнера по работе и сделал с ним стойку — руки в руки, оставив босыми ногами несколько следов на потолке.

На следующий день, как всегда, без стука зашла к нему хозяйка полить цветы, а Клодо заметил небрежно:

— А в доме-то у вас не все хорошо... — И, показав на потолок, добавил: — Наверное, ночью нечистый ходил по потолку.

Хозяйка, женщина верующая, глянула на потолок и остолбенела. Чайник выпал из ее рук. Ушел Клодо на репетицию в цирк, а когда вернулся, видит, дома суматоха. Священник выгоняет «нечистую силу». Хозяйка, показав артисту на его уже сложенные на крыльце вещи, сказала:

— Иди, милый, с богом отсюда. Это ты нечистую силу в дом накликал.

Из тетрадки в клеточку.
Октябрь 1951 года

Мы любили ездить. Вещей с собой брали немного — чемодан да мешок с постелью. В поезде я с удовольствием знакомился с попутчиками, любил посидеть в компаниях и послушать интересные истории, разные случаи, анекдоты. Во время стоянки поезда выбегал на перрон купить что-нибудь у местных торговок. Глаза разбегались, когда видел корзины с жареными курами, печеной картошкой, яйцами, бутылками топленого молока, миски с квадратиками холодца.

В дороге случались происшествия. То подрался кто-то, то украли чей-то чемодан, то в соседнем вагоне у пассажирки начались преждевременные роды, и все интересовались, кто родился — мальчик или девочка...

По дороге в Киев на одной из больших станций поймали жулика. Приходил этот жулик на вокзал одетый в пижаму. Как только поезд останавливался, он вбегал в спальный вагон, держа в руках чайник с кипятком, и, «задыхаясь от бега», входил в первое купе и умоляющим голосом говорил:

— Я сосед ваш. Еду здесь в пятом купе. Понимаете, жена побежала телеграмму давать и деньги все с собой взяла. А я тут две курочки хороших сторговал... Не дадите ли пятьдесят рублей на несколько минут?

Деньги ему, конечно, давали. Жулик выходил на перрон, как бы за курочками, и больше его не видели. Попался он случайно, нарвавшись на пассажира, у которого ровно год назад «одолжил» полсотни.

Тогда я подумал: вот ведь не каждый способен так это проделать, нужны актерские способности, чтобы люди поверили и дали деньги.

...Стучат размеренно колеса поезда. Невольно думается: как-то встретит нас новый город? Наверное, экспедитор прямо с вокзала повезет нас смотреть квартиры. Хорошо бы устроиться недалеко от цирка.

В том, что нас встретят и в вокзальной сутолоке найдут, хотя и не знают номера вагона, я не сомневался.

В первые же месяцы работы нас научили свистеть по-цирковому. Выйдет артист из вагона, засвистит по-особому, к нему тут же подойдет экспедитор цирка. Бывало, экспедиторы и сами свистели.

Любопытно, что, думая о том или ином городе, сразу вспоминаешь не его достопримечательности, а хозяек, сдававших комнаты. Хозяйки попадались разные: общительные и замкнутые, добрые и жадные, тихие и шумные.

«Вечером поздно не приходите, света много не транжирьте, в комнате не курите, гостей не приводите» — вот слова, которые мы обычно слышали в первый день знакомства с хозяйкой.

Порой нам на хозяек везло. Так, в Киеве мы попали в очень милую семью, хотя первая наша встреча была трагикомична.

Вечером хозяева, желая поближе познакомиться с нами, пригласили попить чаю. В разговоре выяснилось, что я клоун.

— Ой, клоун! — радостно вскрикнула хозяйка. — Сема, иди скорей сюда, — позвала она сына, — посмотри: этот дядя — клоун. Покажите ему что-нибудь, — попросила она.

Недолго думая, я встал из-за стола, подошел к двери и с размаха, со страшным стуком ударился головой о косяк (этот трюк показал мне еще в детстве отец: нужно не донести голову до косяка двери, а с другой стороны — сильно ударить ладонью по двери). Все в восторге ахнули.

— А вам не больно? — спрашивает шестилетний Сема.

— Нет, — отвечаю, — у меня железная голова, — и тут же повторяю трюк.

Все снова смеются. Мы продолжаем пить чай. Через несколько минут слышим из кухни звук удара и затем рев мальчика. Оказывается, он разбил себе лоб о кухонную дверь. На лбу здоровая шишка. К счастью, родители все это приняли с юмором.

Неудобства дороги, быта нас с Татьяной не угнетали. В самом деле, мы молоды, здоровы, полны сил. Номер наш публике нравится.

Мы все были уверены, что впереди нас ждет удивительная жизнь.

В первые же месяцы переездов мы столкнулись с авизовками. Если программа не пользовалась успехом и цирк «горел», то артистам вместо денег выдавали справку — авизовку. Допустим, отработал артист двадцать или тридцать представлений при полупустом зале, а у цирка на счету нет денег, и тогда артисту вручают авизовку, дающую право в следующем цирке, где ему предстоит выступать, получить деньги за отработанные спектакли. Но, случалось, в новом цирке та же история: публика не ходит. И опять выдают авизовку. У некоторых артистов собиралось авизовок на пятнадцать-двадцать тысяч, и они вымаливали у дирекции наличные, хотя бы десятку на обед...

Как-то в разговоре со мной один старый артист, горько улыбаясь, философски заметил:

— Ты учти, милый, у нас до цирка очередь не дошла...

При мне сменилось несколько начальников Главного управления цирков. О каждом новом назначении среди артистов ходили слухи. В цирке существует свой «беспроволочный телеграф». Стоит произойти какому-нибудь событию, как о нем узнают все артисты. Так я узнал и о том, что у нас назначили очередного начальника Главного управления. В один прекрасный день на втором этаже Московского цирка, в кабинете начальника главка, появился крепко сбитый, плечистый военный в чине полковника и стал принимать дела. Звали его Феодосий Георгиевич Бардиан. Тут же кто-то бросил фразу, ставшую крылатой:

— Ну, теперь будем ходить строем.

Новый начальник вскоре сменил военную форму на гражданский костюм и энергично принялся за дела.

Прежде он был политработником, новый пост занимать не хотел — цирк знал плохо. Позднее Феодосий Георгиевич рассказывал мне, как его вызвали в Центральный комитет партии и сказали, что нужно идти работать в цирк. Приказ о его назначении уже согласовали со Сталиным.

Сложное, запущенное хозяйство принял Бардиан. Денег для творческой работы нет, у большинства цирков из-за отсутствия сборов арестованы счета в банке. И тем не менее первое, что сделал Бардиан, — отменил авизовки. Зарплату мы стали получать вовремя и полностью. И авторитет нового управляющего сразу вырос. На одном из собраний Феодосий Георгиевич заговорил об отсутствии гостиниц при цирках и нашей бесправной, цыганской жизни... Об этом Бардиан говорил взволнованно, с личной заинтересованностью и все обещал изменить.

Чувствуя, что Бардиан внимательно, с уважением относится к артистам, каждый приходил к нему со своей болью, просьбами, планами. Всех требовалось выслушать, во все вникнуть, а главное — разобраться и понять, когда пришел нахальный рвач, требующий прибавки к зарплате, хотя номер у него ниже среднего, а где действительно стоит вмешаться и помочь.

При Бардиане начали строиться гостиницы для артистов, воздвигались цирки-дворцы. В Одессе построили дом для ветеранов цирка. Бардиан сумел выбить фонды на квартиры, добился разрешения на строительство кооперативов, и многие артисты, всю жизнь не имевшие своего угла и даже постоянной прописки, наконец обрели свой дом.

Новый начальник управления стал настоящим хозяином. Более двадцати лет руководил он цирками.

«Опля-чопля»

В Москве проходил двухмесячный сбор клоунов. Заниматься с ними пригласили театральных режиссеров и преподавателей по технике речи.

— Как вы думаете работать над образом? — спросил у одного провинциального клоуна режиссер. — Отталкиваясь от внешности, от костюма, от грима?

Помолчав немного, клоун ответил:

— От внутренностей...

Из тетрадки в клеточку.
Январь 1952 года

Старые артисты на первых порах нашей жизни на колесах давали полезные советы.

— Слушай внимательно, — говорил мне пожилой эквилибрист, — на станции Горелово покупай лук. Там он самый дешевый. Продают связками. А в Будище бери картошку, сразу мешок. Там она недорогая и вкусная. В Селиванове поезд стоит полчаса, жители приносят пуховые платки. Они там вдвое дешевле, чем в Москве, учти это!

Покупали мы и лук связками, и картошку мешками, и платок маме один раз я купил, но экономии особой не ощущалось. В постоянных переездах денег уходило вдвое больше, чем дома.

В те годы, когда мы начали жизнь на колесах, в каждой программе, кроме коверного, принимала участие какая-нибудь буффонадная пара, а также работал номер «Музыкальные клоуны». Многие воздушные акробаты, групповые жонглеры, гимнасты обязательно вводили в свой номер комика, который оживлял их работу. Наверное, поэтому и представления проходили веселее. Публика-то в основном шла в цирк посмеяться. Но по-настоящему хороших клоунов все же было мало.

В маленьких городах выступали никому не известные провинциальные клоуны. Позже это понятие — провинциальный клоун — устарело. Но в тридцатые, сороковые и пятидесятые годы оно определенно характеризовало работу артистов. В нем и снисхождение — провинциальный, и понимание трудностей, и какое-то сожаление. Имена таких артистов даже не упоминаются в цирковой энциклопедии. Этих клоунов знаем только мы, артисты, и публика в тех городах, где они выступали.

Конечно, у таких клоунов сложная судьба. Их легко ругать, но, наверное, важнее понять. И именно поэтому, рассказывая об одном провинциальном клоуне, я изменил его фамилию.

Как-то судьба занесла нас в Нижний Тагил. Ехали туда с опаской и даже испытывая некоторый страх. Бывалые артисты частенько пугали нас этим городом.

— Вот погодите, — говорили они, — загонят вас в Нижний Тагил, тогда узнаете, почем фунт лиха.

То ли из-за мрачного названия города (Тагил да еще Нижний), то ли потому, что в те края при царе отправляли ссыльных, но ехали мы туда с неохотой, представляя себе город, в котором, должно быть, холодно и неуютно, где день и ночь дуют страшные ветры.

Приехали в Нижний Тагил, а там тепло. Город чистый, приятный. Публика охотно посещает цирк.

В первый же вечер мы пошли в цирк смотреть программу. «Весь вечер на манеже комик-пародист, любимец публики АЛЕКС КУСТЫЛКИН!» — было намалевано крупными буквами на рекламном щите у входа в цирк.

С криком: «А вот и я!» — с галерки спустился плотный, небольшого роста мужчина. На голове видавшая виды шляпа неопределенного цвета. Космы давно не стриженных лохматых волос ложились на воротничок грязной рубашки. Вместо галстука — шнурок с двумя помпончиками. Огромные, давно не чищенные клоунские ботинки, обыкновенного покроя пиджак, широкие брюки мышиного цвета на лямках — вот, собственно, и весь костюм Алекса Кустылкина. Грим примитивный — грубый румянец и красный нос.

Публика встретила появление клоуна смехом и аплодисментами. Видимо, в городе его знали и любили. Он встал на барьер и жалобно попросил инспектора:

— Иван Иванович, снимите меня отсюда.

Инспектор отказался.

— Иван Иванович, я вам конфетку дам.

Инспектор отрицательно покачал головой.

— Иван Иванович, я вам кило конфет дам.

Инспектор с готовностью пошел к клоуну, а тот заявил:

— Не надо. За кило конфет я и сам сойду!

Он сошел с барьера, и все увидели, что за ним тянется на веревке груда старых башмаков.

— Поздравьте меня, Иван Иванович, наконец-то я получил путевку на курорт.

— Поздравляю, — сказал инспектор, пожимая ему руку. — А что это за обувь?

— А это ботинки, которые я истоптал, пока доставал путевку, — хриплым голосом выкрикнул Кустылкин.

(Эту старую репризу я видел и у других клоунов. Они исполняли ее лучше.)

После этого Кустылкин деловито снял пиджак, сделал стойку на стуле и, почесав ногу об ногу, вместе со стулом упал с грохотом на манеж. Поднимаясь, сказал:

— Чуть-чуть не упал.

В зале засмеялись, а клоун, прихрамывая, пошел к выходу.

— Что с твоей ногой? — спросил у него инспектор.

— Сла-ма-на-лась! — выкрикнул Алекс и ушел с манежа.

После выступления жонглеров-балансеров Алекс держал на лбу длинный шест, на конце которого стояла корзина с яйцами. Алекс вставал на барьер и, с трудом удерживая шест, вдруг опрокидывал корзину на публику. Зрители шарахались, закрывали головы руками, а деревянные яйца, привязанные к корзине, повисали на ниточках в воздухе.

На манеже Алекс держался развязно. Предметы обыгрывал примитивно. Так, например, наступал на грабли, которые били его по лбу, и потом этими же граблями расчесывал волосы.

В одной из пауз Кустылкин, положив посредине манежа свою тросточку, подзывал инспектора и спрашивал:

— А вот можете ли вы, Иван Иванович, сделать такой трюк? — Он перепрыгивал через тросточку, приговаривая: — Опля-чопля!

Инспектор, усмехнувшись, прыгал и говорил:

— Опля-чопля.

Клоун смеялся.

— Чего вы смеетесь? — спрашивал инспектор удивленно.

— А я думал, что я один такой дурачок.

Некоторые репризы казались мне странными. Например, такая. Инспектор манежа выходит на середину арены и закуривает папироску. Кустылкин, подойдя к инспектору, строго говорит:

— Вот сейчас придут пожарные и вас оштрафуют.

— Не придут, — отвечал, смеясь, инспектор.

Кустылкин бежал за кулисы и появлялся вновь на манеже в пожарной каске, с красной повязкой на рукаве. Важной походкой он подходил к инспектору и рявкал:

— Прекратить курить! — И, забирая папироску, требовал: — Платите штраф три рубля.

Инспектор отдавал ему деньги. Кустылкин шел к выходу, дымя отобранной папироской, и, не дойдя нескольких шагов, обернувшись, произносил:

— Вот так иногда у нас бывает!

Публика ничего не понимала. Но все почему-то дружно хлопали. Наверное, каждый думал: вот, мол, коверный что-то остроумное сделал, а я не понял, но на всякий случай надо похлопать.

Позже я спросил у Кустылкина:

— Алекс, вот реприза с пожарником, она ведь какая-то непонятная.

— А чего тут непонятного? Публика-то принимает...

Коронной репризой клоун давал «Цыганку». Он выходил в цветастой юбке, с серьгами в ушах, из-под пестрой шали свисали две длинные косы, в руках — карты. Кустылкин «гадал» публике, предсказывал судьбу, сопровождая это плоскими остротами. В финале репризы на специально положенном фанерном щите он бойко отбивал чечетку, тряс плечами.

Текст он произносил громким, хрипловатым голосом, немного шепелявя. Именно о таких артистах Арнольд говорил: «У него рот полон дикции».

Я смотрел на Кустылкина и думал: вот вроде человек без капли актерского мастерства, с примитивным репертуаром, равнодушный к тому, что делает, а зрители принимают.

Если на манеже Кустылкин держался живчиком, рубахой-парнем, то в жизни он выглядел тихим и даже несколько застенчивым.

На другой день, увидев Алекса за кулисами цирка, я не сразу узнал его. Со мной поздоровался пожилой человек в соломенной шляпе, в очках, с маленькими бесцветными, часто моргающими, печальными глазками. В синем прорезиненном плаще, держа в руках портфель, Алекс походил на бухгалтера из какой-нибудь артели. В портфеле, как я позже узнал, он носил радиодетали.

В один из выходных дней я зашел в цирк. Гардеробная Кустылкина оказалась приоткрытой, и оттуда доносилось пение. Я заглянул и увидел: Кустылкин сидит в шубе (в цирке по выходным дням не топили) и, мурлыча какую-то заунывную песню, паяет что-то в радиоприемнике.

— А ты почему не дома-то? — спросил я.

— У меня дом здесь. Заходи, — пригласил он, — пивом угощу.

То ли я под настроение попал, то ли ему действительно хотелось перед кем-нибудь выговориться, но я услышал в этот день длинную исповедь клоуна.

— Понимаешь, — доверительно говорил он, — цирк-то я люблю. Я ведь на манеже с детства. Как получилось?..

У нас в деревне под Костромой тоска. Меня в школу отдали, но я, знаешь ли, плохо учился... Неинтересно мне было это. Да и по дому дел много. Отец злой, выпивал часто... он и бил меня. Грустно. Тоска. Когда я первый раз в жизни поехал в город, в цирк попал. Музыка. Огни. Люди красивые.

Клоун понравился мне. А вернулся домой, взял втихаря деньги и сбежал в город. Три дня подряд ходил в цирк. С ребятами цирковыми познакомился — акробатический номер они работали. Хорошие ребята. И я понял: в деревню не вернусь ни за что. Останусь в цирке. Время-то такое, что никто никаких справок не требовал. А я парень сильный. Посмотрели меня и взяли учеником в акробаты. Корючкам научили разным. Руководитель номера, чудной дядька, злой немного. Мог и ударить, если что не так. Но я ничего. Прыгать научился. Конечно, разное бывало. Два раза связки рвал... В шапито тогда работали. Заморозки стояли. За кулисами хуже, чем сейчас, просто собачий холод. Перед работой не разогреешься. А я двойной бланш с доски делал. Ну спассировали меня плохо — связки так порвались, что в последнем ряду слышен треск был.

— А как клоуном-то стал? — спросил я.

— Клоуном-то? Да как все. Я, когда связки порвал, снова работал, но уже трудно было. Ноги больные, а работать все равно надо. Я все думал, чем бы заняться, а тут в Пензе коверный заболел. Ну мне и сказали, чтобы я вышел и заполнил паузы. А у меня память-то есть. Я все корючки, репризы помню. Дай, думаю, попробую. Чем я хуже других? Колотун бил, правда, страшный. Сильно я мандражировал. Реагаж, конечно, был слабый, публика мало смеялась. Но наши цирковые смотрели и просто лежали от смеха. И мне, знаешь, понравилось это. А что? Это же интересно. Начал я смотреть, как другие клоуны работают. Все, что видел, записывал, запоминал. Реквизит начал подбирать, костюм...

И я представил себе, как после работы Кустылкин, примостившись где-нибудь в углу гардеробной, старательно, корявыми буквами записывает в тетрадку увиденные репризы.

Потом, как мне рассказал Кустылкин, ему устроили просмотр, составили акт и послали документы в Москву. Из Москвы пришло разрешение. Так он и начал работать коверным. Ездил по городам, в которых вначале его не принимали, а потом нашлись города вроде Нижнего Тагила, из которых он уже и не выбирался. К нему привыкли и даже полюбили. Считали своим, местным клоуном. Его шутки, репризы ходили по городу. Порой ему приписывали то, что он и не говорил. У пивных ларьков его узнавали и тут же звали:

— Алекс, иди сюда, пивом угостим!

Он подходил, пил пиво и с удовольствием развлекал собравшихся шутками.

— Меня в городе-то любят, — говорил Алекс. — Ценят. Меня как-то ночью раздели. В трусах оставили, понимаешь? Хорошо, что лето стояло. Я в цирк пришел. А утром мне все вещи принесли. И ребята эти извинились. Сказали, что в темноте не узнали. Представляешь, принесли вещи! Не-е, меня любят.

Разъезжал Кустылкин вместе с женой, маленькой забитой женщиной, которая ассистировала ему за кулисами, следила за костюмом и реквизитом, принимала участие в подсадке.

Кроме цирка, Алекс любил игру в домино и увлекался радиоделом. Его клоунская гардеробная напоминала радиомастерскую. Всюду вперемешку с костюмами, реквизитом лежали приемники разных систем, провода. Он скупал по дешевке старые приемники, чинил их, а потом продавал на рынке. И делал это не только из желания подработать. Он просто любил разбирать, паять, монтировать. Артистам чинил приемники бесплатно. Наверное, из него получился бы хороший радиоинженер.

Утаенные от жены деньги Алекс обычно прятал в какой-нибудь радиоприемник. И как жена ни искала, никогда найти их не могла. Однажды пришел он в цирк расстроенный. Ходит злой, обиженный.

— Что с тобой, Алекс? — спросил я.

— Да, понимаешь, получилось-то как. Продал я приемник сегодня на рынке за триста рублей, а в нем, в приемнике, лежало четыреста рублей заначки. Жалко денег.

Так сидели мы с ним, пили пиво, а он все рассказывал:

— Ты думаешь, мне плохо? Нет! Мне хорошо. Я в большие города не рвусь.

Кустылкин говорил об этом спокойно, но я-то понимал, что больших городов он боялся. Боялся, что не примут зрители, что его обругают в газете. Раз в пять лет его вызывали в Москву на курсы повышения квалификации. Уезжал Кустылкин с курсов с пачкой злободневных сатирических реприз, с ящиком нового реквизита. Но в новом городе он продолжал делать с инспектором «Опля-чопля» и свои проверенные репризы. После Москвы он был спокоен: не уволят.

Как я относился к Кустылкину? Где-то я жалел его. Сам Кустылкин считал себя обиженным.

— У Алекса характера нет, скромный он, — говорила его маленькая жена, поджав тонкие губы. — Карандаш — что? Ничего. Бегает, пищит, а дураки смеются. А Алекс у меня — артист!

А сам Алекс, сидя в одних трусах в гардеробной, дымя папироской и копаясь в очередном приемнике, говорил:

— Мне Москва и звания не нужны. Мне и здесь хорошо. Спокойно. А там одна нервотряпка.

Кроме «нервотряпки», он порой выдавал и другие «перлы», которые я цитировал в письмах домой. Отец даже не верил, что так можно сказать: «Овация аплодисментов», «Мы с ним люди разных мотивов», «Смотря при какой позе это говорилось». «Много зрителей сегодня?» — спрашивали Кустылкина. «Очень, даже масса», — отвечал он.

Лет через пять я снова встретился с Кустылкиным.

В городе, где мы работали в одной программе, Алекса в рецензии обругали.

— Говорят, меня опять в рецензии приложили, — сказал он мне в коридоре, при этом стараясь беспечно улыбаться. — А я их не читаю, пусть себе пишут. Бумага все стерпит.

Но он читал рецензии. Поздним вечером, когда все после представления разошлись, я видел, как Кустылкин, стоя перед доской объявлений, беззвучно шевеля губами, читал вырезку из газеты. Потом он отвернулся, закурил и, сгорбившись, пошел в гардеробную. Жалко мне его стало.

Еще на занятиях в студии клоунады Александр Александрович Федорович говорил нам, что делит всех клоунов на три группы. К первой он относил талантливых артистов — таких, он считал, в цирке мало, ко второй — клоунов-умельцев, которые, не имея особых способностей, все же могли прилично делать трюки, они прыгали, жонглировали, показывали фокусы. И наконец, третья группа — так называемые ряженые: рыжий парик, нелепые костюмы, люди без таланта, совершенно несмешные. И талантливые, и умельцы, и ряженые работали на манеже, и все они вызывали смех. Нет такого клоуна, который не смешил бы публику. Но у каждого свои приемы смешить.

Карандаш мне это объяснял иначе, несколько заумно, но по мысли точно.

— Клоуны — это как чайники, — говорил мне Михаил Николаевич. — Понимаете, стоят двадцать чайников: один — красивый, блестящий, приятно в руки взять, другой — обшарпанный, третий — подтекает, четвертый — с отвалившимся носиком, пятый — с проволокой вместо ручки, но ведь воду-то можно вскипятить во всех.

Кустылкина, по определению Карандаша, можно было бы отнести к чайнику «обшарпанному», «подтекающему», а Александр Александрович Федорович сказал бы про Кустылкина, что он нечто среднее между умельцем и ряженым.

Король дрессировщиков

Сегодня утром дрессировщик Валентин Филатов репетировал во дворе цирка. Медведь по кличке Мальчик на мотоцикле делал круги по гладкому асфальту. В это время открылись ворота, и во двор цирка въехал грузовик. То ли Мальчик испугался, то ли решил побаловаться, только он вдруг, круто повернув руль, выехал на улицу. Валентин Филатов на втором мотоцикле кинулся за ним вдогонку. Обогнав медведя на Трубной площади, Филатов продолжал ехать впереди Мальчика, все время показывая ему сахар. Медведь, облизываясь, поехал за дрессировщиком. Так и вернулись они обратно в цирк — Филатов, Мальчик, а за ним, тоже на мотоцикле, инспектор ГАИ. Хорошо, что это произошло ранним утром. Движение на улице небольшое, и все обошлось.

Из тетрадки в клеточку.
Май 1952 года

Осенью 1951 года мы поехали в Иваново, где собирал свой коллектив дрессировщик Валентин Филатов. С этим артистом я познакомился еще в 1949 году, работая в Хабаровске. Тогда на манеж выходил симпатичный молодой человек и выводил нескольких медведей, с которыми показывал обычные трюки.

— Погоди, — говорил он мне в то время, — еще увидишь, какой я отгрохаю номерище.

И через полгода в Москве я увидел Валентина Филатова с его аттракционом «Медвежий аттракцион». Медведи у него работали удивительно. Публика после каждого трюка восхищенно аплодировала. Медведи ездили на велосипедах и мотоциклах, жонглировали, катались на карусели, пародировали антиподистов и акробатов, показывали сценку «Бокс», а в паузах выходил коверный медвежонок Макс.

В Иванове в первый же день Валентин Иванович подошел ко мне и сказал:

— Я рад, что вы с Мишей приехали. Я еще в Хабаровске, когда увидел вас впервые, хотел сказать — уходите вы от Карандаша. Но потом подумал, Карандаш обидится, начнутся пересуды... Я здесь коллектив свой постоянный собираю. Люди у нас хорошие. Сообща можно отлично работать. Давайте вместе ездить будем.

Филатов собрал в основном молодых артистов. Многие понимали, что, работая с Филатовым, попадут в хорошие города, а если возникнут осложнения с тарификацией, костюмом, реквизитом, подготовкой нового номера, руководитель коллектива всегда поможет.

Так начали мы работать в Иванове. Есть артисты, которые, добившись успеха, возносятся. Валентин Иванович и после выпуска аттракциона работал так, как будто он только вчера вышел на манеж. В цирке он пропадал с утра до ночи, а бывало, и ночью его вызывали. Вырвется из клетки медведь — такое случалось, — сразу за Филатовым. Конечно, успех аттракциона изменил психологию артиста. Он стал более сдержанным. Если раньше, насколько мне известно, он мог весь выходной, а то и утро рабочего дня провести в веселье, появляясь в цирке чуть ли не за пять минут до своего выхода, и директор цирка, нервничая, встречал его на улице, то теперь Филатов этого себе не позволял.

Во время репетиций с манежа нередко раздавался громкий, раскатистый смех Валентина Филатова. Его вообще можно было найти по смеху — в гардеробной, на конюшне, в кабинете администратора, в артистическом фойе. Оптимист по натуре, он и людей любил уверенных, энергичных, с юмором. Когда Филатов на кого-нибудь сердился, его зеленоватые глаза становились прозрачными. В такой момент к нему лучше не подходить.

У Филатова была особая манера вести разговор. Скажет фразу, а потом пристально посмотрит в глаза собеседника и помолчит.

— Знаешь что... — он смотрел на меня и секунд пять молчал, моргая, а потом продолжал: — Не махнуть ли нам сегодня в гости к одному охотнику? Разрядимся.

А если Филатов сильно злился, то он мог моргать секунд двадцать, глядя на человека, а потом уж выдавал накипевшее.

Помню, как он кричал на одного из служащих за неправильное кормление медведей. Глаза прозрачные, сам стоит посреди конюшни, а голос разносится по всему цирку. Тут ни в коем случае нельзя ему возражать. Рабочие, служащие, ассистенты, хорошо изучив характер своего руководителя, в такие моменты становились как бы незаметными. Помощников Филатов подбирал удивительно точно. У него работали физически сильные ребята, преданные своему делу. И, я думаю, не только потому, что любили животных, цирк, но и потому, что любили и уважали своего руководителя. Они всегда четко выполняли все распоряжения Валентина Филатова. Да и сам Валентин Иванович своих помощников любил, по пустякам не придирался, умел быстро забыть перенесенную обиду. Он легко взрывался, но и быстро остывал, относился потом к человеку так, как будто ничего и не произошло.

Когда я думаю о Филатове, то всегда вижу его во время репетиций в кожаной куртке, с карманами, наполненными мелко наколотым сахаром. Характер этого артиста можно определить одним словом: труженик. Сутки у него делились на две части — одну, маленькую, когда он спал, и другую, когда работал. Он, как и Карандаш, чувствовал себя полновластным хозяином номера. Как и Михаил Николаевич, он проводил с работниками аттракциона пятиминутки (только эти пятиминутки, в отличие от часовых карандашевских, продолжались ровно пять минут). Распоряжения ассистентам, служащим он давал точные, энергично и быстро:

— Люську сегодня не кормить. К трем часам вызвать ветеринара. Чтобы сегодня к вечеру покрасили ринг — краска облупилась. За полчаса до представления всем быть у клеток. Придут из мастерской снимать мерки для медвежьих костюмов.

Я чувствовал, что Валентину Ивановичу нравилось быть руководителем коллектива. Он проводил собрания, председательствовал на заседаниях художественного совета, вникал во все мелочи. Все помнил. До начала работы своего аттракциона Валентин Иванович нередко стоял в центральном проходе зрительного зала и, чуть прищурив глаза, наблюдал за ходом программы.

Цирк Филатов знал до мелочей. С шести лет он начал выходить на манеж. Сначала акробатом, потом эквилибристом. С 1941 года занялся дрессировкой медведей.

Я уважал Филатова за его поразительную преданность нашему делу. И хотя он всего на год старше меня, за плечами у него колоссальный опыт. А с выпуском «Медвежьего аттракциона» появился и авторитет. Нашу дружбу укрепила любовь Филатова к веселью. В часы отдыха он мог с упоением слушать песни, частушки, анекдоты. По вечерам перед выходным днем после представления мы обыкновенно собирались у Филатовых. Закуска обычная: кильки, сыр, колбаса, но веселье идет допоздна — шутки, цирковые истории, розыгрыши и, конечно, разговоры о работе.

Имел Филатов характер прямой. Если ему человек не нравился, он говорил об этом откровенно. Не нравился ему номер, он подходил к артисту и говорил:

— Работаешь ты средне, — почти ко всем артистам он обращался на «ты», — финала в номере у тебя нет. А хороший, четкий финал — это главное. Ты, друг, давай думай о финале. А если не придумаешь, то на хрена мне твой номер в коллективе нужен...

Чуть сутуловатый и приземистый в жизни, на манеже Филатов преображался. Стройный, обаятельный, он легко демонстрировал работу своих питомцев, как бы и сам удивляясь трюкам медведей.

Если дело требовало, Валентин Иванович, не скупясь, легко тратил деньги. За свой счет приобретал медведей, мотоциклы. Когда представлялся случай купить молодняк, то Филатов не ждал, пока его заявление, пройдя все инстанции, будет подписано. Он вынимал бумажник и рассчитывался с местными охотниками. А связи с охотниками у Филатова остались еще от отца — Ивана Лазаревича Филатова, который всю жизнь проработал в зооцирках.

Когда мы гастролировали в Ростове, в цирк приехал отец Валентина Ивановича. И сын встретил его радостно. Он бережно вел отца под руку по конюшне, где стояли ряды клеток с медведями. Иван Лазаревич, опираясь на палку, двигался медленно, останавливался возле каждой клетки, внимательно рассматривал сквозь толстые стекла очков животных, задавал профессиональные вопросы, делал замечания, давал советы.

В честь приезда отца Валентин устроил дома праздничный ужин. Собрались артисты, местные охотники. Иван Лазаревич первый тост поднял за династию Филатовых. Чувствовалось, что он доволен и гордится сыном.

Филатов-старший с удовольствием вспоминал прошлое. Рассказывал интересно, с юмором, не упуская деталей. Особенно мне запомнилась история, которая произошла еще до революции.

В маленьком провинциальном городке «прогорал» цирк, и, чтобы поправить дела, хозяин расклеил по городу афиши: «Только два дня! В цирке показ дикаря-людоеда. Съедение живого человека на глазах у публики. Спешите покупать билеты!».

Дикарем-людоедом владелец цирка приказал быть Ивану Лазаревичу. Вечером публика до отказа заполнила цирк. Все жаждали сенсации.

В конце представления на манеж выкатили клетку, в которой сидел Иван Лазаревич. Тело его вымазали дегтем и сверху обсыпали перьями. Он рычал, брызгал слюной, скакал по клетке, делал вид, что пытается выломать прутья. Униформисты на вилах просовывали ему в клетку убитого голубя (конечно, не голубя, а чучело голубя с мешочком, наполненным клюквой). Иван Лазаревич рвал голубя зубами, и во все стороны летели перья птицы, а по подбородку «людоеда» стекала «кровь».

Публика смотрела на это зрелище затаив дыхание...

В центр манежа вышел хозяин и, поигрывая золотой цепочкой от часов, громко объявил:

— А теперь предлагаем вашему вниманию съедение живого человека. Желающих быть съеденными... прошу в клетку!

В зале все замерли. Конечно, никто не вышел. Выждав паузу, хозяин объявил:

— Ввиду отсутствия желающих представление заканчивается. Оркестр — марш!

Разочарованная публика покидала цирк. А на другой день, после того как хозяин вызвал желающих быть съеденными, на манеж нетвердой походкой вышел небольшого роста, толстенький, крепко подвыпивший купчик.

— Жа-ла-ю! Жалаю, пусть ест! — заявил он.

Возбужденная публика загудела. Купчик обратился к хозяину цирка:

— Раздеваться или так есть будет?

Растерянный, побледневший хозяин с трудом выдавил из себя:

— Так будет.

Открыли клетку. Зал замер. Перепуганный «людоед» Филатов изо всех сил зарычал и, встав на четвереньки, начал руками и ногами разбрасывать опилки, надеясь, что купчик испугается и передумает. Но пьяного это ничуть не испугало, и он смело пошел вперед. Не зная, что делать, «людоед» умоляюще посмотрел на хозяина.

— Кусай, кусай, — сквозь зубы цедил хозяин.

В отчаянии Иван Лазаревич, подпрыгнув, навалился на купца, опрокинул его на опилки и вцепился зубами в ухо. От боли тот моментально протрезвел и заорал благим матом.

Орал укушенный. Орала публика. Визжали с перепугу женщины...

— Не надо! Не надо! — кричали с мест.

Униформисты по знаку хозяина бросились на Ивана Лазаревича и начали с силой оттаскивать его от купца.

А Филатов-старший вошел в роль и, забыв, что он дикарь-людоед, выскочил из клетки и закричал на чистом русском языке:

— Дайте мне его! Дайте! Я его сейчас загрызу!

К счастью, за криком публики этих слов не было слышно. «Людоеда» с трудом водворили в клетку и увезли на конюшню.

Слушая этот рассказ, мы смеялись до слез. Громче всех хохотал Валентин Филатов, хотя, наверное, слышал историю в сотый раз.

— А что, — вдруг он обратился ко всем, — вот начнет «гореть» наш коллектив, объявим «людоеда», Никулин будет «людоедом». Как, Юра, сыграешь? — спросил он у меня. — Три ставки получишь. И что думаете, народ пойдет. Только представляете, — засмеялся он, — какой потом в главке шухер будет...

Так и работали мы вместе с Валентином Ивановичем Филатовым. «Медвежий аттракцион» делал сборы. Медведи на манеже выглядели милыми, забавными и приятными.

Бурые медведи с виду добродушные, так и хочется их погладить. Но на самом деле в цирке нет зверя коварнее, чем медведь. Работать с тиграми, львами, леопардами легче. Дрессировщик всегда видит, чувствует смену настроения у этих экзотических животных. Бывают моменты, когда звери вдруг выходят из повиновения и готовы броситься на дрессировщика. Важно этот момент уловить, почувствовать и мгновенно среагировать. У медведей же уловить смену настроения почти невозможно.

— Понимаешь, — говорил мне Валентин Иванович, — никогда не знаешь, что медведь выкинет. Вот он, Макс, мой коверный, вроде добродушный, а ведь может ни с того ни с сего взять и прихватить тебя. Медведи-то ничего не боятся: ни огня, ни воды.

Силу медведя Филатов однажды испытал на себе. Когда он еще только начинал свой путь в цирке, на одной из репетиций громадный медведь подмял под себя дрессировщика. В результате у Филатова — смещение позвонков. Валентин Иванович долго лежал в больнице. И хотя врачи подняли его, травма время от времени давала о себе знать. Иногда у Филатова возникали сильные приступы боли. Так случилось перед премьерой в Запорожье. Накануне он с трудом поднялся с постели, не мог ходить. Дирекция цирка, узнав о болезни артиста, забеспокоилась. Билеты-то проданы за месяц вперед, все, конечно, хотят увидеть «Медвежий аттракцион».

И Филатов выступал. Перед началом представления он долго уговаривал врачей сделать ему новокаиновую блокаду.

— Это же действует только час-полтора, — сказали ему.

— А мне нужно сорок минут, — превозмогая боль, отвечал Филатов.

И на премьере Валентин Филатов легко двигался, широко улыбался, шутил с публикой, и только глаза у него из зеленоватых стали совсем прозрачными. Правда, после выступления Филатов не вышел на поклон публике, как он это делал обычно. Уставший, он стоял за кулисами, прислонившись к стене. Его тут же подхватили ассистенты, бережно отнесли в машину и отвезли в гостиницу. Так он работал больше недели.

Довольно быстро мы с Филатовым подружились и перешли на «ты».

— Ты, Юра, не стесняйся, — говорил он. — Если что нужно, говори. Деньги будут нужны, бери, потом отдашь постепенно. У меня деньги есть.

Валентин становился добрым и нежным, когда из Москвы к нему приезжали маленькие дочери Люда и Таня. Девочки воспитывались у бабушки, а на каникулы их привозили к отцу. Он с радостью встречал детей, с удовольствием играл с ними. Все вечера дочери проводили в цирке.

Интересы цирка Филатов защищал на самом высоком уровне. Если дело требовало, шел на прием к самому высокому начальству и, умея расположить к себе людей, добивался необходимого.

Когда группа артистов цирка готовилась к гастролям во Францию, всех участников программы пригласили на беседу к министру культуры Е.А. Фурцевой. В середине беседы вдруг встает Филатов и обращается к министру:

— Екатерина Алексеевна, вы вот хорошие, правильные слова нам сказали о чести советского искусства, о нашем цирке, а сами-то вы цирк не любите.

— Как «не люблю»? — удивилась Фурцева.

— В своих статьях, интервью, выступлениях вы говорите о балете, опере, о драматических спектаклях, даже об эстраде, а о цирке ни разу ни слова.

(Фурцева действительно в то время редко появлялась в цирке.)

Возникла острая ситуация, которую разрядил какой-то шуткой клоун Олег Попов.

Об этой истории быстро узнали все артисты цирка. И при встрече многие спрашивали у Филатова:

— Ну как, Валентин Иванович, говорят, вы на беседе с министром правду-матку резали?

А Валентин, усмехаясь, отвечал:

— А что? И министру надо все говорить. Правильно сказал и на пользу. В понедельник сказал, а в среду Фурцева в цирк пришла на представление и мне аплодировала.

Валентин Филатов не признавал правил служебной лестницы. Минуя начальников отделов, он всегда шел прямо в кабинет управляющего. Входил пружинистой походкой, даже не кинув взгляд на секретаря, широко раскрывая дверь. Он знал: его, Филатова, примут. И его принимали. Он добивался выполнения всех своих просьб и требований, хотя чаще требовал, чем просил.

Филатов все делал уверенно, лихо. С удалью он водил машину, с размахом отмечал праздники, на собраниях говорил громко, с апломбом (правда, порой его заносило). И, конечно, в бешеном ритме, с полной отдачей сил, так что семь потов с него сходило, работал на манеже.

Медведей Валентин Филатов чувствовал и понимал удивительно. Помню, по ходу действия клоунского пролога, который мы репетировали, коверный Чайченко должен был пройти через манеж под руку с медведем Максом. Клоун долго не соглашался подходить к медведю. Боялся.

— Да ты не бойся, — говорил спокойно Валентин Иванович. — Иди себе по манежу и подкармливай

Макса сахаром. Дойдешь до середины и скажешь свою фразу: «Ну, мы пошли в буфет».

И Филатов сам несколько раз продемонстрировал, как спокойно Макс идет с ним под руку. После этого Чайченко с трепетом пошел рядом с медведем. От волнения клоун быстро скормил весь сахар, и, когда приблизился к барьеру, кормить медведя стало нечем. Валентин Иванович, сидящий рядом со мной, спокойным голосом сказал:

— Ну, сейчас Макс ему даст...

И точно. Медведь с размаху дал Чайченко такую затрещину, что клоун перелетел через барьер и упал в проходе.

Чайченко начал кричать, что Филатов специально дал Максу знак, поэтому тот его ударил. Филатов ничего не мог возразить, он вместе со всеми смеялся до слез.

Филатов удивительно точно подбирал зверей для того или иного номера.

— Медведи, они как люди, — говорил мне Валентин, — каждый на что-нибудь способен, только нужно уметь раскрыть эти способности. «Вытащить» из медведя его таланты.

Пришел однажды я на репетицию. Филатов, усталый, сидел на барьере, нервно курил сигарету и прозрачными глазами смотрел на очередного неподдающегося медведя, который понуро стоял в центре манежа.

— Ну что еще с ним делать? — как бы в пространство бросил Валентин.

Потом он подошел к медведю и начал с ним разговор, как с человеком:

— Ты будешь работать или нет? Если не будешь, то мы тебя к чертовой матери отправим в зоопарк.

Медведь после этих слов вдруг встал на задние лапы, подошел к Филатову и, похлопывая лапой по карману куртки, где у дрессировщика лежал сахар, начал виновато урчать. Все засмеялись. У Филатова глаза потеплели. Он дал медведю кусок сахара и сказал:

— Все, паразит, понимает. И работать может. Только придуривается. Ладно, — крикнул он ассистентам, — ведите его в клетку, а завтра продолжим репетицию! Я одну штуку придумал.

Через месяц медведь уже работал на манеже и каждый раз после своего трюка подходил к Филатову, хлопал его по карману с сахаром и как бы доверительно что-то говорил на ухо. Это вызывало смех в зале.

Хотелось бы мне написать, что король дрессировщиков с любовью и нежностью относился к своим питомцам. Но если бы он относился к своим медведям только с нежностью и любовью, то, я это понимаю, он никогда бы не создал своего замечательного аттракциона. Надо преодолевать сопротивление животного, ломать его волю и во что бы то ни стало заставлять выполнять тот или иной трюк. Животное должно чувствовать, что человек сильнее, хотя это иногда и заканчивалось трагически.

Помню, как все в коллективе переживали гибель талантливого медведя по кличке Мальчик.

В некоторых городах Мальчик на представлениях проделывал сложный трюк: его поднимали на аппарате под купол цирка вместе с воздушным гимнастом. Аппарат вращался по кругу, и медведь вращался, держась за зубник. Трюк «зубы в зубы» — с одной стороны медведь, с другой — артист — имел успех.

Когда наш коллектив ставил пантомиму «Приключения поводыря с медведем», то по ходу спектакля Мальчик должен был откидывать крышку котла в походной кухне и залезать в него. По сюжету повар приходит брать кашу, открывает крышку котла, а оттуда — медведь.

Залезать в котел (на репетициях использовали бочку) Мальчик научился быстро. На дно бочки клали сахар или мед, и медведь с удовольствием залезал, чтобы полакомиться. Но как только бочку закрывали крышкой, медведь с диким ревом рвался наружу. Видимо, его пугала неожиданная темнота. Как только дело доходило до этого трюка, Мальчик становился беспокойным, и в конце концов однажды его пришлось силой посадить в бочку и прикрыть крышкой. Медведь сначала заревел, забился, а потом затих. Решили, что он привык к темноте. А когда сняли крышку, увидели: медведь весь дрожит, и изо рта у него идет пена. Срочно вызвали ветеринара, который, осмотрев Мальчика, сказал:

— Вы довели медведя до нервного потрясения.

Мальчику тут же сделали укол, но это не помогло.

Медведь умер от разрыва сердца. После этого Филатов несколько дней ходил сам не свой.

В работе Филатов использовал главным образом молодняк. Когда цирковым медведям исполняется десять лет, они обычно слепнут. Это происходит из-за резких перемен света. На конюшне темно, а манеж ярко освещен. Есть еще причина, по которой приходится менять медведей, — с годами они становятся свирепыми, опасными, не говоря уж о том, что после пяти-шести лет вообще не поддаются дрессировке. Но к некоторым своим питомцам дрессировщик так привыкал, что старался как можно дольше с ними не расставаться. В его аттракционе принимала участие старая громадная медведица Майка. Валентин выводил ее, чуть-чуть подталкивая, в центр манежа.

Никто из зрителей не замечал, что медведица слепая. Конечно, ее могли заменить, но Филатов не мог отказаться от своей любимицы и специально для нее придумал и отрепетировал «Карусель». Слепая медведица, одетая в матросский костюм, аккуратно подходила к аппарату-карусели, бралась за металлические перекладины, влезала на карусель и крутила педали. Я и сам о слепоте медведицы узнал случайно. И после этого с особым чувством следил за выступлениями Майки. Все служащие к ней относились тепло, берегли ее.

Талантливый артист, Филатов имел и моральное и профессиональное право требовать от всех нас полной отдачи сил. Как-то незаметно, без громких фраз и приказов он создал в коллективе хорошую атмосферу. Редко бывает, чтобы артисты, занятые в одной программе — уж слишком разные у всех характеры, — вместе встречали Новый год. В нашем коллективе это стало традицией.

Более трех десятков цирков за пять лет мы объездили вместе. Об этом времени я всегда вспоминаю с удовольствием.

Встречаясь на заседаниях художественного совета, различных собраниях или во время гастролей, я смотрел на чуть усталого, поседевшего народного артиста СССР Валентина Филатова и думал о том, как много он сделал в цирке. И то, что в цирках страны появились Иван Кудрявцев со знаменитым медведем Гошей, Рустам Касеев с поразительным аттракционом, то, что медведей стали вводить в свои номера музыкальные эксцентрики, акробаты, — в этом есть и заслуга Филатова.

После нашего ухода из коллектива мы виделись редко. Но встречи проходили радостно. Обычно он спрашивал меня:

— Ну как жизнь-то идет?

— Нормально. Наверное, так же, как и у тебя, — отвечал я.

— Еш твою корень! А все-таки здорово мы тогда работали, и коллектив у нас был хороший... — И с грустью добавлял: — Теперь таких, наверное, нет...

Мы работаем в шапито

Работаем в Ялтинском шапито. Во время первого отделения прошла гроза. Над оркестром провис брезент — образовался наполненный водой громадный пузырь. Публика собирается ко второму отделению, музыканты в ужасе: над ними — тонна воды. Зрители уже на местах. Пора начинать увертюру перед вторым отделением. Дирижер позвал униформистов с граблями, чтобы они приподняли брезент и вода бы скатилась. Только униформисты дотронулись до брезента, как его прорвало и на оркестр обрушился водопад. Вмиг смыло ноты, инструменты. Оркестранты с ног до головы мокрые. Публика от смеха лежала.

Из тетрадки в клеточку.
Август 1953 года

С коллективом Филатова нам нередко приходилось работать в шапито. В самом слове «шапито» есть романтика. Но я работать в шапито не любил. В них осталось что-то от балагана. Серый брезентовый купол шапито на фоне стеклянных автостанций, современных гостиниц кажется убогим. К сожалению, как правило, городские власти отводили для шапито окраины или неудобные районы. В Горьком, например, цирк стоял около вокзала, в Канавине. Мне запомнилась история с гудками, которая произошла, когда мы выступали в этом цирке. В программе принимал участие один сатирик. Он исполнял злободневные куплеты, и публика его хорошо принимала.

На премьере сатирик заканчивал первое отделение. Вышел он на манеж и объявил, что будет исполнять куплеты «Помирать нам рановато...». Только пианистка сыграла вступление, как рядом с цирком протяжно загудел маневровый паровоз-«кукушка». Сатирика из-за этих гудков не слышно. Он решил переждать, когда паровоз закончит «куковать». Наступила тишина. Сатирик снова объявляет: «Помирать нам рановато...» — пианистка играет вступление, и тут опять паровозные гудки. Так продолжалось несколько минут. Артист буквально осатанел. Зрители уже начали смеяться. Сатирик не смог выступить. Пришлось объявить антракт.

Тогда артист попросил, чтобы его выступление перенесли во второе отделение. Но и во втором отделении, только он вышел на манеж, начал петь, как снова гудки. Молчит артист — молчит паровоз, артист начинает куплет, и, перекрывая его голос, начинаются гудки. Так продолжалось два дня. Сатирик не понимал, в чем дело. Он дал телеграмму в Москву с просьбой, чтобы его отправили в другой цирк. Просьбу его выполнили. А спустя несколько дней мы все узнали, почему гудел паровоз. Оказывается, сатирик поссорился с воздушным гимнастом, человеком грубым и злым, и тот решил отомстить. Пошел на станцию к машинистам маневрового паровоза и, поставив им литр водки, сказал:

— Я буду на крыше шапито сидеть. Как только махну шапкой, давайте гудок, как снова махну — прекращайте. Нам это для представления нужно.

Злой розыгрыш. Из-за него программа лишилась хорошего номера. После этого случая никто с гимнастом не разговаривал, и ему пришлось уехать.

Глубокой осенью мы переехали в другой город. Опять работали в шапито. Неестественно громко звучал оркестр в полупустом зале, у актеров изо рта шел пар.

Бывало так: холодно, уже заморозки, а директор цирка говорит:

— Товарищи, надо поработать, ну хотя бы еще несколько дней. Иначе мы план не выполним, премию не получим.

И мы работали.

Хорошо, когда шапито стоит в южном городе. Удобно, если рядом размещаются вагончики. Там плитка, чай вскипятить можно. Такой цирк напоминает цыганский табор. Колышущийся от ветра брезентовый купол украшают пестрые флажки, а по вечерам зажигаются гирлянды разноцветных лампочек. Цирки, как правило, располагались в городских парках.

Гуляет празднично одетая публика, играет духовой оркестр. Вокруг цирка ряды киосков, торгующих напитками, сладостями. Продают воздушные шары.

Осенью наш коллектив переехал в Казань. Представления проходили при аншлагах. И вдруг сборы начали падать. Созвал нас всех Валентин Филатов, и стали мы думать, как же выходить из создавшегося положения.

Кто-то вспомнил о «Вечерах смеха». В цирках была такая практика: когда не тянет программа, устраивают «Вечера смеха».

По городу развешивают афиши с объявлением, что в цирке будут «Вечера смеха». В программу включают старинные клоунады: «Комната привидений», «Печенье», «Вода», «Парикмахерская», придумывают специальный клоунский пролог.

Зрители любят посмеяться. И поэтому в Казани мы решили объявить не просто «Вечера смеха», а написать в афише: «Веселые клоунские представления — “Приходите посмеяться!”». В программу включили и нашу «Сценку на лошади». А во втором отделении показывали «Воду», где два клоуна, пытаясь облить водой третьего, невольно обливаются сами и под хохот зала, промокшие до нитки, покидают манеж. В Москве это антре не разрешали показывать. В специальном приказе главка о запрещении исполнять пошлые произведения «Вода» стояла первой. Но вдалеке от Москвы мы ее исполняли, и старая клоунада нас выручала.

Кроме «Воды», на вечерах «Приходите посмеяться!» исполнялись и другие старинные репризы. Так, в клоунском прологе Миша несколько раз пробегал через манеж. Расталкивая всех клоунов, он бежал сначала со стаканом воды, потом с кружкой и, наконец, с ведром. Заинтригованные клоуны задерживали его и спрашивали:

— Куда ты бежишь?

— Пожа... пожа... — срывающимся голосом, задыхаясь от бега, говорил Миша.

— Где пожар?! — кричали испуганные клоуны.

— Да не пожар, — успокаивал всех Миша, — пожарник селедки объелся, пить хочет.

Публика принимала и эту примитивную шутку.

Забытыми репризами для «Вечеров смеха» нас снабжал старый и опытный артист — музыкальный эксцентрик Николай Иванович Тамарин.

Сорок лет из своих шестидесяти он отдал цирку. Коренастый, среднего роста, с шапкой взъерошенных седых волос, он, несмотря на свой возраст, оставался подвижным и на манеже, и в жизни. В двадцатые годы, играя на различных музыкальных инструментах, он в паузах вставлял словесные репризы, подавая их так, будто только что придумал.

— Голос у меня теперь не тот, — жаловался он. — Бывало, рядом оркестр играет. А мне хоть бы хны. Публика все слышит. Теперь не могу. Слабый стал голос.

За кулисами Николай Иванович постоянно развлекал всех различными историями. Рассказывал красочно, увлекательно, легко меняя интонацию, здорово изображая в лицах того или иного человека. Мы эти рассказы слушали с упоением.

Публика хорошо принимала номер Николая Ивановича. Он играл на губных гармошках. Начинал с огромной, а заканчивал крошечной. На бис Тамарин давал «Старого скрипача».

Еще до революции Николай Иванович пародировал известного в то время скрипача-виртуоза Яна Кубелика. В пятидесятых годах Кубелика все забыли, и поэтому Николай Иванович объявлял публике: «“Соловей” Алябьева!» и скрывался за кулисами. Через несколько секунд появлялся на манеже в зеленом фраке, в парике со всклокоченными волосами, со старомодными железными очками на крючковатом носу. В руках артист держал скрипку. Он долго ее «настраивал», а затем, кивнув пианисту, начинал играть. Звук скрипки Николай Иванович имитировал специальным пищиком, спрятанным во рту. Создавалось полное впечатление, будто артист играет на скрипке. А когда смычок отрывался от скрипки, все слышали трели соловья. Они тоже воспроизводились пищиком. В конце же скрипка разваливалась — рвался смычок, но мелодия все равно звучала. После бурных аплодисментов Тамарин, сняв маску, свистел дойну или попурри из модных песен.

Миша, как человек запасливый, попросил Тамарина открыть нам секрет свиста и изготовления пищика. (В свое время Миша с такой же просьбой обратился к одному коверному клоуну, но тот, посмотрев на него как на сумасшедшего, сказал: «Милый мой, я за это деньги заплатил...») Николай Иванович был добрым человеком и охотно начал нас обучать свисту. Но это оказалось делом сложным, и после второго урока, чуть не подавившись свистком, я от занятий отказался.

Тук-тук, тук-тук... — часто раздавалось из гардеробной Тамарина. Это артист изготовлял и настраивал пищики. Специальные заготовки из твердой жести особым способом складывались. В них запрессовывался кусочек шкурки от колбасы, причем сорт колбасы имел значение.

Изготовление пищиков и технику свиста Миша довольно быстро освоил, и это позволило нам позже использовать свист в репризе «Насос»: публика никак не могла понять, каким же образом у нас свистит насос.

По выходным дням Николай Иванович любил посидеть в кругу друзей. Конечно, не обходилось без шуток. И тосты он произносил с юмором. Один из его любимых — «За своего врага».

— А я пью, — говорил Тамарин, — за своего врага. Я желаю моему врагу персональный оклад и отдельный дом из пяти комнат. Я желаю, чтобы в доме у него стояла только импортная мебель. Еще желаю, чтобы у врага было в доме три телефона: красный, белый и зеленый. Я желаю, чтобы мой враг по этим телефонам звонил только — 01, 02, 03. — И после смеха присутствующих добавлял: — Чтобы всегда там было «занято».

Насколько я помню, Тамарин никогда не унывал. Он всегда улыбался. Оптимист по натуре, он даже в трудные минуты шутил. Если заходил разговор о сложностях, неурядицах, Тамарин похлопывал собеседника по плечу и говорил:

— Да не унывай, могло быть и хуже.

И рассказывал о том, как во время службы во флоте он однажды заснул в жерле орудия и им чуть было не выстрелили.

Позже, когда наш коллектив распался, Николая Ивановича вызвали в отдел кадров и предложили пойти на пенсию. (Мне было непонятно, почему в главке настаивали на этом. Тамарин вполне еще мог работать.)

— А может быть, я еще поработаю? — попросил старый артист.

Но на его уходе настояли.

После получения трудовой книжки старый артист пришел к нам в цирк сникший и постаревший. Он сидел у нас в гардеробной на ящике и плакал. Так, к сожалению, бывает, когда руководители бездушно относятся к судьбам талантливых людей.

В системе Союзгосцирка есть номер «Комические жокеи», с которым выступают сыновья Николая Ивановича — Юрий и Николай Тамарины. Глядя на них, я всегда вспоминаю их отца — доброго человека, талантливого артиста.

Через полтора года после начала нашей работы в коллективе нас вызвали в Москву на курсы повышения квалификации. Там мы подготовили клоунаду-пантомиму «Черный Том». К сожалению, она получилась слабей «Маленького Пьера», хотя мы и показывали ее в некоторых городах.

Так и разъезжали мы с филатовским коллективом по разным городам. Иногда происходили любопытные встречи. Когда мы работали в Киеве, один из артистов за кулисами подвел меня к занавесу и показал на сидящего в четвертом ряду мужчину с бородой, в шляпе, надвинутой на глаза.

— Смотри-ка, Иванов пришел.

— Какой Иванов? — удивился я.

— Да коверный бывший. Теперь он священником работает.

— Как «священником»?

Подумать только — клоун стал священником! Какой же психологический сдвиг должен произойти у человека и что могло заставить его сменить клоунский костюм на рясу?

Я с любопытством наблюдал за Ивановым. Он сидел понуро и, казалось, никак на представление не реагировал. Во втором отделении он исчез. Никто мне о нем тогда толком не рассказал. А я нередко вспоминал Иванова, думая, хорошо бы с ним встретиться и поговорить.

Позже от старых артистов узнал некоторые подробности жизни этого человека. Оказывается, Иванов в молодости под псевдонимом Вассо выступал с номером «Сольная джигитовка». В одном из цирков его жена сбежала с барабанщиком из оркестра. В тот день, как потом рассказывали, оркестр на выход Вассо вместо лезгинки заиграл «Карие глазки, куда вы скрылись?». Взбешенный Вассо бегал вокруг цирка за дирижером, пытаясь зарезать его бутафорским деревянным кинжалом. Потом артист успокоился, продолжал работать, подготовил несколько реприз и стал коверным. Успех имел средний. В годы войны он ушел из цирка. Пристроился при церкви. После войны приходил в цирк и сообщал друзьям-артистам:

— Репетирую на священника.

Впоследствии он рассказывал, как однажды в Киев приехал высокий духовный чин, а священник, который должен был проводить службу, внезапно заболел. Иванов вызвался заменить заболевшего и с успехом это сделал. Духовное лицо осталось довольно, и Иванова возвели в сан священника.

Одно время бывший коверный служил в Белой Церкви. Потом его перевели в небольшой приход в деревню под Киевом. Летом он нередко наведывался в Киев и приходил в цирк. Артисты спрашивали его:

— Не скучаешь по цирку-то?

Иванов говорил, что не скучает, но временами, когда на душе становится особенно тоскливо, он запирается в пустой церкви, делает стойки на руках или крутит сальто-мортале. Больше всего Иванов боялся, что прихожане случайно узнают, что их священник раньше работал клоуном.

В первые послевоенные годы, когда в цирке возникали перебои с сеном, дирекция Киевского цирка обращалась за помощью к Иванову. Тот собирал мужичков и быстро организовывал сбор сена для цирковых лошадей.

Последний раз Иванова видели в цирке в 1955 году. После представления он, как всегда, пришел за кулисы. Выпил со старыми друзьями, играл на концертино, пел старые куплеты и плакал. Больше он в цирк никогда не приходил. Какова его дальнейшая судьба, неизвестно.

Шел 1955 год. Исполнялось десять лет моей жизни в цирке, а я все еще продолжал учиться. И вдруг нам сообщили, что нашего «Маленького Пьера» включили в программу циркового представления, которое будет показано на V Международном фестивале молодежи и студентов в Варшаве. Известие нас обрадовало. Нам шили новые костюмы, обновляли реквизит, мы заполняли различные анкеты и пытались выучить несколько фраз по-польски.

Программу сдавали в Москве. Мы очень волновались. Таня накануне сдачи программы вывихнула на репетиции ногу и еле-еле ходила. Поэтому, как она ни старалась, клоунаду «Маленький Пьер» мы показывали, как говорится, вполноги. Наш Пьер бегал медленно, прихрамывая. И клоунада потеряла ритм. Показали мы и «Сценку на лошади», которая прошла отлично. (На просмотре «Сценки» настоял Местечкин.)

На обсуждении нас похвалили за «Сценку» и именно с ней, а не с «Маленьким Пьером» решили отправить в Польшу. Мы обиделись: ехать на фестиваль не со своим номером, а на подхвате... Вспыльчивый по характеру Миша предложил вообще отказаться от поездки. Но Местечкин уговорил нас согласиться на поездку.

Конечно, нас привлекала возможность побывать на фестивале и посмотреть программы цирков других стран. В Польше, как нам сообщили, кроме нашего, будут работать китайский, болгарский, польский и немецкий цирки.

Когда мы приехали в Варшаву, ярко светило солнце, играла музыка. Город — в праздничном оформлении. Центр после войны почти восстановлен. Но можно было увидеть и целые кварталы разрушенных зданий. Художники оригинально использовали одно разбомбленное многоэтажное здание — коробку с зияющими провалами окон. Во всю его высоту они сделали громадный голубой щит, в центре которого вырезали силуэт бомбы. Развалины (ночью они подсвечивались красными прожекторами) просматривались сквозь бомбу, и все читали написанное внизу слово: «Никогда!».

Программа советского цирка пользовалась успехом. Под несмолкаемые аплодисменты шел «Медвежий цирк» Филатова. Хорошо принимала публика молодого коверного Олега Попова.

Первый спектакль нас огорчил: «Сценка на лошади» у зрителей не вызвала никаких эмоций. Мы растерялись. Руководитель поездки, увидев, как нас принимают, начал сомневаться, стоит ли вообще «Сценку» оставлять в программе. Да мы и сами чувствовали, что она плохо проходит, и решили вместо нее показать репризу «Живой и мертвый». Репризу принимали хорошо. Но в один из дней, когда мы давали представление для дипломатического корпуса, с нами приключился казус. По ходу репризы я снимаю пиджак и оставляю его на барьере, а затем, как бы боясь, чтобы пиджак не украли зрители, прячу его под ковер. Публика всегда в этом месте смеялась. Так я сделал и в этот раз. Положил пиджак на барьер и внимательно посмотрел на сидящего в первом ряду зрителя. Играя испуг и показывая, что сомневаюсь в его честности, перепрятываю пиджак под ковер. Зрители это восприняли, как обычно, смехом. Потом выяснилось, что я положил пиджак около посла Бельгии и таким образом вроде бы подверг сомнению его честность.

Посол обиделся и кому-то, видимо, сказал об этом. Наш перепуганный руководитель вызвал нас и решительно заявил:

— «Живого и мертвого» больше не давать. Лучше давайте свою «Сценку на лошади». Может быть, она и пройдет. Не отправлять же вас обратно.

Стали мы готовиться к «Сценке». Долго думали о причине нашего первого провала. И поняли. Дело в том, что мы «Сценку» механически перенесли из Москвы в Варшаву: сели в подсадку в костюмах, в которых выступали раньше в Москве. Я в своем кителе, в морской фуражке, старомодном плаще и в сапогах, конечно, оказался белой вороной среди зрителей. Кругом праздник, все в нарядных костюмах, женщины аккуратно причесаны, а тут какие-то нелепые люди — и на зрителей непохожи, и уж тем более — на артистов.

И мы решили надеть для «Сценки» свои лучшие костюмы, которые взяли из дома. Одежда заставила нас пересмотреть характеры и линию поведения. В модном, спортивного покроя пиджаке, светлых летних брюках, я уже не мог быть неотесанным парнем, приехавшим из глубокой провинции, и решил играть робкого молодого человека из города. Такой человек, конечно, не мог позволить себе вытирать нос рукавом, как я это делал раньше в Москве.

На этот раз, к нашей радости, «Сценка» прошла с успехом, и мы показывали ее до конца фестиваля. Зрители верили, что мы из публики. На приеме в советском посольстве к нам с Мишей подошел один из сотрудников (нас он не узнал) и начал рассказывать о своем посещении цирка.

— Ну, Попов молодец! — сказал он. — Я чуть со стула не упал со смеха, когда он вытащил двух поляков из публики и начал учить их ездить на лошади. Молодец Попов!

От этих слов в душе возникло у нас чувство досады: вот, Олега Попова заметили, а мы прошли за публику.

В свободное время нам удалось посмотреть программы всех цирков, приехавших на фестиваль из пяти стран. После двух праздничных недель в Варшаве наступили будни, но наш цирк продолжал свои гастроли. На площади Дзержинского с утра до вечера около касс толпился народ.

Домой мы вернулись в середине октября. Привезли три больших чемодана с книгами. В Доме советской книги в Варшаве мы свободно купили книги, за которыми долго охотились у себя и никак не могли достать.

Подводя итоги первого выступления за границей, мы поняли, что нельзя без учета особенностей страны, публики показывать свои репризы и интермедии. Поняли мы и то, что в каждой стране можно многому научиться, если стараться побольше смотреть работу других. Жизнь на колесах нам нравилась.

«Вас вызывает Кузнецов»

Клоун Сергей Курепов рассказал мне, что в двадцатых годах в цирке работал номер воздушных гимнастов — «Икар». Курепова удивило, как малообразованные гимнасты придумали такое удачное, звучное название своему номеру. Как-то Курепов спросил об этом у руководителя номера. — А просто получилось, — ответил тот. — Когда номер выпустили, мы пошли в пивную, чтобы отметить это дело, а заодно и придумать, как будем называться. Сидим в пивной, и я смотрю в окошко, а на стекле буквы в надписи наоборот. На окне снаружи: «Пиво — раки», а я читаю: «Икар — овип». Понравилось первое слово. Предложил ребятам. Они согласились. Так и работаем теперь — «Икар». Пусть все считают, что мы иностранцы.

Из тетрадки в клеточку.
Май 1955 года

Вернувшись после фестиваля в Москву, мы продолжали работать с филатовским коллективом. Время от времени Миша заводил со мной разговор о том, что нам пора становиться коверными. И клоун Гриша Титов, встречаясь с нами, каждый раз внушал:

— Ребята, вы должны работать коверными. Вы оба смешные и разные. Начните с маленьких репризок. Вот увидите, у вас получится.

Но я не хотел. Считал, что нам будет трудно тянуть на своих плечах все представление, и понимал: если выступать, то нужен репертуар, а его у нас нет. Нельзя же выходить на манеж с тем, что мы показывали на шефских выездных концертах. Например, старую репризу «Живой и мертвый» или клоунаду «Шапки». Хотя и смешные они были, но уж больно примитивные.

Поехали мы как-то с шефским концертом на строительство стадиона в Лужниках. Показали «Живого и мертвого». Строители хохотали вовсю. Но Николай Семенович Байкалов после концерта вызвал нас к себе и сурово, как отрезал, сказал:

— Чтобы с такими вещами от имени Московского ордена Ленина цирка вы выступали в последний раз.

И сколько бы со мной о работе коверными ни заговаривали, я всегда либо отшучивался, либо отмалчивался или честно говорил, что мы не потянем и пока нужно просто работать, а там, мол, будет видно.

Но тем не менее я понимал, что нужно думать о новых клоунадах, ибо выступать только с «Маленьким Пьером», «Сценкой на лошади» и «Черным Томом» для десяти лет профессиональной работы мало. Рассматривая карикатуры, читая юмористические рассказы, в тысячный раз перелистывая свою тетрадь в клеточку, я вдруг вспомнил рассказ Дмитрия Альперова о сценке «Рыболовы» клоуна Рибо. А что, если попробовать сделать что-то подобное? Об этом рассказал отцу. Отец обещал что-нибудь придумать. Окончательно же мы решили работать над «Рыболовами» после запомнившейся мне встречи с Евгением Михайловичем Кузнецовым, на которую шел с волнением, ибо хорошо знал Кузнецова по его книгам, статьям. Художественный руководитель всех цирков пригласил меня на беседу сам.

Прервав репетицию, я пошел к Евгению Михайловичу, кабинет которого находился в здании цирка. До этого Кузнецова я видел только один раз — на собрании. Статный, импозантный, с аккуратно зачесанными назад седыми волосами, он выделялся среди сидящих в президиуме.

Как только я вошел в кабинет, он вышел из-за стола и, предложив мне сесть, начал разговор, во время которого сам ходил по кабинету. Говорил спокойно, по-доброму. Я не чувствовал себя на приеме у руководителя. Со мной говорил приятный человек, благожелательно ко мне настроенный. Я чувствовал, что он хочет помочь мне, что он заинтересован в моей работе. Он сказал, что давно и внимательно следит за нашей с Мишей работой и мы его как «материал» устраиваем, но нам нужно помочь.

— Какие у вас планы? Что вы хотите в жизни? Что вам нужно? — спрашивал Евгений Михайлович и тут же обещал: — Я для вас все сделаю: найду авторов, художников, композиторов. Мы обеспечим вас реквизитом. Вы перспективные артисты, я в вас верю.

Он говорил такие слова, каких я никогда в жизни ни от кого не слышал. Я поделился с ним желанием сделать «Рыболовов».

Евгений Михайлович закурил папиросу, несколько раз глубоко затянулся и сказал:

— Не очень-то эстетично, как мне думается, появляться на манеже босиком... — И, выдержав длинную паузу, добавил: — Хотя все может быть. Вот ведь Айседора Дункан танцевала на сцене босиком, и ничего. Смотрелось красиво. Попробуйте. Посмотрим.

Прощаясь, крепко пожимая мне руку, Евгений Михайлович спросил:

— Как поживает ваш папа? — Оказывается, он помнил отца еще с довоенных времен. — Отцу вы доверяйте. Владимир Андреевич человек со вкусом.

Мне было приятно, что вспомнили отца. Из кабинета я выходил взбудораженный и окрыленный. Сам Кузнецов похвалил нашу работу! Сам Кузнецов предлагает помощь!

Еще в девятом классе я прочел с интересом книгу Евгения Кузнецова «Цирк».

Сын хирурга, профессора Варшавского университета, Евгений Михайлович Кузнецов знал и любил цирк. Среди артистов он пользовался огромным авторитетом. Большинство книг о цирке выходило с предисловием или под редакцией Кузнецова. Евгений Михайлович получил образование в Царскосельском лицее. Он свободно говорил по-французски и по-немецки, знал литературу, театр, кино, музыку и живопись. Но больше всего он знал, а главное, любил цирк.

Приходит к нему артист и говорит, что задумал сделать номер. Перечисляет трюки, которые хочет использовать. Евгений Михайлович внимательно выслушает и спокойно скажет:

— В тысяча восемьсот восемьдесят девятом году в цирке Саламонского этот трюк впервые показали артисты, приехавшие на гастроли из Голландии. Придумали же трюк китайцы.

Дальше шел подробный рассказ о трюках, кто и как их делал, как их принимали. Заканчивал разговор Кузнецов обычно встречным предложением:

— Слушайте, а стоит ли вообще вам делать этот трюк? Вот я сейчас предложу абсолютно забытый и действительно интересный трюк, который, как мне кажется, даст возможность наилучшим образом использовать ваши данные и технику.

И Кузнецов долго говорил о предлагаемом номере. Артист после такой встречи выходил из кабинета Кузнецова вдохновленный.

В тот же день я передал отцу, Мише и Татьяне весь разговор с Евгением Михайловичем. Отец сказал:

— Ну, Кузнецов — человек удивительный. Таких, как он, мало. Это хорошо, что он обещал помочь. Он человек слова.

Отец написал нам сценарий номера. Репетировали мы в Москве. Сложность номера — мы назвали его

«Веселые рыболовы» — заключалась в том, что воды как таковой не было. В работе над номером по готовому сценарию нередко рождаются трюки и повороты действия, ранее не предусмотренные. Так, например, мы заказали в мастерской ведро. Мастер перепутал размеры, и, когда мы явились за ним, нам вдруг вынесли ведро громадного размера. Мы огорчились: что можно делать с таким нелепым ведром?! Но когда несли ведро в цирк, прохожие смеялись. Решили использовать это огромное ведро в номере. Оно оказалось вполне уместным.

Готовили мы свой номер больше трех месяцев. Репетировали в основном по ночам. Мне все хотелось, чтобы Кузнецов побывал на нашей репетиции. Но бесконечные командировки, совещания не позволяли ему прийти к нам, и он сообщил через секретаршу, что посмотрит уже готовый номер. Но и на просмотре «Веселых рыболовов» Евгений Михайлович не был. Его к этому времени назначили редактором журнала «Советский цирк», который был создан по его инициативе, и он был очень занят работой.

Последний раз я встретился с Кузнецовым в цирке на премьере водяной пантомимы «Юность празднует». После представления он прошел к нам за кулисы. Пожал всем руки и поздравил с премьерой. (Мы показывали «Рыболовов».) Он долго сидел в нашей гардеробной и говорил о будущем клоунады, о судьбах клоунов.

— Буффонадных клоунов скоро не будет, — сказал Евгений Михайлович, — и клоунада как таковая отойдет. На манеже будет царство коверных.

Он не ошибся. Уже к началу шестидесятых годов в цирке остались в основном коверные.

В тот вечер Евгений Михайлович вспомнил массу имен, забытых номеров. Он помнил не только биографии артистов, но подробно рассказывал, где, в каких цирках, с какими номерами выступают и дети этих артистов. Прощаясь с нами, он сказал:

— Успех ваш в том, что вы ни на кого не похожи. Продолжайте в том же духе. Ищите свое. И напишите обязательно статью в наш журнал, — попросил он меня. — Напишите, что вы думаете о клоунаде, о пантомиме в цирке.

Просьбу я выполнил. К сожалению, статью мою Евгений Михайлович не успел прочесть. Вскоре после нашего разговора он ушел из жизни.

А «Веселые рыболовы» долго были в нашем репертуаре. И каждый раз, показывая их, я вспоминал удивительного, доброго и очень талантливого человека — Евгения Михайловича Кузнецова.

«Обыкновенный гипноз» Эмиля Кио

На вечернем представлении после конного номера в паузе неожиданно заиграл оркестр, и шесть униформистов, выстроившись в ряд, четко, под музыку начали граблями разравнивать опилки на манеже. Публика встретила этот неожиданный трюк смехом и аплодисментами. Униформисты, закончив работу, поклонились и ушли. Все это придумал Арнольд. Оказывается, накануне он специально вызвал униформистов и долго с ними репетировал.

Из тетрадки в клеточку.
Октябрь 1956 года

Наступила осень. Закончив гастроли в Симферополе, мы приехали провести отпуск в Москву. Таня готовилась стать матерью и не могла работать в наших клоунадах. Надо было решать: что делать дальше? Как всегда, я полагался на случай. «Как-нибудь вывернемся, что-нибудь да придумаем, без работы не останемся», — думал я. И этот случай пришел.

Через три дня после приезда в Москву мы с Мишей зашли в цирк. На манеже в это время репетировал Кио. В фойе нас увидел Арнольд.

— Что вы здесь ошиваетесь? — спросил он.

— Да вот зашли в цирк просто так. Не знаем, как быть дальше. — И подробно рассказали Арнольду о своем положении.

— Эмиль! — закричал Арнольд выходящему с манежа Кио. Кио подошел к нам.

— Слушай, Эмиль, эти разгильдяи, — Арнольд кивнул в нашу сторону, — не знают, как им быть. Они безработные. А в Советском Союзе нет безработных. Бери их с собой в Ленинград. Пусть поработают с тобой. Ты же обожаешь их «Сценку на лошади».

Так в несколько минут решилась наша судьба.

«Цирк! Сегодня и ежедневно! Кио и его 75 ассистентов» — возвещали красочные афиши, развешанные по всей Москве.

Помню, как я, ученик третьего класса, стоял с отцом и рассматривал эти афиши. Завороженно глядел на изображение загадочного человека в белой чалме. Рядом с этим человеком в огне горела женщина.

— Папа, кто это? — спросил я.

— Это фокусник Кио. Он выступает в цирке. Мы с тобой обязательно сходим и посмотрим его. Ты же любишь фокусы...

Фокусы я любил и смотреть, и показывать. Первый фокус, который я узнал, запомнился на всю жизнь. Как-то отец поднял руки вверх ладонями, потом опустил их, сжав в кулаки, а затем раскрыл ладони, и я увидел на них по медному пятаку. На моих глазах совершилось маленькое чудо. До этого все чудеса совершались в сказках, которые рассказывала бабушка, а тут наяву. Не меньший восторг вызвало у меня и объяснение секрета фокуса. Оказывается, монеты отец прятал в рукава рубашки. Когда я постиг технику показа, то этот фокус продемонстрировал всем, считая, что и другие, увидев его, должны испытать такой же восторг и удивление.

Когда я учился в пятом классе, родители подарили мне на день рождения картонную коробку с набором фокусов. В ней лежали таинственные колечки на шнурках, коробочки с дырками, платочки, деревянные шарики. Через неделю я устроил для своих товарищей представление. Правда, от волнения у меня дрожали руки, и два фокуса не получились. После моего выступления отец поставил посреди комнаты табуретку, положил на нее огурец и торжественно объявил:

— А вот мой фокус! Затем он снял с вешалки кепку и прикрыл ею огурец.

— Я не дотронусь руками до кепки и возьму огурец.

— Как это? — спросил я удивленно.

— А так! — И отец проделал таинственные пассы руками, два раза перепрыгнул через табуретку и воскликнул:

— Раз, два, три! Готово! Снимай кепку... Я поднял кепку. На табуретке лежал огурец.

— Ну и что? — спросил я отца.

— Вот видишь, как я и обещал, руками до кепки не дотронулся, а огурец беру. — Он взял огурец и начал его есть.

Фокус имел большой успех у моих товарищей. (Много лет спустя мы с Мишей попробовали сделать этот фокус как репризу на утреннике. Дети смеялись. Реприза вошла в наш репертуар.)

Вместе с отцом мы пошли смотреть выступление загадочного Кио. После каждого трюка я спрашивал отца, как это делается.

— У него волшебная палочка, — отшучивался отец. А мой приятель Толик объяснил еще проще:

— Да он держит всех под гипнозом. Он знаешь какой, Кио!.. Войдет в сберкассу и скажет: «Дайте мне сто тысяч», и ему дадут, а он уйдет, и никто ничего не заметит.

Этому я верил.

Первый раз я увидел Эмиля Теодоровича, работая в клоунской группе Московского цирка. Помню, сначала прибыл багаж Кио. Целый день его ассистенты в форменных халатах распаковывали ящики, извлекая из них таинственные аппараты, ширмы, кубики, вазы, сундуки.

А сам Кио не появлялся. Мне сказали, что приедет только к началу репетиции, которую назначили на ночь.

— Почему репетиция ночью-то? — спросил я одного из униформистов.

— А чтобы никто не смотрел. Секреты. Всех лишних из цирка выгонят.

Я расстроился. Так хотелось посмотреть. И начал думать, как бы попасть на репетицию. А попал просто. К концу дня за кулисы пришел Арнольд, увидел меня с Мишей и крикнул:

— Идите сюда, черти! Я занимаю вас у Кия. — Именно так он произносил фамилию Кио. — Первая репетиция сегодня ночью. Будете изображать в интермедии поджигателей войны.

Так мы попали на репетицию. И сразу узнали многие секреты знаменитого иллюзиониста, убедившись, что все в его аттракционе построено не на гипнозе, а на фантазии, системе отвлечений, ловкости рук и аппаратуре. С интересом я наблюдал за Кио. В идеально сшитом костюме, в дымчатых очках, чуть сутуловатый, он медленно ходил по манежу, отдавая четкие указания. Дисциплина в его коллективе поразительная. Позже я понял: в иллюзионном аттракционе успех предопределяется идеальной подготовкой к работе на манеже и точными действиями ассистентов за кулисами.

Репетицию вел Арнольд. Он работал с Кио много лет. Ставил ему аттракцион и даже придумал несколько интермедий, которые исполняли клоуны, занятые у Кио. Это всегда оживляло представление.

— Эмиль! — кричал Арнольд с места. — Не давай этому парню увозить голубей. Голуби — символ мира, а у этого парня, — слова относились к одному из униформистов, — лицо убийцы!

— Эмиль! Здесь сделай паузу, — требовал Арнольд после показа одного из трюков. — Публика в этом месте начнет аплодировать. Ты должен выждать.

Со дня премьеры я ежедневно смотрел, как работает Кио.

В черном фраке (шили по заказу у лучшего портного Риги), в белоснежной манишке, он уверенным шагом выходил на манеж. Глаза его иронически поблескивали сквозь очки. Всем своим видом он как бы говорил: «В общем-то, все, что вы увидите, конечно, обман, но попробуйте догадаться, в чем он. Я хочу вас поразить. Да, мне это ничего не стоит сделать».

Аттракцион Кио шел в бешеном ритме. Трюк сменялся трюком — один лучше другого. Публика не успевала опомниться.

Нравился мне его знаменитый фокус со львом. На манеж вывозили на колесиках большую железную клетку, в которую Кио «заключал» одну из ассистенток. Щелкал запор, клетку на несколько секунд накрывали легкой материей, а затем, когда покрывало поднимали, публика видела: вместо ассистентки в клетке мечется громадный лев. Так же эффектно выглядел и трюк, когда на манеж выносили вставленный в рамку прямоугольный кусок стекла. По обе стороны стекла Кио прикреплял две бумажные мишени, а затем, отойдя на несколько шагов, стрелял из пистолета. Сквозь бумагу и стекло он продевал металлический стержень с лентой. А когда мишени снимались, зрителям показывали, что стекло совершенно целое и никакого отверстия в нем нет. Долго я ломал голову, как это делается. Расспрашивал ассистентов, а те смеялись и говорили: «Сам догадайся». Позже, когда наконец узнал секрет фокуса, я поразился, как все просто.

Как-то Эмиль Теодорович сказал мне:

— Публика не должна успевать анализировать. Если появится для этого время, зрители начнут докапываться до секрета. Тут нужны быстрота, темп, ритм. Пускай дома вспоминают и думают.

Кио рассказывал, как трудно придумывать иллюзионные трюки. Сотни раз приходится пробовать, репетировать, переделывать и совершенствовать аппаратуру, прежде чем что-то получится. А иногда, как рассказывал Кио, фокус рождался случайно.

Так, например, в Ленинграде к Эмилю Теодоровичу ночью пришел в гостиницу моряк с тросточкой. Он постучал тросточкой об пол, потом, подняв ее двумя руками за концы, сказал коротко: «Ап!» — и... тросточка исчезла. В руках у моряка оказались два платочка.

Через неделю этот фокус Кио с большим успехом показал на манеже. Эмиль Теодорович усложнил трюк. Платочки снова превращались в трость. Публика не могла понять секрета устройства тросточки, зато уж коллеги Кио все разузнали, и через год многие иллюзионисты страны показывали этот трюк.

Среди многочисленных ассистентов, которые, конечно же, менялись — кто-то готовил свой номер, кто-то выходил на пенсию, кто-то переходил ассистентом к другому артисту, — оставалось ядро из преданных Кио людей. Среди них Иван Брюханов и Иван Татаринский. Можно даже сказать, что аттракцион держался именно на этих людях. Они помогали Кио придумывать трюки, изготовляли чертежи аппаратов, сами мастерили реквизит с секретными устройствами. В наиболее ответственные моменты они выходили на манеж ассистировать Кио.

В качестве ассистентов у Кио работали и лилипуты.

Я думал, что он это делает для того, чтобы придать аттракциону экзотическую окраску: маленькие человечки бегают и хлопочут, как бы перенося зрителей в сказку, где великаны и карлики творят чудеса. Как-то спросил об этом у Кио.

— Ничего подобного, — ответил он, — с ними просто удобно работать. Они маленькие и легко влезают в любой трюковый ящик. Если из якобы пустого ящика могут неожиданно появиться только два обычных ассистента, то лилипутов — пять-шесть. Эффект-то больше.

В цирке Кио уважали и любили. И я сразу попал под обаяние этого человека. Помню, тяжело заболела Таня, и я не смог прийти на представление. На другой день Эмиль Теодорович подошел ко мне и спросил, что случилось. Узнав о болезни Тани, он предложил свою помощь — достать лекарства, пригласить врача-специалиста. Я удивился, почему он вдруг подошел ко мне, к неизвестному артисту, делающему первые шаги в цирке, а потом узнал — он всегда старался помочь всем, не делая различия между конюхом и директором цирка.

Часто после представления знакомые просили меня раскрыть секреты трюков Кио. Обычно я отшучивался, говоря, что это «обыкновенный гипноз».

В связи с гипнозом мне вспоминается случай, который произошел с Эмилем Теодоровичем в Тбилиси.

Кио ехал на такси в цирк. Шофер, пожилой грузин, узнав его, спросил:

— А правда ли, товарищ Кио, что вы гипнотизер?

— Правда, — спокойно ответил Кио.

— И меня загипнотизировать вы можете? — поинтересовался таксист.

— Конечно, могу. Вот сейчас мы подъедем к цирку, я дам десять рублей, а вы мне дадите сдачу как с сотни.

Подъехали к цирку. Кио, усмехаясь, протянул десятку. Водитель начал лихорадочно отсчитывать ему десятки и пятерки, Эмиль Теодорович, взяв сдачу и выйдя из машины, направился к окошку водителя, чтобы вернуть лишние деньги. Но тот, видимо, боясь, что с ним произойдет еще что-нибудь необыкновенное, дал газ и уехал. (Потом Кио все-таки вернул деньги — запомнил номер машины.) Но с тех пор, когда Кио брал такси, водители отказывались брать с него плату и стремительно уезжали.

И вот снова встреча с Кио. С легкой руки Арнольда мы едем в Ленинград работать вместе со знаменитым иллюзионистом.

Вечером 14 ноября 1956 года мы с Мишей выехали из Москвы, а утром 15 ноября входили со своими чемоданами в здание Ленинградского цирка. Заходим в проходную, а старый вахтер говорит:

— Ну, Никулин, поздравляю с сыном. Держи телеграмму. С тебя причитается.

Оказывается, Таня ночью родила. Меня все поздравляли. Я ходил ошалелый. Звонил домой, волновался за здоровье жены и сына. Все деньги, что были, потратил на шампанское. Вечером, выступая в «Сценке на лошади», мечтал о выходном дне, чтобы скорее вырваться в Москву.

В общей сложности с Эмилем Теодоровичем мы проработали полгода. Выступали в Ленинграде и Одессе. В цирки этих городов публика ломилась. Слишком велико было желание посмотреть знаменитого иллюзиониста. Да и рекламу Эмиль Теодорович организовал так, как никто. Не оставалось ни одной улочки без красочного плаката «Цирк — Кио». Афиши, транспаранты, рекламные щиты, объявления в газетах и по радио — все это использовал Кио с размахом, с умением, со знанием психологии зрителя.

В Ленинграде усердные расклейщики заклеили рекламой Кио все афиши театров, филармонии и кинотеатров. Кого-то это обидело, и в газете «Вечерний Ленинград» появилась реплика, в которой автор иронизировал по поводу неуемной тяги Кио к рекламе. Когда газету показали Эмилю Теодоровичу, он не только не обиделся, а, рассмеявшись, сказал:

— Прекрасно! Этой заметкой они сделали мне еще большую рекламу.

Кио любил успех. Он с удовольствием поддерживал легенды о себе, гордился тем, что в лондонском клубе иллюзионистов его портрет висит первым среди мастеров этого жанра.

Слава, успех, как мне кажется, не изменили характера Эмиля Теодоровича. Он заботился об артистах, был с ними демократичен. Тепло относился и к нам с Мишей. Когда гастроли подходили к концу, он предложил постоянно ездить с ним. От этого предложения мы отказались. Не хотели быть связанными аттракционом. Боялись, что, работая у Кио (с ним работали свои постоянные клоуны), не сможем готовить новые номера.

Жил Эмиль Теодорович на широкую ногу. Все деньги, а зарабатывал он много, тратил легко: одежду шил у самых дорогих портных, обедал в самых шикарных ресторанах, в гостиницах всегда занимал номера люкс. И поэтому порой за два-три дня до получки он оказывался без денег.

Кио всегда стремился быть в окружении людей, любил слушать, хотя сам в разговор вступал редко. Часто он приглашал к себе в номер гостиницы артистов и просил:

— Сидите здесь и разговаривайте, а я буду слушать.

Оживлялся Кио, когда дело касалось его профессии. Стоило кому-нибудь начать разговор о новом иллюзионном трюке, Кио на глазах преображался. Он жил своей профессией.

Как-то в гардеробной в перерыве между представлениями Кио целый час рассказывал нам с Мишей о своей работе; говорил о том, как с эстрады он перешел в цирк.

— Но здесь большую часть своих фокусов, — говорил он, — я исполнять уже не мог. На сцене-то три стены. Они прикрывали меня и аппаратуру от публики. На манеже я открыт со всех сторон. Все пришлось менять.

Я всегда слушал эти рассказы с удовольствием. Меня интересовала работа иллюзиониста, привлекая своей таинственностью, а главным образом — эффектом чуда, которое рождается на глазах. Поэтому я с нетерпением ожидал встречи Кио с одним изобретателем, который предложил небывалый и поразительный трюк. Суть его в том, что на манеж на колесиках выкатят большой, наполненный водой аквариум, в который по лесенке спустится одетый во фрак Кио. Под водой он закурит папироску, а затем выйдет из аквариума... совершенно сухим, с горящей папироской.

Когда Кио рассказал мне об этом, я, пораженный, воскликнул:

— Как же это получится?

— Вот так, — ответил мне, иронически усмехаясь, Эмиль Теодорович и добавил: — Изобретатель уверяет, что у него есть специальная водоотталкивающая материя. И я должен буду какой-то гадостью намазать руки и лицо, чтобы вода не оставалась на коже. Через неделю он придет в цирк и все покажет. Хочешь, приходи тоже. Вместе посмотрим.

В выходной день в цирк действительно пришел изобретатель. В зрительном зале собрались Арнольд, Кио и его ассистенты. На манеже хлопотал лысоватый человек небольшого роста. Правда, вместо аквариума для показа поставили большую бочку. Униформисты заполнили ее водой. Изобретатель деловито разделся до трусов, облачился в длинный серый халат и начал старательно застегивать пуговицы.

— Фрак будет сшит из такого же материала, как и халат, — тонким голосом заметил изобретатель, — только мы покрасим его в черный цвет. Краска специальная. — И тихо добавил: — Немецкая.

После этих слов он открыл жестяную коробочку из-под чая и старательно натер свое лицо какой-то мазью. Потом влез на табуретку, постоял на ней в раздумье и плюхнулся в бочку.

Все ожидали чуда. Смотрели на происходящее затаив дыхание.

Некоторое время из воды торчала голова изобретателя. Он посмотрел внимательно на Кио и, судорожно втянув в себя воздух, присел в бочке, скрывшись под водой.

Воцарилась полная тишина, которую нарушил голос Арнольда:

— Не хватало нам, чтобы он там еще и утонул!..

Никто не засмеялся. Все продолжали ждать чуда.

Через несколько секунд изобретатель вынырнул из воды и долго не мог вылезти из бочки. Двое рослых ассистентов помогли ему.

И тут все поняли — чуда не получилось. Изобретатель стоял в центре манежа в промокшем насквозь халате. Вода с него лилась ручьями. Сам он выглядел жалким — лицо покрыто крупными каплями воды. Обстановку разрядил Арнольд. Он громко обратился к Кио:

— Эмиль! И он хотел, чтобы ты там еще и курил!

Все грохнули от смеха. Только изобретатель не смеялся. Он подошел к Эмилю Теодоровичу и тихим голосом, почти шепотом, начал объяснять, что, видимо, пересушен материал и поэтому произошла накладка, да и мазь «была условной».

— Но если все доработать, — пояснил изобретатель, — то все будет хорошо, все получится.

— Ладно, — сказал Арнольд, вытирая выступившие от смеха слезы, — идите, дорогой Эдисон, идите думайте, дерзайте! А Кия будет продолжать распиливать женщин. Это проверено и надежно.

Изобретатель в цирке больше не появлялся.

У нас, артистов цирка, не принято разглашать секреты, профессиональные тайны. Но один из секретов Эмиля Теодоровича, связанный с его братом, я могу раскрыть. Дело прошлое, давнее.

Работая с Кио, я подружился с его братом Гарри Федоровичем (они были сводными братьями) — интеллигентным, добрым человеком. По образованию Гарри Федорович инженер. Долгое время он работал на авиационном заводе. Жил в Москве с женой и маленькой дочерью в районе Каретного Ряда. Ежедневно к восьми утра приходил в свое конструкторское бюро и не подозревал, что на склоне лет жизнь его так резко изменится — он станет артистом цирка. Как-то днем, гуляя с дочерью по Цветному бульвару, Гарри Федорович решил зайти в цирк. В это время на манеже Арнольд репетировал с Кио. Братья при встрече расцеловались и присели поговорить. И вдруг Арнольд воскликнул:

— Идиёт я! Как раньше не догадался: ведь Гарри можно использовать в аттракционе. Он же вылитый Кия!

То ли у Арнольда эта мысль родилась тут же — видел, что братья действительно похожи друг на друга, то ли в голове отложились слухи, которые распространялись вокруг Кио (кроме приписывания Кио гипнотических качеств, говорили, что он использует в своей работе таинственных двойников), но у Арнольда возникла идея — сделать из брата Кио двойника и на этом построить несколько трюков.

Месяц уговаривали Гарри Федоровича работать с братом. Когда он наконец согласился попробовать, с киностудии «Мосфильм» пригласили лучшего гримера, и тот, посмотрев на братьев, коротко сказал:

— Второго Кио сделаю.

Гарри, как и Эмиль, чуть-чуть сутулился. Глаза, уши, форма головы, походка и голос — как две капли воды. Правда, у Гарри была лысина и нижняя часть лица несколько полнее, чем у брата.

Через неделю гример принес парик с такой же прической, как у Кио. Два часа гримировали Гарри. Убирали складки под подбородком, подтягивали нос... Когда вся процедура закончилась, в гардеробную пригласили Арнольда. Мне было любопытно, и я вошел вместе с ним. Посреди комнаты стояли два Кио! Мы замерли на месте. Было смешно и одновременно жутковато. Двойники смотрели на нас спокойно, и в первые секунды я не знал, кто Кио, а кто брат. Арнольд же от увиденного пришел в восторг.

Так Гарри начал работать в цирке.

Как правило, в город, где начинались гастроли, он приезжал в день премьеры и поселялся в самой дальней гостинице. Кио рисовал ему на бумаге план улиц, на которых Гарри не имел права появляться. Эмиль Теодорович вообще хотел, чтобы Гарри безвылазно сидел в номере, читал бы книги и слушал радио.

— Тебе в городе делать нечего, — говорил Кио брату. — Не дай бог, кто-нибудь увидит нас вдвоем, столкнемся где-нибудь, тогда все пропало. Никакого секрета не будет.

Вечером, перед началом спектакля, машина с задернутыми шторками привозила Гарри в цирк, въезжая прямо во двор. Гарри в надвинутой на глаза шляпе и с поднятым воротником быстрым шагом шел в специально отведенную ему комнату, где приглашенный из местного театра гример проделывал с ним все, что придумал художник-гример «Мосфильма». Гримеру говорили, что перед ним сам Кио, и, когда тот уходил, в комнату к Гарри входил Кио. Оба брата становились против большого зеркала и дотошно проверяли, все ли у них в порядке, не забыта ли какая-нибудь деталь в гриме и костюме.

Во время показа аттракциона Гарри быстро спускался вниз и, спрятавшись за реквизитом, тихо стоял в уголке, ожидая своего выхода.

Подмена братьев в аттракционе делалась дважды. Самая эффектная — в финале, когда Гарри под видом Кио садился в машину и уезжал с манежа, а настоящий Кио мгновенно появлялся из противоположного прохода. Публика от удивления немела. Братья и без грима были похожи. С Гарри иногда даже здоровались на улице, принимая его за Кио. И если бы в то время процветала мода на автографы, то Гарри пришлось бы их давать. Для конспирации Эмиль Теодорович потребовал от Гарри, чтобы в городе, где будут проходить гастроли, он ходил с приклеенными усами. И вот однажды рано утром, подъезжая к городу, где начинались гастроли, полусонный Гарри, закрывшись в туалете вагона, наспех приклеил себе усы. Второпях приклеил их криво. После этого вышел с чемоданом на перрон, надвинул на глаза шляпу, поднял воротник плаща и пошел на стоянку такси. Дождался очереди, сел в машину и попросил отвезти его в гостиницу, название которой ему заранее сообщили телеграммой. Именно в этом городе Гарри в годы войны работал на эвакуированном из Москвы авиационном заводе. Сидя рядом с шофером, он не удержался и начал расспрашивать об авиазаводе: работает ли директором такой-то, действует ли цех моторов за озером... Таксист, насторожившись, поглядывал на пассажира и на его вопросы отвечал уклончиво. Неожиданно он резко затормозил возле здания с часовыми у входа и, выскочив из машины, заорал:

— В машине шпион! Хватайте его!

Бедного Гарри вытащили из машины (впрочем, особенно вытаскивать его и не пришлось, он сам, испугавшись, безропотно подчинился) и препроводили в помещение, где первым делом потребовали предъявить документы.

Когда Гарри вынимал паспорт, у него отклеился один ус. Конечно, всем присутствующим стало ясно, что перед ними шпион. Чтобы не разглашать тайны (существовала строжайшая договоренность: что бы ни случилось, никакой информации не давать, а требовать вызвать директора цирка), Гарри мужественно сохранял молчание, требуя связаться с цирком. Через три часа приехал испуганный директор местного цирка. Все разъяснилось, и Гарри разрешили уехать в гостиницу. Кио после этого случая долго ругался. А Гарри с тех пор наотрез отказался клеить усы.

Жилось Гарри в отрыве от семьи и друзей одиноко и тоскливо. Мы быстро подружились, и он уговорил меня жить с ним в одном номере гостиницы. Иногда мы вместе ходили в кино. Когда не могли достать билетов, то я, несмотря на протесты Гарри, шел к администратору кинотеатра и доверительно, вполголоса говорил:

— Мы из цирка. Там Кио. Нам нужно два билета.

Билеты выдавались незамедлительно. Но однажды, только я заикнулся о билетах для Кио, как меня повернули к двери и легонько вытолкнули наружу. Оказывается, настоящий Кио только что взял два билета и уже прошел в кинотеатр. Смущенный, я подошел к Гарри и сказал:

— Пойдемте домой. Вы уже смотрите эту картину.

Конечно, вечером, не удержавшись, мы все рассказали Эмилю Теодоровичу. Он обругал нас, назвав шаромыжниками и самозванцами. Впрочем, он тут же добавил, что, если мы захотим пойти в кино, он всегда готов заказать для нас билеты.

Несколько раз к Гарри приезжала жена. Тогда он ходил как именинник. С братом он не дружил. Более того, они нередко ссорились, причем по пустякам.

Одесса стала последним городом нашей совместной работы с Кио. Нас с Мишей пригласили в Москву участвовать в новой программе. Гарри переживал наш отъезд. Прощаясь со мной, он печально сказал:

— На кого ты меня покидаешь?

Позже Гарри писал мне, что ему трудно без семьи, что он собирается окончательно уходить. Но уйти ему не пришлось. Он умер, работая в цирке.

В 1965 году, пережив брата на пять лет, во время гастролей в Киеве умер и Эмиль Теодорович Кио.

Он, конечно, неповторим, этот грузный, сутуловатый, седой человек с зачесанными назад волнистыми волосами, в очках, сквозь которые смотрели на вас прищуренные глаза. Неповторим был и его первый выход. Первый выход Кио! Зал погружался в темноту. Оркестр играл тревожно-таинственную музыку. Цветные прожектора своими лучами, как щупальцами, шарили по манежу, как бы готовя публику к чему-то необыкновенному. Неповторима походка Эмиля Теодоровича — легкая, пружинистая. Он идет по манежу. И я как бы слышу, как он считает своим хрипловатым голосом, делая значительные паузы: «Раз... Два... Три!..». И на глазах у публики совершались чудеса.

Первые репризы

Дрессировщик А. Цхомелидзе рассказывал сегодня за кулисами, как раньше, в дореволюционном цирке, клоуны поражали публику танцующими курами. На манеж ставили металлический ящик с загородками. Пол у ящика двойной. Внутри горячие угли. Затем клоун выносил самых обыкновенных кур, крылья у них связаны, и поэтому вылететь они не могли. Перед началом клоун держал речь, в которой сообщал, что после долгих трудов он научил глупую птицу танцевать. Оркестр играл какой-нибудь модный танец. Клоун сажал кур в ящик, и они, обжигаясь, поднимали одну ногу за другой. Создавалось полное впечатление, что куры танцуют. Успех был грандиозный. А мне об этом было страшно слушать.

Из тетрадки в клеточку.
Июнь 1957 года

Мы работали снова в Калинине. Москва готовилась к открытию Всемирного фестиваля молодежи и студентов. Нам очень хотелось побывать на нем, и мы решили, что в один из выходных дней съездим в столицу. В это время в Калинин приехал Марк Соломонович Местечкин, который подбирал номера для московской праздничной программы.

В дни фестиваля в цирке решили показать водяную феерию, и наш номер планировалось включить в программу. Местечкин предложил наших «Рыболовов» перенести с воображаемой воды на настоящую.

Закончив выступления в Калинине, мы приехали в столицу, чтобы принять участие в репетициях представления «Юность празднует». На репетиции ушло больше месяца. «Рыболовов» пришлось значительно переделать. Перед премьерой, как всегда, нам не хватило одного дня, поэтому мы репетировали всю ночь.

Премьера прошла отлично. В программе принимали участие молодые артисты. Когда на манеж пускали мощным водопадом воду, зал аплодировал. Вода подсвечивалась цветными прожекторами, и зрелище получалось эффектным.

Осенью работать стало трудно, хотя воду и подогревали. Кто-то пустил слух, что раньше во время водяных пантомим дирекция выдавала артистам после представления по пятьдесят граммов коньяку. Поверив в это, мы с тайной надеждой пошли к Байкалову. Николай Семенович внимательно нас выслушал и, рассмеявшись, сказал:

— Может быть, вам еще тут и бар построить со стриптизом?

В декабре меня на неделю уложил в постель радикулит — следствие ежедневных купаний на манеже. Лежа в постели, я мысленно подводил итоги работы. Десять лет прошло, как я в цирке. За это время многому научился. И теперь с превосходством смотрел на того напуганного и беспомощного Никулина, который выступал со своей первой клоунадой «Натурщик и халтурщик». За время болезни я придумал две пантомимические репризы — «Насос» и «Стрельба бантиками». Лежа в постели, я представлял, как мы с Мишей будем их делать. Для меня сразу определились наши взаимоотношения на манеже: Миша будет активным, начнет заводить меня, командовать (как в «Маленьком Пьере»), а я, туго соображающий, буду все путать.

Содержание реприз рассказал Тане. Она посмеялась, а потом сказала:

— Глупо все это, но, наверное, будет смешно.

Смешно — это уже хорошо. Ведь именно для того, чтобы смеялись, мы и выходим на манеж.

Придумав первые репризы, я, ярый противник перехода в жанр коверных, в глубине души понимал, что в конце концов желание Миши осуществится и мы рано или поздно станем коверными.

После болезни я рассказал Мише о «Насосе» и «Стрельбе бантиками». Ему репризы понравились, и мы начали их готовить. Потребовался реквизит. Тут нам пригодились «тамаринские» пищики, мы использовали их в репризе «Насос» для имитации звука выходящего воздуха.

Часами разрабатывали сложную иллюзионную технику для «Стрельбы бантиками». Казалось бы, готовим всего две репризы, а ушло на них месяц с лишним. Обе репризы показали в гардеробной Местечкину.

— По-моему, неплохо, — сказал он. — Нужно проверить на зрителе. Покажите их в воскресенье на утреннике.

Дети смеялись, когда в первой репризе Миша «накачивал» меня автомобильным насосом, чтобы я стал здоровее и смог выполнить акробатический трюк. После каждой накачки воздух со свистом выходил из меня, и Мише приходилось начинать все сначала. Во второй репризе мы, зарядив пистолет яркими бантиками, начинали по очереди стрелять друг в друга. Бантики таинственным образом прилеплялись к моей рубашке и брюкам, вызывая смех в зале.

На шефском спектакле в День Советской Армии мы опять показали эти репризы. Принимали хорошо, хотя в некоторых местах возникали незапланированные паузы, чувствовался спад по ритму. И мы поняли — многое еще придется доделывать.

— Вот видишь, — сказал Миша после дебюта, — еще несколько таких реприз, и мы сможем работать коверными.

В феврале 1958 года в Московском цирке шла программа «Арена дружбы», в которой мы показывали «Насос» и «Бантики». Репризы от представления к представлению проходили лучше. В этой программе основным коверным работал Карандаш, принимал также участие и талантливый клоун Анатолий Векшин, с которым мы подружились.

Через неделю после премьеры Мишу, меня и Анатолия пригласил к себе Байкалов.

— Вот что, хлопцы, — начал заговорщицким тоном Николай Семенович, — в апреле намечается поездка советского цирка в Швецию. Меня назначили руководителем. Вас беру коверными. Готовьтесь. Думайте, что будете показывать, но пока об этом ни гугу. Ясно?

Вышли мы из кабинета потрясенные. В душе я ликовал. С этого дня Миша, Анатолий и я репетировали ежедневно. В апреле 1958 года мы вылетели из Москвы в Стокгольм в составе большой группы цирковых артистов. Гастроли продолжались пятьдесят дней.

Первые самостоятельные репризы, первые шаги в жанре коверных сразу определили наши клоунские характеры и маски. От репризы к репризе я старался уточнять свой характер клоуна. Я обыгрывал свою фигуру в кургузом пиджачке, ходил заплетающейся походкой и старался как можно серьезнее относиться к самым нелепым ситуациям, возникающим по ходу реприз, считая, что во все, что делается на манеже, нужно предельно верить. Если, скажем, я пугаюсь громадной бутафорской булавки в руках партнера, то я должен бежать от него с криком, веря, что он этой булавкой может меня проткнуть.

С самого начала нашей работы Миша стал меня звать на манеже Юриком.

— Ю-рии-ик! — звал меня партнер, когда я застревал где-нибудь за кулисами или среди реквизита, который то уносила, то приносила униформа.

И по ходу спектакля когда Миша в очередной паузе снова звал меня, то на «Ю-ри-иик!» публика уже реагировала.

Зрители смеялись, зная, что я снова появлюсь перед ними в своих громадных ботинках, испуганно озираясь по сторонам.

«Не боги горшки обжигают»

Об интересном трюке мне рассказал один артист (он видел его в варьете за границей). На сцену выходит конферансье во фраке и, объявив номер, поворачивается, чтобы уйти за занавес. И тут публика начинает смеяться. Оказывается, на спине фрака громадная дыра (видна майка), брюки сзади порваны настолько, что видны трусы и носки с резинками. Артист испуганно поворачивается, не понимая причины смеха. Снова встает спиной к залу, и снова смех. Опять поворачивается. Недоумевая, придирчиво осматривает себя спереди, снимает даже пылинку с лацкана, а потом, передразнивая смеющуюся публику, одергивает фрак и с досто-

инством идет за занавес. Зал ахает. Все видят идеально сшитый, целый, без единой дырочки фрак. Интересно, как он это делает?

Из тетрадки в клеточку.
Сентябрь 1958 года

Уезжая в Швецию, мы думали, что пятьдесят дней работы в этой стране покажутся до обидного маленьким сроком. Но уже через месяц я начал скучать по дому.

После Швеции мы провели отпуск в Москве, а потом поехали работать в Запорожье.

Стояло дождливое лето, и в цирке были средние сборы. Дирекция быстро организовала спасительные «Вечера смеха» и этим поправила финансовое положение.

Работа шла спокойно, привычно. И вдруг на мое имя пришло письмо, подписанное художественным руководителем Ленинградского цирка Георгием Семеновичем Венециановым, который предлагал нам открыть в качестве коверных очередной сезон в Ленинграде.

Как бы предугадывая наши смятения и колебания, Георгий Семенович писал, что во всем нам поможет. В конце письма — фраза: «Не бойтесь, не боги горшки обжигают».

Предложение Венецианова было заманчивым. Но с чем ехать? Кроме «Насоса» и «Бантиков», к этому времени мы придумали сценку «Стрельба из лука», а также интермедию с яйцами, которые должны таинственно исчезать с табуретки. Вот, пожалуй, и весь наш репертуар. Правда, до начала гастролей в Ленинграде оставалось два месяца. И мы решили, что кое-что придумать успеем. О всех своих сомнениях мы написали Венецианову. В этом же письме, как он просил, мы послали подробное описание своих реприз.

Георгия Семеновича мы знали и уважали. И когда окончательно решили, что в Ленинград поедем, то сказали себе: «Пусть поездка проходит под лозунгом “Не боги горшки обжигают”».

Дождем и ветром встретил нас осенний Ленинград. На маленьком автобусе, специально присланном за нами, доехали до цирка. Через два часа разместились в большой комнате общежития на втором этаже. В первый же день — встреча с Георгием Семеновичем, который сразу спросил нас:

— Вас встретили?

И мы поняли, что встреча экспедитора — дело его рук. Тут же возник обстоятельный разговор о работе.

На другой день Георгий Семенович сказал мне:

— А вы бы в музей сходили. Там, если покопаться, можно кое-что разыскать или хотя бы какую-нибудь зацепочку найти.

В Ленинграде единственный в Союзе, а пожалуй, и в мире Музей циркового искусства.

Целый день перебирал я пачки фотографий, десятки книг, рукописи, афиши, программы. Но, увы, ничего полезного для нашей работы не нашел. Только на один рисунок с изображением клоуна, который едет на бутафорской лошадке по манежу, обратил внимание. Клоун ходит по манежу в надетом на себя каркасе лошади. А сбоку висят в больших ботинках бутафорские ноги, и создается впечатление, будто клоун едет верхом.

На другое утро я поделился с Венециановым мыслью сделать пародию на высшую школу верховой езды, такой номер, кстати, намечался в будущей программе. В пародии хотел использовать бутафорских лошадок.

— Это любопытно. Но вот беда. Реквизит к премьере сделать не успеем, — с сожалением сказал Георгий Семенович.

Мы с Мишей вспомнили о бутафорских лошадках, грудой сваленных на складе Московского цирка. В тот же день созвонились с Москвой, и вскоре в Ленинград прислали две бутафорские лошадки, которых мы переделали для репризы. Так у нас появилась в загашнике (выражение Георгия Семеновича) еще одна реприза.

Время летело быстро. Незаметно подошла премьера. Как говорят в цирке, нас бил мандраж. Откуда пошло это слово — «мандраж», не знаю. Означает оно страх, волнение. («Не мандражируй», — ободряют артисты друг друга перед выходом.)

Хотя и уверял Георгий Семенович, что все пройдет хорошо, и программу составили с таким расчетом, чтобы репризы ложились между номерами, все-таки сильное волнение охватило нас с Мишей, когда мы, загримированные и одетые в клоунские костюмы, услышали первый звонок. Что-то защемило внутри, и я подумал: «Ну зачем мы влезаем в это дело? Так спокойно все было. Есть свой номер. Он идет десять минут. Его хорошо принимает публика. Работать бы нам, как раньше, и никаких волнений».

Первый наш выход публика встретила сдержанно. Правда, после того как Миша стал пускать бумеранг (бумеранг он сделал собственноручно), который, описав широкий круг, возвратился к нему в руки, раздался смех и кто-то даже зааплодировал.

Лучше всего принимали «Лошадок» и «Насос».

Взмыленные, пришли мы в антракте в свою гардеробную, нервно закурили, сели и никак не можем понять: хорошо проходим или средне?

Вошел Венецианов и спокойно, будто и не волновался за премьеру, сказал:

— Ну что же, поздравляю, молодцы! Так держать! — как говорят на флоте. Прекрасно вас принимают. Для Ленинграда это хорошо.

Трудно мне объективно судить о дебюте. Может быть, действительно нас принимали неплохо, а может быть, Венецианов просто хотел подбодрить дебютантов. Во всяком случае, поддержка Георгия Семеновича сыграла свою роль, и во втором отделении работалось легче.

На другой день в кабинете Венецианова был сделан тщательный разбор всей программы. Тут мы услышали от него немало замечаний и дельных советов.

На третьем-четвертом представлениях публика принимала нас лучше. Неделю после премьеры мы отдыхали от репетиций, работая только вечером на представлениях. А потом начались ежедневные встречи с художественным руководителем.

— Я решил оставить вас и на следующую программу, — сказал он твердо.

— А с чем работать? Откуда взять новые репризы? — всполошились мы.

— Вот отсюда, отсюда, — сказал он, постукивая по голове пальцем, — должны идти новые репризы. И я с вас не слезу, пока вы их не приготовите. Думайте, мучайтесь. Я приглашу вам авторов, но чтобы репризы появились.

С этого дня каждый раз утром, входя к нему в кабинет, мы слышали одну и ту же фразу:

— Ну рассказывайте, что за ночь придумали?

И мне бывало стыдно, если я не мог ничего рассказать ему. Георгий Семенович — человек упорный и настырный.

— Нам нужны три цуговые репризы: хорошие, настоящие и смешные, — вдалбливал он нам, — остальное приложится. Тройку мелких придумаем, потом выйдете у кого-нибудь в номере. Вот и получится — весь вечер на манеже.

Тогда впервые наши портреты и фамилии появились на фасаде Ленинградского цирка. Ни радости, ни гордости я не испытывал. Наоборот, возникало чувство растерянности и даже страха. Я представлял себе, что вот придут люди в цирк, увидят наши крупно нарисованные лица, прочтут: «Паузы заполняют Юрий Никулин и Михаил Шуйдин» — и подумают: «Ну, наверное, это что-нибудь очень интересное, раз их так разрисовали». При этом у меня начинало сосать под ложечкой, нарастал страх. Я представлял, как зрители выходят после спектакля и, глядя на нашу рекламу, говорят:

— И чего их так разрисовали? Ничего особенного они нам не показали!

И долгое время, проходя мимо рекламы с нашими фамилиями, я испытывал чувство неловкости.

Он сделал нас коверными

По Ленинграду разъезжает касса-фургончик, обклеенный цирковыми афишами. Фургончик возит ослик. Останавливается он на улице, и около него сразу собирается толпа ребят. Покупать в таком фургончике билеты интересно.

Мне рассказывали, как еще в Петербурге к владельцу цирка Чинизелли пришел писатель Александр Грин и сказал:

— Вот у вас около кассы написано: «Каждый взрослый может на свой билет провести бесплатно одного ребенка». А не лучше ли написать: «Каждый ребенок имеет право провести с собой бесплатно одного взрослого»? Как детям приятно будет! На что Чинизелли, пожав плечами, сказал:

— Да зачем мне это делать, у меня и так сборы хорошие.

Из тетрадки в клеточку.
Январь 1959 года

Смущение и робость я испытывал в первое время, когда входил в кабинет Георгия Семеновича Венецианова.

Всем своим обликом Венецианов располагал к себе. Удивительной выдержки человек. Образованный, вежливый.

Продолговатое худощавое лицо, внимательные, добрые серые глаза, руки с длинными пальцами, точно у музыканта, одет просто.

Стол в его кабинете завален эскизами, сметами, чертежами, фотографиями, письмами. Рядом на тумбочке — большой макет зрительного зала. Мы просиживали у Венецианова по два-три часа. Разговор в основном шел о наших репризах. Бывало, что Георгий Семенович отвлекался и вспоминал об интересных номерах, других клоунах или просто говорил о жизни. Любил он вспоминать и о том, как учился еще до революции в военно-морском училище, о своей офицерской службе на флоте. После демобилизации (ему тогда было около тридцати лет) он увлекся театром, получил театральное образование. Работал актером, потом руководил Ленинградским мюзик-холлом и театром эстрады. А в пятьдесят лет пришел в цирк.

На первый взгляд казалось, что эти отступления не имеют отношения к нашей работе. Но это только на первый взгляд. Потому что всегда, если пользоваться выражением Георгия Семеновича, мы находили после бесед с ним какую-нибудь «зацепочку». Он постоянно будил нашу фантазию, причем делал это незаметно, исподволь.

Во время разговора много курил. Длинные сигареты делил на две части, вставлял в мундштук и прикуривал от старой медной, военных времен, самодельной зажигалки. Ему предлагали новые — японские газовые, — а он повертит их, погладит и скажет:

— Красивая, но не для меня. Я к своей привык. Уж она никогда не откажет.

Среди артистов Венецианов пользовался авторитетом. С его мнением считались, его советы всегда выполняли, потому что понимали: Венецианов сделает номер лучше. Многие стремились попасть работать в Ленинград, зная, что к их номеру «приложит руку» Георгий Семенович. Он изменит мизансцену, подскажет вместе с художником какую-нибудь деталь для костюма, что-то подсократит, придумает новый трюк, закажет композитору музыку, поработает над светом, и в результате средний номер станет хорошим.

От многих режиссеров, которых я знал, Венецианов отличался манерой вести репетицию. Он никогда не выбегал на манеж, не показывал мизансцен, не произносил за артистов текста — не учил с голоса. Он просто сидел в зале и смотрел работу артистов. А потом приглашал их к себе в кабинет и спокойно, не торопясь высказывал свое мнение. Замечания делал тактично, неназойливо. Его замечания всегда были точными. Он любил репетировать подолгу, обстоятельно, пока сам не чувствовал, что номер готов.

— Искусство не терпит торопливости, — отвечал Венецианов тем, кто торопил его с выпуском нового номера.

Вся атмосфера Ленинградского цирка, взаимоотношения технических работников, администрации, занятых в программе артистов определялись и поддерживались Венециановым.

— Понимаете, — говорил он мне, — развитие цирка зависит от наличия культуры. Культуры человеческого общения. И конечно, от знаний... Нельзя же жить только своим номером. Нельзя!

Помню, про одного дрессировщика лошадей, с которым особенно много занимался, Венецианов сказал:

— Он превосходный дрессировщик, знает свое дело. Но пока будет вести себя на манеже как официант, классного номера у него не получится.

Лошади — страсть Венецианова. Ленинградский цирк славился подготовкой конных номеров. Именно при Венецианове открылась конная студия, из которой вышли превосходные дрессировщики. Сам Георгий Семенович почти ежедневно, пока позволяло здоровье, совершал по городу прогулки верхом на лошади. Лишь в последние годы жизни из-за болезни ног прекратил их. И по цирку ходил в валенках.

Педантичный по характеру, он ровно в десять утра, минута в минуту, созывал у себя начальников цехов, ровно в три часа уезжал домой обедать, ровно за пять минут до начала вечернего представления приходил в цирк. Обычно смотрел программу, стоя в боковом проходе зрительного зала, наблюдая реакцию публики.

В антракте или после представления часто звонил к нам в гардеробную и высказывал свои замечания. Так продолжалось от спектакля к спектаклю.

А поздно вечером, когда гасли огни рекламы, я видел, как Георгий Семенович с портфелем под мышкой выходил из цирка. Он медленно шел к трамвайной остановке, стоял, ожидая трамвая. Глядя на него, я мысленно пытался представить его дом. Наверное, в его квартире так же уютно, как и в кабинете. На стенах висят какие-нибудь старинные фотографии, картины, на полках много интересных книг.

При своей педантичности и внешней холодности Венецианов по натуре был добрым человеком. Он заботился о людях, понимал их. Когда мы готовили новогоднее представление, Георгий Семенович попросил нас придумать какую-нибудь небольшую роль для одного старого и забытого клоуна.

— Придумайте что-нибудь для него. Пусть выйдет на манеж. Подработает человек немного, но главное — ему будет приятно снова побывать в цирке, на репетициях, на представлениях. Жалко старика.

Отличительная черта характера Венецианова — спокойствие. В любой обстановке он сохранял поразительную невозмутимость. Помню, в одну из осенних ночей 1954 года возникла угроза наводнения. Через каждые тридцать минут по радио объявляли о повышении уровня воды в Неве. Вода перехлестывала уже через парапет реки Фонтанки. А от цирка до Фонтанки метров десять.

В цирке возникла паника. Бегали служащие, волновались артисты. Администрация не знала, что предпринять. Больше всех почему-то кричал пожарник, угрожая, что, если вода зальет подвал, он отключит свет. У проходной цирка столпились все сотрудники и решали, куда девать животных. Кричали, нервничали, ругались между собой. На конюшне тревожно ржали лошади и ревели медведи. И тут появился Георгий Семенович Венецианов.

— А собственно, почему такая паника? — спросил он тихо.

И все, услышав его голос, вдруг замолчали. Мгновенно прекратилась паника, и все успокоились. Раз пришел Венецианов, все будет в порядке.

Когда шум стих, Георгий Семенович отдал несколько распоряжений, объяснив, кому и что надо делать, если начнет заливать цирк, а сам спокойно поднялся к себе в кабинет и просидел там до тех пор, пока по радио не сообщили, что вода пошла на убыль.

Восхищаясь хладнокровием и выдержкой Георгия Семеновича, я не сомневался, что если даже в цирке начнется пожар, то он, видимо, так же, не торопясь, пройдет сквозь пламя на конюшню и выведет одну за другой всех лошадей.

Особенно священнодействовал он при постановке парадов-прологов, считая их лицом программы. Он приглашал для этого артистов театров, спортсменов, участников художественной самодеятельности, не жалел денег на оформление, стараясь сделать парады зрелищными и запоминающимися. Это были парады именно Ленинградского цирка. В каждом параде — торжественный выход униформы. Униформисты надевали специальные, расшитые золотом костюмы. Все подтянуты, в белых перчатках, с безукоризненными прическами. Впереди шел старший униформист с аксельбантами.

Продолжая работать уже во второй программе сезона, мы по-прежнему ежедневно встречались с Георгием Семеновичем в его кабинете.

— Ну что, друзья, нового, что хорошего? — этими словами он обычно встречал нас.

Да, он относился к артистам, как к друзьям. И мы испытывали радость, когда шли на очередную беседу.

И на третью программу оставил нас Георгий Семенович Венецианов. В Ленинград тогда пригласили коллектив армянского цирка. Коверным должен был работать восходящая звезда — молодой талантливый клоун Леонид Енгибаров. Но он снимался в то время в кино и не смог приехать в Ленинград.

— Раз армяне приезжают, — сказал я шутя Георгию Семеновичу, — как-то неудобно, что коверные — русские. Может быть, написать в афишах: «В паузах — Никулян и Шуйдинян»?

Венецианов посмотрел на меня, улыбнулся и ответил:

— Ничего, ничего, будете работать под своими фамилиями. Дружба народов.

За время работы в Ленинграде мы вошли в роль коверных и уже не ощущали того страха перед выходом на манеж, который испытывали в день премьеры. Программы пользовались успехом, билеты продавались за месяц вперед. Конечно, Венецианов приложил немало труда, настойчивости, чтобы развить наш вкус, помочь найти свое лицо, научить требовательнее относиться к подбору репертуара. Он сделал из нас коверных. И прав Миша, который говорил мне:

— Мы здесь с тобой проходим вторую академию. Одну прошли у Карандаша, вторую — у Венецианова.

К концу гастролей (в один из выходных дней в цирке) нас попросили выступить в Театре оперы и балета имени Кирова — бывшем Мариинском. Там проходила какая-то городская конференция, для участников которой давали концерт мастеров искусств. Цирк представляли мы. Загримированные, ожидаем своего выхода за кулисами, и вдруг около нас появляется солидный мужчина в пенсне, в бархатной куртке, с длинными седыми волосами. Он увидел нас, стоящих рядом с большим портфелем (мы его приготовили для показа «Наболевшего вопроса»), и замер. Затем, подняв театрально руки, он с пафосом воскликнул:

— Господи, до чего же мы докатились! На сцене Мариинского театра — клоуны! Позор!

Все стоящие рядом молчали. А мы почувствовали себя неловко. Работали в тот вечер без подъема, хотя зрители и принимали нас тепло. На следующий день обо всем этом мы рассказали Венецианову. Он усмехнулся и произнес:

— Ну что ж, и в Мариинском театре есть свои дураки.

В 1964 году, за год до смерти Георгия Семеновича, мы снова работали в Ленинграде. Венецианов только что перенес тяжелую болезнь. Речь его стала замедленной, порой невнятной. Он быстро уставал, редко приходил на вечерние представления, и мы все реже собирались в его кабинете. Бывало, я постучу, приоткрою дверь в кабинет и увижу Георгия Семеновича. Он сидит за столом, подперев голову руками, напоминая мне одинокую, печальную птицу. В тот год мы не выпустили в Ленинграде ни одной новой репризы.

Завтрашняя газета

Сегодня к нам в гардеробную зашел артист Дымко. Он посмотрел, как я делаю себе из гуммоза нос, и сказал:

— А ты зря гримируешься. Выступай без всякого грима. У тебя и так глупое лицо.

Может быть, он и прав. Попробую завтра нос не лепить.

Из тетрадки в клеточку.
Февраль 1959 года

Каждый раз, работая в Ленинграде, ощущаешь особую нехватку времени. Во-первых, в городе много друзей. Со всеми хочется встретиться. Во-вторых — музеи, театры. Везде нужно побывать. А времени нет, и ты вынужден сидеть в душном цирке и репетировать. Репетировать приходилось много. В минуты отчаяния мы приходили к Георгию Семеновичу. И он помогал нам обрести спокойствие.

Для работы с нами Венецианов пригласил нескольких авторов. Мы с удовольствием встречались с этими милыми людьми. Они писали смешные вещи, интермедии, репризы, но, к сожалению, то, что они предлагали, на нас, как говорится, «не ложилось».

Понимая, что с авторами альянса у нас не выходит, Венецианов пригласил одного художника. Репризы этот художник не писал, но зато давал идеи. Этот человек приходил в цирк, смотрел работу клоунов, а потом произносил несколько фраз, которые служили толчком, пробуждали фантазию и помогали артистам придумать что-нибудь новое. Рассказывали, как художник пришел к Венецианову, у которого сидел клоун Борис Вяткин. Зашел разговор о том, что у Вяткина нет выходной репризы, а на носу премьера.

Художник хмыкнул и сказал одну фразу:

— Подумайте о Тарзане.

Борис Вяткин ухватился за эту идею. В то время в кинотеатрах шла серия зарубежных фильмов о Тарзане — диком человеке из джунглей. И Вяткин решил сделать пародию на фильм. На премьере Борис Вяткин, одетый в звериную шкуру, появлялся из оркестра и на канате-лиане перелетал на манеж, при этом громко кричал по-тарзаньи. На крик клоуна из всех проходов выбегали многочисленные собачки Манюни. Реприза имела успех.

И вот в антракте к нам в гардеробную вошел пожилой мужчина со взъерошенными седыми волосами, в черном поношенном пальто, из-под которого выбивался яркий шарф. Художник представился и спросил, что мы хотим. Весь антракт мы говорили о своих репризах, а после представления вернулись в гардеробную и продолжили разговор, во время которого художник сидел молча и все время кивал головой.

Позже в гардеробную зашел Венецианов и сказал вполголоса:

— Я забыл вас предупредить, что этот человек плохо слышит. Ему все надо кричать на ухо.

Весь предыдущий разговор пришлось прокричать на ухо. Художник хмыкнул и произнес:

— Подумаю.

Но больше в Ленинграде мы этого человека не видели. Спустя несколько лет он позвонил мне в Москве. Я пригласил его домой, надеясь, что на этот раз он скажет гениальную фразу и наш репертуар обогатится новой репризой.

Два часа он просидел у нас. Мы всей семьей разговаривали с ним и накричались до хрипоты. Художник предложил сделать странный трюк с ковриком, который должен неожиданно сам свертываться.

Из вежливости я поблагодарил его, хотя и понимал — коврик нам ни к чему. Прощаясь, я крикнул ему на ухо:

— Заходите, когда что-нибудь придумаете еще!

Он посмотрел на меня своими печально-удивленными глазами и тихо сказал:

— А что вы все кричите? Я ведь прекрасно слышу. У меня в очки вставлен слуховой аппарат.

...В Ленинграде возникла проблема с нашими клоунскими костюмами. Мы выходили на манеж в костюмах, которые остались у нас еще со времен «Наболевшего вопроса». Ленинградской художнице Татьяне Бруни, часто оформлявшей программы цирка, заказали сделать для нас эскизы новых костюмов. Эскизы нам не очень понравились, но, так как их все хвалили, пришлось согласиться. Тем не менее когда во второй программе мы выходили в новых костюмах, то смотрелись лучше, приличнее, чем раньше. Только спустя семь лет, после долгих экспериментов, художник

Фальковский сделал эскизы костюмов, которые нам пришлись по вкусу, и мы их больше не меняли. В них бесчисленное количество карманов, в которые можно спрятать графин с водой, огромный бутафорский нож, пузатую бутылку и даже собаку или кошку, если потребуется.

Изменили мы и грим. Я отказался от большого клееного носа и парика.

Уже работая в первой программе, я начал встречаться с ленинградскими фронтовыми друзьями. Через месяц после премьеры, в один из выходных дней, мы с Татьяной поехали посмотреть места, где когда-то стояла наша батарея.

На берегу Финского залива, там, где раньше стояли в котлованах пушки, а недалеко от них находились наши землянки, теперь все изменилось. Появились новые строения, дороги. На территории нашей батареи расположился рыболовецкий совхоз. В бетонных котлованах, нишах, где когда-то хранились снаряды, стояли бочки с горючим для катеров. Группа молодых парней разбирала рыболовные снасти и подозрительно наблюдала за мной.

— Чего ищешь? — спросил кто-то из них.

Я ответил, что когда-то здесь воевал и вот пришел посмотреть.

— А-а-а, — протянул парень, не то понимая меня, не то показывая, что привык к таким встречам, и продолжал заниматься своим делом.

Уходил я с бывшей огневой точки в подавленном состоянии. Таня молча шла рядом. Снова нахлынули на меня воспоминания о прожитых годах войны, о пережитой ленинградской блокаде. Грустное это дело — приходить на места бывших боев.

В Ленинграде я впервые увидел французский цирк. На двадцать пять дней — время гастролей французов —

мы с Мишей остались в цирке, чтобы подготовиться к новой программе.

На фасаде цирка по вечерам вспыхивала и гасла надпись: «Цирк — Париж. Цирк — Париж». Все ожидали сенсации. Но программа оказалась средней. Больше всего мне понравилось клоунское трио братьев Фрателлини. Особенно хорош был среди них Баба. Он работал грубо, но сочно. Репертуар у братьев строился на падениях, пощечинах, драках, погонях. С этими клоунами я подружился. Мы вместе гуляли по городу, говорили о цирке.

Когда мы заканчивали работу в Ленинграде, нас пригласил к себе Георгий Семенович и спросил:

— Как вы смотрите, друзья, если в Доме журналиста состоится встреча работников печати с клоунами Никулиным и Шуйдиным?

— А что мы будем там делать? — удивились мы.

— А что хотите. Расскажете о своей работе, покажете пару реприз. Вы встретитесь с интересными людьми, а они, в свою очередь, узнают больше о цирке. Это полезно и для вас, и для цирка.

К встрече готовились с волнением. Старались вспомнить все самое интересное, чтобы потом рассказать журналистам.

В Дом журналиста мы приехали с Мишей в гриме, в клоунских костюмах, прямо после представления. Показали две репризы. Их приняли средне. А потом мы начали рассказывать о своей жизни, о цирке, и зал оживился. Около двух часов мы отвечали на вопросы журналистов. Оживление в зале вызвал и рассказ о статье «Мама русского клоуна плакала» в шведской газете. В заключение я вспомнил о фильме, который смотрел в Швеции. Герой картины, бедный репортер, оставшись без работы, решил покончить жизнь самоубийством. Тут появился дьявол, заключивший с газетчиком сделку. За душу, которую после смерти согласно сделке заберет дьявол, репортер будет каждое утро на своем столе находить завтрашнюю газету. И со следующего дня у репортера началась шикарная жизнь. Узнавая в завтрашней газете, что произойдет сегодня, он за короткое время стал миллионером. Играл на бегах, зная заранее, какая лошадь придет первая. Зная о всех преступлениях, которые произойдут в городе, заблаговременно выезжал на места убийств и, установив аппаратуру и свет, фотографировал все подробности преступления. За свои сенсационные репортажи он получал баснословные гонорары. Кончался фильм тем, что в одной завтрашней газете репортер прочел сообщение о своей гибели в автокатастрофе. Понимая, что изменить судьбу невозможно, он, приняв ванну и переодевшись, сел в машину и покорно поехал навстречу своей гибели.

Заканчивая эту историю, я сказал, что мы, артисты цирка, в мистику не верим и, конечно, не можем получить завтрашнюю газету... В это время раздался взрыв хлопушки (ее незаметно взорвал Миша), и к моим ногам упала свернутая в трубочку газета. Я поднял ее и, разыгрывая искреннее удивление, воскликнул:

— Смотрите-ка, завтрашний номер «Вечернего Ленинграда»! — После чего под смех зрительного зала начал читать юмористический отчет (конечно, он был написан заранее) о встрече клоунов с журналистами города. Эту шутку приняли прекрасно.

Когда мы уходили, ко мне подошла миловидная девушка из редакции молодежной газеты «Смена» и сказала:

— Большое вам спасибо. Оказывается, вы совсем не такие, какими я вас представляла. Теперь на клоунов буду смотреть другими глазами.

Конечно, как в святочном рассказе, полагалось бы, чтобы после этой встречи ко мне подошел в бархатной курткс и пснснс тот самый человек из Мариинского театра. Увы, этого не произошло.

Когда тросточка не прыгает

Человек приходит в ресторан. Садится за столик. Официант ставит перед ним тарелку, кладет вилку, нож и уходит. Крутятся стрелки часов. Время идет. А официанта нет. Голодный человек начинает постепенно съедать вилку, потом ложку, а затем и тарелку. Принимается за стул. Покончив со стулом, съедает стол.

Такой номер, рассказывали мне, есть за границей. Все предметы, которые человек съедал, сделаны из тонкой вафли. Артист возит с собой целый агрегат, изготовляющий этот съедобный реквизит. Видевшие номер говорили, что смотрится он смешно.

Из тетрадки в клеточку.
Февраль 1959 года

Мелким клоунским реквизитом мы стали обрастать задолго до того, как начали работать коверными. Случайно купленные или кем-нибудь подаренные вещи — большую английскую булавку, какую-нибудь дудочку, огромную галошу, старый клаксон от автомобиля — мы складывали в большой ящик с надеждой, что все это может пригодиться. Нередко бывает, что именно какая-нибудь забавная, иногда даже странная вещь помогает родиться репризе.

Помню, смотрел я, как цирковой бутафор что-то мастерил из резины, и лежавшие рядом обрезки вдруг напомнили мне змею. Я попросил его сделать нам из этой резины змейку. Зачем она нам — сам не знал. Ну пусть, думаю, будет у нас змейка. Повисит в гардеробной, а потом мы с ней что-нибудь да придумаем. Года два змея, пугая всех входящих, «прожила» в нашей гардеробной. А затем родилась реприза «Змейка», которую мы с успехом показывали после работы дрессировщиков. Я выходил с чемоданом в центр манежа (в чемодане находился механизм управления змейкой) и сообщал Мише:

— Вот мне Дуров змейку подарил!

Вытаскивал из чемодана змею (она извивалась в руках, как живая, сделанные из блестящих пуговиц глазки злобно блестели). Опуская ее на ковер, я говорил:

— Ее зовут Катя.

Публика смеялась.

Змея бросалась то на меня, то на Мишу. Когда мы репетировали репризу, то долго думали, чем же ее закончить. Вроде бы все смешно, а концовки нет. И решили мы в финале бросать змею в публику.

— Ты с ума сошел, — сказала Таня, — бросать змею в публику. А если окажется беременная женщина... или кинешь на человека с больным сердцем.

Тогда мы решили использовать подсадку. Змея кидается сначала на меня, потом на Мишу. Мы пытаемся ее поймать, носимся за ней по манежу, публика смеется, а змейка от нас ускользает. Наконец Миша набрасывает на нее пиджак, хватает ее и... бросает в подсадку. К радости публики, человек в подсадке шарахался, а иногда даже падал.

Но еще больше смеялись, когда выяснилось, что вместо змейки Миша бросал на «зрителя» кусок обыкновенной веревки (Миша ловко под пиджаком подменял змейку веревкой).

По-разному появлялся у нас реквизит. Гастролируя в Японии, в одном из ресторанов мы увидели огромную шестнадцатилитровую бутылку. Увидели и обмерли — вот бы нам такую для работы. Я вспомнил, как Борис Вяткин привез из Чехословакии полутораметровую мельхиоровую чайную ложку и делал с ней репризу «Ложечка варенья». Стали наводить справки, где можно купить такую бутылку. Оказалось, что приобрести ее — дело сложное. Потом мы подружились с хозяином ресторана, и, когда уезжали, он на прощание торжественно подарил нам эту бутылку. Мы бережно несли ее на руках в гостиницу. И предвкушали, какая у нас может получиться смешная реприза. Для бутылки сделали специальный ящик, обитый внутри поролоном, и привезли в Москву.

Потом бутылка долго стояла у нас в гардеробной. Кто ни увидит, все удивляются, смеются. А репризы нет. Просили авторов придумать что-нибудь с бутылкой, но никто ничего путного не предложил. Только когда мы в Америке купили сувенирную гигантскую зажигалку, а из Финляндии нам привезли друзья громадную расческу, родилась реприза «Увеличитель».

Интересно, что репризу с японской бутылкой мы придумали в Париже, а впервые показали на манеже в Туле.

В этой репризе «Увеличитель» маленькие предметы превращаются в огромные. Кладем маленькую расческу, вытаскиваем полуметровую. Положим обычную зажигалку — вытаскиваем громадную. В конце репризы брали четвертинку водки, закладывали в наш «увеличитель» и доставали оттуда японскую бутыль. Это вызывало взрыв смеха.

У нас немало и трюкового реквизита. Придумать трюк легче, чем разработать его технику. Помню, как мы бились над приспособлением для табуретки, с которой таинственным образом пропадали куриные яйца, ломали голову над механическим устройством для тараканов, которые должны были бегать по манежу, изобретали трюк, в котором пущенная из лука стрела должна пронзить меня насквозь.

Реквизит в основном делал Миша. Порой наша гардеробная напоминала слесарную мастерскую. Мой партнер, склонившись над тисками, постоянно что-то мастерил. Помогали нам советом и товарищи по работе, инженеры, техники.

С реквизитом всегда много мороки. Взять, к примеру, обыкновенную тросточку. Давно уже прошла мода ходить по улице с тросточкой. А в цирке она осталась. Все началось с комедий Чаплина. Тогда в цирке многие клоуны, работавшие под Чаплина, ходили, как и он, с тросточками. Желание работать с ней понятно: ею можно помахивать, грозить, стукнуть партнера, зацепить его за шею или за ногу.

Мне рассказывали, что некоторые клоуны пользовались особенными тросточками, которые прыгали. Если с силой опереться на такую тросточку, согнуть дугой и умело выпустить из рук, она могла «прыгнуть» вверх и, описав в воздухе дугу, снова попасть в руки. Это была Мишина мечта. Сколько ни ходили мы с ним по рынкам, магазинам, барахолкам, сколько ни расспрашивали знакомых, такой тросточки не нашли. Только в Австралии нам удалось найти подходящую тросточку из особого бамбука. Правда, она, к сожалению, не прыгает.

Сейчас у нас девять ящиков багажа. В них реквизита на сорок реприз. Для каждой вещи свое место. Бутафорское бревно, деревянный нож, «увеличитель», кирпичи из пенопласта, резиновые гири, пистолеты, змейка, ведра, тросточки, плюшевые собаки и десятки других предметов. А в отдельном ящике лежат всякие смешные вещи, которые ждут, чтобы мы придумали для них репризы.

Розы и шипы

Сегодня мне рассказали, что когда-то известный клоун Боб О'Коннор, способный заставить публику покатываться в цирке от хохота, страдал в жизни ипохондрией. Он лечился у невропатолога. Тот прописал обтирание холодной водой, дал ряд советов, а в заключение сказал:

— Пойдите для отвлечения в цирк, где выступает смешной клоун Боб О'Коннор, и вы непременно развеселитесь.

— Боб О'Коннор — это я, — уныло ответил артист.

Из тетрадки в клеточку.
Август 1960 года

На первых порах, когда мы работали коверными, нашей главной задачей было вызвать смех у зрителей. Вызвать во что бы то ни стало. Порой, особенно не задумываясь, мы вспоминали какую-нибудь старую, примитивную, но проверенную, как говорят, «битую» репризу и показывали ее на манеже. Нас радовало, что мы освоились, почувствовали публику и некоторые наши импровизации проходят неплохо. Мы выработали свой прием появления на манеже и научились, еще ничего не сделав, вызывать реакцию зала. Это нас тоже подбадривало и помогало поверить в свои силы. И все же я продолжал задумываться над своей профессией коверного. Помню, когда я впервые услышал от Карандаша фразу: «Клоуном нужно родиться», то потом долго думал об этом и все анализировал: родился я клоуном или нет?

Сейчас же, думая о профессии коверных, пришел к выводу, что стечение обстоятельств, а главное — склад характера, особое отношение к жизни, к юмору и помогают овладеть этой редкой профессией. Иногда, встречаясь с кем-нибудь, я начинаю чувствовать, что этот кто-то мог бы стать клоуном. И не только потому, что он смешной внешне, а потому, что в его характере, поведении есть что-то наше, клоунское.

К таким людям я отношу и моего приятеля, директора магазина «Минеральные воды». Как-то в разговоре с ним я заметил:

— А знаете, если бы в свое время вы пошли в цирк, из вас, наверное, вышел бы очень хороший клоун. Вы смешной по фактуре и, мне кажется, могли бы смешить людей.

Мой собеседник вдруг побледнел и, опустив глаза, сказал:

— Вы знаете, ведь это была мечта моей жизни. — И, загоревшись, добавил: — А если сейчас пойти, а? Как вы думаете?

Что я мог ему ответить? Конечно, поздно идти в клоуны — ему уже за сорок.

Через некоторое время я снова встретился с приятелем, и он мне сказал:

— Знаете, после нашего разговора я ночь не спал. Я ведь люблю цирк, часто хожу туда и очень вам завидую. Я иногда и в жизни хочу смешить людей. Но, пожалуй, вы правы — учиться поздно.

Все артисты Союзгосцирка делятся на категории: от четвертой до высшей. Я же делю клоунов только на две категории: смешных и несмешных. У смешных всегда свой репертуар, свое лицо, своя манера. Их публика любит. И я понимал, что для того, чтобы нам с Мишей пробиться, нужно готовить свой репертуар, утверждать свои образы. И конечно, важно не замыкаться в рамках цирка, а искать смешное в книгах, фильмах, рисунках и особенно — в людях, в жизненных ситуациях.

В жизни немало смешного. Правда, не из всего можно сделать репризу.

Работая в цирке, я время от времени заглядывал в читальный зал библиотеки имени Пушкина. Там перелистывал старые журналы, сборники карикатур, читал юмористов — все пытался найти материал для реприз, интермедий, сценок.

В читальне-то и произошли случаи, которые могут стать иллюстрацией того, что смешным может оказаться и вовсе на первый взгляд не смешное.

Тишина. Все занимаются, слышно лишь, как переворачиваются страницы. И если у кого-то упадет ручка, все невольно оборачиваются. Чтобы не мешать друг другу, все ходят осторожно.

И вдруг среди тишины раздается громкий, уверенный голос:

— Товарищи! Минуту внимания.

Все подняли головы, ожидая, что сейчас, видимо, услышат объявление о встрече в Малом зале с каким-нибудь поэтом или о консультации по литературе для поступающих в институт. Но вместо этого молодой человек, видимо студент, сказал:

— Товарищи! Я ухожу. Всего хорошего... — И ушел. Наступила странная пауза. Потом возник смешок, а затем все начали смеяться. Люди отвлеклись от работы минут на сорок.

Я же думаю, что это, видимо, было сделано на пари.

И второй случай. Летом, когда на улице стояла жара, мы, занимаясь в читальном зале, снимали пиджаки и вешали их на стулья. Вдруг на виду у всех, явно обращая на себя внимание, какой-то парень подошел к стулу одного молодого человека, заговорщически подмигнул нам, приложив палец ко рту (мол, не выдайте, идет розыгрыш), аккуратно снял со спинки стула пиджак и вышел на цыпочках из читального зала.

Все понимающе заулыбались, а некоторые даже захихикали: вот, мол, шутник.

Прошло некоторое время. Молодой человек, закончив заниматься, начал собираться домой, смотрит, а пиджака нет.

— Товарищи, никто не видел, куда мой пиджак делся? — спросил он соседей.

— Да ваш дружок его взял, — ответил ему кто-то.

— Какой дружок?

И тогда до всех дошло: пиджак украли. Все видели жулика и улыбались. А в кармане пиджака, оказывается, лежала стипендия.

Над всеми этими ситуациями, историями я задумывался. Чем больше смотришь, сопоставляешь, анализируешь, тем больше может родиться мыслей.

В моей тетрадке в клеточку есть десятки заготовок, которые еще не стали репризами. Вот, например, заготовки для клоунады, о которой я мечтаю уже несколько лет. Условно я ее назвал «Шерлок Холмс» — пародия на детектив с героем сыщиком-неудачником, с поисками чего-то похищенного, погонями и даже стрельбой. Я и некоторые трюки уже разработал, например технику следов: преступник идет по манежу и оставляет четкие следы ног на ковре, которые он потом «заметает» обыкновенной метелкой. И трюк с собакой-ищейкой, которая вместо преступника схватит подсадку. Тема есть, трюки есть, а клоунады нет. На нее нужно искать своего автора. Такого, как Михаил Татарский, который написал одну из наших любимых клоунад — «Розы и шипы».

Все началось с того, что в день рождения жены я долго метался по Москве в поисках цветов. В магазинах, как назло, продавали лишь искусственные цветы и железные венки для покойников. А частники за букетики, которые и дарить-то стыдно, заламывали бешеные цены. В тот день я цветов так и не купил и, пока шел домой, неся торт, придумал такую сценку: человек ухаживает за девушкой, та требует цветы, а купить их негде. С отчаяния кавалер покупает венок с железными листьями, надевает его девушке на шею, и они уходят.

Но тут же подумал: юмор слишком мрачный.

Однако тему в тетрадку записал. А работая в Киеве, познакомился с местным драматургом Михаилом Татарским и рассказал ему о своем желании сделать репризу на эту тему.

— Тема-то хорошая, только нужно ее правильно выкрутить, — сказал он. — Буду думать.

И через неделю Татарский принес нам клоунаду «Розы и шипы».

Клоун хочет подарить любимой девушке цветы. А их нигде нет. Тогда клоун берет у появившегося спекулянта букет роз и преподносит девушке. При расчете выясняется, что денег у клоуна мало. (Миша здорово изображал подвыпившего матерого спекулянта. Он носил цветы в ведрах на коромысле, смачно сплевывал и очень смешно торговался со мной.) Разгневанный спекулянт выхватывает у девушки цветы и уходит. Влюбленный бежит вслед за ним и возвращается с цветами... но без брюк. Счастливые влюбленные покидают манеж.

Таня и я играли влюбленных. Миша — спекулянта. Публика хорошо принимала эту клоунаду. И мы не успевали уйти с манежа, как в зале раздавались аплодисменты.

Только один раз меня выбили из колеи. В одном из летних цирков, когда Миша-«спекулянт» вырвал букет из рук Татьяны и унес его с манежа, с первого ряда спокойно поднялась зрительница, смело перешагнула барьер и вручила мне букет гораздо лучше нашего, бутафорского. Я растерялся. Публика в зале засмеялась. То ли думали, что так и надо, то ли по моему растерянному виду поняли, что все это сюжетом не предусмотрено. Неуклюже потоптавшись несколько секунд, я подбежал к женщине, сунул ей обратно цветы и кинулся догонять Мишу.

— Что ты там делал? — прошипел Миша, помогая мне в темном проходе снять брюки.

— Потом, потом скажу, — успел ответить я и побежал к влюбленной уже с его цветами.

Конечно, финал номера в тот вечер нам испортили. А зрительница в конце представления вручила свой букет красивому и стройному наезднику Валерию Денисову.

Ежедневные представления — это работа, результат придуманного, сделанного. И очень легко в нашем жанре зачахнуть, застыть, особенно если не делать новых реприз, клоунад, интермедий. А так бывает. Сделает артист две-три клоунады, имея еще с десяток «битых» реприз, и с ними разъезжает по циркам страны. Ничего нового придумывать и не нужно. Цирков много, и в каждом городе — новая публика. Правда, иногда бывает, что приезжает артист в город и узнает, что работавшие до него клоуны два месяца подряд исполняли почти весь его репертуар. Тогда-то и хватается за голову, пытаясь придумать что-нибудь новое, или берет чью-нибудь проверенную репризу.

Брать чужие репризы — непорядочно. Но чего не сделаешь, когда показывать нечего. Однажды мы остались на вторую программу в одном из цирков, и нам позарез потребовалась еще одна новая реприза. И я вспомнил репризу «Кампания» клоунов братьев Ширман, которую видел в Москве. Реприза несложная. Братья — Роман, Александр и Михаил — с шумом появлялись из главного прохода, держа в руках транспаранты. Они выкрикивали лозунги, призывающие к борьбе с курением.

— Товарищ, брось папиросу!

— Никотин — это яд!

— Бросай курение!

Клоуны, сделав круг по манежу, замолкали. Они складывали на ковер транспаранты, садились на барьер и спокойно закуривали.

Удивленный инспектор манежа обращался к ним со словами:

— Что же вы, товарищи?! Только что призывали всех бороться с курением, а сами курите.

И Роман Ширман, самый смешной из братьев, выпуская клубы дыма, говорил:

— Кампания окончена — перекур!

Публика репризу принимала хорошо. И мы решили эту репризу пустить. Три раза прошли текст с инспектором, сделали транспаранты и вечером на премьере вышли на манеж. Сделали все вроде правильно. В конце репризы я четко сказал инспектору:

— Кампания окончена — перекур!

А в зале мертвая тишина. Мы смущенно взяли свои транспаранты и ушли с манежа.

В антракте режиссер-инспектор сказал мне:

— Что-то ты не так делаешь. У Ширманов, я их видел в Одессе, в конце были аплодисменты и смех.

— Да нет, — пытались оправдаться мы с Мишей, — вроде делали все как они.

На второй день решили повторить «Кампанию». И снова провал. Больше мы эту репризу не делали.

Реприза братьев Ширман дала нам урок. Нельзя делать то, что «не ложится» на твой характер, маску.

Брат и сестра

Жонглер Александр Кисс рассказал мне случай из жизни знаменитого итальянского артиста Энрико Растелли. Энрико во время гастролей в России женился. Свадьба была в Харькове. Гости сидели за праздничным столом в верхнем фойе цирка. Когда кто-то по традиции крикнул «горько», невеста Энрико повернулась к жениху и увидела пустой стул. Обнаружили Энрико в пустом манеже, где он репетировал, жонглируя шариками и палочками.

Из тетрадки в клеточку.
Февраль 1961 года

Непревзойденным мастером, звездой первой величины считается в цирковом искусстве жонглер Энрико Растелли. Он с блеском жонглировал палочками, мячами, тарелками, горящими факелами, показывал головокружительные трюки. Всю свою короткую жизнь (он прожил тридцать три года) Энрико отдал любимому искусству. Он вставал в шесть утра и, пока на манеже репетировали лошади, без устали кидал в фойе цирка шарики, мячи, булавы, тарелки, палочки. Когда освобождался манеж, он продолжал репетицию на арене. Обед и завтрак ему приносили прямо на манеж.

За два часа до представления Энрико брился, переодевался, возвращался в цирк и продолжал репетировать до своего выхода. Если что-то во время исполнения номера получалось не так, как ему хотелось, он оставался после окончания представления и снова репетировал, пока не добивался безошибочного исполнения трюков, полного автоматизма.

Энрико Растелли настолько легко и свободно подкидывал и ловил предметы, что, казалось, палочки, шарики, тарелки, факелы притягивались к его рукам, как к магниту. При этом артист обладал поразительным обаянием, пластикой, легкостью. Невероятная техника, артистизм, бешеный ритм — все это обеспечивало ему успех.

Если какой-нибудь артист выступал в гамбургском «Винтергартене» («Зимнем саду»), то он мог быть спокоен — участие хотя бы в одной из этих программ обеспечивало ему надежные контракты в лучших залах мира. Редко кому удавалось получить приглашение выступить там два сезона. Энрико Растелли получал приглашение в «Винтергартен» двадцать раз!

Ни успех, ни восторженные статьи в газетах, ни бешеные гонорары не могли отвлечь прославленного жонглера от постоянной работы над своим номером. Он продолжал репетировать по двенадцать часов в день. Все время придумывал новые трюки, комбинации и оттачивал технику до неимоверного совершенства, жонглируя порой даже с закрытыми глазами.

О славе великого жонглера как-то рассказал клоун Кисс своему восьмилетнему сыну. Про таких, как его сын, принято говорить, что они «родились в опилках». (Впервые он вышел на манеж в два с половиной года, участвуя в пантомиме «Наполеон в Египте».) Рассказ отца произвел сильное впечатление на мальчика, и тот заявил:

— Хочу быть таким же. Буду жонглером. Как Растелли, а может быть, и лучше.

С этого дня у Саши Кисса началась напряженная работа. Все его сверстники в свободное время гуляли, читали книги, играли, а он кидал шарики, палочки, булавы. Сначала освоил три предмета, потом четыре. Освоив простые комбинации, он перешел к сложным. Занятиями руководил отец, всячески поощряя стремление сына стать вторым Энрико Растелли. Впрочем, если говорить точнее — отец хотел, чтобы Саша стал знаменитым Александром Киссом, со своим лицом, своей манерой, стилем и неповторимостью.

Разъезжая с родителями, Саша внимательно приглядывался к работе жонглеров. Все они работали хуже Энрико Растелли. Но и у них было чему поучиться.

Саша расспрашивал всех о жизни Растелли и настолько хорошо знал его биографию, трюки, что казалось, лично знал самого артиста.

У Киссов родилась дочь Виолетта. Когда девочке исполнилось четыре года, шестилетний Саша начал обучать жонглированию и ее.

Брат и сестра, легко овладев акробатикой, балансом, начали принимать участие в групповом жонглировании на лошадях.

Я никогда не видел на манеже Энрико Растелли, но помню выступление Виолетты и Александра Кисс. Это лучшие жонглеры, которых я видел.

Помню, когда мы занимались в студии, в нашу комнату заглянул Александр Борисович Буше и сказал:

— Мальчики, сегодня начинают работать жонглеры Кисс. Это не имеет никакого отношения к клоунаде, но посмотреть их надо. Получите удовольствие.

Я остался на представление и действительно получил огромное удовольствие.

Никакой, как у нас говорят, эффектной «продажи» трюков. Но какие трюки! Они показали более пяти фантастических по сложности и красоте трюков и исполняли их так легко, будто это им не составляло никакого труда. Будто для них это просто забава и игра. Когда я смотрел их в первый раз, рядом со мной стоял скупой на похвалу жонглер Жанто. Он следил за их работой и восхищенно приговаривал:

— Этого никто не делал! Этот трюк новый. Это поразительно...

В Москве Виолетта и Александр работали около двадцати раз. И всегда, приезжая в Московский цирк, они показывали что-нибудь новое, вызывая профессиональную зависть у артистов.

Наблюдая непрерывный каскад летающих предметов, стоек, прыжков, балансирования, я чувствовал удивительную дружбу этих людей. Думаю, это понимала и публика. С какой нежностью и теплотой артисты смотрели друг на друга! Перед сложным трюком Александр, тяжело дыша (публике казалось, что он делал все легко, и она не замечала этого тяжелого дыхания), на секунду останавливался и, положив нежно руку на плечо сестры, с улыбкой смотрел в ее глаза, как бы говоря: «Ну, соберемся, и... давай, милая, покажем, на что мы еще способны».

Александр выглядел на манеже слегка застенчивым, скромным. Виолетта — с точеной фигуркой, изящная — легко «выходила в стойку», заразительно улыбалась, и от нее точно излучалось счастье, радость. Вот она вместе с братом здесь, на манеже, выступает перед публикой; и это им доставляет удовольствие. Ведь это так приятно — жонглировать, балансировать и смотреть друг другу в глаза.

Публика принимала их хорошо. А я наблюдал за ними и невольно думал: здесь мало аплодисментов — нужна овация.

Я понимал, что за каждым трюком, каждой комбинацией скрываются многочасовые ежедневные репетиции. К этому времени, занимаясь в студии, я научился жонглировать тремя предметами и вспомнил, чего мне это стоило.

Виолетта делала на голове брата стойку и ногами жонглировала бочонком. А потом, стоя на голове брата на одной руке, быстро вращала ногами палку, а другой рукой — обруч. Александр же одновременно на ходу жонглировал четырьмя предметами. Красивое зрелище!

Потом я увидел, как в затемненном зрительном зале Александр в бешеном ритме жонглировал пятью горящими факелами. Виолетта в это время находилась на трехметровом перше (перш, длинный шест, брат держал на своих плечах) и жонглировала ногами двухметровым, горящим с обоих концов факелом, который забрасывал ей на ноги Александр.

Александру тогда было, как и мне, двадцать пять лет. Но выглядел он моложе. Виолетта же казалась совсем девочкой. Потом, встречаясь с ними в разных цирках, я часто во время их выступления стоял в проходе и смотрел. Каждый раз они работали так, будто это их последнее выступление и они хотят показать все, на что способны.

В дни каникул, когда все артисты сокращали свои номера, Киссы показывали номер полностью. Они не могли позволить себе упростить работу. Это было не в их характере. Усложнить — пожалуйста, сделать проще — ни в коем случае.

Ассистировала артистам интересная пожилая женщина с длинными седыми волосами. Она стояла в глубине манежа и время от времени подавала им реквизит. От манеры держаться, от ее внешнего облика исходило благородство. Когда брат и сестра исполняли особо сложные трюки, она напряженно смотрела, и чувствовалось, что она мысленно как бы вместе с ними делает этот трюк, переживая за них и волнуясь. Никто из зрителей не знал, что эта женщина — мать Александра и Виолетты. Раньше она работала наездницей. К детям относилась с нежностью, заботой, и, когда видела их работу на манеже, для нее был праздник. А после представления эта красивая, суровая с виду женщина становилась обыкновенной доброй бабушкой и с удовольствием возилась с детьми Александра. Хорошая, добрая цирковая семья.

— Ты понимаешь, — говорил мне Шурик, — артистами нас с Виолой сделал отец. Он приучил нас трудиться. Если у нас что-то не получалось, он рассказывал мне о Растелли, и я успокаивался. Отец ведь видел его репетиции.

Помню, как Арнольд Григорьевич Арнольд говорил:

— Шурик и Виола — мои любимцы. Талант! Вы посмотрите, как работают Киссы — ни одного завала. Никогда!

Завалы, конечно, случались, но редко.

— Арнольду просто везло, когда он смотрел нас, — говорил Шурик, — я действительно работал на каком-то подъеме, когда видел его.

Каждый завал становился для Кисса трагедией. Если вдруг у него падала тарелка (трудно жонглировать шариками, еще труднее палочками и булавами, сложно обручами, но тарелки — самое сложное), Александр поднимал ее, выдерживал паузу, повторял трюк — и он у него получался. Отработав номер, поклонившись публике, Александр уходил за занавес, меняясь на глазах. Он становился злым. Со сжатыми губами, побледневший, нервный, шел он в свою гардеробную, а через минуту оттуда доносились грохот и стук. Это взбешенный артист швырял, как бы наказывая, непослушный реквизит. Он раскидывал костюмы, стучал кулаком и кричал, чуть ли не плача. Злился на все, но прежде всего на себя. Виолетта старалась, как могла, успокаивать брата.

Как-то я спросил у Кисса: ну стоит ли так расстраиваться — подумаешь, один завал на сто представлений! Некоторые жонглеры специально роняют предметы, чтобы подчеркнуть сложность трюка, и, когда повторяют его чисто, получают еще больше аплодисментов. Шурик посмотрел на меня своими серыми усталыми глазами и сказал:

— Я обязан работать без завалов. Обязан! Пусть считают меня блаженным. Пусть! Виноват я сам. Надо больше репетировать. Или не пускать в работу трюк. Энрико работал без завалов. И я должен!

На следующий день Александр репетировал в два раза больше.

Трюки Кисс придумывал сам. Часто он ходил по цирку с отсутствующим взглядом. Это означало, что он что-то придумывает. Но бывало и такое. Как-то на репетиции к нему подошел Николай Акимович Никитин. Посмотрел, как он репетирует, поманил пальцем к себе и сказал:

— Вот когда я в Италии жил, то видел у Растелли такой трюк: он отбивал два мяча головой и одновременно жонглировал четырьмя палочками. Впечатляло. Никто этого трюка после него не делал.

С этого дня Шурик завелся. Решил повторить трюк Растелли. Стал репетировать не по пять-шесть часов в день, а по восемь-девять. Месяца три он бился, репетируя трюк своего кумира.

Наконец, когда трюк «пошел», он пригласил Николая Акимовича на репетицию. Тот насупленно посмотрел, а потом подошел к Шурику, неожиданно поцеловал его и сказал:

— Ну ты молодец! Не ожидал. — И, помолчав, добавил: — Растелли-то этого трюка не делал. Я его сам придумал.

Но Кисс не обиделся. Наоборот, он был горд. Так появился у него еще один трюк, который никто не исполнял. Даже в выходной день Шурик умудрялся репетировать.

— Пойду покидаю немножко, — говорил он. «Немножко» — это несколько часов. А между репетициями он сидел в гардеробной и вечно что-то клеил, пилил... Кольца, булавы, катушки, на которых он балансировал, трюковый пьедестал — все делал он сам.

— Ты знаешь, — говорил он мне, — никто не может сделать мне реквизит. Когда кольца делаю я, то заранее знаю, как они будут летать. Понимаешь, если одно кольцо окажется тяжелее другого на несколько граммов, я почувствую это в работе.

Александр Кисс жил своей профессией. Самое главное для него — работа. Высшая радость — новый трюк. Застенчивый в жизни, он не умел спорить с начальством, «выбивать» материал для реквизита, костюмы, не требовал рекламы, как некоторые артисты. Он просто работал. Работал с утра до ночи. И если ругался, то только с сестрой. Во время репетиции или после нечеткой, по его мнению, работы они стояли друг против друга и спорили до хрипоты. А через полчаса отходили и как ни в чем не бывало шли, обнявшись, домой, чтобы через несколько часов вернуться в цирк на очередную репетицию.

Каждый трюк требовал времени. Так, например, свой трюк с бочкой Виолетта готовила три года. Артисты, видя ее после репетиции мокрую от пота и измученную, говорили:

— Да брось ты мучиться. Скорее волосы вырастут на ладони, прежде чем ты осилишь этот проклятый трюк!

Виолетта не обращала внимания на эти слова, улыбалась в ответ и репетировала.

И трюк осилила.

Бочку крутят ногами многие артисты (их называют антиподистами). Но они не делают в это время, как

Виолетта, стойку на голове у партнера, который при этом еще и жонглирует.

Никто из артистов не знал, что у Виолетты порок сердца. Бывали случаи, когда ей просто не хватало воздуха. Я помню, как в Кемерове (мы давали по три представления в день) она до своего выхода бегала к реке, чтобы надышаться кислородом.

Четверть века отработали вместе Виолетта и Александр. Четверть века они усложняли свой номер, удивляя всех новыми трюками и неожиданными комбинациями.

Директора многих цирков нарасхват приглашали эту пару к себе. С успехом они работали и во многих странах мира. Казалось, время не властно над братом и сестрой — они выглядели молодо, работали энергично, красиво. Виолетта рассказывала мне, как около года, никому не говоря, она готовила себя к уходу с манежа. И этот день наступил. В день закрытия программы в Горьком, перед самым выходом на манеж, сестра подошла к брату и спокойно ему сказала:

— Шурик, сегодня я работаю последний раз.

Шурик не успел ничего ответить. Заиграл оркестр, и они вышли как ни в чем не бывало к зрителям. В этот вечер работали как никогда. А потом за кулисами оба плакали.

Виолетта перешла на работу в цирковое училище и выпустила много отличных жонглеров. С каждым из учеников она занималась с той самоотверженностью, с какой репетировала сама, и так, как будто из каждого хотела сделать Энрико Растелли. Одновременно она училась в институте и потом с успехом защитила диплом по театроведению.

А брат продолжал работать, но уже с другой партнершей.

Обычно жонглеры покидают манеж в сорок лет. Александр Кисс ушел с манежа в 53 года. Выглядел моложаво, выступал отлично и собирался еще несколько лет поработать. Но внезапно умер отец, а вскоре и мать. Александр не репетировал больше месяца. Получил разнарядку в новый Московский цирк и вдруг перед премьерой почувствовал усталость, неуверенность.

— Понимаешь, — говорил он мне, — мы, жонглеры, не можем себе позволить прожить без репетиции и дня. Трудно с переездами. На них уходит три-четыре дня, и потом сложно войти в форму.

А тут — без репетиции столько времени. И он решил уйти из цирка за два дня до очередной премьеры.

— Надо оставлять искусство раньше, чем оно оставит тебя. Надо найти в себе силы уйти вовремя, — сказал он мне.

И он ушел. Ушел, оставаясь в памяти всех, кто его видел, как непревзойденный артист, жонглер высшего класса, многие трюки которого никто не может повторить.

Покинув после двадцати семи лет работы манеж, он остался в цирке. Александр Кисс стал руководить мастерской жонглирования и акробатики в студии циркового искусства, учить молодых артистов. Придумывая им новые трюки, без устали репетируя с ними, он часто сам выходит на учебный манеж и легко жонглирует.

Своим ученикам он любит рассказывать об Энрико Растелли. Рассказывает о том, как, будучи в Италии, он побывал на могиле прославленного жонглера и положил цветы у памятника своему кумиру.

Александр Кисс во время гастролей цирка в Италии получил почетный приз Энрико Растелли, который ежегодно вручают по традиции лучшему жонглеру мира.

Иногда я бываю у Александра Кисса дома. Мы вспоминаем наши встречи, работу. И как-то Шурик сказал мне:

— Помнишь, шел такой фильм «Балерина»? Там в конце картины есть эпизод. Сходящая со сцены балерина репетирует со своей дочкой. Дочка стоит у станка и без конца поднимает и опускает ногу, выполняя очередное упражнение, а мать считает: «Раз... два... три... Раз... два... три...». Девочка устала и спрашивает: «Мама, а долго мне это еще делать?» А балерина отвечает: «Всю жизнь».

И ты знаешь, — он посмотрел на меня, грустно улыбаясь, — в этом месте я прослезился: «Всю жизнь...». Это так похоже на нашу работу. Это ведь и про нас, жонглеров.

«Уважаемая публика»

В Ереване за кулисы к нам пришла пожилая женщина. Она впервые попала в цирк. Приехала с гор. Эта женщина нам сказала:

— Большое вам спасибо. Мне так понравилось, как вы выступаете. Так все понятно — прямо на армянском языке.

Нам было приятно это услышать. Ведь в «Маленьком Пьере» мы не произносим ни одного слова.

Из тетрадки в клеточку.
Май 1964 года

Каждый раз перед выходом на манеж я смотрю через щелочку занавеса в зрительный зал. Разглядываю публику, настраиваюсь на встречу с ней. Как нас сегодня примут? Смотрю, нет ли среди зрителей моих знакомых. Я люблю, когда на представления приходят друзья, родные, знакомые артисты. Тогда во время работы я стараюсь лишний раз остановиться около них, поздороваться, подмигнуть, а иногда что-нибудь крикнуть им. Мне это доставляет удовольствие.

Раньше мне казалось, что многоликая масса зрительного зала только и ждет от тебя промаха, чтобы с радостью засвистеть, затопать ногами. Проработав пару лет, я понял, что ошибался: народ приходит к нам благожелательный, настроенный по-доброму, щедрый на аплодисменты.

Публика! Она ведь для нас самое главное. Мы репетируем, ломаем голову, придумывая новые номера, переживаем и мучаемся, когда что-то не получается, и все это ради зрителей, ради уважаемой публики.

Артист должен поражать и удивлять публику своим номером, заставить ее смеяться или затаив дыхание следить за опасным трюком. Когда цирк перестанет удивлять, восхищать, поражать, он перестанет быть цирком.

Помню, Николай Акимович Никитин говорил просто:

— В цирке публику надо попугать и рассмешить. Тогда она валом к нам пойдет.

Мы, артисты, делим все города на цирковые и нецирковые. Минск, Киев, Саратов, Тула, Горький — это цирковые города. А есть города, где трудная публика. Среди них Иваново, Курск, Куйбышев. Там к цирку зрителей не приучили. К ним относится и Кривой Рог, в котором построили цирк-дворец, а народ туда не ходит.

Есть города сложные, например Одесса. Одесситы цирк любят, принимают и разбираются во всех тонкостях нашего искусства. В прошлом справедливо считалось: если артист хорошо выступил в Одессе, то номер у него стоящий и пройдет везде. Старые артисты рассказывали мне, что в давние времена на цирковую премьеру в Одессу от каждой улицы шло по одному человеку. На билет деньги собирали в складчину. Если этот человек говорил: «Это таки стоит посмотреть», вся улица покупала билеты. Если же он изрекал: «Пусть их смотрит Жмеринка», цирк прогорал.

Часто сборы зависят от того, в каком месте стоит цирк. В прошлом владельцы строили цирки около рынков, вокзалов, в городских садах — словом, в тех местах, где собирается народ.

Каждый город любил свой жанр, своих артистов. Были города, где народ обожал чемпионаты борьбы, в других пользовались успехом номера с хищниками. Но везде любили клоунов. Давно, еще работая в Горьком, я стал свидетелем того, как публика бушевала, когда из-за болезни клоуна программу пустили без коверного. Проходит один номер, второй, третий, и в зале начинают раздаваться выкрики:

— Рыжего давай! Давай клоуна!

А в антракте обиженные зрители устроили директору скандал.

Каждый вечер в цирке представление. И почти каждый вечер зрительный зал настроен по-разному.

— Сегодня публика тяжелая, — говорит кто-нибудь из артистов, выходя с манежа. Это означает, что работать ему трудно. Зрители слабо реагировали, мало хлопали, шумели. Причины разные. Например, вечером в воскресенье публика менее восторженная, чем накануне. Сидя на представлении, многие подсознательно думают о делах, которые их ждут завтра. Бывает, что какие-нибудь события влияют на настроение людей. Помню, после гибели наших космонавтов народ в зале сидел сдержанный, притихший. Влияет на реакцию зрителя и погода. В дождливый холодный день и люди в зале какие-то нахохлившиеся, холодные.

Когда публика доброжелательно настроена, она помогает артисту, вдохновляет его. Один воздушный гимнаст признался мне:

— Если публика хорошо принимает, я как будто на крыльях работаю и почти не устаю.

Самое главное — с первого же появления на манеже найти контакт с залом.

— Вот, бывает, выходишь и чувствуешь, — говорил нам Карандаш, — не берет, не берет тебя зал. Тогда и начинаешь нащупывать, чего же хотят зрители. Иногда даже репризу на ходу меняешь, зная, что она не пойдет. И что же, в конце концов переламываешь зрителя, заводишь его. Но это умение вырабатывается годами.

Мы с Мишей не любим так называемые целевые представления, когда все билеты целиком закупает коллектив фабрики или завода. В обычные дни публика в зале разная. Все заранее покупали билеты, настраивались. А на целевые спектакли многие идут из-за того, чтобы не отставать от других, за компанию. Потому у таких зрителей и другой настрой. Ко всему, что мы показываем, они относятся прохладно. И мы это чувствуем.

Бывает, что в цирк приходит человек нетрезвый. Выпил, настроение поднялось, и он решает пойти в цирк, покуражиться. Подвыпивший человек, наблюдая, как прыгают акробаты, падают в опилки клоуны, считает, что и он может кое-что показать. Такие люди, спотыкаясь, лезут на манеж, подают на весь зал реплики, мешая и публике, и артистам.

У коверного Павла Боровикова был свой способ поставить на место пьяного. Он подходил к нему и на весь зал проникновенно говорил:

— Дорогой товарищ! Большое вам спасибо за то, что вы помогаете мне в работе. Как говорится: «Ум хорошо, а... полтора лучше».

Публика смеялась. Пьяный, как правило, замолкал. В юности я прочел рассказ о том, как один человек ежедневно ходил в цирк и ждал, что кто-нибудь упадет и разобьется или кого-нибудь разорвут львы. Причем не просто ждал, а мечтал о таком зрелище. Может быть, такие люди и есть, но я их не встречал.

Бывают у нас несчастные случаи. Редко, но бывают. Сорвется артист с трапеции, и его уносят с манежа. В зрительном зале сразу волнение, гул. В этом случае нам, коверным, приходится срочно выходить на манеж, заполнять непредвиденную паузу. Работаем, а сами думаем: «Как там наш товарищ?» Публика же сидит молчаливая, насторожившаяся. И какие же аплодисменты раздаются, когда инспектор манежа объявляет, что артисту оказана медицинская помощь и чувствует он себя хорошо. А бывает, что в конце представления артист, чуть прихрамывая, стараясь улыбаться, сам выходит на манеж. Публика неистово аплодирует, радуясь, что все кончилось благополучно.

Помню, работали мы в Калинине. На одном из дневных представлений во время выступления жонглера с горящими факелами кто-то опрокинул банку, в которой смачивались факелы. В бензин попала искра. Вспыхнуло пламя. Загорелся пол, занавес, повалил дым... Цирк деревянный, публики в зале битком — в основном сидят дети с бабушками. Мы с Мишей в отчаянии хватаем огнетушитель и бежим на манеж.

«А-а-а, это ты в цирке разжег костер!» — кричу я и делаю круг по манежу за убегающим партнером. После чего поливаю из огнетушителя горящий занавес.

Миша в это время, прыгая вокруг меня, исполняет какой-то дикий танец. Дети, думая, что мы показываем очередную репризу, смеются.

Только когда пожар погасили и представление пошло своим чередом, до нас дошло, чем все это могло кончиться. Потом мы, правда, смеялись, вспоминая, как сбили с ног жонглера, как с безумно вытаращенными глазами плясал Шуйдин, а я весь облился пеной из огнетушителя. Но до конца представления у нас дрожали руки.

Самые благодарные зрители — дети. Для них посещение цирка — праздник. Они охотно включаются в любую игру, им нравится ощущать себя соучастниками представления. Но порой они бывают неуправляемыми.

На одном утреннике дрессировщик Владимир Дуров легкомысленно предложил желающим выйти на манеж и покормить слоненка. Желающими оказались все дети. Они лавиной ринулись на манеж и шумной толпой окружили слоненка, который с перепугу ни от кого не принимал лакомства. Потом детей полчаса рассаживали по местам и подбирали на манеже бесчисленные варежки, шапочки и калоши.

Дети все подмечают, во все вникают. Эмиль Теодорович Кио рассказывал мне, как однажды он чуть не плакал, когда во время представления на манеж выбежал какой-то мальчишка и, открыв один из его таинственных ящиков, перед всеми разоблачил секрет фокуса.

Зрители любят, когда в клоунаде упоминается название городского района, который имеет какую-то свою особенность. То ли это название места, где много хулиганов, то ли район базара-толкучки... Когда мы работали с Карандашом, он всегда спрашивал у работников местного цирка:

— Ну, какой у вас самый веселый район?

Спрашивал для того, чтобы, выезжая в одной из своих реприз на ослике, на вопрос инспектора: «Карандаш, ты куда собрался?» — назвать этот район.

В Москве, например, была Марьина Роща, в Тбилиси — Сабуртало — название местного базара.

Только в Ереване у Карандаша вышла осечка. Когда Михаил Николаевич спросил у униформистов о смешном районе, ему стали предлагать всякие заковыристые названия. После долгого спора старший униформист сказал:

— Михаил Николаевич, у нас все знают Абаран, назовите это место.

Абаран так Абаран. Выехал на представлении Карандаш на ослике и на вопрос инспектора, куда он едет, на весь зал прокричал:

— На Абаран!

Что тут в зале поднялось! Минуты две стоял такой смех, что Карандаш растерялся. А за кулисы прибежал директор цирка и стал умолять Карандаша не упоминать Абаран. Оказалось, что это место, куда водили случать ишаков.

Зритель — первый и самый главный рецензент нашей работы. Мы внимательно прислушиваемся к реакции зала, стараясь почувствовать, где зрителю скучно, фиксируем ненужные паузы. Словом, все наши репризы, интермедии, клоунады мы всегда окончательно доводим на зрителе. Когда кто-нибудь из публики приходит к нам за кулисы, мы охотно разговариваем с ним и стараемся узнать, что понравилось больше, что меньше. И бывает, что одни что-то восторженно хвалят, а другие это же самое ругают. Одни любят лирические, трогательные репризы, другие жаждут «животного смеха».

— Я, знаете ли, — говорил мне один полный, жизнерадостный зритель, — хочу в цирке посмеяться животным смехом. Так, чтобы ни о чем не думать. Лишь бы посмешней! Вот вы водой обливались — это так здорово, что я просто плакал от смеха...

С годами публика меняется. Да и мы, артисты цирка, становимся другими. Иногда я задумываюсь, как бы реагировала публика, если показать ей сегодняшние репризы лет тридцать-сорок тому назад. Наверное, многое показалось бы странным, а то и непонятным.

— Нам все время нужно думать, — говорил мне Карандаш, — что они, зрители, хотят «кушать» в цирке, иначе мы выйдем в тираж.

Перед каждым представлением, прежде чем выйти на публику, я спрашиваю у выступавшего передо мной артиста:

— Ну, как публика сегодня?

— Мировая, — отвечает он, улыбаясь. — Наша, цирковая. И, подогретый этими словами, настроенный на хороший прием, я радостно выхожу на манеж, чтобы начать свою работу.

Паузы заполняют

Сегодня встретил Веру Сербину и вспомнил ее неповторимый номер «Танцы на проволоке». Сколько обаяния, огня у этой артистки! За 15 лет работы в цирке я такого приема у зрителей не видел. Когда Сербина заканчивала номер русским танцем, во время которого легко, как птица, скользила по проволоке, зал буквально ревел от восторга. Некоторые зрители в ажиотаже вставали с мест.

Из тетрадки в клеточку.
Октябрь 1964 года

Я начал работать в цирке, когда роль коверного клоуна стала одной из основных в представлении. А такие «киты», как Карандаш, Константин Берман, Борис Вяткин, считались в любой программе аттракционом, и директора цирков «дрались» за них.

Конечно, каждый коверный хотел бы показывать репризы на абсолютно свободном манеже. Некоторые клоуны выжидают за кулисами, пока униформисты освободят манеж. И только потом выходят и показывают репризы. Мы с Мишей на это не идем. Мы же заполняем паузы! Программа, если задержать наш выход, потеряет ритм и в целом проиграет. Поэтому у нас в запасе есть репризы, которые мы можем исполнять в любой обстановке.

Публика хорошо реагирует, когда после выступления какого-нибудь артиста мы показываем пародию на его номер. Так, после «Высшей школы верховой езды» мы выходим с репризой «Лошадки», которую исполняем, выезжая на бутафорских лошадках. Есть у нас и мимическая сценка «Перш». Ее мы показываем после номера артистов, балансирующих на лбу большим першем — шестом, на котором исполняются сложные трюки. Мы появляемся на манеже, неся на плечах длинный шест, и своими приготовлениями настраиваем публику на то, что сейчас повторим сложный трюк только что выступавших артистов. Не спеша снимаем пиджаки, пробуем крепость шеста, после чего я устанавливаю его себе на лоб. Прежде чем начать влезать на перш, Миша, надев на себя пояс с лонжей, подходит к униформистам.

Смахнув слезу, он печально пожимает всем руки, как бы прощаясь перед, возможно, смертельным трюком. Потом подходит ко мне. В оркестре звучит барабанная дробь. А я неожиданно ложусь на ковер вместе с шестом, и Миша старательно ползет по нему.

Реприза примитивная. Но в зале смеются.

По-разному люди воспринимают юмор. Помню случай, который произошел со мной в жизни. Как-то я прочел в журнале «Крокодил» анекдот:

«Полисмен. Почему вы превысили скорость? Вы мчались по шоссе как угорелый!

Автомобилист. Простите, сэр, но у меня испортились тормоза, и я спешил отвезти машину в ремонт».

Спустя несколько дней я ехал на машине в аэропорт Внуково. В спешке не заметил знака ограничения скорости. Вдруг вижу: поравнялся со мной мотоцикл ГАИ, и пожилой старший лейтенант показал мне жезлом, чтобы я встал у обочины. Начало нашего разговора было как в анекдоте:

— Почему вы превысили скорость? Ваши права.

Надеюсь юмором растопить сердце блюстителя порядка, протягивая документы, я решил ответить ему словами анекдота:

— Да понимаете, товарищ старший лейтенант, у меня испортились тормоза, и я спешу на станцию обслуживания.

Инспектор посмотрел на меня серьезно и, возвращая права, деловито сказал:

— Тогда давай поезжай быстрее, — сел на мотоцикл, развернулся и уехал. Я только рот раскрыл. Весь заряд юмора пропал даром.

Так и с репризами бывает. Вроде смешная, хорошая реприза, а «не проходит». Меня всегда восхищало, что в старых классических клоунадах нет ничего лишнего. Все в них смешно. Они как круглые камешки, гладко отшлифованные морским прибоем. И это потому, что над ними работало не одно поколение клоунов. Да и у нас, прежде чем новая реприза по-настоящему зазвучит, ее нужно «прокатать» на публике сто, а то и двести раз. Только тогда мы считаем, что реприза доведена.

Рождаются репризы по-разному. Иногда отправной точкой служит придуманный трюк. Порой — услышанный анекдот. А бывает, и увиденная в журнале карикатура помогает придумать новое. Однажды я увидел в «Крокодиле» рисунок. На базаре, сложив ноги по-турецки, сидит человек и продает арбузы. Руки у него вытянуты в стороны. На одной ладони он держит арбуз, а на другой лежит гиря. Под рисунком подпись: «Когда на базаре нет весов».

Глядя на этот рисунок, я подумал: наверное, такую ситуацию можно использовать в цирке, и с тех пор часто вспоминал об этом, надеясь придумать новую репризу.

Помню, в Калинине я покупал на рынке капусту. Продавец, молодой парень, взвесил кочан и, протянув его мне, сказал:

— Ровно килограмм. Точно, как в аптеке!

Вспомнив карикатуру, я решил пошутить:

— Сейчас проверим. Взял кочан в одну руку, а гирю в другую. Руку с гирей опустил вниз, а с капустой приподнял и говорю:

— Недовес.

Все, кто видел это, засмеялись. Дома опять начал думать... Действительно, смешно, когда стоит такой человек-весы: как хочет, так и взвешивает. И стал у меня выстраиваться сюжет. Миша торгует яблоками, а я, изображая весы, держу на вытянутых руках за веревочки тарелки. Инспектор манежа просит продать ему килограмм яблок. Миша ставит на одну чашку весов килограммовую гирю, на другую кидает маленькое яблочко, и я уравновешиваю чашки. Инспектор ругается. На этом моя фантазия иссякла. Я перебрал сотни вариантов, а чем ее закончить, не придумал. И только через год придумался финал: после инспектора приходит женщина, дает 30 копеек и просит Мишу взвесить ей сто граммов яблок.

А «весы» взвешивают ей за эти деньги килограмма три да еще любезно ссыпают яблоки в ее сумочку. Когда возмущенный Шуйдин начинает ругаться, я сообщаю ему, что это была моя жена.

Публика любит репризы на злобу дня. Достаточно зрителю напомнить о том, что ему близко, что его волнует, — и уже успех. Приехали мы как-то работать в Запорожье и узнали, что в городе уже год как нет в аптеках термометров. Вспомнили мы старую репризу, в которой один из клоунов изображал симулянта, а второй засовывал ему за шиворот кусок льда. На недоуменный вопрос инспектора, зачем он это делает, второй клоун отвечает:

— Измеряю больному температуру. Если лед будет долго таять, значит, нормальная, а если быстро — повышенная.

И тут меня осенило: это же почти готовая реприза о градусниках!

Мы приняли ее на вооружение. После того как Миша на манеже «заболевал», я льдом «измерял» ему температуру.

— Что ты делаешь?! — кричал инспектор. — Проще поставить ему градусник!

Я грустно отвечал:

— А вы попробуйте в Запорожье достать градусник...

Одна из наших любимых клоунад — «Бревно». Она родилась в рекордно короткий срок. Придумалась от отчаяния.

Тема «Комическая киносъемка» была давно записана в моей тетрадке в клеточку. Но как-то не доходили до нее руки. В одном из спектаклей, который готовился для московской программы, авторы сценария построили сюжет на том, что нас с Мишей долго преследуют оператор и режиссер с киностудии. А мы сниматься не хотим. После долгой погони нас наконец «залавливают» и заставляют сняться в эпизоде. Все трюки и репризы в спектакле авторы придумали для нас удачно, но сцену самой «съемки» мы встретили в штыки. Плохо это было придумано. До премьеры считанные дни, а ударного финала в спектакле нет. Мы впали в уныние. От отчаяния я стал лихорадочно думать и вспомнил, как на съемке фильма «Старики-разбойники» мы с артистом Евгением Евстигнеевым таскали по лестнице тяжеленную картину. Она была настоящая, из музея, и весила килограммов сорок. Таскали ее дублей десять подряд и к концу съемки еле волочили ноги. И вот, вспомнив это, я подумал, что в нашем цирковом спектакле кинорежиссер должен заставить нас носить какую-нибудь тяжелую вещь. Несколько дублей кряду. Что носить? Наверное, большое бревно. Оно видно всем и не будет никого перекрывать на манеже. С ним можно связать много комических трюков. Так и родилась клоунада «Бревно».

По ходу «съемки» режиссер раз пять заставляет нас таскать по манежу громадное бревно и при этом требует, чтобы мы еще улыбались. К концу клоунады мы могли двигаться только ползком, волоча злосчастное бревно по манежу. Успех превзошел все наши ожидания. Так клоунада прочно вошла в наш репертуар.

Почему плачет девочка?

Премьера нашего цирка в Австралии. Когда ведущий объявил: «Выступают жонглеры Александр и Виолетта Кисс!» — публика засмеялась. Артисты на секунду растерялись, но, как всегда, свой номер отработали блестяще. Потом выяснилось, что «кисс» по-английски — «поцелуй».

Из тетрадки в клеточку.
Декабрь 1964 года

Иногда я достаю дома с верхней полки шкафа толстую папку. В ней собрано все, что связано с нашими зарубежными поездками: цирковые программы, плакаты, вырезки из газет и журналов, фотографии, вымпелы, значки. Сверху лежит ярко-красная программка наших последних гастролей в Финляндии, а в самом низу — память о первой поездке в Швецию — желтый плакатик с нарисованной головой медведя. Крупно написано: «В королевском теннисном зале — русский цирк».

В Швецию мы ехали с опасением, что принимать нас будут холодно. Мы думали, что страна северная, суровая и народ там сдержанный. Но оказалось, что шведы любят цирк, и принимали нас прекрасно. В этой поездке мы поняли, что в своих выступлениях всегда надо стараться затрагивать что-нибудь знакомое, близкое зрителям страны, в которой выступаешь. В Стокгольме один из униформистов, говоривший довольно сносно по-русски, рассказал нам, как известный шведский хоккеист Снудакс был приглашен для интервью на телевидение. Услышав какой-то сложный вопрос, он растерялся на некоторое время и, помолчав, сказал:

— Знаете, я не могу ответить на вопрос. Я вам лучше спою.

И он «проляякал» без слов одну из популярных песенок.

Когда мы приехали в Швецию, все только и говорили о том, как Снудакс пел по телевидению. И наш партнер Анатолий Векшин в одной из пауз подошел, держа на плече клюшку, к микрофону и пропел: «Ля-ля-ля...». А затем добавил: «Снудакс!».

Зал от аплодисментов и смеха грохнул. После этого Векшин на представлениях исполнял эту минирепризу.

Гастролируя в Японии, я заметил, как здороваются друг с другом японские униформисты. Встречаясь, они делают жест рукой вроде нашего пионерского салюта, выкрикивая при этом: «Ус-с!». Мне сказали, что так приветствуют друг друга простые люди. Решил попробовать на представлении поздороваться так со зрителями. Во время первого выхода на барьер вскинул руку и крикнул на весь зал: «Ус-с!». Хохот поднялся страшный.

...В руках у меня вынутый из папки ярко-зеленый вымпел на шнурочке. На нем краской нанесена эмблема спортзала «Маленькая Маракана», в котором мы выступали. Это самый большой закрытый стадион Бразилии, на 26 тысяч мест. Три представления в воскресные дни — это значит, что только за один день нас смотрело 78 тысяч бразильцев. Публика самая что ни на есть экспансивная.

Мы приехали в Бразилию, когда она еще не поддерживала с нами дипломатических отношений. Начинались только торговые переговоры о продаже нашей стране кофе. «Институт бразильского кофе» для рекламы организовал у нас за кулисами кофейный бар. Нас поили кофе бесплатно. И каким! Выпьешь маленькую чашечку — и сразу ощущаешь бодрость. Выпьешь две — начинает сильно биться сердце.

На аэродроме в Рио-де-Жанейро вместе с импресарио нас встречал маленький остроносый пожилой мужчина в полотняном костюме и темных очках от солнца. Фамилия его Дукат. Он был русский по происхождению. В Бразилию его увезли родители еще во время Первой мировой войны. Так он и остался здесь. Каждый приезд советских людей в Бразилию для него праздник. Когда приехала наша группа, он безвозмездно предложил импресарио свои услуги, чтобы помогать нам. Целые дни он проводил в цирке, забросив свое дело. (У него была небольшая мастерская на дому по изготовлению занавесок для ванных.) Он стал нашим переводчиком, гидом и первым советчиком. В шутку мы его прозвали русским консулом. Он любил часами разговаривать с нами, расспрашивал о Москве, Петрограде, и чувствовалось, что он тоскует по России.

...Я разворачиваю программку цирка Буше в Восточном Берлине. Артисты четырех советских номеров, в том числе и мы, коверные, принимали участие в большой интернациональной программе. Такого зрителя, как в Германии, я не встречал нигде. Публика бурно реагировала на каждый трюк, каждую репризу. Только вышли мы с Мишей в первую паузу со своими «Факирами», такой хохот поднялся в зале, что в первый момент мы растерялись. Подумали: уж не разыгрывают ли нас? Так нас нигде не принимали. Оказалось, что нет. Директор цирка, увидев, что мы имеем успех, попросил нас дать больше реприз. И на протяжении всех гастролей мы просто «купались» в смехе.

...А вот картонная голова клоуна. Смешная черная рожица в желтом колпачке — эмблема традиционного праздника «Мумба» в Австралии, в дни которого мы начали гастроли в Мельбурне.

Выступали мы в огромном ярко-зеленом шапито. Горят разноцветные лампочки, играет музыка, девушки-билетерши в блестящих клоунских костюмах продают программки. Так и манит цирк к себе! Билеты на все наши гастроли проданы заранее.

Я держу в руках вырезку из мельбурнской газеты. На фотографии, закрыв лицо руками, плачет маленькая девочка. Этот снимок был помещен в газете во время наших гастролей. Под ним вопрос: «Вы знаете, почему плачет эта девочка?» И тут же ответ: «Она плачет потому, что родители в это воскресенье не смогли достать ей билет на выступление Московского цирка».

Прочтя это, мы обратились к нашему импресарио с просьбой, чтобы дали в газете объявление, что мы, артисты советского цирка, приглашаем к себе девочку, которая плакала в прошлое воскресенье. Такое объявление поместили. К ужасу импресарио, в воскресенье вместе с родителями на представление пришло более двадцати девочек. Родители заявили, что плакали именно их девочки. Импресарио сказал нам шутя: «Ваш русский гуманизм доведет меня до разорения». Но всех девочек и родителей все-таки на представление пропустил.

...Достаю из папки несколько цветных открыток — виды Сиднея. Красивый город. На третий день нашего пребывания в Сиднее пожилой экскурсовод из русских эмигрантов долго возил нас по городу на автобусе и монотонно рассказывал об истории города, улиц, зданий. Мы настолько устали и нас так разморило от жары, что в конце поездки его почти никто не слушал. Видимо желая нас расшевелить, он вдруг громко сказал:

— А сейчас мы проедем эту большую стену, и вы увидите район, где все бросили пить и курить.

Мы оживились. Кинулись к окнам автобуса. Кончилась стена, и мы увидели огромное городское кладбище.

В Сиднее в связи с перестановкой программы нам предстояло заполнять большую паузу, во время которой убирали клетку для хищных зверей. Долго ломали голову, чем заполнить эту паузу. Решили давать «Лошадок». Реприза-то длинная. Когда выехали на манеж на своих бутафорских лошадках, поняли — репризу нужно «тянуть», поскольку клетку убирают слишком долго. Мишу осенила идея. Он перепрыгнул на своей лошадке через барьер, подъехал к первому ряду зрителей, снял с коленей какой-то женщины мальчика лет шести, посадил его на лошадку перед собой и начал катать. Я с другой стороны зала взял на свою лошадку девочку. Публика тепло приняла нашу импровизацию.

— Великолепно придумано — катать детей на представлении! — сказал импресарио. — Это отличная реклама, и публике нравится.

Через несколько дней униформисты приноровились убирать клетку в короткий срок, но мы по просьбе импресарио продолжали катать детей.

...В руках у меня круглый синий значок. На нем изображена голова собаки, а под ней красный крест. Такие значки продавались на улицах австралийских городов. Весь сбор шел в помощь слепым, которым на эти деньги помогали приобрести специально обученных собак-поводырей. Меня эти собаки потрясли. Мы их видели на улицах. Громадные, с чувством собственного достоинства, они спокойно вели слепых людей, каждый из которых держался за специальную ручку-палку, закрепленную на спине собаки. Четвероногий поводырь выполнял все команды: приносил по приказу газеты, спички, папиросы и даже ходил в магазин. Меня особенно поражало, что собаки различали сигналы светофоров и переходили с человеком улицу только по «зебре» — полосатой пешеходной дорожке. Купить такую собаку может не каждый — ее стоимость равна стоимости автомобиля. Продавая значки, Общество Красного Креста собирало деньги для неимущих слепых.

...Маленький металлический значок в виде черного цилиндра, из которого выглядывает белый кролик, напоминает мне об Америке, где во время гастролей с Игорем Кио мы посетили клуб иллюзионистов. Клуб размещен в замке, который когда-то построил знаменитый комик американского кино Гарольд Ллойд. В холле стоит белый открытый рояль. Каждый может подойти к нему и громко сказать, что он хотел бы услышать. Клавиши начинают двигаться, звучит заказанная мелодия. Рояль играет «сам». Так я и не понял, как это делается.

...В Филадельфии с Кио произошел забавный случай. Как и в каждом городе, там к нам за кулисы приходили зрители. Однажды к Игорю Кио пришла пожилая, ярко накрашенная дамочка. Протягивая Игорю квадратный кусочек пластика, она что-то трещала по-английски, повторяя все время одно слово «кики-кики».

— Что она хочет от меня? — спросил Кио нашу переводчицу.

Переводчица выслушала даму, а потом, прыснув от смеха, перевела, что у американки дома в ванне живет крокодил. Крокодила зовут Кики, и его хозяйка просит для своего любимца автограф. Кио расписался на пластике, а счастливая дама прощебетала:

— Кики будет так счастлив! У него уже много автографов знаменитых людей!

...В Нью-Йорке местные корреспонденты решили взять интервью у нашего медведя Гоши. За неделю до нашего приезда в газете появился фельетон Арта Бухвальда. Автор приглашал тогдашнего президента Линдона Джонсона посетить Московский цирк, который скоро начнет свои гастроли. Президенту предлагалось взять вице-президентом... циркового чудо-медведя Гошу.

«Он очень удобен для вас. Во-первых, он будет ходить перед вами на задних лапах. Во-вторых, он всегда поднимает вверх лапу, как бы заранее голосуя за все ваши предложения, и, в-третьих, он ездит на мотоцикле, что очень созвучно нашей молодежи. С медведем вы завоюете доверие молодых!» — писал Арт Бухвальд.

И вот звонок из газеты. Просьба помочь взять интервью у медведя Гоши. Все, конечно, понимали, что разговаривать с корреспондентом будет дрессировщик Иван Кудрявцев. Но дирекция наша слегка заволновалась: что это еще за интервью! Да и за Ивана беспокоились — человек он не особо словоохотливый.

У клетки с Гошей собралось с десяток корреспондентов. Перед ними красный от смущения Иван. Волнуется. Щелкают фотокамеры. Первый вопрос:

— Хотели бы вы, мистер Кудрявцев, чтобы вашего медведя Гошу избрали вице-президентом?

Иван на минуту задумался. Конечно, он не читал фельетон Бухвальда и не очень разбирался в тонкостях американской политики. Но вдруг он выпрямился и, по-сибирски окая, твердо сказал:

— Я не согласен, чтобы Гоша был президентом. У вас тут в Америке президентов убивают, а Гоша мне для работы нужен.

...Из «заграничной папки» достаю памятную медаль Всемирной выставки ЭКСПО-67 в Канаде, куда мы приезжали с цирком. Здесь я впервые попал в переплет — целую неделю исполнял обязанности руководителя поездки. Тот, получая визу, задержался в Москве, и я хлебнул все «прелести» этой хлопотной должности. А тут еще импресарио канадский попался самый что ни на есть вредный. Высокий, плотный, с бородкой клинышком, хитро прищуренными глазами, внешне обходительный, господин Кудрявцев оказался человеком прижимистым. Родом из России (во время революции бежал с папой), говорил он сочным басом, называя каждого из нас «батенька». Так мы и прозвали его между собой батенькой. Действовал он по принципу: «Делай мне побольше, а я плачу поменьше».

В Монреаль мы приехали за два дня до начала гастролей. А в спортзале, где мы должны выступать, еще ничего не готово. Манеж строили какие-то случайные люди. Оркестр, собранный «с бору по сосенке», был ужасен. С таким оркестром полагалось бы репетировать несколько дней подряд. Но «батенька» разрешил репетировать по пять часов в день. А за каждый последующий час музыкантам полагалось платить вдвойне. И «батеньке» пришлось от этого отказаться.

Состояние у меня кошмарное. Артисты в отчаянии. Всем не хватает времени на репетиции, да и репетировать практически негде — все еще не готов манеж. Впервые в жизни я ощутил себя ответственным за судьбу гастролей. Конечно, с «батенькой» я схлестнулся. Униформисты и оркестр, отрепетировав положенные часы, собрались уходить, а у нас половина программы еще ни разу не прошла свои номера с музыкой и униформой. Я попросил Кудрявцева оставить его людей еще часа на четыре.

— Батенька, — хватаясь за сердце, отвечал импресарио, — я же на ваших лишних часах разорюсь.

Тогда я заявил, что премьеры завтра не будет, и ушел. Расстроенный, собрал артистов и все им рассказал. Стали мы вместе думать, как выходить из создавшегося положения. И смотрю, идет наш «батенька», бледный от злости, подходит к нам и говорит:

— Ладно, господа, репетируйте, даю вам еще два часа.

С грехом пополам мы прорепетировали программу, и на другой день премьера все же прошла успешно.

В каждой поездке мы скучаем по дому. И чем длительнее гастроли, тем больше тоскуешь по родным, друзьям.

Помню, как мы вернулись в Москву из Южной Америки, где работали почти полгода. В аэропорту меня встречали родные. Они взяли с собой и моего трехлетнего сына Максима. Кинулся я к нему радостный:

— Здравствуй, сынок!

А он посмотрел на меня со страхом и, робко протянув ручку, сказал:

— Здравствуйте, дядя.

Расстроился я тогда и подумал: «Да чтоб я еще поехал на такой большой срок. Сын родной меня забыл!»

НАШ ВТОРОЙ ДОМ

Не каждому человеку, который знает слишком много, известно об этом.

Станислав Ежи Лец

Иногда я люблю не спеша пройти по зданию цирка, заглянуть во двор, побродить по фойе, посидеть в зрительном зале. В цирке все время идет работа — репетиции, представления. Только в ранние утренние часы да поздно ночью в цирке тихо. Старый Московский цирк очень близок мне. Почти тридцать лет прошло с тех пор, как я вошел в это здание. Вошел через служебный вход, поступая в студию клоунады. Когда я начал заниматься в ней, рядом с цирком еще стоял кирпичный остов сгоревшего старого цирка. На стене проступала написанная черной краской фамилия прежнего хозяина цирка — Саламонский. На месте сгоревшего здания планировали построить новый цирк, но, пока обсуждали, решали, пробивали все это, на площадке возник кинотеатр «Мир».

Каждая комната, каждый коридор, каждый угол старого здания цирка вызывает у меня свои воспоминания.

...В один из свободных от съемок дней меня потянуло в цирк. Я долго бродил по фойе, коридорам, заходил во двор, на склад.

С чего начинается цирк? Пожалуй, с кассы. Нам, артистам, всегда приятно, когда над окошечком кассы висит плакат: «На сегодня все билеты проданы».

Вспоминаются рассказы ветеранов цирка о том, как раньше считалось хорошей приметой, если на открытии сезона первым в кассе приобрел билет мужчина. Считалось, если первый билет продадут женщине, дела пойдут плохо. Поэтому кассиршам давался строгий наказ — ждать подхода мужчины и только ему продать первый билет.

Манеж! Он всегда круглый, и во всех цирках мира его диаметр тринадцать метров. С самого раннего утра на манеже репетиция. А вечером представление. Первыми чаще репетируют номера с животными.

Время на репетиции ограничено. Обычно у входа на манеж за кулисами вывешивается авизо — расписание репетиций. Иногда на манеже репетируют сразу несколько номеров. В одном секторе — жонглеры, в другом — акробаты, в центре — эквилибрист на своем пьедестале. Помню, начиная работу в цирке, я всегда стеснялся репетировать на манеже. Меня смущало, что наши репетиции кто-то смотрит. Часто в зрительном зале сидят артисты, сотрудники цирка. К сидящим в зале нужно привыкнуть. Карандаш, заметив наше нервное состояние во время репетиций, выгонял всех лишних из зала. И хотя с тех пор прошло без малого три десятилетия, до сих пор мы с Мишей и Татьяной не можем репетировать в полную силу, если на нас смотрят посторонние.

Чтобы проверить технику какого-нибудь хитрого клоунского приспособления (например, как прыгает на ниточке змея или выползают из-под дивана бутафорские тараканы), мы просим репетирующих в это время артистов дать нам пять минут. Артисты расходятся по сторонам и смотрят нашу репетицию. А мы пытаемся уловить, как они воспринимают нашу работу. Конечно, артисты не зрители, их трудно чем-либо удивить. Но если трюк действительно смешной и они улыбнутся, то для нас это сигнал — мы на правильном пути.

Народ в цирке доброжелательный. Когда человек делает новый номер, ему все готовы помочь. Особенно артисты постарше, много видевшие и помнящие. Они всегда стараются что-то предложить, подсказать молодым. Ни один опытный акробат не пройдет равнодушно мимо репетирующего новичка. Непременно крикнет на ходу: «Спину, спину держи!»

Уютен зрительный зал Московского цирка. Пожалуй, подобный я видел только в Брюсселе, в королевском цирке. Удобно расположены места — манеж с артистами перед зрителями как на ладони. Во время выступления я всегда вижу лица, даже глаза зрителей — вплоть до последнего ряда.

Когда на проспекте Вернадского открылся новый цирк и мы с Мишей участвовали в его первой программе, то сразу оценили все преимущества родного старого цирка. Работая в новом здании, мы все время ощущали, будто что-то потеряли. Нам было неуютно. И репризы проходили хуже. Зал слишком большой. Публика сидит далеко. Ни о каком общении со зрителями (что должно быть характерным для цирка) не может быть и речи. Акустика плохая. Свет бьет сверху, поэтому лица у артистов несколько затемнены. Места для зрителей круто уходят вверх, и у публики, сидящей в последних рядах, нет ощущения высоты — работу воздушных гимнастов они видят почти на уровне своих глаз.

Неуютна и закулисная часть: маленькие гардеробные для артистов напоминают больничные палаты. Видимо, те, кто придумывал и строил новое здание, плохо знали цирк — иначе они подумали бы и о том, что артистам нужен уют, удобство для работы. Цирк, по существу, наш второй дом.

Помню, как-то при встрече со мной Карандаш спросил:

— Вы что, собираетесь в новом цирке работать?

— Да, — ответил я.

— Надо работать только в старом, — сказал Михаил Николаевич. — Новый цирк — это для зрелищ, а старый для искусства.

Пожалуй, он прав.

В старом цирке широкий проход с манежа ведет прямо к слоновнику и конюшням. В конюшнях светло. Конюхи чистят лошадей специальными жесткими щетками. Стукни такой щеткой об асфальт, и на асфальте останется квадратик пыли. И если против каждой лошади после чистки остаются десятки квадратиков — это значит, ее чистили долго и заботливо.

В слоновнике обычно стоят ящики с реквизитом. Слоны в программе работают редко, и свободное место можно использовать под временный склад. А вот конюшни никогда не пустуют. Лошади, ослики, пони, дрессированные козы и даже коровы гораздо чаще заняты в программе. Для каждой лошади — отдельное стойло, к которому прибита фанерка с кличкой: «Буран», «Марс», «Орлик», «Буян»... В одном из этих стойл когда-то занимал место и Агат, удар копытом которого чуть не стоил мне жизни.

В самом дальнем углу конюшни в клетках — собаки. Обычно их клетки отгораживают от прохода щитами и ящиками. Но все равно, кто бы мимо ни прошел, за загородкой начинается несусветный лай. Собак кормят в определенные часы, регулярно чистят, выводят гулять и ежедневно репетируют с ними. Конечно, жалко, что держат собак в клетках, но иначе нельзя. Это рабочие собаки. И если их не держать в клетках, они разбалуются, перестанут работать.

Как в кино, так и в цирке работа моя нередко связана с собаками. Став коверным, я получил письмо от своего приятеля, жонглера Игоря Коваленко. У него две страсти: марки и собаки. В письме Коваленко писал, что придумал для нас с Мишей смешную репризу и выдрессировал для этого одну из своих собак. Через некоторое время мы встретились в Москве. Реприза, которую придумал мой товарищ, действительно оказалась смешной, и через неделю мы с Мишей ее исполняли. Героем репризы был ярко-рыжий ирландский сеттер Люкс, который незаметно подкрадывался, снимал с меня шляпу и убегал с ней за кулисы. В карманы пиджака и брюк я прятал различные шапки, которые надевал после каждого похищения. Суть репризы в том, что я не подозревал в воровстве собаку и обвинял во всем партнера, который сидел на барьере и смеялся. В финале репризы, когда между нами назревал скандал, я обнаруживал настоящего похитителя.

Люкс — удивительный пес. Создавалось впечатление, что работа на манеже для него великое удовольствие. В цирке его любили все, не говоря уже, конечно, о нас.

Помню случай, который всех потряс. В репризе «Похищение шапок» Люкс обычно стремительно бежал из-за кулис ко мне, сидящему на стуле к нему спиной, и, снимая с головы шляпу, с силой толкал меня передними лапами в плечи. На одном из спектаклей Таня и Игорь, которые держали собаку за занавесом и выпускали на манеж, вдруг увидели, что Люкс, как обычно, стремительно бросился ко мне, но, не добежав метра два до стула, внезапно резко остановился, а потом тихо, словно на цыпочках, подошсл ко мне сзади, положил лапы на спинку стула (а не на мои плечи, как делал обычно) и осторожно, как стеклянную хрупкую вещь, снял с моей головы шляпу и медленно с ней пошел за кулисы. Дальше реприза не пошла. Все недоумевали, что могло случиться с Люксом. А случилось вот что: я как сидел на стуле, так и остался сидеть. Со стулом меня, к великому недоумению публики, и унесли с манежа. За минуту до подхода собаки острая боль пронзила мое тело. Очередной приступ радикулита! Я сидел, превозмогая боль, с ужасом ожидая толчка Люкса. А собака какимто необъяснимым чутьем поняла, что мне плохо, и не причинила боли.

После этого мы окончательно уверовали в сверхгениальный ум Люкса.

Игорь Коваленко часто говорил:

— Ну вот, состарится Люкс, где я найду такую собаку?

Но Люкс не успел состариться. Он умер в расцвете сил.

Ночью дежурный конюх позвонил нам домой и сказал, что с Люксом плохо. Мы приехали в цирк и увидели, что собака умирает. Пока ездили за врачом и поднимали его с постели, собаки не стало.

Причина смерти показалась загадочной, и утром мы решили отвезти Люкса на вскрытие в ветлечебницу. Из груды досок во дворе вытащили старый лист фанеры, положили на него собаку и погрузили в машину. Игорь Коваленко плакал, как ребенок. Час ожидали мы результата вскрытия. Потом вышел врач и сообщил, что собака погибла от заворота кишок.

— Фанерку возьмите, — сказал санитар, подавая нам лист фанеры, на котором мы привезли Люкса.

Глянул я на фанеру и обмер: на грязной поверхности ее нарисованы черной краской шляпа и тросточка, а через весь лист надпись: «ЕНГИБАРОВ». Это был кусок фанеры от упаковочного ящика клоуна Леонида Енгибарова, которого уж год как не было в живых.

— Вот как все переплелось, — грустно заметил Игорь.

Маленьким я с завистью смотрел на детей своего возраста, работающих в цирке. Они мне казались счастливейшими детьми, недосягаемыми, удивительными. А я по сравнению с ними обыкновенный мальчишка. Только потом я понял, что, в общем-то, это дети, которые во многом лишены детства: игр, забав, безмятежности. Недаром в цирке дети взрослеют раньше своих сверстников.

Интересно наблюдать смену поколений. Отец и мать работают в цирке. Их дети с малых лет начинают репетировать, а потом принимают участие в номере. В двадцать лет это уже профессиональные артисты, и родители начинают им помогать, ассистировать, следить за реквизитом. Никого в цирке не удивляет, что отец или мать — ассистенты в номере у сына. Это в порядке вещей.

Цирк живет круглосуточно. За два часа до начала спектакля в длинную узкую комнату под зрительными рядами приходят женщины. Неторопливо отложив сумочки, сетки с продуктами, они переодеваются в форменную одежду — красные кофточки и юбки. Это билетеры и контролеры. Прежде чем пустить публику, они должны открыть все двери, проветрить зал, протереть влажной тряпкой каждое кресло (за время репетиции сколько пыли налетело на них!) и уже потом впустить зрителей.

Билетершами в основном работают пожилые женщины. Когда я пришел в цирк, в студию, то застал еще

Ермакова, единственного мужчину-билетера, неизменно стоявшего в центральном проходе. Седой, степенный, уже старый мужчина, он всегда особенно вежливо, с легким поклоном встречал входящих зрителей, указывая, куда кому садиться. Своей фигурой Ермаков придавал цирку парадность, солидность, значимость. Давно уже нет в живых старого билетера, и, как бы по наследству продолжая его работу, ежедневно приходит в цирк его дочь.

Пользуется ли программа успехом? В первую очередь об этом узнают билетеры. Они всегда в гуще зрителей и слышат, что говорят люди после представления.

Я всегда после премьеры спрашиваю билетеров:

— Ну как?

— Программа нравится, хвалят, — отвечают они. А иногда, наклоняясь ко мне, говорят тихо: «Вы знаете, все хорошо принимают. Но вот во время выступления львов некоторые зрители, не дождавшись конца, уходят».

Во второй половине дня в цирке затишье. Билетеры еще не пришли. В зале тусклое освещение. Кто-то в оркестре, то ли для удовольствия, то ли репетируя, наигрывает на фортепьяно. Осветители ушли после репетиции на обеденный перерыв, и кажется, что жизнь замерла. Центр деятельности в эти часы переносится в кабинеты. В большой приемной (смежная комната с кабинетами администратора и заместителя директора) стоит несколько телефонов. Дежурная еле успевает отвечать на телефонные звонки.

— Есть ли на сегодня билеты?

— У меня ребенок пяти лет, имеет ли он право пройти без билета?

— Скажите, как проехать к вам?

— Во сколько заканчивается представление?

— Как оформить заявку на коллективное посещение?

— Правда ли, что в буфете продают шампанское?

— Не нужна ли вам дрессированная кошка? — это спрашивает детский голосок. — Работает ли у вас Карандаш?

О Карандаше спрашивают часто. Его имя стало нарицательным. Дети, те вообще считают, что имя Карандаша относится ко всем клоунам. Порой так думают и взрослые. Иногда у меня наивно спрашивают: «А кто у вас в этой программе выходит Карандашом?» Звонков сотни. Кто-то забыл сумочку, кто-то потерял билет, но помнит свой ряд и место и спрашивает совета, как поступить. Кто-то просто сообщает свое мнение об увиденной вчера программе. Это все звонки зрителей. А по другим телефонам звонят по делу. Посидишь пять-десять минут в приемной и все узнаешь. Услышишь переговоры администратора о квартирах, гостиницах, о том, что опять типография вовремя не успевает отпечатать рекламу. Здесь же заказываются билеты на самолет и поезд, выясняется, почему не прибыл багаж, выбивается для лошадей сено, а для слона лекарство. Здесь договариваются о рекламных объявлениях в газетах и уговаривают пожарника из управления отменить штраф.

С утра до вечера открыта дверь кабинета заместителя директора цирка Галины Алексеевны Шевелевой. После смерти мужа — режиссера Московского цирка Бориса Шахета, человека талантливого, умного и доброго, — она, инженер-строитель по специальности, пришла работать в цирк. Сначала была инженером, потом стала заместителем директора. Она прекрасный организатор, знающий все тонкости нашего циркового дела. На ее плечах ремонт, работа цехов, снабжение. Никогда я не видел Галину Алексеевну кричащей, разгневанной. Все она делает спокойно, тихо, как бы не спеша и все успевает. По каким только вопросам не обращаются к ней артисты цирка, униформисты, осветители, администраторы, кассиры, бухгалтеры, сторожа, пожарники, портные, строители, билетеры, конюхи... И каждый знает — Галина Алексеевна внимательно выслушает и обязательно постарается помочь.

На втором этаже находится кабинет директора цирка Леонида Викторовича Асанова. Спокойный, подтянутый, худощавый, он поразителен своей невозмутимостью.

Напротив кабинета директора — кабинет главного режиссера цирка Марка Соломоновича Местечкина. Когда заходишь к нему, сразу попадаешь в творческую атмосферу. Стены увешаны фотографиями артистов цирка. Один участок стены отведен фотографиям людей, которых уже нет. Владимир и Юрий Дуровы, Эмиль Кио, Михаил Туганов. Я называю эту стенку печальной.

Здесь, за старинным письменным столом, Марка Соломоновича можно увидеть ежедневно в 10 часов утра. Стол всегда завален кипой бумаг. Тут эскизы, сценарии, письма... Письма ему пишут отовсюду, и, конечно, в первую очередь артисты цирка. С ним делятся планами, просят совета, ждут вызова в Москву, на репетиции, присылают заявки новых номеров, фотографии придуманных трюков. Поэтому Марк Соломонович живет жизнью не только старого Московского цирка, которым он руководит, но и всего нашего многочисленного отряда артистов Союзгосцирка.

Почти перед каждой новой программой он внезапно вызывает в Москву из какого-нибудь отдаленного цирка маленький, не известный никому номерок, который потом вдруг для всех явится открытием. И все начнут говорить: «Почему же раньше эти артисты не работали в Москве? Почему мы их не знаем?» А Местечкин их прекрасно знал, давно уж присматривался, следил за этими людьми, помогал советами и даже в одну из командировок выезжал специально смотреть их номер.

Иногда я люблю заходить на реквизиторский склад. Чего здесь только не увидишь! Помню, еще учась в студии, я любил забегать сюда. Старая кладовщица, естественно, считала, что склад — самое важное в жизни цирка. Она с увлечением показывала различные вещи. Любила рассказывать о старых артистах. Помню, однажды она достала толстую суковатую палку.

— Юра, — сказала она, — я дарю вам палку знаменитого клоуна Коко. Пусть эта палка принесет вам счастье.

Я прямо ахнул, а потом, честно говоря, подумал, что не может этого быть. Старая кладовщица что-то перепутала. Принес палку и говорю отцу:

— Это палка Коко.

— Не может быть, — тоже не поверил отец. — Давай проверим.

Мы взяли старую книгу о цирке, нашли в ней фотографию Коко, и все оказалось верным — он держал в руках именно эту палку.

В дальнем углу склада, на ящиках, лежит несколько каркасов от бутафорских лошадок, на которых мы, студийцы, в день празднования 800-летия Москвы гарцевали по улицам столицы. Цирк принимал участие в праздничной демонстрации.

Где-то в углу, за ящиками, наверное, еще лежит голова бутафорского льва, оставшаяся от клоунады «Маленький Пьер».

Весь старый реквизит, бутафорию время от времени артисты сдают на склад: им это не нужно, а вдруг кому-нибудь пригодится. Списывать реквизит всегда жалко. За каждой вещью — целая история.

Бутафорию нам изготовлял Николай Курчанин. В прошлом он выступал под фамилией Кели. Познакомились мы с ним давно, когда гастролировали на Дальнем Востоке. Он выступал на манеже с оригинальным номером (мы его называли индейским), стреляя из лука и бросая в цель томагавки. Маленького роста, щуплый, но поразительно ловкий и цепкий, он пользовался успехом. Оставив артистическую деятельность, Николай не мог уйти из цирка и устроился работать бутафором. Бутафор он был первоклассный. Обладая художественными способностями, отлично чувствуя материал, он создавал великолепные вещи. Помню, нам понадобились для работы рыбки. Пришли к Николаю, он внимательно выслушал нас и сказал:

— Значит, так, рыбешки должны быть как настоящие и чтобы не портились от воды. Это вам надо? Вы мне только размеры дайте. Остальное не ваше дело.

Через несколько дней мы зашли к нему в мастерскую и увидели таких рыбок, что ахнули. Он сделал их из пористой резины, которую искусно раскрасил. Когда мы вынимали из воды этих рыбок и, нажимая пальцами, заставляли их трепыхаться, создавалось полное впечатление, что в руках бьется настоящая рыба.

Напротив конюшни — дверь в пошивочную мастерскую. Несколько человек, склонясь над длинными столами, вечно что-то кроят, шьют, перешивают. Среди ветеранов цирка — закройщики, портные. Самый известный из них — Иван Павлович Толкунов. Ему под девяносто, а он продолжает работать. Сколько клоунских костюмов он сшил для нас с Мишей! И каждый раз я слышу на примерке одну и ту же фразу:

— Юра, неужели будем делать такие короткие рукава? Ну совсем уродцем будешь!

И все-таки делает рукава короткими, как я и просил его.

Старые костюмы попадают в костюмерную. Долгие годы здесь проработала костюмерша Вера Никитична Орлова. Она собрала неисчислимое множество костюмов. Вера Никитична из тех людей, что безгранично любят цирк и остаются преданными ему на всю жизнь. Женщина со странностями: в семьдесят лет она вплетала в косы бантики, уверяя, что похожа как две капли воды на Рину Зеленую. Но это не мешало ей быть ценнейшим работником. В ее хозяйстве всегда царил идеальный порядок. В сундуках хранились костюмы еще артистов цирка Саламонского. Когда я вспоминаю старый цирк, всегда вижу ее сидящей в своей комнате за чаем. Рядом с ней толстая, перекормленная слепая собака, которую она обожала. Кроме собаки, никого из близких у нее не было. При виде меня она ставила чашку на стол и писклявым голосом кричала:

— Милый мой Юрочка! Я отыскала Мише чудесные ботиночки. А для твоего Бармалея — тельняшечку. Давай примерим.

Да, цирку больше всего нужны именно такие люди, как Вера Никитична, — преданные, добрые, любящие свою работу.

Во дворе цирка всегда порядок, который поддерживает лысоватый пожилой человек маленького роста — Семен Львович Румашевский. Его у нас знают все. Румашевский — неотъемлемая часть Московского цирка. То он выполняет обязанности экспедитора и находит артистам квартиры, то он организует уборку двора, то руководит разгрузкой сена для лошадей и вывозом навоза. Когда работает, он всегда жестикулирует, подбадривает работающих, показывая, куда и что складывать, и первый начинает действовать. Его маленькую фигурку в кургузом пиджачке и кепочке можно увидеть и во дворе, и на проходной, и за кулисами, и на конюшне. Он всюду. Он там, где нужно что-то сделать, и сделать быстро, хорошо.

Молодым человеком Румашевский поступил ассистентом в иллюзионный номер. С тех пор пошло: выступления в иллюзионных номерах, поездки по городам, а потом работа в Московском цирке.

Когда я учился в студии, Румашевский жил при цирке со своей престарелой матерью, занимая крохотную комнатку (одну из гардеробных) на втором этаже. К матери он относился с нежностью. И я часто видел, как он медленно прогуливался с ней по цирковому двору.

Медленно — это с матерью, а в остальное время — все бегом. Наверх, вниз, во двор, на конюшню, на улицу, на вокзал — всегда бегом. Если искали Румашевского, то кто-нибудь отвечал: «Где-то бегает».

Как-то в шутку я сказал Семену Львовичу, что, наверное, ему трудно засыпать — мешают гудящие ноги.

— Ничего подобного, — крикнул он мне на ходу, — я сплю как убитый!

Румашевский с удовольствием рассказывал мне об интересных встречах с артистами, о номерах гастролеров, бытовых подробностях цирковой жизни. Оказывается, до войны в Москве и Ленинграде артисты, как правило, жили в своих гардеробных. Подушки, простыни, одеяла они возили с собой. Цирк предоставлял им только кровати и матрасы. В гардеробных люди спали, готовили, ели, гримировались и прямо оттуда выходили на манеж работать.

Запомнился мне рассказ Семена Львовича о том, как до революции нанимали в цирк клоунов. Приходит артист подписывать контракт, а хозяин неожиданно вскакивает и бьет его по щеке. Не бьет, конечно, а делает вид, что бьет. А клоун должен поймать пощечину, сделать, как мы говорим, «апач». Как это делается? Кто-то как бы бьет вас по щеке, а вы, увернувшись, незаметно для публики ладонями производите хлопок, имитирующий звук пощечины.

Услышал я и рассказы о Касфикисе, с которым Семен Львович когда-то работал. У этого знаменитого иллюзиониста, приехавшего в конце двадцатых годов на гастроли в нашу страну, Семен Львович служил ассистентом. В каждом городе гастроли длились всего несколько дней. На последнем спектакле Касфикис, как правило, раскрывал перед публикой свои секреты. Коронный номер Касфикиса — трюк «Летающая дама», который он подавал в мистическом духе, говоря перед показом номера на ломаном русском языке о силе гипноза, которым он якобы обладает.

В России Касфикис получал много денег, вел шикарную жизнь, пользовался успехом у женщин. Авантюрист по натуре, он не брезговал и спекуляциями. На черном рынке занимался скупкой валюты. В специальном поясе, скрытом под костюмом, хранил бриллианты.

В одном из городов работники ЧК пришли к «мировой известности» в номер гостиницы, требуя вернуть пакет с валютой, который тот только что приобрел.

Все отрицая, Касфикис с театральным жестом сказал:

— Никакой валюты у меня нет!

Тщательно обыскали весь номер. Перерыли все: матрас, стол, шкаф, паркет, простукали стены, заглянули в туалет, ванную, обшарили прихожую, прощупали потолок, обыскали самого иллюзиониста, но валюты не нашли, хотя точно знали, что пакет в номере. Тогда старший опергруппы пошел «ва-банк», предложив Касфикису пойти на мировую.

— Скажите, — сказал чекист, — где вы спрятали пакет, и вам ничего не будет. Валюту мы у вас, конечно, заберем, но деньги, ваши деньги, вернем. Вы же купили валюту у нашего человека. Мы специально вам ее продали.

Касфикис засмеялся и, распахнув окно, попросил посмотреть вниз. И все увидели, что пакет с валютой висит на ниточке между третьим и четвертым этажами гостиницы. Дело кончилось миром.

Однажды я побывал у Семена Львовича дома. В общей коммунальной квартире он занимал крохотную, скромно обставленную комнатку. На стене — большой портрет интересного молодого мужчины.

— Кто это? — спросил я.

— Костано Касфикис. Знаменитый иллюзионист! Я о нем рассказывал...

— А что, — поинтересовался я, — если бы сейчас Касфикис выступил в цирке со своей программой, был бы успех?

— О-о-о!!!! — ответил с придыханием Семен Львович. — Конечно. Ведь он такой красивый!

Семен Львович остался один — мать умерла.

— Трудно одному? — спросил я его.

Семен Львович на секунду погрустнел, прикрыл глаза, потом открыл, приподнял голову, посмотрел внимательно на меня и, взявшись за пуговицу моего пиджака (есть такая у него привычка), сказал:

— Вы знаете, самая страшная молитва в Библии — это: «Господи, не оставь меня одиноким в старости». Трудно. Но у меня есть цирк. Сейчас работать тяжело. Все-таки инфаркт есть инфаркт. И ноги болят... По улицам хожу медленно. Но знаете, как в цирк приду, начинаю бегать по привычке, а они, ноги, болят. Прямо не знаю, что с ними делать. Но без работы-то мне еще хуже!

Хожу я по цирку и думаю о таких людях, как Семен Львович Румашевский.

Разные артисты — плохие и хорошие — работали в программах Московского цирка. Одни с каждым годом привносили что-то новое, другие, достигнув высот, пытались как можно дольше удержаться на гребне славы. Встречались и ремесленники. Помню двух акробатов, которые по афише значились как братья, хотя друг другу были абсолютно чужими людьми. Всю жизнь они проработали в цирке с одним и тем же номером. Как сделали номер на заре своей юности, так двадцать лет изо дня в день выходили с ним на публику, не меняя ни одного трюка, работая под одну и ту же музыку — блюз тридцатых годов. Только костюмы у них менялись — старые изнашивались, и они заказывали новые, такой же расцветки, такого же покроя, меняя, правда, иногда размеры — «братья» все-таки полнели.

Выходили они на манеж вразвалку, не спеша, беззвучно шевеля губами, как бы переговариваясь, и всем своим видом показывая, что они прогуливаются (говорят, что эту манеру они переняли у иностранцев, приезжавших к нам в конце двадцатых годов), остановившись посреди манежа, они неумело изображали, что неожиданно увидели публику. Старший при этом делал широкий жест рукой, как бы говоря: «Давай покажем себя». Младший деловито исполнял на голове старшего стойку, в которой замирал на несколько секунд. Затем они показывали несколько трюков, а в финале «комплименты ручкой», и все это под непременное беззвучное перешептывание.

После работы «братья» поднимались в гардеробную, принимали душ, переодевались, выпивали в буфете по стопке водки и уходили домой. В цирке они почти ни с кем не общались, программа, судя по всему, их не интересовала — они приходили в цирк не работать, а служить. И так изо дня в день на протяжении двадцати лет.

В этих же гардеробных я встречал артистов, которые проводили в цирке дни и ночи. Они придумывали и отшлифовывали новые трюки, использовали каждый свободный час для репетиции, до хрипоты спорили с инженерами, разрабатывая новые аппараты. Сколько волнений, споров, проб и ошибок, сложностей с подбором музыки, света, отработкой мизансцен связано с новым номером! И таких людей, талантливых, ищущих, настоящих тружеников, в цирке большинство.

Разные люди жили в гардеробных: замкнутые и общительные, веселые и грустные, гостеприимные и нелюдимые. Когда мы с Мишей начинали самостоятельную работу, для нас было праздником, если приглашали к себе в гардеробную артисты-сатирики Григорий Рашковский и Николай Скалов — чудесный дуэт, почти каждый сезон выступавший с новым злободневным репертуаром на манеже столичного цирка.

Полный, обаятельный человек дядя Гриша, как мы называли Рашковского, нес на себе основную нагрузку в номере. Артисты прекрасно подавали текст куплетов, и, хотя никогда не пользовались микрофоном, публика слышала каждое слово. Скалов выходил на манеж с гитарой, а Рашковский с мандолиной. Сами себе аккомпанировали, великолепно общались со зрителем и под аплодисменты уходили за кулисы.

Побываешь в гардеробной у таких артистов полчаса — получишь заряд веселья на целый день. Истории и анекдоты они рассказывали вдвоем так же, как и вели диалоги на манеже. Оба любили шутки и розыгрыши. Однажды специальная комиссия из главка пришла в цирк проверить производственный багаж артистов, чтобы выяснить, не возят ли они с собой что-то лишнее. Дошла очередь до Рашковского и Скалова. Скалов повел членов комиссии на склад, где стоял громадный ящик.

— Вот наш реквизит, пожалуйста, взвешивайте.

Рабочие с трудом поставили ящик на весы. Двести тридцать килограммов. Комиссия всполошилась: почему такой вес?

— А инструменты? Ноты? — невозмутимо ответил Скалов.

— Да сколько же могут весить гитара с мандолиной? Откройте ящик, — потребовал председатель комиссии.

Ящик открыли, и оттуда появился с двумя двухпудовыми гирями в руках дядя Гриша. Члены комиссии так и не знали, обижаться им или улыбаться...

Григорий Рашковский и Николай Скалов первыми принесли в цирк диковинный для всех нас железный ящик с манящим названием «магнитофон». Развлекались они с ним как могли.

Как-то пригласили к себе в гардеробную мрачного дрессировщика лошадей. Посадили его в кресло и, незаметно установив микрофон, завели разговор о разных несправедливостях в нашей цирковой системе. Затравка сработала. Не скупясь на крепкие выражения, дрессировщик с воодушевлением ругал руководство главка. Каких только слов не было сказано в адрес наших начальников.

Потом Рашковский, прервав его, мягко сказал:

— А теперь, дорогой Вася, внимательно послушай, что завтра в своем кабинете услышит начальник нашего главка.

Скалов торжественно включил магнитофон на «прослушивание», и Вася постепенно начал меняться в лице. Потом он кричал на Рашковского и Скалова. И слова были более крепкими, чем когда он ругал главк. А дядя Гриша, похлопывая по плечу перепуганного артиста, ласково говорил:

— Не кричи, Вася, не волнуйся. Лучше заходи к нам вечером после представления с бутылкой армянского коньяка. Мы все вместе обсудим и, может быть, эту пленку, если ты не будешь возражать, сотрем.

Кого бы из старых актеров я ни встретил, сразу масса воспоминаний. С одним вместе выезжал на гастроли в Австралию, у второго был свидетелем на свадьбе, с третьим работал во время гастролей в Сибири.

Стоит мне увидеть Виктора Плинера, работающего сейчас режиссером в цирке, я сразу вспоминаю одну из первых послевоенных программ в Москве. На манеж выходил седоватый мужчина с доброй улыбкой, а с ним выбегали дети. И мы с огромным удовольствием смотрели удивительный номер «Икарийские игры».

Обычно выступающих на манеже детей чуть-чуть жалко. Это идет еще от «Гуттаперчевого мальчика» Григоровича. А у Виктора Плинера ребята работали с радостью, с увлечением, да и он к ним относился по-доброму, по-отцовски. Как правило, в группу к нему попадали дети не очень состоятельных родителей. И родители были довольны, что их ребята находятся в надежных руках, учатся, работают, приобретают специальность.

У самого Виктора Плинера детей нет. И он, и его жена относились к маленьким артистам как отец и мать.

В конце шестидесятых годов Виктор Плинер снова создал номер с детьми. Сам он в нем уже не работает. Трюки стали сильнее. Их можно назвать рекордными. И хотя номер великолепно принимается зрителями, для меня лично он кажется хуже. В нем не хватает самого Плинера. Другие этого не замечают, а я невольно сопоставляю номер с прежним выступлением.

Прохожу по нижнему фойе. Вижу, начала собираться униформа. Униформистами работают в основном молодые ребята. Некоторые попали в цирк случайно, другие — с тайной надеждой выйти в артисты. В цирке немало прекрасных артистов, которые начинали свой путь с униформы. Клоун Вяткин, гимнасты Арнаутов и Лисин и многие-многие другие.

Униформа — лицо цирка. У хорошего инспектора униформа вышколена, стоит по струнке. Красивый выход униформы всегда подчеркивает праздничность спектакля.

К сожалению, сейчас на внешний вид униформы мало обращают внимания, особенно в периферийных цирках. Униформистов одевают в какие-то неопределенного цвета малахаи. Они могут выйти на манеж с расстегнутыми воротничками рубашек, в нечищеных ботинках. А от них многое зависит: быстро убрать и правильно установить реквизит, разобрать клетки после работы дрессировщика, вовремя бросить актеру необходимые предметы — булавы, кольца... В случае опасности униформист должен уметь подстраховать артиста. В Московском цирке старшим униформистом уже много лет работает Шамиль Садеков, человек, которого знают и уважают все артисты. Это он спас жизнь известной цирковой гимнастке Валентине Сурковой во время выступления в Зеленом театре Центрального парка культуры и отдыха. Плохо укрепленный канат вдруг лопнул, раздался треск. Шамиль в сотые доли секунды среагировал, ринулся под падающую гимнастку, спассировал ее падение своей спиной. Артистка отделалась легким ударом и испугом, а Шамиль потом провел около двух недель в больнице.

Во время представления за кулисами у занавеса стоит старый униформист. Этот человек, который, несмотря на толстые очки, почти ничего не видит, всю жизнь провел в цирке. В прошлом известный артист, выйдя на пенсию, он не смог жить без любимого искусства и начал работать в Москве в униформе. Во время представления, впуская и выпуская артистов на манеж, он может только открывать и закрывать занавес. Стоя весь спектакль в темном проходе, намотав на руки веревки от занавеса, он весь на манеже. Когда играет оркестр, он в такт подпевает и слушает, что происходит в зале.

Почти 30 лет я провел в цирке. За это время мы побывали в разных уголках нашей страны, выступали в 16 странах мира.

Порой от цирка меня отвлекала на большие сроки работа в кино. В эти периоды мой партнер работал в паре со своим старшим сыном — Вячеславом.

За время работы в цирке мы по-настоящему сработались с Михаилом Шуйдиным, научились понимать друг друга с полуслова. Постепенно нашим третьим партнером стала Татьяна Никулина, с участием которой мы показываем ряд клоунад и интермедий.

Проходят годы. Про нас уже говорят — маститые артисты. И как в свое время я смотрел на корифеев цирка, так, видимо, смотрят и на нас начинающие клоуны. А мне кажется, что мы остались такими же, какими были много лет назад. Да, конечно, приобрели опыт, стали более профессиональными, но, в сущности, не изменились. Скорее наоборот, некоторые вещи мы раньше делали лучше, чем сейчас. В молодости легче работалось, были озорство, поиски, импровизации. Раньше мы легко переносили любые промахи. А теперь неудачи стали переживать острее. Да и публика предъявляет к нам особые требования.

В последнее время я часто вспоминаю слова Карандаша: «Влезть на гору легче, чем потом на ней удержаться».

В цирк я стал влюбляться постепенно. Год за годом вживался в этот пестрый мир. Больше всего я полюбил в цирке людей. Только одержимые люди могут всю жизнь переезжать из города в город, жить в переполненных гостиницах или на чужих квартирах, ежедневно часами репетировать, и все ради того, чтобы поразить и удивить зрителя, завоевать уважение среди товарищей по работе.

Работа! Ни один артист театра или кино, насколько я знаю, не скажет: «Я сегодня отработал спектакль» или «Я сегодня отработал один съемочный день». А в цирке говорят: «Мы отработали два спектакля», «Мы едем работать в Кемерово», «Мы работаем во втором отделении».

Среди артистов цирка царит атмосфера доброжелательного отношения друг к другу. Сколько полезных советов от клоунов мы с Мишей получили, спотыкаясь во время создания новых реприз.

Проходит время. Все меняется. Теперь я подхожу после спектакля к молодому клоуну и говорю:

— Чего же ты в землю-то говоришь, тебя ведь никто не слышит.

Завидуют ли артисты цирка друг другу? В искусстве, как говорится, не без этого. Но в цирке зависть в основном та, что может тебя «подзавести», заставляя подумать, как лучше сделать свой номер. Артисты цирка радуются успеху своих товарищей. Эта традиция идет с давних пор. Ведь в свое время жизнь артистов зависела от сборов. Будут сборы — хозяин жалованье выплатит, пусто окажется в кассе — никто денег не получит. Поэтому каждый болел не только за свой номер, но и за всю программу.

Покажет артист новый номер, и каждый постарается подойти и подбодрить дебютанта, сказать ему: «С дебютом!», «С началом!».

А премьера!.. Премьера — особый праздник в цирке. Все волнуются. Как правило, не хватает времени на репетицию. Бывает, что вагоны с животными прибывают в день спектакля и артисты других номеров помогают разгружать их и устанавливать клетки.

После премьеры все, целуя друг друга, поздравляют с началом. Цирк после премьеры не спит долго. В этот день можно и «посидеть». В гардеробных наскоро накрыты столы — отмечается новый спектакль.

Премьера, общий сбор — это лишний повод для того, чтобы еще раз поговорить о работе: кого как принимали, как получше переставить номера в программе.

В цирке непременно отмечается и окончание гастролей. Окончание. Торжественный день. Он радостен. Радостен потому, что закончили сезон, успешно проходили на публике, имели приятные отзывы в прессе. В начале работы одно доброе слово о тебе, сказанное в прессе, запоминается больше, чем через 15 лет огромная хвалебная статья. Но почему-то критики, журналисты всегда предпочитают писать об известных людях (даже во многом повторяя своих коллег), чем писать о дебютантах, открывая тем самым новые имена.

Придя в цирк учиться, я с обожанием смотрел на каждого клоуна, ибо его фигура представлялась мне удивительной, романтичной и чем-то непостижимой. Спустя год я мог уже довольно трезво судить о людях этой профессии.

В жизни все оказалось проще. Клоуны и их жены — простые труженики, серьезно относящиеся к своим, казалось бы, несерьезным действиям на арене. Бывают клоуны веселые в жизни, бывают мрачноватые. Есть оптимисты, есть пессимисты. Большинство клоунов, которых я знал лично, добрые, отзывчивые люди, общительные в быту, хотя характеры у всех у них разные.

Чтобы стать настоящим коверным, нужно время. Опыт приобретается с годами. В цирке в отличие от эстрады среди клоунов почти нет молодых звезд. Имя себе клоуны делают постепенно, долго. Пожалуй, здесь может служить исключением только судьба удивительного клоуна, коверного Леонида Енгибарова. Ни на кого не похожий, он работал на манеже с первых лет точно, четко, не шел на поводу у публики, а искал своего зрителя. И нашел его. Этот клоун, будучи молодым, стал звездой первой величины. Великолепный акробат, блестящий жонглер, удивительно владевший искусством пантомимы, Леонид Енгибаров все время искал новое, и через три-четыре года после дебюта о его искусстве спорили, ему подражали. У него были ярые поклонники и противники.

Когда я увидел его в первый раз на манеже, мне он не очень понравился. Я не понимал, почему вокруг имени Енгибарова такой бум. А спустя три года, вновь увидев его на манеже Московского цирка, я был восхищен. Он потрясающе владел паузой, создавая образ чуть-чуть грустного человека, и каждая его реприза не просто веселила, забавляла зрителя, нет, она еще несла и философский смысл. Енгибаров, не произнося ни слова, говорил со зрителями о любви и ненависти, об уважении к человеку, о трогательном сердце клоуна, об одиночестве и суете. И все это он делал четко, мягко, необычно.

В 1972 году вышел девятый том Большой советской энциклопедии. В этот том — впервые в энциклопедии — была включена заметка о Леониде Енгибарове. В ней приводились основные факты биографии великого артиста: родился в 1935 году, окончил Государственное училище циркового и эстрадного искусства в 1959 году, на Пражском конкурсе клоунов в 1964-м был признан лучшим клоуном Европы. Как я потом узнал, 25 июля 1972 года лист за листом ротационные машины печатали девятый том энциклопедии. Леонид Енгибаров входил в историю. И именно 25 июля 1972-го, как мне потом рассказали, вечером, Леонид Енгибаров крикнул: «Мама, у меня все горит в груди, помоги мне!» Вызвали «скорую помощь»... Но приехал неквалифицированный врач. Поставив диагноз отравление, доктор покинул умирающего клоуна. А когда приехала вторая машина «скорой помощи», было поздно — Леонид Енгибаров умер. Смерть наступила от обширного инфаркта, как говорили раньше, от разрыва сердца.

Когда Леонида Енгибарова хоронили, в Москве начался невероятный по силе проливной дождь. И все входили в зал Центрального дома работников искусств, где проходила гражданская панихида, с мокрыми лицами. А пришли тысячи...

А до этого в Москве стояла невероятная жара. Более двадцати дней ни одного дождя.

В последние месяцы жизни Леонида Енгибарова у него возникали конфликты с руководством Союзгосцирка, многие чиновники мешали ему в создании театра клоуна, о чем он мечтал и многое делал для претворения своей мечты. Сердце у клоуна оказалось хрупким.

Уйдя из жизни в 37 лет, Леонид Енгибаров остался загадкой. И хотя у него есть много последователей, все они, конечно, работают хуже.

Когда узнаешь цирк, то не сможешь его не полюбить. Я так подробно говорю о чувствах, об отношении к цирку, чтобы можно было понять, что же такое работа в цирке. Что заставляет людей всю свою жизнь связывать с манежем.

Участие в фильмах помогло приобрести мне популярность. Я хорошо сознаю: зрители иногда идут в цирк на программу с моим участием не для того, чтобы посмотреть клоуна Никулина, а для того, чтобы увидеть артиста кино. Наверное, из-за этого от нас с Мишей ждут чего-то необычного, к нам относятся с особой требовательностью.

Помню, работали мы в Горьком. До нас на манеже выступали великолепные клоуны Геннадий Маковский и Геннадий Ротман. Многие почему-то считали, что мы должны быть на семь голов выше их. Почему? Наверное, из-за кино.

Одна женщина мне так и сказала:

— Когда вы приехали, я думала, что будете летать под куполом и вообще все у вас будет необыкновенно. А вы как все.

А ведь я действительно обычный, нормальный клоун. Конечно, я хочу работать как можно лучше, но это не всегда получается.

Обо всем этом я невольно думаю каждый раз, когда оказываюсь в пустом зрительном зале, когда брожу по коридорам, закоулкам своего родного дома — старого Московского цирка на Цветном бульваре.

МОЕ ЛЮБИМОЕ КИНО

В природе ничего не пропадает,
кроме исполнившихся надежд.

Станислав Ежи Лец

В детстве я считал, что сниматься в кино могут только гениальные люди. Когда я видел картины, в которых участвовали ребята, я им не завидовал. Они, считал я, особенные, сверходаренные, я же обычный мальчик, где уж там мечтать о съемках. Правда, заканчивая школу, я прочитал несколько книг о кино, подумывая стать кинорежиссером, и даже узнавал о правилах приема в институт кинематографии.

Почему я любил кино? Во-первых, мне нравилось само посещение кинотеатра. Доставляло удовольствие покупать билет, стоять в фойе в ожидании сеанса, есть мороженое. Ведь самое вкусное мороженое — то, что куплено в кинотеатре. В детстве мы, мальчишки, придумывали рассказы, построенные на названиях фильмов нашего времени. Вот один из них: «"Однажды летом" "У самого синего моря" сидело "Семеро смелых". Вдруг подошел "Последний табор" в "Рваных башмаках", сказал: "Мы из Кронштадта" — и пригласил “Подруг” идти в “Цирк” смотреть “Праздник святого Иоргена”».

С юношеских лет я полюбил актеров немого кино, и больше всех Бастера Китона.

Из советских артистов я обожал Ильинского, Жарова, Мартинсона, Гарина... Считал их гениями.

Самым лучшим комическим артистом был для меня Игорь Ильинский. Любой фильм с его участием — событие.

Картин делалось в то время мало, и ни одной премьеры в нашей семье не пропускали. Большое впечатление на меня произвел фильм «Александр Невский», поставленный Сергеем Эйзенштейном. Помню, я был потрясен музыкой Прокофьева. А сама картина показалась мне гениальной.

Первый запомнившийся мне фильм — «Охота на зверей». Мы смотрели его с отцом в Политехническом музее.

Когда мне исполнилось десять лет, тетя Оля подарила эпидиаскоп: деревянный ящик, выкрашенный черной краской. В ящик вмонтирована линза. Был там патрон для лампочки. Экран большой — метр на метр. Довольно быстро я теткин подарок модернизировал. В деревянной дверце прорезал две дырки, склеил бумажную ленту со своими рисунками и пропускал через эпидиаскоп свои первые рисованные фильмы. Были там и титры, которые писать приходилось в зеркальном изображении. Были крупные планы и даже детали: рука, сжимающая пистолет, отдельно нарисованные глаза. Свои ленты я показывал ребятам на пионерском сборе в школе. И они имели успех.

Когда меня спрашивают, кто мой любимый комедийный артист, я называю Чарли Чаплина. Ко времени моих самостоятельных посещений кино его ранние фильмы уже сошли с экрана.

Как-то дома, рассказывая и изображая в лицах очередную кинокомедию, я услышал, как отец сказал матери:

— Вот бы Юре Чаплина посмотреть, он бы его потряс.

Так я узнал, что в кино есть Чаплин.

— Ну какой он, Чаплин, какой? — спрашивал я у отца.

— Маленький, в котелке, в руках тросточка, ходит переваливаясь, очень смешной.

Можно понять мое ликование, когда, став подростком, я узнал от отца, что в Москве пойдет один из последних фильмов Чарли Чаплина — «Новые времена». Осенью, в дождливую погоду, мы пошли всей семьей в Зеленый театр Парка культуры и отдыха имени Горького смотреть этот фильм. В Зеленом театре громадный экран, и фильм могут смотреть около тридцати тысяч зрителей.

Как только на белом полотне появился человек с тросточкой, я забыл обо всем на свете. Не существовало зала, куда-то исчез дождь (фильм шел под открытым небом). Я видел только Чаплина. «Новые времена» меня покорили настолько, что на другой день я захотел увидеть фильм снова, но все билеты оказались проданными. Попал я на эту картину лишь через два дня.

...Много, много овец. Целое стадо! Вдруг эти овцы на глазах превращаются в толпу людей. Это безработные входят в заводские ворота, надеясь получить работу. В толпе маленький человечек — Чарли. Он тоже хочет работать. Случайно его берут на завод. А дальше — сцена на конвейере, непосильная работа, когда человек превращается в машину. Эта работа сводит с ума. Чарли выгоняют. Он поступает ночным сторожем в универсальный магазин. Опять неудачи. Его выгоняют на улицу. И через весь фильм проходит любовь

Чарли к девушке, с которой он уходит по дороге вдаль, так и не обретя благополучия, счастья.

Что я могу сказать сейчас, через много лет? Эти полтора часа в Зеленом театре запомнились мне на всю жизнь. Полтора часа счастья, блаженства, восторга. Я окунулся в странный, удивительный и смешной мир. С первых кадров понял: маленький смешной человек — мой самый любимый и близкий друг. И я переживал за его судьбу, хотя и смеялся над его похождениями.

Вышел после просмотра счастливый, шел рядом с отцом и все думал о Чаплине. Музыку из «Новых времен» я все время напевал про себя.

А спустя несколько месяцев на экранах Москвы показывали «Огни большого города». Там Чарли — бродяга-безработный. Он случайно спасает от самоубийства пьяного миллионера. Миллионер из чувства благодарности ведет его к себе в дом и принимает как лучшего друга. На другое утро, протрезвев, хозяин не узнает своего спасителя и выгоняет из дома.

Скитания по городу в поисках работы, любовь к бедной слепой девушке — продавщице цветов, выступления на ринге боксером... Сцена бокса поставлена комично, а в то же время в горле стоял комок, когда я видел Чарли избитого, униженного, выброшенного на улицу.

В этой картине много уникальных трюков, но за ними не теряется, не тонет мысль о доброте, благородстве и страданиях маленького человека.

Более двадцати раз я смотрел «Огни большого города». И каждый раз, когда маленький нищий человек говорил цветочнице: «Теперь вы видите?» — я вытирал слезы.

В зале зажигался свет, а я еще некоторое время сидел подавленный, ошарашенный увиденным, потом медленно шел домой, испытывая самые прекрасные, добрые чувства. Шел по улицам Москвы, наполненный грустью, радостью, желанием стать лучше...

Анализируя каждый эпизод фильма, я поражался, как продуман и отточен каждый жест и взгляд актера. Наверное, фильмы Чарли Чаплина помогли моим творческим поискам в цирке и кино. Они стали для меня эталоном смешного. Позже, занимаясь в студии клоунады при цирке, я смог посмотреть все ранние фильмы Чаплина, из которых больше всего понравились «Цирк» и «Золотая лихорадка». Выезжая с цирком на гастроли за границу, я увидел остальные картины Чаплина — от «Диктатора» до «Графини из Гонконга».

Отец с матерью в дни своей юности покупали фотографии артистов театра и кино. Я подолгу рассматривал эти фотографии и, конечно, не мог представить, что через десять-пятнадцать лет многих из артистов увижу в съемочных павильонах студии, в Союзе кинематографистов, а с некоторыми из них подружусь.

Как-то отец достал мне абонемент на цикл лекций о кино. Кто их вел, не помню, но сами просмотры и темы лекций остались в памяти: нам рассказывали о Вере Холодной, Игоре Ильинском, показывали фрагменты из фильмов с их участием. Я тогда учился в 10-м классе. И помню, отец, с трудом раздобыв где-то абонемент, вручая его мне, сказал:

— Тебе, Юра, обязательно нужно все это прослушать и посмотреть. Может быть, когда-нибудь ты будешь работать в кино.

Когда я учился в старших классах, а затем в студии клоунады, у нас в Токмаковом переулке часто собирались по вечерам мои товарищи. Квартира стала своеобразным клубом. Собирались мои одноклассники, друзья по цирковой студии, знакомые отца, соседи по дому. Засиживались до четырех ночи. Главное — общение, разговоры, споры. Подавался чай. К чаю сухарики, сушки, иногда бутерброды.

Порой отец читал свои репризы, внимательно выслушивая мнение о них. Часто обсуждались новые книги, фильмы, спектакли. Нередко вечера посвящались анекдотам. Обычно я рассказывал о занятиях в студии клоунады, а когда начал сниматься в кино — различные истории, связанные со съемками.

...Один из самых тягостных моментов на натурных съемках — это ожидание, когда появится солнце. Иногда солнца ждут долго. Часами дожидаются крошечного просвета в облаках, чтобы отснять хотя бы один дубль. Вот тут-то и рассказываются всякие истории, случаи, анекдоты. И я записываю их в тетрадку в клеточку.

Первые попытки

Однажды вахтер в проходной «Мосфильма» остановил выходящего с портфелем в руках человека.

— Что у вас в портфеле? — спросил бдительный вахтер.

— Сценарий, — ответил человек. Его задержали до прихода начальника охраны. А потом выпустили.

— Чего ты его задержал-то? — спросил начальник вахтера.

— Так вчера на общем собрании студии говорили, что сценариев не хватает.

Из тетрадки в клеточку.
Октябрь 1957 года

Занимаясь в студии клоунады, я лелеял мечту сняться в кино. Поэтому, когда к нам в цирк пришли с киностудии и предложили желающим участвовать в массовке, я записался одним из первых.

Снимали фильм о цирке. Требовались «зрители», которые смеются во время представления. Нас всех усадили на места и приказали по команде смеяться. После первого дубля ассистент режиссера обратился ко мне:

— Товарищ, вы плохо смеетесь, ненатурально. Будьте внимательны.

Сняли второй дубль. Я старался смеяться как можно натуральнее. Но, видно, опять не получилось, и меня попросили со съемки уйти.

А через некоторое время к нам снова пришли с киностудии и пригласили желающих принять участие в съемках фильма «Русский вопрос». Я опять записался.

Теперь нам велели изображать бегущую толпу. Некоторым выдали береты и шляпы, а мне разрешили остаться в своей кепке. Уже после съемки мы узнали, что изображали куда-то бегущих американцев.

Когда «Русский вопрос» вышел на экраны, я несколько раз смотрел эту картину, все искал себя в толпе. Но так и не нашел.

Прошло время, и я опять столкнулся с кино. Отбирать конные номера для фильма «Смелые люди» в цирк пришел известный тогда режиссер Константин Константинович Юдин. Он внимательно просмотрел всю программу и во время «Сценки на лошади» смеялся до слез. Через три недели Юдин с кем-то из своих ассистентов пришел в цирк и снова смотрел представление.

Потом мне рассказывали, что Юдин, увидев меня, удивленно воскликнул:

— Позвольте, значит, это артисты выходят из публики?

— Да, это подсадка, — объяснили ему.

— Ну, товарищи, я хочу с этим высоким парнем познакомиться, — сказал Юдин. — Его нужно снимать в кино.

К сожалению, наше знакомство не состоялось. Когда режиссер пришел за кулисы, я уже ушел домой.

Через два дня у меня дома зазвонил телефон. Звонил мне Натансон, ассистент Юдина.

— Знаете, — сказал Натансон, — вы понравились Юдину, и мы хотим вас попробовать на эпизод с трусливым немцем.

От неожиданности я замер и, конечно, с радостью согласился. Мне велели на следующий же день прийти на студию.

В костюмерную «Мосфильма» меня провожала миловидная девушка. Пройдя несколько коридоров, переходов, бесконечных лестниц, минуя какие-то тупички, я сказал:

— Здесь можно заблудиться.

— Конечно, можно. У нас на «Мосфильме» есть места, куда не ступала нога человека, — спокойно ответила девушка.

И я ей поверил.

В костюмерной выбрали для меня немецкую форму. Я оделся и пошел в фотоцех, где снялся в нескольких позах.

С Натансоном мы условились, что он позвонит мне и вызовет на репетицию.

Прошла неделя, другая, а мне никто не звонит. Месяц прошел, а звонка все нет. Решил сам позвонить по телефону, напомнить Натансону о себе.

— Вы знаете, — сказал он, выдержав долгую паузу, — мы сейчас подбираем актеров на другие эпизоды. Ждите и не волнуйтесь, мы вам позвоним.

Через некоторое время, узнав, что съемки давно начались, я решил поехать на «Мосфильм». Но на студию меня без пропуска не пустили. Долго из проходной я дозванивался по местному телефону до Натансона и наконец услышал в трубке его неуверенный голос:

— Вы знаете, может быть, вашего эпизода и не будет в картине. Так что ничего конкретного я вам, к сожалению, сказать не могу.

Много позже режиссер Илья Турин рассказал такой случай. Когда он работал еще ассистентом, на одну из ролей пробовалась известная актриса Ада Войцик. На роль ее не утвердили, и Турин, позвонив ей домой, сказал:

— Вы не подошли к роли. Вас забраковали.

— А кто это говорит? — поинтересовалась Войцик.

— Ассистент режиссера Турин.

— А вы давно работаете на студии?

— Нет, четвертый месяц.

— А-а-а! Тогда все понятно, — сказала актриса и тут же объяснила: — Понимаете, мне первый раз в жизни честно сообщили, что я не подошла к роли. Обычно тянут, стесняются об этом говорить. Вот пройдет два-три года, а может быть, и меньше, и вы тоже таким станете. А напрасно! Лучше всегда говорить правду.

Наверное, Натансон не был новичком, когда создавались «Смелые люди».

Увидев этот фильм на экране, я понял, что эпизод с трусливым немцем оставлен — его играл один из известных актеров.

Интересное совпадение. В фильме «Смелые люди» снималась и моя будущая жена. В сцене пожара она верхом на лошади выпрыгивала из горящего дома.

Татьяна в то время увлекалась конным спортом, и поэтому ее пригласили участвовать в съемках. Кто знает, если бы меня утвердили на роль, может быть, мы с ней встретились бы раньше.

Таковы были мои первые шаги в кино.

Иду козырным тузом

Молодой режиссер, снимающий первый фильм, выбирал место для натурной съемки. Он быстро шел по лесу, продираясь сквозь заросли. За ним, тяжело дыша, еле поспевал оператор, полный пожилой человек. Наконец, зайдя в самую непроходимую чащу, где от густой листвы было темно, режиссер торжественно воскликнул:

— Здесь мы будем снимать сцену свидания!

— Здесь мы будем проявлять пленку, — ответил оператор.

Из тетрадки в клеточку.
Декабрь 1957 года

В Московском цирке по сценарию Владимира Полякова готовилось обозрение «Юность празднует». Как-то, встретив меня в фойе, Поляков вдруг остановился и, внимательно рассматривая, будто никогда раньше не видел, спросил:

— Слушай, хочешь подзаработать? Сейчас по нашему с Борисом Ласкиным сценарию ставится фильм «Девушка с гитарой». Там есть два эпизода, на которые никак не могут найти артистов. Хочешь?

Вспомнив, как меня не приняли во ВГИК, как зря я бегал по Цветному бульвару, изображая американца в «Русском вопросе», вспомнив, как выгнали меня со съемки в цирке и как обошелся со мной Натансон, я отказался. Однако Владимир Поляков, выслушав меня, все же протянул записку с номером телефона съемочной группы.

— Будешь звонить, попроси Карелова. Он ассистент режиссера. Закажет тебе пропуск. Обязательно при этом сошлись на меня.

Вечером за ужином я рассказал домашним о разговоре с Поляковым.

— А что? — сказала Татьяна. — Почему бы тебе не сняться? Ты сумеешь, у тебя получится. Я тебе не раз говорила, что просто мечтаю, чтобы ты попробовался хотя бы в маленькой роли.

Мы долго спорили: я отказывался, Татьяна настаивала. Кончилось тем, что она сама позвонила Карелову.

Молодой симпатичный ассистент режиссера Евгений Карелов встретил меня и повел к режиссеру Файнциммеру. Дорогой я вспоминал фильмы, созданные этим режиссером. Особенно мне нравились «Танкер "Дербент"» и «Овод». Поэтому на человека, который их поставил, я смотрел с уважением и трепетом. Он со мной немного поговорил, потом дал сценарий и, попросив быстрее прочесть, отпустил домой.

Действие картины строилось на том, что конкурсная комиссия отбирает лучшие номера самодеятельности для показа на Всемирном фестивале молодежи и студентов. Главную роль в фильме исполняла Людмила Гурченко. На нее, как говорится, делалась ставка. После успеха «Карнавальной ночи» авторы фильма считали, что Гурченко «вывезет» любой фильм. Но для оживления сюжета придумали смешные эпизоды, и среди них — появление перед отборочной комиссией странного человека с чемоданчиком.

Этот странный человек (пиротехник, как он назывался в сценарии) мне понравился. Эпизод небольшой. Пиротехник вбегает с чемоданчиком в комнату, где комиссия просматривает участников конкурса, и говорит:

— Товарищи, я извиняюсь, товарищи. Для фестиваля, понимаете, придумал эффектную вещь... Люди увидят — ахнут. Самодеятельный фейерверк типа салют.

Ему отвечают, что он не туда попал, нужно идти в другую комнату.

— Пожалуйста, не перебивайте, — продолжает он. — Я был в двадцать третьей, в двадцать четвертой... Сейчас я его зажгу, и вы увидите. Сядьте.

И перед ошеломленной комиссией он вынимал шутиху, поджигал ее, шутиха летала по комнате, а потом взрывалась. Члены комиссии, черные от сажи, вылезали из-под стола, и один из них спрашивал:

— Товарищи, а где же конструктор?

Открывалась дверь, и пиротехник входил, весь закопченный, уже с огромной шутихой в руках, и говорил:

— Я извиняюсь, товарищи, не ту зажег. Сейчас повторим.

Комиссия в полном составе опять пряталась под стол.

Эпизод мне понравился. Я уже представлял, как буду его играть.

На следующий день на «Мосфильме» вместе с художником и костюмером мы долго решали, во что одеть пиротехника. В костюмерной выбрал маленькую кепочку, надел красную рубаху, взял в руки фибровый чемоданчик и попросил подобрать кеды. Но их на складах «Мосфильма» не оказалось. Решил: куплю кеды сам.

Почему кеды? Не знаю, но мне казалось, что герой мой — человек странный, «чокнутый», как я называл его про себя, и должен ходить плавно, тихо, именно в кедах.

На студии мне дали листок, вырванный из сценария, с четырьмя фразами, которые должен произносить пиротехник.

Съемку назначили через три дня. Три дня я учил текст. Все время прикидывал, как же я сыграю свою роль. Сниматься и хотелось, и было страшно.

Утром приехал на студию, и меня сразу повели в гримерную. Молоденькая гримерша, мельком взглянув на меня, сказала:

— А что его гримировать? Положим общий тончик на лицо — и хватит.

Так и сделали. На лицо положили общий тон, выбили мне из-под кепки клок волос, переодели в красную рубаху с белыми полосками. Переобулся я в кеды, которые принес из дому, взял маленький чемоданчик в руки. В таком виде меня и проводили в павильон на съемку.

Первым на съемочной площадке меня увидел Михаил Иванович Жаров и сурово спросил:

— Это кто такой?

Я перепугался. Стою и молчу. Жарову сказали, что я буду играть пиротехника. Жаров посмотрел на меня еще раз, вдруг громко засмеялся и одобрительно сказал:

— Во, точно. Такой может взорвать!

Началась репетиция. Я предложил режиссеру:

— А что, если после взрыва, когда пиротехник исчезнет и его начнут искать, вместо него увидят только кепку на полу?

С предложением согласились. Осмелев, я предложил поджигать шутиху не спичками, как в сценарии, а папиросой, как это делает большинство пиротехников.

— А где вы возьмете папироску? — спросил Файнциммер.

— Пусть кто-нибудь из членов комиссии курит, — предложил я. — Пиротехник вытащит у него изо рта папироску, а потом вставит обратно. Будет смешно.

Режиссер и это предложение принял.

Начали репетировать. Все получалось довольно прилично. А когда пиротехник брал папироску у одного из членов комиссии, все вокруг смеялись. Такая реакция меня ободрила. Прорепетировали несколько раз.

Наконец раздалась команда:

— Тишина. Мотор...

Файнциммер тихо сказал:

— Начали.

Перед моим носом ассистентка громко щелкнула деревянной хлопушкой. Как только щелкнула хлопушка, у меня заколотилось сердце и мне показалось, что меня пронизывают какие-то невидимые лучи, исходящие из кинокамеры. Я просто ощущал, что они, точно пунктирные линии, проходят сквозь мое тело. Ноги стали ватными.

С трудом вошел я в декорацию и обалдело остановился. Текст вылетел из головы. Стоял до тех пор, пока режиссер не крикнул:

— Стоп! — И спросил меня: — В чем дело? Какую фразу вам нужно сказать? Почему вы остановились?

— Товарищи, я извиняюсь, товарищи... — произнес я первую фразу пиротехника.

— Ну вот и хорошо, — успокоил меня Файнциммер. — Попробуем снова. Только, пожалуйста, соберитесь. Не волнуйтесь. Приготовились...

— Тишина!

— Мотор!

— Начали!

Вбежав в комнату, я, вместо того чтобы сказать текст, заметался, задергался и стал молча открывать чемодан. Опять все слова забыты.

— Стоп! — крикнул Файнциммер и строго спросил меня: — Вы текст учили?

Я почувствовал, что режиссер спрашивает меня, стараясь подавить раздражение.

— Учил. Целых три дня, — ответил я.

Все засмеялись.

Следующие три дубля тоже оказались сорванными.

Меня сбивало требование останавливаться в условленном месте, где сделали отметку мелом. Как только начиналась съемка, я смотрел не на комиссию, а на отметку. Съемку, естественно, останавливали, и ассистент режиссера удивленно меня спрашивал:

— Неужели вы не можете смотреть угловым зрением?

А я понятия не имел об угловом зрении.

Вконец измучившись, Файнциммер сказал мне:

— Вы, пожалуйста, отдохните, успокойтесь. Попробуем сделать так. Пройдем все, как будто это съемка: со светом, с микрофоном, но без команд и хлопушки.

Включили полный свет. Дали команду начинать репетицию. Все шло прекрасно.

Как и требовалось, я вбежал в комнату, произнес первую фразу: «Товарищи, я извиняюсь, товарищи...», поджег шутиху, но, как только сказал последнюю реплику, Файнциммер крикнул:

— Быстро хлопушку!

Оказывается, вместо репетиции была съемка. Просто хлопушку решили дать в конце. Так и сняли этот кадр.

Когда я переодевался после съемки, Юрий Чулюкин (он вместе с Евгением Кареловым работал ассистентом у Файнциммера) сказал мне:

— Вам повезло, что вы снимаетесь у Файнциммера. Попали бы к Ивану Пырьеву, он бы вас за незнание текста выкинул из павильона.

Прошло несколько дней. Мне позвонил Евгений Карелов.

— Все получилось отлично, — сказал он. — При просмотре материала на вашей сцене все смеялись, и сценаристы решили написать для вас второй эпизод. Вы будете сниматься в нем вместе с Жаровым.

Так возник эпизод, когда пиротехник приходит в музыкальный магазин к директору (его играл Жаров) и демонстрирует тому свою шутиху, взрывая в магазине чуть ли не целый отдел.

Естественно, я с радостью согласился на это предложение.

Через несколько дней мне рассказали, что у съемочной группы возникли сложности и, видимо, картину в срок сдать не успеют. Рассказали мне и о том, что руководство на просмотре рабочего материала хохотало над моим эпизодом.

— Вы у нас, — сказал мне кто-то в группе, — идете козырным тузом.

Во время съемок я подружился с Михаилом Ивановичем Жаровым. Интересный человек, большой актер, ко мне, начинающему артисту, он относился по-доброму. Всегда подбадривал. Перед съемкой второго эпизода нам показали часть смонтированного материала. Впервые увидев себя на экране, я остолбенел. «Неужели я такой?» — поразился я. И голос, и выражение лица, которое я привык видеть в зеркале, — все было другим. Не считая себя красавцем, я, в общем-то, думал, что выгляжу нормальным человеком, а тут на экране полный кретин, с гнусавым голосом, со скверной дикцией. На меня это так подействовало, что я расстроился. А вокруг все были довольны и говорили: «Хорошо. Молодец!»

Оставшись наедине с Жаровым, я излил ему душу. Михаил Иванович внимательно посмотрел на меня, улыбнулся и, понизив голос, сказал:

— Это что!.. Когда я себя увидел в первый раз на экране — заплакал. Жалко мне стало самого себя. Ушел в уголочек и долго плакал. Никак, понимаешь ли, не думал, что так плохо выгляжу. Так что не расстраивайся. Наоборот, поздравляю тебя с успехом. Все получилось нормально.

Уже во время первых съемок я понял, что актер может вносить свои добавления в текст. О шутихе, которую доставал пиротехник, я сказал:

— Вот сейчас она у нас джикнет...

«Джикнет» смешнее, чем «взорвется», как было написано в сценарии. Так в картину и вошло.

«Джикнет» понравилось Жарову, и он часто, повторяя это слово, смеялся.

В ожидании одной из съемок в случайном разговоре я выяснил, что подмосковный дом, в котором мы с семьей снимали комнату на лето, недалеко от дачи Жарова.

— Ты же со мной рядом живешь, заходи в гости, — предложил Михаил Иванович.

В одно из воскресений я пошел к нему.

У Жарова оказался обыкновенный финский дом, чистенький, уютный, с небольшим участком. Для дочек Михаил Иванович сам построил в саду маленький домик с игрушками. И вообще на даче он все делал своими руками.

У меня сохранилась фотография: сидим в яркий солнечный день за столом на воздухе, пьем чай из самовара и беседуем.

Рассказывал Жаров великолепно. Вспоминал разные случаи из театральной жизни, говорил об известных актерах, о своем детстве.

— Михаил Иванович, вы же можете книгу написать!

— Да ну, книгу, — ответил Михаил Иванович. — У меня и времени нет. Да и что писать?

Прошло десять лет. Снимаясь в фильме «Кавказская пленница», я вспомнил свою встречу с Жаровым. И вот почему. Сидим мы с Натальей Варлей, которая тогда впервые снималась в кино, ждем начала съемок. Я рассказываю ей о своих встречах с людьми, о цирке, о кино, о зарубежных поездках. Она внимательно слушает меня и вдруг говорит:

— Юрий Владимирович, так вы же можете целую книгу написать! Так все интересно.

— Да ну, книгу, — отшутился я тогда, — у меня и времени-то нет.

Все-таки Жаров потом книгу написал. Я ее с интересом прочел. Правда, Михаил Иванович о своем участии в фильме «Девушка с гитарой» не вспомнил. Это и понятно. Для него участие в этой картине — дело обычное, проходное. А для меня фильм стал боевым крещением в кино.

Второй эпизод, который написали для меня Владимир Поляков и Борис Ласкин, отсняли. Где-то он стал повторением первого эпизода, но тем не менее воспринимался хорошо. И у меня возникла мысль: а что, если снять еще один эпизод, совсем короткий, в конце фильма? Огромное здание. В окнах горит свет. В подъезд этого здания входит пиротехник с чемоданчиком в руках. Проходит секунда, другая, и вдруг во всех окнах одновременно гаснет свет. А затем отдельным кадром снять, как по Москве мчится пожарная машина.

Евгению Карелову и Юрию Чулюкину мое предложение понравилось. Файнциммер же, внимательно выслушав их, сказал:

— Стоит ли? У нас и так перерасход пленки. А потом придется заказывать отдельную съемочную смену, пробивать пожарную машину. Она не заложена в смете... Не стоит, пожалуй.

Мне до сих пор жалко, что так и не сняли этот эпизод. Получилось бы смешно. И линия пиротехника имела бы сюжетное завершение.

Закончились съемки фильма «Девушка с гитарой». Вечером последнего съемочного дня я пришел домой грустным.

— Что это ты какой-то опущенный? — спросила меня Таня.

— Да так, ничего.

— Что грустишь? Жалеешь, что кончились съемки?

— Жалею, — честно признался я, а сам подумал: «А вдруг меня больше никогда не позовут сниматься! А мне так хочется!..»

Первые два эпизода, сыгранные в кино, дались мне труднее, чем главные роли в последующих фильмах. Тем не менее я почувствовал — могу сниматься. Поверил в себя.

Прошло время. «Девушку с гитарой» выпустили на экраны, и меня первый раз в жизни узнали на улице.

Это произошло около мебельного магазина в Костине под Москвой. Стоя с бидоном в очереди за квасом, я почувствовал, что кто-то на меня внимательно смотрит. Оглянулся и вижу — меня рассматривает молодой парень.

— Скажите, вы киноартист? — спросил он, не выдержав.

— Нет, я работаю в цирке.

— А в кино снимались? Я вас узнал, — сказал он с какой-то особенной радостью. — Я вас видел в фильме «Девушка с гитарой». Вы там все взрываете. Верно?

Признаюсь, в первый раз это обрадовало. Тогда я и не предполагал, что узнавание может раздражать.

Мой дебют произвел впечатление. Ко мне приходили друзья, товарищи по работе и говорили: «Юра, как хорошо, что тебя сняли в кино. Артистов цирка приглашают сниматься! Это же здорово!»

«Жизнь начинается»

Однажды знаменитый киноактер Адольф Менжу заказал у лучшего нью-йоркского портного брюки. Только через месяц, после нескольких примерок, портной выполнил заказ. Забирая брюки, Менжу с раздражением сказал:

— Богу понадобилось семь дней, чтобы сотворить мир, а вы мне тридцать дней шили брюки. На это портной ответил:

— Посмотрите на этот мир и посмотрите на эти брюки.

Из тетрадки в клеточку.
Март 1958 года

Зазвонил телефон.

— Это говорят из киногруппы «Жизнь начинается». Вы не могли бы к нам приехать? С вами хочет поговорить режиссер-постановщик Юрий Чулюкин. В сценарии есть для вас интересная роль.

Оказывается, Чулюкину дали самостоятельную постановку.

Встретились мы с ним как старые друзья.

— Возьми сценарий, почитай. О молодежи, о ее воспитании. Может выйти нужная, серьезная картина.

Взяв сценарий, я пошел во двор студии и, сев на скамейку около цветочной клумбы, быстро прочитал. Увы, я не увидел в сценарии основы для интересного фильма. Встретившись с Юрием Чулюкиным, я ему честно сказал, что сценарий мне не понравился, а эпизоды с Клячкиным — именно эта роль предназначалась для меня, — на мой взгляд, вообще выпадают из общего строя.

— Да ты не волнуйся, все будет хорошо, — уверенно говорил режиссер. — Снимем пробу, приступим к съемкам, и ты увидишь — получится отличный фильм, нужный молодежи.

Для кинопробы взяли сцену, где Клячкин останавливает в коридоре ребят из своего цеха и уговаривает их «смотаться» в ресторан.

Насколько я понял, режиссер представлял Клячкина рубахой-парнем. Клячкин вечно бегает, энергичен, все время в движении. Мне же он виделся флегматичным, несколько мрачноватым, говорящим односложными фразами. После одной из репетиций я расстроился: я хотел одного, а Чулюкин требовал совсем другого.

На кинопробах царила нервная атмосфера. Чулюкин пытался добиться своего и требовал быстрого ритма, а я играл по-своему. Уезжая со студии, я чувствовал, что проба прошла плохо. Приехал домой мрачный и рассказал, что ничего не получилось. Но через несколько дней мне сообщили, что на экране все вышло неплохо. И если первое время в группе никто не верил в меня, то на просмотре проб многие смеялись, и меня утвердили на роль Клячкина.

К началу съемок я работал в Ленинградском цирке. А съемки картины проходили в Москве. Пришлось для них использовать выходные дни.

Каждый четверг (в Ленинградском цирке в пятницу — выходной), наспех разгримировавшись после представления, я бежал на трамвай и ехал к Московскому вокзалу.

В пятницу утром на Ленинградском вокзале столицы меня встречали и отвозили на «Мосфильм». Специально на пятницу назначали полторы съемочные смены. Планировали использовать мой выходной день максимально.

Но кино есть кино. Как-то привезли меня на московский завод имени Орджоникидзе, где проходили съемки некоторых эпизодов. Загримировали, переодели в спецовку Клячкина и попросили подождать. Я стал спокойно ждать.

Оператор картины Константин Бровин вдруг решил по ходу работы снять заводские электрические часы. Чтобы они несколько раз показывали разное время: начало рабочей смены, обеденный перерыв, конец работы.

Три часа ставили свет на часы. То они бликовали, то висели слишком низко, и нарушалась композиция кадра, то оказывалось, что на втором плане выпирает балка, которую нужно завесить какими-то плакатами. Когда все установили и приготовились к съемке, выяснилось, что на экране часы получатся мелкими. Послали на студию за специальным объективом.

В это время объявили обеденный перерыв. Все пошли в столовую. Тогда я боялся вмешиваться в съемочные дела и безропотно ждал, думая, что это и есть специфика кино.

Прошел обед. Со студии привезли объектив. Снова установили свет и наконец сняли часы. Вдруг в шесть часов вечера кто-то сказал:

— Слушайте, Никулин-то у нас из Ленинграда приехал, чтобы сняли его крупные планы.

Режиссер поднял крик:

— Как так, почему всю смену снимали какие-то часы, а артиста, вызванного из Ленинграда, не снимаем?

Перестроив кадр, стали снимать мои крупные планы. Но за целый день ожидания я устал и поэтому снимался вяло. Уезжал со съемки расстроенный.

Мой Клячкин вообще был забавный тип. Например, одна работница говорит подругам:

— Смотрите, как можно заворожить взглядом человека. Нужно влюбленно на него посмотреть, и он среагирует. Вот видите, идет Клячкин. Эй, Клячкин!..

Клячкин шел ей навстречу, она начинала строить ему глазки. Он просто замирал от радости и глупо, с открытым ртом смотрел на нее. Получалось смешно.

Эту линию мне и хотелось разрабатывать, уточнять. Поэтому я предложил Чулюкину:

— Давайте сделаем так: пусть на заводе идет работа. Мы видим, как трудится Надя Румянцева (она исполняла роль героини фильма Берестовой), как работает Юра Белов (он играл Грачкина). А потом увидим Клячкина. Пусть он меланхолично сидит скрестив руки и о чем-то раздумывает, потом, поймав муху, положит ее на наковальню и огромным молотом по ней ударит.

Режиссер внимательно меня выслушал и предложил эпизод проиграть. Я сразу поймал воображаемую муху и показал, как собираюсь эту сцену делать. Все засмеялись.

Чулюкин, усмехнувшись, сказал:

— А что, это смешно. Давайте снимем.

Художественным руководителем фильма «Жизнь начинается» назначили Юлия Яковлевича Райзмана — создателя «Машеньки», «Последней ночи», «Коммуниста», «Твоего современника» и многих других фильмов. Иногда он приходил на съемочную площадку, давал советы. Время от времени смотрел отснятый материал и недоуменно спрашивал Чулюкина:

— Ну что вы делаете? По-моему, вы тянете картину не в ту сторону. Снимаете серьезную вещь о молодежи, а у вас все какие-то штучки. Вот этот эпизод с мухой — зачем он? Его надо вырезать. Непременно!

К моему огорчению, эпизод с мухой вырезали.

После озвучивания, перезаписи, когда воедино сводят шумы, музыку, речь актеров, первую копию фильма решили проверить на зрителях и повезли ее в клуб «Трехгорки».

На первом же просмотре, к удивлению съемочной группы, публика стала смеяться. Назначает Надя Берестова свидание двум поклонникам сразу — возникает смех. Прыгает с вышки Грачкин в трусах — в зале хохот. И все эпизоды с Клячкиным вызывали веселое оживление в публике.

Тогда мы поняли — получилась комедия. На моей памяти это первый и пока единственный случай, когда создавали серьезный фильм, а вышла комедия. Многим знакома обратная ситуация: создают комедию, а зрители ее смотрят в унынии.

Пришлось искать другое название. «Жизнь начинается» для комедии не годилось. Вспомнили, что в одном из эпизодов героев фильма называют неподдающимися, и решили дать картине новое название — «Неподдающиеся».

Вспоминая о работе в этой картине, я всегда с благодарностью и признательностью думаю о Юрии Чулюкине. Начав снимать свой первый полнометражный фильм, он не забыл меня и пригласил сниматься.

И Евгений Карелов не забыл. Когда он начал снимать фильм «Яша Топорков», то на одну из ролей пригласил меня.

Картина рассказывала о буднях молодежи рабочей бригады. Мне предложили роль Проши, смешного, неказистого парня, которого отдают в эту бригаду на перевоспитание.

Сначала я от съемок отказывался, боясь, что не смогу совместить их с работой в цирке. Но потом выяснилось, что Московский цирк закрывают на четыре дня, поскольку все артисты должны принять участие в празднике искусств на стадионе. Мое участие в этом представлении было минимальным. И когда я попросил разрешения уехать на съемки в Жданов, меня отпустили.

Не могу сказать, чтобы «Яша Топорков» принес мне удовлетворение. Нет. Он запомнился только потому, что цирк впервые отпустил меня на съемки, что я впервые выезжал в киноэкспедицию и вообще чувствовал себя киноактером.

Удивительно приятно, когда старые друзья помнят тебя и готовы оказать поддержку. Об этом я думал, когда ехал на «Мосфильм» на встречу с режиссером Константином Воиновым, постановщиком фильма «Молодо-зелено», где мне предлагали небольшую роль шофера Николая. Сценарий, написанный по повести Александра Рекемчука, мне понравился. И роль шофера показалась интересной. Николай — простой парень, работает на стройке, и его мучает одна мысль: не «крутит» ли его молодая жена Нюрка с соседом по квартире, пока Николай совершает дальние рейсы?

Главную роль в фильме исполнял артист Олег Табаков.

Помню, в одном из павильонов снимали сцену, где мы с Табаковым сидим в кабине грузовика.

В перерыве мы с Олегом закурили, и я тихо стал напевать песню русского солдата, одиноко доживающего свой век. Оказалось, Олег тоже ее знает. Сидим мы и поем вместе:

Брала русская бригада галицийские поля.
И достались мне в награду два солдатских костыля...

Пока мы пели, к нам подошел Воинов.

— Что за песня? — спросил он.

— Да так, — ответил я, — старая, солдатская.

— Хорошая песня. Слушайте, а что, если мы ее вставим в фильм? Давайте сделаем так: Бабушкин и Николай едут в машине. Николай расскажет о жене, а потом, как бы от тоски, вспомнит эту песню. Тут что-то есть. Давайте попробуем.

Отрепетировали, приготовились к съемкам. А в это время в павильон вошел директор картины и, узнав, что режиссер снимает кусок с песней, которого нет в сценарии, поднял скандал.

Константин Воинов разозлился. Он кричал директору, что тот нетворческий человек, что мы должны обеими руками браться за все, что может сделать картину лучше, и что он, Константин Воинов, сам оплатит затраченную на песню пленку.

После этого я стал еще больше уважать этого режиссера. Песня вошла в картину. Она создала определенное настроение, и эпизод от этого выиграл.

Вокруг снежного человека

Один из артистов Малого театра вернулся с курорта и прямо с поезда решил заехать в театр. Ходит по театру в летней рубахе, веселый, загорелый, пиджак через плечо, чемоданчик в руке. Здоровается со всеми, рассказывает, как отдохнул. Подходит к подмосткам и видит, что свет притушен, а на сцене стоит стол, за которым в боярских костюмах сидят артисты. Так как дело было днем, артист решил, что идет репетиция. Он бодро вышел на сцену, взмахнул рукой и, притопнув при этом ногой, воскликнул:

— Здорово, бояре!

Бояре странно посмотрели на него и ничего не ответили.

Скосил он глаза и увидел, что зал полон публики. Оказывается, в тот день устроили шефский спектакль для солдат. Постоял артист секунду и тихо ушел за кулисы. Публика безмолвствовала. Никто ничего не понял. Зато бояре, плача от смеха, стали сползать под стол.

Никто дальше играть не смог. Пришлось дать занавес.

Из тетрадки в клеточку.
Октябрь 1958 года

В 1958 году мне предложили попробоваться на главную роль в фильме «По ту сторону радуги» (в кинопрокате он назывался «Человек ниоткуда»), который ставил режиссер Эльдар Рязанов.

Встреча с Рязановым произошла на «Мосфильме». Я знал этого режиссера как автора нашумевшей картины «Карнавальная ночь».

С первой минуты встречи мы быстро нашли общий язык. Вспоминали знакомых, говорили о песнях. Так прошло около часа. Только к концу беседы Рязанов от общего разговора перешел к основной теме.

— Я вам дам сценарий Леонида Зорина. Мне кажется, что по нему можно сделать отличный фильм. Хочу вас попробовать на главную роль — роль Таппи, снежного человека.

Вечером вместе с Таней мы читали сценарий. В нем много романтики, необычности. И я уже представлял себе, как буду играть главного героя, снежного человека, волею судьбы попавшего в современный город.

Мне было известно, что на эту роль уже пробовали Леонида Быкова, Игоря Ильинского, Ролана Быкова, Олега Попова и других известных артистов. На пробах я волновался.

Через некоторое время мне позвонил Эльдар Рязанов и сказал:

— Мы решили утвердить Игоря Ильинского. Все-таки Ильинский есть Ильинский! Как вы считаете?

— Конечно, Ильинский есть Ильинский, — согласился я.

— Но мы вас, — продолжал Рязанов, — все-таки будем снимать. Предлагаю небольшую, но интересную роль болельщика. Этот человек пройдет через всю картину. Такой странный болельщик. Должно получиться забавно.

Сниматься мне хотелось. Да и Эльдар Рязанов привлекал меня. Поэтому я тут же согласился.

Начались съемки в Лужниках. Ильинский, одетый в шкуру снежного человека, бегал по гаревой дорожке стадиона. В это же время снимали и меня — крупные планы болельщика, сидящего на трибунах. Но тут зарядил дождь, и все мы спрятались в тонвагене — специальной машине звукооператоров.

Сидим мы, несколько человек, ведем всякие разговоры о жизни, кино, театре. Я, как всегда, смешные истории вспоминаю, анекдоты рассказываю. И только начал говорить про цирк, как Ильинский, перебив меня, удивленно спрашивает:

— Так вы в цирке работаете? С каким бы удовольствием я пошел посмотреть на вас. И сын мой любит цирк.

Я пригласил их в цирк. И через три дня они пришли на представление. После спектакля зашли к нам в гардеробную и сказали, что мы с Мишей им понравились.

На следующий день в Лужниках продолжались съемки. Во время перерыва Игорь Владимирович подошел ко мне и сказал:

— У меня к вам серьезное предложение. Вы не хотели бы пойти работать в Малый театр?

В Малый театр? Сидевшие в тонвагене актеры, операторы, режиссер смотрели на меня, ожидая, что я выпалю: «Конечно, Игорь Владимирович. С удовольствием, с радостью!»

— А я буду, — продолжал Ильинский, — над вами шефствовать, потихонечку передавать свои роли, всячески помогать вам.

Вместо ответа я изобразил в лицах мое неудачное поступление в студию при Малом театре.

— Ну и что, — возразил Ильинский. — Всякое бывает. Но в театре вам будет интереснее работать, чем в цирке.

— Скажу вам откровенно, — ответил я, — если бы это случилось лет десять назад... пошел бы работать в театр с удовольствием. А начинать жизнь заново, когда тебе уже под сорок, — вряд ли есть смысл.

— Пожалуй, вы правы, — согласился Ильинский.

Съемки фильма «По ту сторону радуги» по решению кинематографического руководства приостановили. Кто-то посмотрел материал, и отснятое ему не понравилось. Картину, как говорят на студии, законсервировали и дали указание переделать сценарий. Эпизод с болельщиком в новом варианте исключили. А на роль снежного человека пригласили молодого ленинградского артиста Сергея Юрского. Мне же Эльдар Рязанов на этот раз предложил эпизодическую роль милиционера.

Милиционер так милиционер.

Через некоторое время меня вызвали на съемки, и я встретился с Сергеем Юрским. Мы долго вспоминали послевоенный Московский цирк, в котором прошло детство Сергея.

Эпизод с милиционером снимали на улице. Я должен был выйти из милицейской машины, дать свисток, затем стащить Таппи — Юрского с фонарного столба, усадить в милицейскую машину и уехать.

На съемочную площадку приехала настоящая милицейская машина, за рулем которой сидел капитан милиции. Он вышел из машины и долго меня рассматривал. Я был одет в милицейскую форму, загримирован. Потом у кого-то из съемочной группы он спросил:

— Где у вас режиссер?

Ему показали на Эльдара Рязанова.

— У меня к вам, товарищ режиссер, вопрос, — обратился к нему капитан милиции. — Скажите, пожалуйста, ну почему в кино, как правило, милиционеров показывают идиотами и дураками?

— Как это так? — не понял Рязанов и посмотрел на меня. А я засмеялся и говорю:

— Это он меня увидел, поэтому и задает такие вопросы.

— Да нет, — смутился капитан. — Я имею в виду не вас. Но мне все-таки интересно, почему милиционеры в кино выглядят такими глупыми?

Долго и старательно Рязанов объяснял капитану, что в нашей картине милиционер будет хороший.

Крошечный эпизод с милиционером в картине остался.

О картине потом долго спорили, писали. Одни ее ругали, другие хвалили за поиски формы, за эксцентрику. Все отмечали игру Юрского, считая, что в кинематограф пришел новый талантливый артист. О моей же роли милиционера никто не упомянул ни слова. Так вместо главной роли в фильме «Человек ниоткуда» я сыграл еще один эпизод.

Балбеса искать не надо

Артист Евгений Лебедев рассказывал, что на детских спектаклях ему часто приходилось исполнять роль Бабы Яги.

Однажды его шестилетний сын спросил:

— Папа, ну почему ты все время выступаешь Бабой Ягой? Неужели ты не можешь хоть один раз побыть Снегурочкой?

Из тетрадки в клеточку.
Октябрь 1959 года

Каждый раз приглашение участвовать в новом фильме и первые переговоры велись по телефону. Так было и в этот раз. Один из ассистентов Леонида Гайдая предложил мне попробоваться в короткометражной комедии «Пес Барбос и необычный кросс».

При первой же встрече, внимательно оглядев меня со всех сторон, Леонид Гайдай сказал:

— В картине три роли. Все главные. Это Трус, Бывалый и Балбес. Балбеса хотим предложить вам.

Кто-то из помощников Леонида Гайдая рассказывал потом:

— Когда вас увидел Гайдай, он сказал: «Ну, Балбеса искать не надо. Никулин — то, что нужно».

Гайдай на первый взгляд казался человеком сухим и неприветливым. Внутреннего человеческого контакта у нас не возникло.

Он не произвел на меня впечатления комедийного режиссера. Мне тогда казалось, что, если человек снимает комедию, он должен непременно и сам быть весельчаком, рубахой-парнем, все время сыпать анекдотами, шутками и говорить, конечно, только о комедии. А передо мной стоял совершенно серьезный человек. Худощавый, в очках, с немножко оттопыренными ушами, придающими ему забавный вид.

Проб для фильма «Пес Барбос и необычный кросс» фактически не снимали. Никакие сцены не репетировались. Режиссер подбирал тройку и все время смотрел, получается ли ансамбль.

Оператор Константин Бровин ставил свою камеру на одну из дорожек мосфильмовского сада и просил всех пробующихся по очереди походить, потом пробежаться. В этом заключались все пробы. Узнав, что фильм будет снимать Константин Бровин, я испугался, вспомнил, как на «Неподдающихся» он полсмены снимал часы. Однако мои опасения оказались напрасными. Бровин на съемках показал себя человеком деловым, обладающим чувством юмора, добрым, отзывчивым. Он часто помогал мне во время работы.

На роль Бывалого утвердили Евгения Моргунова, которого до съемок я никогда не видел. Но мой приятель поэт Леонид Куксо не раз говорил:

— Тебе надо обязательно познакомиться с Женей Моргуновым. Он удивительный человек: интересный, эмоциональный, любит юмор, розыгрыши. С ним не соскучишься.

Личность Евгения Моргунова постепенно обросла легендами, странными историями. В свое время, когда он учился на актерском факультете Государственного института кинематографии, он выглядел стройным, худощавым юношей. Таким его можно увидеть в роли Стаховича в фильме «Молодая гвардия». Тогда в институтской стенгазете кто-то из художников нарисовал серию «Картинки будущего», где изобразил Моргунова толстым-претолстым. Над художником посмеялись, но он в своем предвидении оказался прав.

Рассказывали, как Моргунов умудрялся ездить без билета в трамвае или троллейбусе. Делал он это просто. Поскольку контролеры часто устраивали облавы на безбилетников, Моргунов придумал следующее: он входил в трамвай или троллейбус и зычным голосом заявлял:

— Граждане пассажиры, приготовьте билеты.

Шел и проверял у всех билеты. Потом выходил на остановке и садился в другой трамвай и снова проверял билеты. Так и доезжал до института. А если в вагоне уже оказывался контролер, то Моргунов произносил:

— А-а-а, уже проверяют, ну хорошо, — и выскакивал из вагона.

Почти не знал я и Георгия Вицина. Нравился он мне в фильме «Запасной игрок», где исполнял главную роль. Много я слышал и о прекрасных актерских работах Вицина в спектаклях Театра имени Ермоловой.

Снова мне предстояло решить сложный организационный вопрос. Как сниматься, совмещая это с работой в цирке? Гайдай, узнав о моих сомнениях, сказал:

— Я очень хочу, чтобы вы снимались. Поэтому мы будем подстраиваться под вас. Во-первых, натуру выберем близко от Москвы, во-вторых, постараемся занимать вас днем, а потом отвозить на представление в цирк.

На такие условия я и согласился, не понимая, что с моей стороны это был весьма опрометчивый шаг.

Приходилось ежедневно вставать в шесть утра. Без пятнадцати семь за мной заезжал «газик». Дорога в Снигири, где снималась натура, занимала около часа. В восемь утра мы начинали гримироваться. Особенного грима не требовалось. Накладывали только общий тон и приклеивали ресницы, которые предложил Гайдай.

— С гримом у вас все просто, — говорил Гайдай. — У вас и так смешное лицо. Нужно только деталь придумать. Пусть приклеят большие ресницы. А вы хлопайте глазами. От этого лицо будет выглядеть еще глупее.

В девять утра начиналась работа. Сначала шли репетиции, а затем съемка с бесконечными дублями. Короткий перерыв на обед, и снова съемки. В пять часов дня меня отвозили в цирк. Полчаса я мог полежать на диване в гримировочной, а в семь вечера выходил на манеж.

Весь месяц я снимался в Снигирях. В фильме не произносилось ни слова, он полностью строился на трюках. Многие трюки придумывались в процессе работы над картиной. И конечно, сложностей возникало немало. Вместе с нами снималась собака по кличке Брёх, которая играла роль Барбоса.

Эта смышленая дворняга уже снималась в каком-то фильме. Хозяин Брёха, дрессировщик Игорь Брейтщер, относился ко всему очень серьезно. Собаку свою он любил, заботливо за ней ухаживал, часами дрессировал и все время придумывал новые методы дрессуры для цирка. Как-то в перерыве между съемками он заметил:

— А почему бы в цирке не отказаться от клеток? Представляете: выступают тигры, львы, волки — и нет никакой клетки. Красиво!

— Красиво-то красиво, но ведь опасно! — сказал я.

— А ничего опасного. Надо провести электрический ток по барьеру и репетировать. Если животное переступит барьер, его ударит током. У животных вырабатывается условный рефлекс, и они не будут заходить за барьер. Как видите, все просто.

Я представил себе удивительные картины... На манеже без клеток работают дрессировщики со львами, тиграми, гиенами. Публика замирает от удивления, а животные ведут себя спокойно.

Рассказал я об этом одному известному дрессировщику. Он меня выслушал, а потом сказал:

— Заманчиво, но не очень-то я этому верю. Все-таки пускай клетка остается. Зачем рисковать? Знаете, инстинкт есть инстинкт. Здесь никакой электрический ток не поможет. А клетка — из нее не выпрыгнешь.

Брёх работал отлично. Но иногда усложнял нашу жизнь. Например, когда снимали погоню. Тот момент, когда собака с динамитом в зубах гонится за троицей — Трусом, Бывалым и Балбесом.

На репетиции все проходило нормально. Мы вбегали в кадр один за другим, пробегали сто метров по дороге, и тут выпускали Брёха с динамитом в зубах. На съемках начались осложнения. Пробежим мы сто метров и вдруг слышим команду:

— Стоп! Обратно!

В чем дело? Оказывается, Брёх вбежал в кадр и уронил «динамит».

Возвращаемся. Занимаем исходную позицию. Во втором дубле, когда мы уже почти добежали до заветного поворота, снова команда в мегафон:

— Остановитесь! Обратно!

Оказывается, собака убежала в лес.

В следующих дублях Брёх оборачивался и внимательно смотрел на орущего дрессировщика, а в конце одного из последних дублей бросил динамит и вцепился в ногу Моргунова.

На восьмом дубле собака положила динамит с дымящимся шнуром и подняла заднюю лапу около пенька.

А мы все бегали, бегали, бегали...

После десятого дубля Моргунов, задыхаясь, сказал:

— К концу картины я этого пса втихую придушу.

Мы бегали, камера крутилась, пленка расходовалась. Все нервничали. Ни одного полезного метра в тот день так и не сняли.

Была у нас сцена, когда Трус во время погони должен обогнать Балбеса и Бывалого. Гайдай попросил, чтобы мы с Моргуновым бежали чуть медленнее и дали возможность Вицину вырваться вперед.

На репетициях все шло нормально, а во время съемок первым прибегал Моргунов.

— Я не могу его обогнать, — жаловался Вицин. — Пусть Моргунов бежит медленнее.

— Почему ты так быстро бегаешь? — спросил я Моргунова.

— А меня, — заявил он мрачно, — живот вперед несет.

И хотя Моргунов клятвенно обещал замедлить бег, слово свое он не сдержал, и мы три дубля пробегали зря.

Потом дубль сорвался опять из-за Брёха. Моргунов рявкнул на пса, а заодно и на хозяина. И пес стал на Моргунова рычать.

— Смотрите, Брёх все понимает. Моргунов обругал его, и он обиделся, поэтому и рычит, — заметил хозяин собаки.

Это точно. Брёх все время рычал на Моргунова и несколько раз даже кусанул артиста. Этого Моргунов ему простить никак не мог.

По ходу съемок придумал Гайдай и такой трюк: бежим от собаки, и по пути нам встречается шалаш. Пробегает сквозь шалаш Балбес, потом пробегает Бывалый, а затем Трус. Вбегает он в шалаш в брюках, а выбегает в трусах. Оборачивается с недоуменным выражением лица, как бы не понимая, что же произошло, и видит, что из шалаша выходит медведь и держит в лапах его брюки. Всем этот трюк показался смешным.

Когда же стали говорить о медведе с директором картины, тот заявил:

— Медведь?! Только через мой труп. Медведи сметой не предусмотрены. Если брать медведя, надо оформлять дрессировщика, понадобится дополнительный транспорт. Придется согласовывать с инженером по технике безопасности... Да мало ли что произойдет!

Тогда я пошел в цирк и уговорил выдать мне на два дня чучело медведя, которое использовалось в детских новогодних представлениях.

Привезли чучело на съемку. В него влез сам Гайдай и сыграл косолапого. Но на экране сцена выглядела фальшивой. Было видно, что медведь ненастоящий. Пришлось при монтаже медведя вырезать. А в картине осталась странная сцена. Вбегает Вицин в шалаш в брюках, а выбегает в трусах. Куда делись брюки? Неизвестно. Но публика смеялась. Мало ли что там, в шалаше, произошло!

Нашей картине никакого значения на студии не придавали. Даже фотографа нам не выделили на съемку. Считали: снимается обычная короткометражка, ну и пусть себе снимается. Никто и не предполагал, что будущий десятиминутный фильм положит начало целой серии.

Во время съемок каждый старался что-нибудь придумать, предложить. Среди предложенных трюков был и такой: Трус, Бывалый и Балбес, спасаясь от преследования собаки, врезаются в стадо.

Гайдаю предложение понравилось, и он решил эпизод снять. Ассистенты режиссера нашли стадо, разыскали смирного быка и договорились с пастухами о съемке. Сцену прорепетировали. Все вроде получалось. Мы бежим и врезаемся в стадо. Я попадаю на корову, Вицин на козу, а Моргунов видит, что за ним вместо собаки бежит бык и в зубах держит горящий динамит. Это Бывалому якобы почудилось, что эстафету с динамитом быку передала собака. Моргунов протирает глаза, и бык мгновенно исчезает... На съемке все смеялись. Действительно, это выглядело смешно.

Придумали и еще один эпизод. Бежим по дороге, вбегаем на косогор и с него прыгаем на шоссе. А на шоссе сидит маленькая, сухонькая старушка, рядом с ней — большая корзина с яйцами. Первым прыгает с обрыва Бывалый. Он приземляется рядом с корзиной и бежит дальше. Вторым прыгает Трус, который тоже приземляется рядом с корзиной и исчезает. Старушка от страха и удивления обмирает. Третьим прыгает Балбес. Публика, как нам казалось, должна думать — ну, уж этот наверняка угодит в корзину с яйцами! Но нет, Балбес оказывается тоже рядом с корзиной. Отбежал он от старухи, оглянулся, увидел корзину с яйцами, вернулся, влез на косогор, снова спрыгнул вниз и теперь уже попал прямо в корзину.

На просмотре эти сцены вызывали у всех смех.

В перерыве между съемками Моргунов часто нас развлекал. Сидим мы как-то около шоссе, ожидая появления солнца, все перемазанные сажей, в обгорелой одежде (снималась сцена взрыва), и курим. Я с Моргуновым перекидываюсь какими-то фразами, а Вицин ходит в сторонке по полянке и напевает. Он часто любил отойти побродить, помурлыкать под нос. На этот раз он пел: «Куда, куда вы удалились...». И тут мимо нас проходит группа колхозников. Увидев Вицина, они остановились, удивленные. Ходит человек, оборванный, обгорелый, и поет арию Ленского.

Подходит один из колхозников к нам и спрашивает:

— Что случилось?

Моргунов не моргнув глазом отвечает:

— Вы что, не видите, что ли? Иван Семенович Козловский. У него дача сгорела сегодня утром. Вот он и того... Сейчас из Москвы машина приедет, заберет.

А у Козловского действительно дача была в Снигирях, где мы снимались.

— Как же так, — говорят, — такая дача — и сгорела!

Колхозники расстроились.

— Чего его жалеть-то, — ответил Моргунов, — артист богатый. Денег небось накопил, новую построит, — и крикнул Вицину: — Иван Семенович, вы попойте там еще, походите.

Вицин же, ничего не понимая, отвечал:

— Хорошо, попою, — и продолжал петь.

Колхозники пришли в ужас. Посмотрели на нас еще раз и быстро пошли к даче Козловского. Правда, обратно они не вернулись.

Так, с шутками в ожидании солнца, со спорами о новых трюках незаметно прошло лето.

В финале съемок долго не удавалось снять наш последний проход с тележкой. Целый день ждали солнца. К концу съемочного дня оно ненадолго появилось. Ровно настолько, чтобы дать нам возможность снять короткий последний план. Только Гайдай скомандовал: «Стоп!», только осветители начали свертывать кабель, как вдруг небо потемнело и крупными хлопьями повалил снег. Все вокруг нас побелело: трава, дорога, деревья. А снег все шел и шел. Мы, зачарованные, смотрели на побелевший лес. Вдруг Гайдай, схватившись за голову, воскликнул:

— Боже мой! Вот же! Придумал отличный финал! Представляете, Балбес сидит в тачке, и у него в зубах палка, так же как у собаки динамит.

Но снять этого мы уже не могли.

Съемки закончились по плану, и теперь требовалось как можно скорее смонтировать картину, сдать ее руководству студии.

Наступила зима. Я продолжал работать в цирке и время от времени звонил Гайдаю в монтажную.

— Режу, — говорил он, — режу. Так жалко, иногда до слез, но все-таки режу. Вырезал уже эпизод со стадом.

Я ахал. Как же так — прекрасная сцена, а ее вырезают. Но режиссер вырезал еще и сцену, где мы прыгаем мимо корзины с яйцами. Гайдай понимал — фильм должен смотреться на одном дыхании. Картина получилась короткой — девять минут сорок секунд, — поэтому ее отлично смотрят и воспринимают.

Фильм приобрели все страны. Только Япония почему-то отказалась. После выхода «Пса Барбоса» на экраны Леонид Гайдай стал признанным комедийным режиссером. Прошло несколько лет. Гастролируя в одной из зарубежных стран, мы попали на прием в советское посольство. После приема посол, взяв меня под руку, привел к себе в кабинет.

— Сейчас что-то покажу, — сказал он, открыл сейф и вытащил оттуда коробку с пленкой.

Я решил, что мне покажут особо интересную хронику.

— Это ваш «Пес Барбос», — говорит посол. — Держу его в сейфе, чтобы подольше сохранился. По праздникам мы смотрим его всем посольством. А главное, «Пса Барбоса» мы показываем иностранцам перед началом деловых переговоров. Они хохочут, и после этого с ними легче договориться.

«Хоть сами посмеемся»

На съемках одного военного фильма были заняты воинские части. Поначалу солдаты принимали артистов, играющих роли генералов и маршалов, за настоящих. Когда «генералы» проходили мимо, солдаты вставали по команде «смирно», приветствовали их. Но потом к артистам привыкли, свободно с ними говорили, вместе курили. Однажды на съемку приехал консультант фильма — настоящий генерал. Он подошел к группе солдат, сидящих на бревнышке.

— Почему не приветствуете?! — возмутился генерал.

Солдаты засмеялись, а один достал папироску из кармана и говорит:

— Ладно, не смешите. Дайте лучше спичечку — прикурить.

Из тетрадки в клеточку.
Март 1959 года

На «Мосфильме» решили организовать объединение комедийных фильмов под руководством режиссера Ивана Александровича Пырьева. Одно из первых произведений объединения — киносборник «Совершенно серьезно», в который и вошел наш «Пес Барбос».

Время от времени на студии собирали драматургов, режиссеров, актеров, композиторов — словом, всех, кого привлекала комедия. Каждый рассказывал смешные истории, которые, на его взгляд, могли бы стать сюжетами для комедийных фильмов. Запомнился мне сюжет Никиты Богословского «Охота на оленя». Лес. Идет крадучись человек с ружьем. Притаился за кустами. Раздвигает кусты, видит, стоит чья-то «Волга». Человек подходит к машине и, быстро отвинтив с радиатора металлического оленя, убегает.

На этих встречах я в основном слушал. Иногда записывал смешные истории, думая: а вдруг для работы в цирке пригодится?

Во время одной из встреч обсуждался сценарий короткометражки для очередного киносборника. Режиссер, который собирался ставить ее, засомневался, пропустят ли ее на экран. На что Пырьев заметил:

— Снимайте. Не пропустят, так хоть сами посмеемся!

Многие старались себя показать друг перед другом как можно выгоднее. А Гайдай — нет. Он серьезно относился и к спорам о комедии, и к этим собраниям. Говорил он мало, но слушал всегда внимательно.

Когда Гайдай искал сюжет для очередной короткометражки с участием нашей тройки, я предложил ему использовать тему «Самогонщики». И вот почему. Мы с Михаилом Шуйдиным в то время показывали в цирке репризу «Самогонщики». Гас свет, и на манеж, освещенный двумя прожекторами, выходили две фигуры. Я нес стул, на котором стоял бак со змеевиком. Шуйдин вытаскивал на манеж табуретку с горящей керосинкой. Мы собирали странный аппарат, в котором что-то булькало, появлялся пар, и я истошно кричал:

— Идет, идет!!! Давай посуду!

Миша в спешке приносил ночной горшок. В это время выбегал мальчишка и кричал:

— Атас! (Берегитесь, мол, тревога.)

Мы мгновенно переворачивали наши бачки, ставили на них тазы, полные белья, и делали вид, что стираем. На трубу змеевика вешали выстиранные вещи. На манеж выходили два дружинника, разоблачали нас и уводили за шиворот. Инспектор манежа спрашивал:

— А как же белье?

— Достираем, — отвечали мы. — Через три года.

Нельзя сказать, что это была остроумная реприза. Но принимали ее неплохо.

Гайдай вместе с Бровиным написал сценарий фильма «Самогонщики». В лесу, в избушке, живут три алкоголика-самогонщика. Как напьются, так начинают издеваться над своей собакой. Собака не выдерживает и решает их проучить. Она выхватывает зубами из самогонного аппарата самую важную деталь — змеевик и выбегает из избушки. Значительная часть сценария строится на погоне.

Съемки решили проводить там, где снимали «Пса Барбоса», — в Снигирях. В день отъезда за мной заехал Гайдай. Мы ведем общий разговор, и Таня, вдруг вспомнив о своей школьной подруге, которая училась во ВГИКе, снималась в кино, спросила Гайдая:

— Вы не знаете, что сейчас делает артистка Нина Гребешкова?

— Ну как же, очень хорошо знаю, — ответил Гайдай. — Это моя жена.

Надо же, такое совпадение. Как тесен мир! На съемку в Снигири снова вызвали Игоря Брейтщера с его Брёхом. Брёх, увидев Моргунова, залаял.

— Вот гад какой, — сказал Моргунов, — все помнит!

На этот раз с собакой возникли сложности. Тяжелый змеевик Брёх приподнимал с трудом. А после третьего дубля стал поджимать ноги, скулить и ни за что не хотел идти в кадр сниматься.

Причину странного поведения собаки скоро разгадали. Мы снимали ранней весной, поверх снега образовался тонкий слой льда, о него-то собака и порезала себе лапы. Два дня ждали, пока заживут порезы. Наконец Брёх начал бегать. Но как только подносили к нему змеевик, Брёх отказывался его брать, видимо считая, что боль в лапах была от змеевика. Дрессировщик с досады чуть не плакал. Но сколько он ни бился: ругал собаку, умолял, ласкал — ничего у него не получалось. Брёх категорически отказывался сниматься.

Съемочную группу выручил ветродуйщик — человек, который специальным приспособлением помогает создавать ветер. Видя все наши беды, он предложил попробовать его овчарку Рекса, который, по его словам, ничего и никого не боится, легко носит тяжести и вообще ко всему приучен.

Первое, что сделал Рекс, когда появился на съемочной площадке, — кинулся на Моргунова. Почему Рекс так поступил — никто объяснить не мог. Моргунов обиделся и всем говорил:

— Рекса против меня настроил Брёх. Это все проделки Брейтщера.

С тех пор стоило Рексу увидеть Моргунова, как он сразу ощеривался. Артист в ответ тоже оскаливал зубы. Так они, рыча друг на друга, и снимались.

На съемочной площадке Рекс быстро освоился и легко выполнял все команды. Змеевик он носил запросто.

Стояли еще морозы. На одной из съемок нам с Вициным пришлось несколько дублей лежать на снегу. Вицин, правда, был в шубе, а на мне только легкая фуфайка. Чтобы мы не простудились, дирекция группы выдала нам водку для растирания.

В «Самогонщиках» мне запомнилась одна трюковая съемка. По сценарию Балбес, спасаясь от медведя, кульбитами скатывается с горы и, обрастая снегом, превращается в огромный ком. У подножия горы ком ударяется о сосну, разлетается на куски, и испуганный Балбес убегает. Снимали это так: сначала спускали с горы сделанный из папье-маше огромный белый шар, который попадал в дерево. Камеру останавливали, шар убирали, а на этом месте быстро сооружали снежный ком, внутрь которого «замуровывали» меня. Под ком подкладывали небольшой заряд взрывчатки.

Перед съемкой Гайдай мне сказал:

— Как взорвется, ты снег разбрасывай, а сам выпрыгивай.

На экране эти кадры должны выглядеть так: катится с горы снежный ком, ударяется о дерево, разлетается, и появляюсь я. Посадили меня около дерева, облепили всего снегом (только маленькую дырочку оставили, чтобы дышал), и я стал ожидать взрыва. Бабахнуло так, что мне вспомнился фронт. На секунду даже потерял сознание, ошалело встал и как бы издалека услышал недовольный голос Гайдая:

— Ну что же ты не подпрыгнул? Я же сказал: как взорвется, так снег разбрасывай и выпрыгивай. Такой дубль испортил!

Передо мной возник пиротехник:

— Товарищ Никулин, извините, — прямо как мой пиротехник из фильма «Девушка с гитарой», — я немножко того... переложил взрывчатки. Сейчас повторю.

Я разозлился.

— Убьете актера во имя искусства!

Потом успокоился, и взрыв повторился. Снова бабахнуло сильно, но я все-таки выпрыгнул.

За неделю до окончания натурных съемок произошло ЧП — пропал Рекс. Ветродуйщик — хозяин собаки — гулял с ним утром в лесу и видел, что чужая собака увивалась вокруг Рекса. И вот он пропал. Повсюду расклеили объявления. Нашедшему обещалось солидное вознаграждение. Шло время, собака не находилась, а без нее нельзя снимать. Всем членам съемочной группы: осветителям, рабочим, ассистентам, шоферам, актерам — шли командировочные и квартирные. Все время нам звонили со студии, требуя, чтобы мы выдавали полезный метраж, а мы искали Рекса.

Подключилась местная милиция. На мотоциклах к нам привозили бродячих собак. Вездесущие мальчишки находили одичавших, лишайных псов и волокли к нам.

Так прошло несколько дней. В группе полное уныние.

Гайдай решил все-таки продолжать работу, снимать наши крупные планы. Только приготовились к съемке, как администратор группы сдавленным голосом прошептал:

— Смотрите... — и, словно не веря самому себе, указал на опушку леса.

И мы увидели Рекса. Худой, облезлый, он шел к нам. От радости хозяин Рекса заплакал. Все начали скармливать Рексу свои завтраки: колбасу, хлеб, сыр, сахар... Рекс жадно ел. Только Моргунов не дал ему своей курицы.

— Ему и так хватит, — сказал он.

После съемки натуры работа над картиной продолжалась в павильоне «Мосфильма», где выстроили двухэтажную декорацию нашей избушки с погребом.

Иногда между нами и Гайдаем возникал спор. Мы по-разному видели некоторые трюки. Но Гайдай разрешал каждому сделать свой актерский дубль. И уже в просмотровом зале мы вместе отбирали лучшие варианты. Как правило, наши дубли, актерские, оказывались хуже.

К моему огорчению, «Самогонщики» на экране не имели такого успеха, как «Пес Барбос». Я думаю, что это вполне объяснимо. «Самогонщики» во многом строились на применении старых, уже использованных приемов. Кроме того, «Самогонщики» шли двадцать минут, а «Пес Барбос» длился около десяти и воспринимался как короткий анекдот.

Тогда-то я и вспомнил слова Георгия Семеновича Венецианова: «Никогда не ищите успеха там, где вы однажды его нашли».

Как брать «соню»

Рассказывали анекдот. В Голливуде один режиссер для сцены сражения пригласил десятитысячную массовку.

— Вы разорите меня! — стал кричать на него продюсер.

— Не беспокойтесь. Я приказал во время съемки стрелять настоящими снарядами.

Из тетрадки в клеточку.
Апрель 1960 года

Закончив «Самогонщиков», Гайдай решил снять фильм по новеллам О'Генри. Он выбрал три новеллы, объединив их в фильм под названием «Деловые люди». В новелле «Родственные души» мне предложили роль жулика. На роль владельца особняка утвердили Ростислава Плятта. Натурные съемки проходили в Москве. Центральный дом литераторов сошел за особняк богатого человека.

Умный и тонкий артист, добрый и жизнерадостный человек, Ростислав Янович Плятт прекрасно рассказывал анекдоты, смешные истории, вспоминал интересные случаи из своей жизни.

Помню, нам не давался один эпизод. Грабитель и жертва, окончательно «сроднившись», сидят на кровати хозяина дома и вспоминают смешной анекдот. Они должны заразительно смеяться. Но этого заразительного смеха у нас не получалось. Для меня вообще самое трудное — смеяться во время съемки. После бесплодных попыток вызвать у нас смех Гайдай рассердился и приказал осветителям выключить свет в павильоне, оставив только дежурную лампу.

— Если вы через пять минут не начнете смеяться, я отменю съемку, а расходы потребую отнести на ваш счет, — сказал сурово Гайдай.

После такого заявления мы были неспособны даже на улыбку.

— Слушай, — предложил Плятт, — давай рассказывать друг другу анекдоты. Начнем смеяться по-настоящему — и тут-то нас и снимут.

Включили свет. Приготовили камеру. Стали друг другу рассказывать анекдоты — опять не смеемся. Стоит мне начать анекдот, как Плятт договаривает его конец. Мы перебрали десяток анекдотов и ни разу не улыбнулись.

В это время в павильон вошел директор картины и спросил режиссера:

— Ну как, отсмеялись они?

Плятта, видимо, этот вопрос покоробил, и он ехидно заметил:

— Вот покажите нам свой голый пупырчатый живот, тогда будем смеяться.

Почему-то от этой фразы все начали безудержно хохотать. Смех передался и нам. Гайдай закричал оператору:

— Снимайте!

Кусок сняли, и он вошел в картину.

Во время съемок «Деловых людей» произошла непредвиденная встреча с милицией. Везли меня с «Мосфильма» (там гримировали и одевали) на ночную съемку к Центральному дому литераторов. В руках я держал массивный кольт. Наша машина неслась по набережной. Я, как бы разыгрывая сценку, надвинул на глаза шляпу, приставил кольт к голове водителя и командовал:

— Направо. Вперед... Налево! Не оглядываться!

На улицах пустынно, ночь.

Когда подъезжали к Арбату, дорогу внезапно перегородили две черные легковые машины. Из машин выскочили вооруженные люди в штатском и бросились к нам. Мы испугались.

Оказывается, когда я держал кольт у головы водителя, нас заметил милиционер-регулировщик и сообщил об увиденном дежурному по городу.

Конечно, члены оперативной группы нас с шофером отпустили, но попросили впредь милицию в заблуждение не вводить.

«Деловые люди» Гайдаю удались.

На мой взгляд, самая удачная новелла в сборнике — «Вождь краснокожих». Она получилась смешнее остальных. Одного из похитителей сыграл Георгий Михайлович Вицин.

В отличие от Моргунова, который в общении несколько развязен и шумлив, Вицин — тихий и задумчивый человек. У него есть две страсти: сочинение частушек (каждый день на съемку он приносил новую) и учение йогов. Георгий агитировал нас с Моргуновым делать гимнастику дыхания йогов, заниматься «самосозерцанием».

Мы с Моргуновым отнеслись к этому скептически. А сам Гоша (так мы называли Георгия Вицина) регулярно делал вдохи и выдохи, глубокие, задержанные, дышал одной ноздрей и даже стоял на голове.

Мне рассказали, что, снимаясь в одном фильме, Вицин уже после команды «Мотор!» посмотрел вдруг на часы и сказал:

— Стойте! Мне надо пятнадцать минут позаниматься.

И он пятнадцать минут стоял на одной ноге и глубоко дышал носом, а вся группа терпеливо ждала.

Вицин старше меня и значительно старше Моргунова, но выглядит моложе нас: всегда свежий, улыбающийся, подтянутый.

После выпуска на экраны кинофильма «Деловые люди» у меня произошла любопытная встреча с одним из зрителей.

Иду однажды по Цветному бульвару и вижу бегущего навстречу человека. Несмотря на глубокую осень, одет он был в летнюю рубашку. Посиневший от холода, с двумя бутылками в руках, мне он показался странным. Увидев меня, человек резко остановился и сказал:

— Слушай... Юра... Ты ведь все делаешь... не того. На дело-то ходишь... неправильно! (Свою речь он сдабривал нецензурными словами.)

— На какое дело?

— Ну в этой последней... комедии, когда ты влезаешь... в квартиру. Тебя надо поучить... Я могу это сделать! Могу...

— Воруешь? — спросил я.

— Нет, завязал, — ответил он, ставя бутылки прямо на землю. — Хватит, свое отсидел. Сейчас работаю на зеркальной фабрике. Но у меня остались дружки. Ты приходи к нам. Мы тебе все расскажем! Да что тут говорить. — Его вдруг осенило. — Идем к нам. Мы тут недалеко сидим. С ребятами познакомлю. Расскажем, как надо брать «соню».

— Какую Соню?

— Ну, квартиру. Мы с тобой можем пойти даже днем, и я покажу, как берут «соню».

Я ахнул:

— Это что же, воровать? Так мы попадемся.

Мой собеседник, смачно сплюнув, сказал:

— Да ничего. Я скажу, учу, мол, артиста. И учти, если не застукают, все поделим пополам.

Я, сославшись на нехватку времени, отказался от этого заманчивого предложения. Но он все-таки заставил меня записать его телефон.

Конец «тройки»

Мне рассказывали, что в Америке двадцать пятым кадром (фильм демонстрируется со скоростью двадцать четыре кадра в секунду) вставляют рекламу напитков, сигарет и т.д. Зритель смотрит фильм и вроде бы не замечает двадцать пятый кадрик. Но что характерно — в перерывах все бросаются пить именно тот напиток, который рекламируется в фильме, или покупать именно те сигареты, которые сняты в двадцать пятом кадре. Интересно!

Из тетрадки в клеточку.
Август 1960 года

В своем следующем фильме «Операция “Ы” и другие приключения Шурика» Гайдай снова вернулся к нашей «тройке»... Картина состояла из трех новелл, объединенных одним героем — Шуриком. В новелле «Операция “Ы”» Шурик встречается с тремя жуликами, которых поручено играть нам.

Для эпизода «Бой на рапирах» (Балбес дерется с Шуриком) пригласили преподавателя фехтования, который учил нас драться на рапирах. После нескольких занятий мы дрались как заправские спортсмены. Показали бой Леониду Гайдаю. Он посмотрел со скучающим видом и сказал:

— Деретесь вы хорошо, но все это скучно, а должно быть смешно. У нас же комедия.

Стали искать смешные трюки. Гайдай придумал следующее: когда Шурик протыкает Балбеса шпагой и тот лезет рукой за пазуху, то рука у него оказывается в крови. Звучит похоронная музыка. У Балбеса — печальный вид. Он нюхает руку и вдруг понимает, что это не кровь, а вино. Оказывается, Шурик попал шпагой в бутылку, которую Балбес украл и спрятал за пазуху.

Мне фильм «Операция “Ы”» нравится, хотя, конечно, не все в нем равноценно.

После этой картины Гайдай изменил свое отношение к нашей «тройке».

— Больше отдельных фильмов с Балбесом, Трусом и Бывалым в главных ролях снимать не буду, — сказал он. — Хватит. «Тройка» себя изживает.

И в «Кавказской пленнице», следующей работе Гайдая, нас использовали лишь для оживления фильма.

Я скептически отнесся к сценарию картины и, сознаюсь, в успех ее не верил. Многое в сценарии мне казалось нарочитым. Но фильм получился. В нем прекрасно сыграл роль Саахова артист Владимир Этуш. Удачным оказался и дебют молодой артистки цирка Наталии Варлей.

И наша «тройка», на мой взгляд, поработала прилично.

К сожалению, «тройка» стала до приторности популярной. Нас приглашали выступать на телевизионных «огоньках», рисовали карикатуры в журналах. Николай Озеров во время хоккейных репортажей тоже вспоминал о нас.

Это был период нашего взлета и одновременно конец нашего совместного выступления на экране. Леонид Гайдай окончательно от нас отказался.

Некоторые режиссеры тоже пытались вставлять Труса, Бывалого и Балбеса в свои фильмы, но, как правило, выглядели мы инородным телом, как, скажем, в картине «Семь стариков и одна девушка».

Когда авторы «Операции "Ы"» специально для меня написали комедийный сценарий «Бриллиантовая рука», в цирке мне дали отпуск на полгода.

В этом фильме я впервые снимался с Анатолием Папановым. Работать с ним было интересно. Репетирует Гайдай с Папановым, а я, хоть и не занят в сцене, прихожу посмотреть. Интересно наблюдать, как Папанов работал над текстом. Переставит фразу, добавит два-три слова, и текст сразу обретает сочность, выразительность. Даже несмешные фразы вызывают смех.

Мою жену в фильме играла Нина Гребешкова, а Таня снялась в небольшой роли руководителя группы наших туристов. Воспользовавшись тем, что наш десятилетний сын Максим проводил летние каникулы с нами, Гайдай тоже занял и его в эпизоде. Максим снялся в роли мальчика с ведерком и удочкой, которого Граф (артист Андрей Миронов) встречает на острове. Максим с энтузиазмом согласился сниматься, но, когда его по двадцать раз заставляли репетировать одно и то же, а потом начались дубли, в которых Андрей Миронов бил его ногой и сбрасывал в воду, он стал роптать. Время от времени он подходил ко мне и тихо спрашивал:

— Папа, скоро они кончат?

«Они» — это оператор и режиссер. У оператора Максим все время «вываливался» из кадра, а Гайдай предъявлял к нему претензии как к актеру. Например, когда Миронов только замахивался ногой для удара, Максим уже начинал падать в воду. Получалось неестественно. Чувствовалось, что Максим ждал удара. После того как испортили семь дублей, Гайдай громко сказал:

— Все! В следующем дубле Миронов не будет бить Максима, а просто пройдет мимо.

А Миронову шепнул: «Бей, как раньше. И посильней».

Успокоенный Максим, не ожидая удара, нагнулся с удочкой и внезапно для себя получил приличный пинок. Он упал в воду и, почти плача, закричал:

— Что же вы, дядя Андрей?!

Эпизод был снят.

Так в «Бриллиантовой руке» снялась вся наша семья.

Натурные съемки «Бриллиантовой руки» проходили в Адлере на берегу Черного моря. Всех актеров и членов съемочной группы разместили в гостинице «Горизонт», в подвале которой отвели место под костюмерную и реквизиторскую. В реквизиторской хранили моего «двойника» — сделанную из папье-маше фигуру моего героя Семена Семеновича Горбункова. Ее предполагалось сбрасывать с высоты пятисот метров при съемке эпизода, где Семен Семенович выпадает из багажника подвешенного к вертолету «Москвича». Чтобы фигура не пылилась, ее прикрыли простыней. Так она и лежала на ящиках.

Однажды любопытная уборщица, подметая подвал, приподняла простыню и... обнаружила мертвого артиста Никулина. Она, вероятно, подумала, что он погиб на съемках и поэтому его спрятали в подвал. С диким воплем уборщица бросилась прочь.

Через час о моей «смерти» знали не только в Адлере, но и в других городах нашей страны, потому что уборщица по совместительству работала в аэропорту.

Люди любят сенсационные слухи и разносят их молниеносно. На моем веку хоронили сестер Федоровых, дважды умирал Евгений Моргунов, на шесть частей разрывали львы Ирину Бугримову, несколько раз погибал Аркадий Райкин.

Узнав о своей «смерти», я немедленно позвонил в Москву маме. Получилось почти по Марку Твену: «Слухи о моей смерти сильно преувеличены». И хорошо, что позвонил.

Через день маму уже спрашивали о подробностях моей гибели.

В титрах фильма «Бриллиантовая рука» есть такая фраза: «Киностудия благодарит граждан, предоставивших для съемок золото и бриллианты».

Среди зрителей попадались такие, которые подходили ко мне после просмотра и спрашивали: «И многие давали свои бриллианты?»

Увы, не все зрители поняли юмор.

Гайдая я люблю

Сегодня на съемках Гайдай рассказал анекдот. Едет на телеге мужичок, а приятель ему кричит:

— Чего везешь?

Тот жестом подзывает приятеля и говорит ему шепотом на ухо:

— Овес.

— А почему говоришь тихо?

— Чтобы лошадь не услыхала.

Из тетрадки в клеточку.
Октябрь 1960 года

Сниматься у Леонида Гайдая я люблю. Само общение с этим режиссером, работа на съемочной площадке, репетиции доставляют радость.

Еще не подъехали операторы, реквизиторы, актеры, а на месте съемки уже мечется худощавая, чуть сутуловатая фигура Гайдая. Он примеривается, откуда будет появляться Папанов и куда побежит, спасаясь от него, Семен Семенович. Наконец группа на месте. После нескольких репетиций начинается съемка.

Кончается очередной дубль, и режиссер говорит операторам: «Стоп!» И уже по тому, как это произнесено, я знаю, понравился дубль Гайдаю или нет.

Работалось с Гайдаем легко, интересно. Он никогда не говорил: «Это будет смешно». А всегда как бы предполагал: «Это может быть смешно».

Иногда он звонил ночью:

— Юра, а что, если мы попробуем в сцене взрыва сделать...

И мы долго говорили о сцене, которую предполагалось завтра снимать.

Леонид Иович — один из немногих режиссеров, которые точно могут показать, как надо играть актеру. Показывает все, вплоть до мимики, движений и интонаций. После показа становится ясно, чего хочет режиссер.

Усталые, едем мы после трудной натурной съемки. Сидим в машине, а Леонид Иович смотрит сценарий, отмечает снятые кадры и говорит мне:

— Завтра с утра снимаем семью Семена Семеновича и Графа в кафе. После ужина приходи ко мне в номер порепетировать. Подумай, какие смешные ситуации могут возникнуть за столом.

Утром мы приезжаем на съемку эпизода «Сцена в кафе». Гайдай сидит в уголке и делает пометки на полях сценария. Рядом его неизменный портфель, в котором всегда бутылка минеральной воды и пожелтевшая пластмассовая чашка, сопровождающая Гайдая на всех фильмах.

Идет подготовка к съемке. Устанавливают камеру, свет, застилают скатертью столик. Потом долго ищут детей, участвующих в съемке, которые без спросу убежали к морю. Только поправили грим актерам, оператор потребовал поднять на пять сантиметров стол, за которым мы сидим с Мироновым. Плотник набил под каждую ножку по деревянной плашке.

Снова провели репетицию. И тут ассистент режиссера заметил, что надо сменить цветы, которые Миронов подает Гребешковой. Цветы сменили. Пока меняли цветы, растаяло мороженое. Послали за ним человека. На это ушло еще двадцать минут. И вот наконец все готово: стол на нужной высоте, свежие цветы качаются в вазе, мороженое принесено. Включили свет, приготовились к съемке. Но за несколько часов подготовки мы настолько устали и разомлели на жаре, что потеряли нужное актерское состояние. И тогда в кадр врывается Гайдай. Он тормошит нас, громко говорит за каждого текст, подбадривает, поправляет у Миронова галстук, а у меня кепочку, и наконец мы слышим его энергичную команду:

— Мотор, начали!

К этому времени мы снова в форме и делаем все, как требуется.

Больше всего Гайдай не любит, когда кто-нибудь свистит на съемочной площадке.

— Кто это свистит? Прекратите! — гремит его голос. — Это опять Никулин свистит?!

Гайдай человек несуеверный, но традицию разбивать «на счастье» тарелку в первый день съемок он выполняет свято.

На съемках «Двенадцати стульев» ассистент режиссера, которому поручили бить тарелку, ухитрился так бросить ее на асфальтовый пол павильона, что она не разбилась.

Как же его ругал Гайдай! А спустя две недели, когда пришлось менять актера на роль Остапа Бендера и все переснимать сначала, Гайдай сказал:

— Это все из-за тарелки.

Почти каждый раз, сняв очередную комедию, Гайдай говорит мне:

— Все! Следующий фильм будет серьезный. Мало того, сниму трагедию.

— Зачем? — удивляюсь я.

— А так, для разнообразия.

Но, к счастью, своего слова Гайдай не сдерживает. Ведь режиссеров, снимающих серьезные картины, много, а комедийных мало.

Первая главная роль

Артист Станислав Чекан рассказал, как в одной из первых своих картин он играл роль партизана. Съемка шла на натуре. И вокруг собрались жители местных деревень. А снимали эпизод, когда артист, играющий эсэсовца, бьет попавшего в плен партизана — Чекана по щеке. Бьет эсэсовец партизана в первом дубле, во втором, в третьем... И тут одна пожилая колхозница не выдержала и кинулась к Чекану.

— Да как же ты терпишь, милый? И что ж тебя все бьют и бьют. Ведь больно, как ты терпишь? Станислав Чекан ответил:

— Вы, мамаша, не волнуйтесь. В конце съемок я этого эсэсовца должен бить оглоблей по голове. Так что мы рассчитаемся.

Из тетрадки в клеточку.
Январь 1961 года

Вернулся я из Ленинграда. Только вошел в квартиру, не успел даже снять пальто, как меня позвали к телефону.

— Звонят с киностудии Горького. Подойдешь? — спросила Таня.

Какой может быть разговор! В то время я на каждый звонок со студии не подходил, а подбегал.

В трубке услышал приятный женский голос:

— Юрий Владимирович, сколько вам лет? (Не поздоровалась, не представилась, а прямо так: «Сколько вам лет?») Скажите, пожалуйста, как вы выглядите, старым или молодым?

— Да как сказать, — ответил я в растерянности. — Мне сорок.

И я почувствовал, что женщина расстроилась.

— А может быть, вы выглядите под пятьдесят? Нам это очень нужно.

Я спросил, из какой съемочной группы звонят.

— С вами говорят из группы картины «Когда деревья были большими», — ответила женщина. — Вы не могли бы приехать завтра на студию? Мы хотим с вами серьезно поговорить.

На студии мне дали сценарий Николая Фигуровского «Когда деревья были большими».

Дома читали сценарий всей семьей, и он всем понравился. В сценарии рассказывалось о судьбе Кузьмы Кузьмича Иорданова.

Так случилось, что он остался без семьи, без друзей, свою профессию слесаря забросил, жил на случайные заработки. Появились у него друзья-собутыльники. Соседки по коммунальной квартире и ругали его, и жалели.

Вызвали Кузьму в милицию. Начальник милиции ему говорит: «Три месяца назад вы были предупреждены. С вами беседовали? Вы обещали? С тех пор два раза привлекались: один раз на пятнадцать, другой на десять суток. Эх, Иорданов, Иорданов, был рабочим человеком, воевал, награды имеешь... Вот, докатился — махинациями стал заниматься, пьянствуешь, на базаре цветочками торгуешь. Ну что это, подходящее занятие для такого человека?»

Надо сказать, Кузьма и сам мучился из-за своей неприкаянности.

Как-то он подрядился помочь одной старушке доставить из магазина стиральную машину.

Сколько за такую работу ему заплатят, он не знал. Главное — доставить стиральную машину в квартиру. Там и начнется настоящий торг.

На вопрос о цене он говорит:

— По совести и справедливости, с лифтом одна цена, а без лифта...

Этот разговор происходит на лестничной площадке. Он уже втащил машину на пятый этаж.

И тут машина качнулась и полетела в пролет лестницы.

— Я сейчас, все будет в порядке, — торопливо говорит Кузьма и с перепугу бежит, перепрыгивая через ступеньки, вниз, подвертывает ногу и падает. Да так падает, что теряет сознание.

Очнулся он в больнице. Лежит в гипсе. Ко всем родственники, друзья приходят, а к нему никто. Но вот приходит к нему старушка, которой он подрядился тащить стиральную машину. Кузьма увидел ее и перепугался.

«Ну, скандал будет», — думает он. Поэтому сразу же говорит:

— Машина за мной! Выйду из больницы, устроюсь по специальности и машину вам доставлю.

А старуха и не собиралась требовать деньги. Просто решила проведать больного человека, компот ему принесла, о деревенских новостях (старуха в город недавно переехала) рассказала. Поведала она и о судьбе одной девочки, которая жила с ней в деревне.

Трогательная судьба. Отец и мать девочки потерялись во время бомбежки в годы войны. Сироту подобрали колхозники и воспитали.

А Наташа, так звали девочку, все надеялась найти своих родных.

Выйдя из больницы, Кузьма Кузьмич едет в деревню, где живет Наташа. Знакомится с ней и заявляет, что он ее отец. И Наташа ему поверила.

Так Кузьма Кузьмич оказался в деревне.

Кулиджанов в меня поверил

Режиссер Кулиджанов рассказал анекдот. В Англии искали компанию, которая взялась бы за прокладку туннеля под Ла-Маншем. В парламент пришел человек с лопатой и сказал:

— Я пришел насчет туннеля.

Его спрашивают:

— Вы представитель какой компании?

— Буду копать в компании с моим братом. Он будет копать из Франции, а я из Англии, и под Ла-Маншем мы с ним встретимся.

— Ну а если не встретитесь?

— Тогда будет два туннеля.

Из тетрадки в клеточку.
Март 1961 года

На следующий день, как и обещали, позвонили со студии.

— Как вам сценарий?

— Нравится. Только вот кого мне играть?

— Режиссер хочет вас попробовать на роль Кузьмы Иорданова.

Я ахнул.

Увидев режиссера Кулиджанова в первый раз, я подумал: «Вот так, наверное, должны выглядеть хорошие педагоги». Лев Александрович производил впечатление человека спокойного, уравновешенного и собранного.

— Как вам роль? — спросил он сразу.

— Понравилась, но не знаю, смогу ли сыграть ее, — признался я чистосердечно.

— Умоляю вас, не играйте. Только не играйте! И вообще не говорите слова «играть». Будьте самим собой. Считайте, что ваша фамилия не Никулин, а Иорданов. И живете вы в Москве, в старом доме. Вам пятьдесят лет.

Кулиджанов долго говорил о характере и судьбе Кузьмы Кузьмича.

Наше представление об образе этого человека совпадало.

Но я вдруг ощутил, что эту роль сыграть не смогу. Во-первых, мне сказали: «Не играйте». Но как же не играть? Все, что делал в кино до этого, я именно играл, и за это меня хвалили. Во-вторых, у Кузьмы Кузьмича в роли много текста. А я плохо запоминаю текст. И наконец, в-третьих, я работал в цирке и боялся, что, если меня утвердят на роль, мне не удастся совместить свою работу со съемками.

Я честно поделился своими сомнениями со Львом Александровичем. Внимательно выслушав меня, он спокойно продолжал говорить о предстоящей кинопробе. Мои сомнения его не трогали. Может быть, он специально так поступил, чтобы у меня появилось больше уверенности.

Кулиджанов показал мне эпизод, который отобрали для кинопробы, — момент встречи Кузьмы Иорданова с Наташей.

Когда мы прощались, я спросил:

— Лев Александрович, а почему вы меня пригласили на эту роль? Видели в кино?

— Вы знаете, — ответил Кулиджанов, — самое любопытное, что ни одной вашей роли в кино я не видел. Только на днях мы посмотрим картину с вашим участием. Я видел вас в цирке. Только в цирке. И вы мне понравились.

Тут я вообще растерялся.

— Кто будет играть роль Наташи? — спросил я у него.

— На эту роль мы пробуем молодую актрису Инну Гулая.

Пять борщей Инны Гулая

Рассказывали о курьезном случае на «Мосфильме». На склад, где выдается операторам пленка, назначили нового работника. Пришли операторы утром за пленкой, и один из них спросил:

— А точно в коробке триста метров?

Новый кладовщик, к великому ужасу операторов, открыл коробку, развернул черную бумагу и при ярком свете лампочек стал деревянным метром измерять длину пленки.

Из тетрадки в клеточку.
Июнь 1961 года

И вот первая встреча с Инной. Она посмотрела на меня в упор и спросила:

— Вы клоун?

— Да...

Помолчав и еще раз посмотрев на меня внимательно, она сказала:

— Как интересно... — И после паузы продолжала: — Ни разу в жизни не видела живого клоуна. Меня зовут Инна, — представилась она, протягивая руку.

В павильоне выстроили комнату деревенской избы. На пробах снималась сцена разговора Кузьмы с Наташей.

Чтобы мы не просто сидели за столом, а чем-то занимались, Кулиджанов предложил — пусть Наташа ест борщ.

Принесли в павильон кастрюлю горячего борща. Порепетировали. Начали снимать первый дубль. Инна Гулая спокойно, с аппетитом ела борщ. У меня даже слюни текли.

Второй дубль. Инна съела еще тарелку борща.

Третий дубль. Инна так же спокойно и с аппетитом съела третью тарелку.

Сняли пять дублей. И, что меня поразило, Инна Гулая съела пять тарелок борща.

Когда я спросил, почему она так много ест, она ответила:

— Волнуюсь.

Пробы прошли удачно. Меня утвердили на роль.

Теперь предстояло решить сложный организационный вопрос. Я был занят в программе Московского цирка и не представлял, как буду совмещать работу со съемками. Пошел в Союзгосцирк просить об отпуске.

— Такая у нас история получается, — сказал Феодосий Георгиевич Бардиан. — Надо ехать в Англию на пятьдесят дней. Так что пусть киношники снимают днем, вечером будешь работать на манеже, а летом поедешь в Англию.

— У нас натура летняя, — сказал я.

— Придется им прерваться. Ты работник цирка, и это для тебя главное.

В съемочной группе я рассказал о решении Бардиана. Дирекция картины, к моей радости, на все согласилась.

Входил я в роль Кузьмы Иорданова долго. Внешний облик помог мне обрести замечательный художник-гример Александр Иванов. Мы сразу договорились, что Иорданов будет небритым. Для этого я три дня не брился. Потом мне все время подстригали волосы ножницами.

Долго искали костюм. Художник по костюмам и режиссер считали, что шить специально для Кузьмы не нужно. Он должен выглядеть обшарпанным, помятым. И носить может что-то уже готовое, а то и взятое с чужого плеча. Никак не могли подобрать головной убор. В костюмерной перебрали сотню кепок и фуражек, и ни одна мне не понравилась. Случайно я заметил в углу маленькую кепочку со сломанным козырьком и примерил ее. Это было то, что надо.

Перед началом съемок Кулиджанов постоянно говорил:

— Старайтесь больше думать о человеке, которого предстоит вам показать. Подумайте, как будет действовать Кузьма в той или иной ситуации.

Я высказал пожелание, чтобы сцены снимали подряд — от начала и до конца фильма. Это помогло бы мне постепенно вжиться в роль.

— Постараемся так и сделать, — заверил Кулиджанов. — Сначала снимем все, что происходит на улицах Москвы, потом поедем на натуру в деревню Мамонтово. А осенью в павильоне доснимем остальное.

Как почти всегда бывает в кино, получилось наоборот. И я вспомнил рассказ Ростислава Плятта о том, как он снимался у Михаила Ильича Ромма в картине «Убийство на улице Данте».

Получив приглашение сниматься, Плятт попросил Ромма, чтобы все сцены снимали по очереди, а самую последнюю, самую сложную — сцену смерти его героя — в конце.

— Конечно, конечно, — ответил Ромм. — Мы выполним вашу просьбу. Создадим идеальные условия.

А на другой день Плятту позвонили и сообщили, что первую съемку срочно назначают на эту же ночь. И будут снимать сцену смерти.

Примерно так получилось и у нас. А это трудно — сниматься сегодня в эпизоде, продолжение которого будет через несколько месяцев. Как вспомнить состояние, с которым играл раньше, как войти в него?

Съемки решили начать с эпизода в мебельном магазине.

— Вы побродите по улицам, зайдите в магазины, — советовал мне Кулиджанов, — присмотритесь к людям, похожим на вашего героя. Они встречаются в Москве.

Этот совет я выполнил. Ходил около пивных, мебельных магазинов, смотрел, примеривался.

Кузьма Кузьмич начинает жить

Сегодня перед съемкой осветитель рассказал анекдот.

Собрались выпить три мышки.

— Давайте выпьем по одной рюмочке и пойдем гулять, — сказала первая.

— Нет, давайте выпьем по две и споем хором, — возразила вторая.

А третья предложила:

— Лучше выпьем по три и пойдем бить морду коту.

Из тетрадки в клеточку.
Август 1961 года

Первый съемочный день проходил в новом мебельном магазине на Ленинском проспекте. Администрация картины договорилась, чтобы в этот день магазин не работал.

Меня загримировали, переодели и привезли на съемку.

Вышел я из машины, смотрю, в дверях стоит человек, как потом я узнал, директор магазина. Неподалеку от него Кулиджанов и оператор картины Гинзбург. Я спокойно направляюсь к дверям, а директор меня останавливает:

— Куда?

— В магазин, — говорю я.

Директор оглядел меня с ног до головы и решительно сказал:

— А ну-ка давай отсюда! Здесь съемки будут, не мешай.

— Да я артист, снимаюсь.

— Знаем вас, артистов. Я тебя здесь уже пятый день вижу.

Я начал доказывать, что он ошибается. Директор магазина засомневался и спросил у режиссера и оператора:

— Товарищи, это ваш человек?

Они посмотрели на меня и, не сговариваясь, заявили, что видят меня первый раз в жизни. Тут директор уже на меня рявкнул:

— А ну давай отсюда! Сейчас старшину позову!

И стал звать милицию. Вокруг начали собираться люди. Только тогда Кулиджанов и Гинзбург, смеясь, его успокоили:

— Это наш человек, наш. Главную роль играет. Пропустите.

Директор от неожиданности ахнул, а потом долго-долго извинялся.

Этот случай меня порадовал. Значит, я уже похож на людей, подобных Кузьме Иорданову.

Съемки велись и на Даниловском рынке.

По сценарию фильм начинался с того, что Кузьма ехал за город и собирал подснежники. Потом вез цветы на рынок. Во время сбора подснежников его кусал шмель. С распухшей губой, с заплывшим глазом Кузьма приходил на рынок и пытался встать в цветочный ряд. Торговки его гнали.

Приехали мы на Даниловский рынок, выбрали место съемки.

— Пусть цветочницы будут те, которые торгуют. Массовки не нужно. Скажите им, что мы заплатим за все цветы, — сказал Кулиджанов ассистенту. — Только попросите их, чтобы они по-настоящему гнали Никулина в шею, когда он встанет в цветочный ряд.

Первый дубль запомнился мне надолго.

Одна бабка так стукнула меня банкой по голове, что потемнело в глазах и я заорал слова, не имеющие отношения к роли.

К сожалению, эпизод на рынке в картину не вошел. В самом начале съемок рабочий материал фильма решили посмотреть в Министерстве культуры СССР. И во время обсуждения один редактор встал и сказал:

— Товарищи, что же это получается? Герой картины — тунеядец. Разве такие фильмы нужны нам? Чему мы научим зрителя? Вот мы сейчас смотрели материал. Снято добротно, профессионально. И на мой взгляд, в этом весь ужас, что материал получается хороший. А если материал хороший, следовательно, картина будет впечатлять и все ее идейные недостатки станут более выпуклыми.

Все в группе расстроились. Помог работавший в то время заместителем министра культуры СССР Николай Николаевич Данилов. После просмотра он сказал:

— А что спорить? Я беседовал с режиссером. Он считает, что картина получится, и я ему верю. Актеры тоже хорошие. Фильм не может быть вредным. Пусть люди работают.

Так мы получили разрешение на продолжение съемок.

Сложно было совмещать работу в цирке со съемками. Настроенный на образ, я только и жил этим. Но после съемок, иногда не успев переодеться, сразу же ехал в цирк. Замазывал толстым слоем грима лицо, чтобы хоть как-то скрыть небритость, и старался переключиться с Кузьмы Иорданова на клоуна Юрика. Рассказывал анекдоты, пел веселые песни — словом, делал все, чтобы перестроиться на цирковой лад.

Так продолжалось два месяца. Когда отсняли московскую натуру, съемочная группа переехала в деревню Мамонтово, что недалеко от Ногинска. А мы с Шуйдиным отправились на гастроли в Англию.

Через полтора месяца прилетели в Москву. Только я вошел в дом, как меня сразу позвали к телефону.

— Юрий Владимирович, — сказал ассистент режиссера, — ждем вас завтра в Мамонтове. Машину за вами пришлем к шести утра.

— Дайте мне хоть день побыть с родными, — взмолился я.

— Это невозможно. На завтра запланирована большая сцена с вашим участием. Отменить ее нельзя. Мы вас ждали почти два месяца. Все куски без вас сняли, а последнюю неделю ничего не делаем.

На следующий день в шесть утра сел я в «газик» и поехал в Мамонтово.

Но с утра зарядил дождь, и мы ничего не смогли снять. Дождь лил и на второй день, и на третий... Только на пятый день появилось солнце, и мы начали работать.

Снимали эпизод на пароме — один из ключевых в фильме. Кузьма продолжает выпивать, обманывает дочку. Его ругает за тунеядство председатель колхоза, которого играл Василий Шукшин. Кузьма спорит с председателем. А Наташа защищает своего отца.

Здесь Кузьма впервые начинает понимать, что Наташа его по-настоящему любит. Он чувствует, что он ей нужен, и особенно остро ощущает свою вину перед ней. Вину в том, что он назвался ее отцом.

Когда снимали крупный план Инны Гулая, я ей подыгрывал, подавая за кадром реплики. Мы стояли на пароме, заставленном машинами, телегами, скотом. Инна долго стояла молча, как бы собираясь с мыслями, и потом тихо проговорила:

— Можно снимать.

Начали съемку. Инна плакала по-настоящему. Когда по ее лицу потекли слезы, она стала кричать председателю колхоза:

— Да что вы выдумываете?! Ничего он не обижает меня. Что вы к нему придираетесь! Я люблю его. Он хороший.

Она так это сказала, что я совершенно забыл слова, которые должен ей говорить по ходу действия.

Сняли первый дубль. На несколько минут воцарилось молчание в группе. Потом Кулиджанов сказал актрисе:

— Отдохните, а когда будете готовы, снимем еще один дубль.

Инна постояла молча, с отсутствующим взглядом, а потом, кивнув головой, шепнула:

— Можно.

И все началось снова. Она плакала. Я смотрел ей в глаза, и у меня тоже едва не текли слезы. Инна заражала своей игрой. С ней удивительно легко работалось. Она отличалась от многих актрис, с которыми мне приходилось встречаться. Как правило, все они были озабочены тем, как получатся на экране. Инна Гулая об этом не думала. Ей было все равно — красивым или некрасивым выйдет ее лицо на экране. Ее волновала лишь правда внутреннего состояния. Она жила своей ролью.

Вот одна из ее первых сцен в фильме. Перрон станции. Подошел поезд, на котором Кузьма приехал в деревню. В конце платформы стоит Наташа — Инна и смотрит на сошедшего с поезда Кузьму. И у нее то ли от волнения, то ли еще по какой причине вдруг странно начинают кривиться ноги. Косолапя, она бежит по перрону навстречу отцу. В этой походке какое-то скрытое стремление и нерешительность, волнение и радость — все одновременно.

Другая актриса постаралась бы пробежать красиво. Инна играла так, как ей было удобнее по состоянию, и всем становилось ясно, о чем думает, чем обеспокоена ее Наташа.

Актерский дубль

На улице пьяный спрашивает прохожих:

— С-кажите, пожалуйста, где здесь противоположная сторона? Ему показывают.

— Совсем обалдели, а там говорят, что здесь.

Из тетрадки в клеточку.
Сентябрь 1961 года

Вечерами я приходил к Льву Александровичу Кулиджанову и вел разговор о предстоящих съемках.

— Как вам лучше? — спросил меня как-то Кулиджанов. — Показывать отснятый материал или нет?

Я попросил показывать. И раз в неделю мы ездили на студию смотреть отснятые дубли. Мне это помогало в работе.

Запомнилась мне съемка сцены, где пьяный Кузьма приходит вечером на паром и поет печальную песню. Я напевал есенинские строчки:

А под окном кудрявую рябину
Отец спилил по пьянке на дрова...

После нескольких дублей я предложил Кулиджанову:

— А что, если выпить по-настоящему? Легче будет играть пьяного.

— Вы так думаете? Ну что ж, попробуйте. Снимем один дубль специально для вас, — разрешил режиссер. — Хотя я думаю, что это будет плохо.

Принесли стакан водки. Я залпом выпил. А поскольку за целый день почти ничего не ел, то быстро почувствовал опьянение и мне все стало, как говорится, трын-трава. Начали съемку. Я пел, и мне казалось, что все получается гораздо лучше.

Прошло время. Сидим мы на студии и смотрим материал этой сцены.

Показали дубль, снятый после стакана водки. Если в первых дублях все выглядело довольно убедительно, то после того, как я выпил, начался кошмар. Я увидел на экране человека не трезвого и не пьяного. Казалось, какой-то чокнутый человек изображает пьяного.

— Вы были правы, — согласился я с Кулиджановым.

Снимали сцену, когда в деревню приезжает старуха, знающая о том, что Кузьма не отец девушки. Входит Кузьма в избу и видит: сидит за столом эта старуха.

Как реагировать на эту встречу Кузьме? Были проиграны десятки вариантов испуга. Но все получалось надуманно, наигранно. Тогда Кулиджанов попросил:

— Юра, покажите мне, пожалуйста, как бы вы сыграли испуг на манеже?

Цирк — дело знакомое. Через несколько секунд все вокруг хохотали. Но это не устраивало режиссера. Он подумал и сказал:

— А попробуйте вообще не пугаться. Вы войдите в избу и посмотрите на старуху. Остановитесь как вкопанный и думайте про себя: не мираж ли это? Покажите несколько абстрактный испуг.

Так я и сделал. И этот кусок вошел в картину.

Кулиджанов предложил мне целый ряд интересных находок. Среди них — как утром, с похмелья, Кузьма умывается.

Просыпается Кузьма и идет на кухню умыться. Слегка намочив пальцы в воде, промывает ими глаза.

В этих двух-трех движениях был весь Кузьма Иорданов — вся его натура.

«Когда деревья стоя гнулись»

Неожиданно остановился поезд. По вагону проходит проводник.

— Почему мы остановились? — спрашивает у него пожилая дама.

— Мы переехали корову, — отвечает проводник.

— Как! Она стояла на рельсах?

— Нет, мадам, мы специально для этого заехали в хлев.

Из тетрадки в клеточку.
Октябрь 1961 года

В каждой картине есть места, которые тебе больше всего нравятся. Таким для меня был эпизод со стиральной машиной.

После выхода картины на экран меня часто спрашивали:

— Неужели вы настоящую стиральную машину роняли в пролет лестницы?

— Да, настоящую. Купили две машины и вытащили из них моторы. Выбрали на проспекте Мира старый дом. Ассистенты режиссера обошли все квартиры и предупредили жильцов, чтобы они не пугались грохота. И стиральная машина полетела в пролет лестницы.

Перед вторым дублем звукооператор потребовал:

— Вторую машину кидайте с мотором. Я хочу записать естественный звук.

Премьера и обсуждение фильма состоялись в столичном кинотеатре «Ударник». Помню, все в зале затихли, когда после демонстрации фильма на сцену вышел плохо одетый человек и сказал:

— Товарищи, помогите мне! Эта картина про меня. Я смотрел и думал: можно же жить иначе! Важно только, чтобы тебя кто-нибудь любил, чтобы ты был комунибудь нужен. Ну, скажите, где мне найти такую девочку Наташу, чтобы она меня полюбила? Я бы тогда стал совсем другим.

Не нравилось мне название картины «Когда деревья были большими». Во-первых, я считал, что оно длинное, во-вторых, не отражает главного в фильме, в-третьих, в то время во многих театрах шла пьеса «Деревья умирают стоя», и наш фильм путали со спектаклем.

Рекорд в этой путанице побила буфетчица молочного кафе на площади Пушкина.

Рано утром я вместе с приятелем зашел в кафе. Буфетчица меня увидела и, уронив тарелку, крикнула официантке:

— Маша, Маша, иди сюда скорее!.. Артист пришел из картины «Когда деревья стоя гнулись»!

Фильму «Когда деревья были большими» я обязан тем, что после него у кинематографистов ко мне изменилось отношение. Если раньше на мне стояла бирка Балбеса или актера, способного играть только пьяниц и воров, то теперь меня стали приглашать и на серьезные роли.

Вы любите животных?

Две дрессировщицы собак хвастаются:
— Моя Джильда читает газеты!
— Знаю. Мне про это говорил мой Шарик.

Из тетрадки в клеточку.
Май 1962 года

Вернувшись в Москву после гастрольной поездки в Японию, я узнал, что меня разыскивают с «Мосфильма» из группы «Мухтар».

«Мухтар», «Мухтар»... Уж не тот ли это Мухтар — герой повести И. Меттера, опубликованной в журнале «Новый мир»?

Все верно. Оказывается, режиссер Семен Туманов решил эту повесть экранизировать, и писатель Меттер написал сценарий. Встретившись со мной, Туманов спросил:

— Вы любите животных?

— Да, люблю.

— А собаки у вас были?

— Были. — И я рассказал биографию каждой собаки, которая жила в нашем доме. Рассказал и о том, что, когда погибла Малька, мы все переживали, будто умер родной человек.

— А вы повесть «Мухтар» читали?

— Читал.

— Отлично! Тогда нам будет легче говорить. Я хочу, чтобы вы сыграли милиционера Глазычева.

— Глазычева? — Я вспомнил, что по повести Глазычев маленького роста, крепыш, а я совершенно другой. Сказал об этом Туманову.

— Боже мой, какая разница? Да кто знает, как выглядел на самом деле Глазычев? Никто! Каким мы его сделаем, таким его и будут все воспринимать.

— Но я не могу играть милиционера.

— Вы что, не любите милицию?

— Да нет, — ответил я. — Но посудите сами, какое я имею право́ играть милиционера, если в двух последних фильмах снимался в ролях жуликов?

После долгой беседы мы решили все-таки сделать кинопробы. И договорились: если, увидев себя на экране, я поверю, что смогу сыграть милиционера, то дам согласие на участие в картине.

Поругайте меня, и я буду плакать

Сегодня на съемке Туманов рассказал анекдот. Граф говорит дворецкому:

— Завтра, Джеймс, приезжает мать моей Алисы, и я прошу вас отрубить нашей собаке хвост. Я хочу, чтобы ничто в доме не выражало радости по поводу приезда тещи.

Из тетрадки в клеточку.
Ноябрь 1963 года

Для пробы взяли эпизод, когда обворовывается санаторий и Глазычев расспрашивает кладовщицу, как все это произошло. На роль кладовщицы пробовалась прекрасная актриса Екатерина Савинова.

По сценарию кладовщица должна заплакать, и Екатерина меня попросила:

— Юра, чтобы мне быстрее заплакать, пожалуйста, поругайте меня.

— Вы дура, — сказал я, включившись в предложенную игру.

— Нет, этого мало. Скажите мне, что я плохая.

— С чего это вы взяли, что вы плохая? Совсем нет. Вы просто бездарная актриса. Мало того, вы идиотка!

— Что? Я — бездарная? Да как вы смеете! — обидчиво сказала актриса и заплакала.

Туманов дал команду снимать.

С волнением смотрел я пробы на экране. Закончился просмотр, зажгли свет, и Туманов спрашивает:

— Ну как?

Я подумал: а что, такой милиционер вполне может быть.

Уже много позже я узнал историю моего приглашения на роль. Оказывается, до меня пробовали шесть человек, и одного артиста даже утвердили. Но автор сценария Израиль Меттер случайно увидел в то время фильм «Когда деревья были большими». Моя работа ему понравилась, и он предложил режиссеру мою кандидатуру.

После того как меня утвердили на роль, пошла полным ходом работа. Мне выдали форму. Чтобы почувствовать себя милиционером, я носил ее дома, а иногда и по улицам в ней разгуливал.

Начались поиски собаки. После долгого отбора наконец остановились на двух. Первую звали Байкал, а вторую, помоложе, назвали Мухтаром. На кинопробах убедились, что собаки похожи. Туманов предполагал, что Мухтар сыграет молодого Мухтара (повесть рассказывает о жизни собаки на протяжении десяти лет), а Байкала снимут в роли взрослого Мухтара.

Несколько раз я выезжал с милицией на операции, познакомился со многими проводниками розыскных собак. Работники милиции охотно делились своим опытом.

В качестве консультанта фильма пригласили тогда капитана милиции Сергея Подушкина, который занимался со мной так, как будто мне действительно предстояло стать работником милиции.

Я вставал рано утром, надевал милицейскую форму, полушубок и отправлялся в питомник.

Там выпускали из клеток двух собак. Чтобы они ко мне привыкали, я их выгуливал и кормил. После этого уезжал в цирк (шли школьные зимние каникулы) и, отработав три спектакля, снова возвращался в питомник. Так продолжалось более двух недель. Собаки за это время ко мне понемногу привыкли. Зимнюю натуру выбрали в Кашире. В цирке с трудом, но отпустили меня на четыре месяца для участия в съемках. Тогда я и не предполагал, что работа над фильмом займет целый год.

— Юрий Владимирович, — сказал мне в самом начале работы Туманов, — имейте в виду, вы находитесь в сложном положении.

— А что такое?

— Самое трудное — играть с детьми и животными. Собака на экране всегда получается достоверной и органичной, а вот вам придется попотеть.

Во время наших первых встреч я несколько скептически слушал рассуждения Туманова о том, как мы будем снимать, считая его театральным режиссером. (Туманов с театром не порывал и в кино до «Мухтара» снял единственный фильм «Алешкина любовь», который я считал средним.) Но как только начались съемки, я забыл о своих сомнениях. Семен Ильич мог дать сто очков вперед многим кинозубрам.

150 тысяч собаке под хвост

Сегодня на съемке я рассказал Туманову, как работал у нас в цирке знаменитый в прошлом дрессировщик Борисов. Он вбегал в клетку ко львам, кричал, щелкал бичом, стрелял в воздух из пистолета. Львы рычали, метались по клетке, оскаливали пасти... Публика в страхе замирала.

Как-то после представления я зашел на конюшню и увидел: сидят в клетке львы и едят. К ним входит служитель, спокойно их похлопывает по спинам, что-то говорит. И вообще ведет себя так, будто это не львы, а котята. Я его спрашиваю: «Неужели вы не боитесь?» Он усмехнулся: «А чего их бояться. Я их люблю, и они меня тоже».

Из тетрадки в клеточку.
Январь 1964 года

В Кашире нас поселили в общежитии местного техникума.

В первую очередь наметили снимать финал картины, где Глазычев с Мухтаром идут по следу бандита Фролова.

Наши собаки были приучены ко всему: бежать, стоять, сидеть, лежать по команде, бросаться на «преступника», если он замахнется на них ножом. Но когда Байкал с Мухтаром попали на съемочную площадку, когда зажгли осветительные приборы, заработала камера и загудел, поднимая снежную пыль, ветродуй, собаки наотрез отказались сниматься. Они испуганно озирались по сторонам, потом легли на снег и ни за что не хотели сдвинуться с места.

Проводник подбадривал собак, кричал, подкармливал сахаром, но ничего не помогало. К съемкам собаки не были приучены.

Режиссер, оператор, директор картины смотрели на Байкала и Мухтара умоляющими глазами. Проводник растерялся, чувствуя себя виноватым. Но собаки не поддавались. Больше всего они боялись ветродуя. Как только включали ветродуй, у собак от страха прижимались уши.

Так прошло пять дней. Каждый съемочный день стоил три тысячи рублей. Киногруппа работала впустую.

Тогда люди еще не привыкли к новым деньгам, и директор фильма в ужасе кричал:

— Сто пятьдесят тысяч собакам под хвост. Это же ужас!

В один из дней вынужденного простоя я вспомнил историю, связанную со съемками в кино животных. Рассказ этот я услышал от Владимира Григорьевича Дурова.

В конце тридцатых годов снимался фильм, в одном из эпизодов которого свинья должна была съесть бумажный свиток — грамоту.

Кинематографисты приехали к Дурову в цирк и спрашивают:

— Скажите, пожалуйста, Владимир Григорьевич, вы не могли бы выдрессировать свинью, чтобы она на съемках съела грамоту? Мы понимаем, это трудно, но нам очень нужно.

— А сколько у вас отпущено по смете средств на дрессуру? — спросил Дуров.

— Три тысячи. Если понадобится, можем заплатить и больше. Понимаем, что это сложно.

— Прежде всего для этого нужно заключить со мной договор, — сказал Дуров.

Договор с ним заключили.

— А теперь что мы должны сделать? — спросили кинематографисты.

— Купить свинью.

— Какую свинью?

— Любую. Какая вам больше понравится.

— А дальше?

— Три дня до съемок, пожалуйста, свинью не кормите. В день съемок позвоните мне. Приготовьте грамоту, которую нужно съесть. Если вам потребуется несколько дублей — должно быть несколько грамот.

К словам прославленного дрессировщика кинематографисты отнеслись недоверчиво, но тем не менее все указания выполнили и через несколько дней позвонили ему.

— Владимир Григорьевич, что делать? Мы три дня не кормили свинью, и она орет диким голосом. Завтра съемка.

— Все правильно, — сказал Дуров. — Завтра ждите на студии. Приеду.

Приехал он на студию. Зашел в павильон, достал бутылочку с медом, взял грамоту, помазал ее медом и, положив на стол, спросил:

— Откуда свинья появится?

— Хорошо бы из окошка, — сказали ему.

— Ну вот и отлично. Держите ее у окошка. Когда все будет готово, отпускайте. Она сама прибежит к грамоте.

И верно. Только отпустили свинью, она, не обращая внимания на свет и стрекот кинокамеры, прыгнула в окошко и побежала к столу, где лежала грамота. Вмиг ее сожрала.

— Все это хорошо, — сказал режиссер, — но только уж очень быстро она съела грамоту.

— Давайте второй дубль, — предложил Дуров.

Второй дубль прошел отлично. Свинья ела грамоту уже не торопясь. Этот дубль и вошел в картину.

Директор фильма и режиссер просто расстроились. Когда задумывали эту сцену, то предполагали, что придется долго приручать свинью, делать бумагу специального состава. А тут все так просто.

Дуров получил деньги в кассе и уехал.

Увы, собака не свинья. Нам было гораздо трудней.

Моя собака хочет сниматься

Осень. Идет дождь. На улице встречаются две блохи. Обе дрожат от холода. Одна говорит:

— Какой адский холод! Что же дальше будет?

— Ничего, — утешает вторая, — не расстраивайся, разбогатеем, собаку купим...

Из тетрадки в клеточку.
Февраль 1964 года

Съемочная группа «Ко мне, Мухтар!» была в простое. Уходила зимняя натура. Что делать? Пошли слухи, что нашу картину хотят закрыть.

А в прессе уже появились сообщения о съемках фильма. В журнале «Советский экран» поместили фотографии собак, которых предполагали снимать. И тут произошло неожиданное.

Из Киева на студию пришла телеграмма:

«МОСФИЛЬМ КИНОГРУППА МУХТАР МОЯ СОБАКА ХОЧЕТ СНИМАТЬСЯ ВАШЕМ ФИЛЬМЕ ИНЖЕНЕР ДЛИГАЧ».

Над телеграммой посмеялись. Но Туманов в отчаянии сказал:

— А кто его знает, может быть, это именно та собака, которая нам нужна?

Предложили капитану Подушкину поехать и посмотреть собаку на месте. Он вылетел в Киев и в тот же день позвонил Туманову:

— Собака стоящая. Нужно брать. Самое главное, пес уже снимался в кино и привык к шумам и освещению. Хозяин у собаки хороший — инженер, приятный человек.

Подушкину дали команду немедленно привезти в Москву собаку и хозяина.

Первое знакомство с ними запомнилось мне.

К нашему дому на улице Фурманова, где мы тогда жили, подъехал мосфильмовский «газик». Из машины вышел человек небольшого роста с тоненькими усиками. Он подошел ко мне и, протянув руку, сказал:

— Меня зовут Михаил Давидович Длигач. Я инженер из Киева. А вот и моя собака — Дейк!

В открытую дверь машины высунулась здоровая морда пса. Собака посмотрела на него, на меня и спряталась. Длигач сказал:

— К вам огромная просьба. Я прошу, чтобы вы называли меня просто Мишей. А я вас — Юрой. Нужно об этом договориться сразу. И не потому, что я хочу быть с вами на короткой ноге, это нужно для него, — он кивнул на овчарку. — И будем на «ты». Собака сразу должна узнать твое имя. Юрий Владимирович — ей трудно запомнить. Когда ты будешь называть меня Мишей, она поймет, что ты обращаешься ко мне.

Я согласился, хотя и подумал, что хозяин мудрит.

Когда мы сели в машину, Длигач предупредил:

— Я только прошу тебя, Юра, не предлагай ему никакой еды и не зови его, а то он на тебя бросится и укусит.

Машина тронулась. Собака просунула морду между мной и шофером и внимательно смотрела в лобовое стекло машины.

— Ты не удивляйся, — сказал Длигач, — Дейк любит смотреть, куда едет. Он должен смотреть.

Я спросил Длигача, почему собаку назвали Дейком.

— Очень просто, — ответил Миша. — Знаешь художника Ван Дейка? Ван я отбросил, а Дейк остался.

С первых минут знакомства я понял, что Михаил Длигач относится к своей собаке как к человеку. Он не сомневался в том, что она понимает все, о чем говорят люди. В то же время я заметил, что собака действительно мгновенно выполняет любую его команду, реагирует на интонации голоса.

Я помнил, что меня просили ничего не давать собаке. Но все-таки вытащил кусок колбасы из портфеля и посмотрел на пса. Тот, естественно, повернулся в мою сторону, взглянул на колбасу, потом мельком на меня и отвернулся. Колбасу я съел сам.

На студии продолжали снимать сцены без участия собаки. Но тем не менее, чтобы Дейк ко мне постепенно привык, его приводили в павильон. По ходу сцены я сидел за столом, а Михаил Длигач говорил Дейку:

— Сидеть с Юрой.

Пес подходил ко мне и садился рядом.

— Пусть он посидит с тобой, — говорил Длигач. — Неважно, что он не снимается. Вам необходимо привыкнуть друг к другу. Дейк запомнит твой запах, постепенно будет считать тебя своим. Ведь вам во многих сценах придется быть рядом.

Во время обеденного перерыва собака пошла вместе с нами в столовую. Я ел, а она сидела рядом. К вечеру Длигач сказал:

— Завтра принеси пару сосисочек.

На другой день я вошел вместе с Длигачем в специальную комнату, где находился Дейк. Он увидел меня и зарычал.

— Сидеть, — сказал Длигач. — Юра, вынь сосиски и дай мне.

Я протянул сосиски хозяину. Он передал их собаке. Дейк стал есть.

— Вот видишь, — сказал Михаил, обращаясь к Дейку, — это Юра принес тебе сосиски, Юра.

На другой день мне велели принести печенку. Просьбу я выполнил. Все повторилось: сначала я отдал печенку хозяину, а тот, говоря: «Это Юра тебе печенку принес, Юра», передал ее Дейку. Потом я принес любительскую колбасу. Снова та же церемония. Я не выдержал и спросил:

— А почему нельзя мне самому давать еду?

— Он из чужих рук не берет, — спокойно ответил Длигач, — может броситься.

Через неделю я вошел в комнату, где были хозяин с собакой, и услышал радостный возглас:

— Смотри, смотри, Юра! — показывал Михаил на хвост Дейка. — Ты видишь?!

И я увидел, что кончик собачьего хвоста шевелится.

— Ты видишь? Он тебя узнает! Он даже относится к тебе с симпатией!..

— Ну, ничего себе, — заметил я, — неделя понадобилась для того, чтобы кончик хвоста задергался. Сколько же нужно, чтобы хвост вилял вовсю?

— Время, время, и все будет, — заверил Длигач. Действительно, через два дня я впервые дал Дейку колбасу.

Пес посмотрел на меня с недоумением.

— Бери, бери, — разрешил Длигач, — это Юра тебе принес. У Юры можно брать.

Дейк неохотно принялся есть.

А как-то Длигач положил ладонь на голову собаки и попросил, чтобы я свою ладонь положил сверху. Потихоньку Михаил убрал свою руку из-под моей, и моя ладонь оказалась на голове собаки. Дейк покосился на меня и тихо зарычал.

— Сидеть! Спокойно... — произнес Длигач. — Спокойно, Дейк.

У меня было ощущение, будто под моей рукой работает динамо-машина.

Как-то мы шли вместе по коридору «Мосфильма». Поводок от Дейка держал Длигач. Незаметно он передал его мне, а сам остановился. Собака шла вперед, не зная, что поводок у меня. Так мы прошли метров десять. Вдруг собака остановилась, повернулась и увидела, кто ее ведет.

— Дейк! Спокойно! — крикнул Длигач. — Иди вперед. Это Юра. Это Юра, который приносит тебе сосиски и колбасу, иди вперед.

Собака нехотя сделала несколько шагов.

— Говори ей «вперед». Давай команду, — попросил Длигач.

— Вперед, вперед... — не очень уверенно скомандовал я. Собака нехотя пошла вперед. Поводок был крепко намотан на мою руку. Тут Длигач присвистнул. И собака так рванулась к хозяину, что я упал и она протащила меня несколько метров. Постепенно мы с Дейком подружились. И вот наконец последнее испытание: меня посадили в клетку вместе с собакой, пригласили осветителей, шоферов, плотников и попросили их бить по клетке палками, будто они на нас нападают. Дейк в бешенстве кидался на решетку и яростно лаял. Он защищал меня.

— Вот видишь, — говорил мне потом Длигач, — раз он тебя защищает, значит, действительно признал. Теперь можно начинать съемки.

Он постарается

Сегодня мне рассказали о съемках фильма «Ленин в Октябре». Когда режиссер Михаил Ромм снимал сцену заседания Временного правительства, то долго осматривал участников съемки и, остановившись против одного бородача, которого все в шутку звали Черномор, взял его за бороду и воскликнул:

— Какого черта вы приклеили сюда это помело?!

— Простите, но это моя борода, — начал оправдываться Черномор.

Во время съемки возник вопрос о том, какие ордена носил Керенский и сколько у него было адъютантов.

— Это кто-нибудь выяснил? — спросил Ромм у членов съемочной группы.

В наступившей тишине раздался уверенный голос Черномора.

— Александр Федорович носил только университетский значок, а адъютантов у него было два.

— А вы откуда знаете? — удивился Ромм.

— К вашему сведению, — ответил Черномор, — я бывший министр Временного правительства Малянтович.

Так бывший министр стал главным консультантом всех эпизодов, связанных с Временным правительством, и сыграл в фильме самого себя.

Из тетрадки в клеточку.
Март 1964 года

Спустя непродолжительное время мы снова выехали на натуру. Первым снимали эпизод, когда Мухтар должен взять след преступника и полковник, начальник Глазычева, спрашивает: «Ну как, Глазычев, возьмет твоя собака след на таком морозе?»

Глазычев на это отвечает фразой, несколько раз повторяющейся в картине: «Он постарается».

По сценарию в этом эпизоде собака должна выкусывать из-под когтей на передних лапах кусочки льда. Как научить этому собаку? Длигач вложил между когтями Дейка кусочки леденцов и, когда снимали крупный план Мухтара, приказывал ему выкусывать эти кусочки. На экране так и получилось: Глазычев разговаривает с полковником, а Мухтар сидит у ног проводника и выкусывает из-под когтей лед.

Снимали эти сцены при тридцатиградусном морозе. Кругом стоял шум — от ветродуя, осветительных приборов, операторской камеры, но Дейк ни на что не обращал внимания и отлично работал.

Когда сняли кадр, ко мне подошел режиссер и спросил:

— Я совсем забыл проследить, вы-то все правильно делали в кадре? Какой текст говорили?

Во время съемок Туманов и остальные участники группы в основном следили за Дейком. На меня же никто не смотрел. Оператор шутливо сказал мне:

— Ты не нервничай. Фильм называется «Ко мне, Мухтар!». Стало быть, про собаку, а ты — около нее. Главное — кадр не порть.

Порой Длигач спокойно говорил:

— Деинька сегодня устал. Больше сниматься не сможет.

— Как?! — восклицал Туманов. — Солнце же уходит!

Если бы я устал или другой артист, никто съемку не отменил бы, но заставить работать собаку никто не мог. С ней считались.

Летнюю натуру снимали под Ростовом в настоящем питомнике для собак.

Из гостиницы я выезжал на съемку переодетым в милицейскую форму. В связи с этим вспоминаю один случай. Мы проезжали мимо рынка, и водитель нашей машины остановился, чтобы попить воды. Вдруг ко мне подбегают какие-то люди и кричат:

— Товарищ лейтенант, в очереди драка!

Что делать? Я вышел из машины, подошел к очереди и, дав короткий свисток, спокойно взял одного из нарушителей за локоть и строго спросил:

— Что, отвезти в отделение?

— Да нет, я не буду больше, лейтенант, простите, это мы так.

Дейк работал замечательно. Он словно понимал, что от него требуется.

Страшная жара. Я сижу в автобусе. Сапоги, фуражку, гимнастерку оставил на улице метрах в двадцати от автобуса. Вдруг по мегафону слышу команду:

— Никулина в кадр!

— Ну, пойду одеваться, — сказал я.

— А зачем ходить? Здесь оденешься, — предложил Длигач.

— Одежда-то на улице.

— Дейк сейчас принесет. Деинька, — сказал Длигач, — где сапоги Юрины, ботиночки?

Дейк пошел и принес сапоги: сначала один, потом второй.

— А рубашечку? — сказал Длигач. Дейк принес гимнастерку.

— А теперь шапочку, — продолжал хозяин. Собака принесла фуражку. Я был поражен.

— Миша, он действительно понимает?

— А ты что, — обиделся Длигач, — считаешь его за идиота?

Однажды Длигач обратился к Туманову:

— Мы с Дейком хотим посмотреть материал. Нам интересно, как получилось на пленке.

— С Дейком? — удивился Туманов.

— Да, он тоже хочет, — серьезно сказал Длигач, — посмотреть материал.

И вот в просмотровом зале сидела съемочная группа, а в проходе на полу устроился Дейк. Материал пес смотрел не очень внимательно, но, когда с экрана раздавался лай, он оживлялся.

Однажды помощник режиссера, молоденькая женщина, подошла ко мне и спросила:

— Юрий Владимирович, а что это за походка у собаки — «ходить сюрой»?

Я не понял, о чем она спрашивает.

— О какой походке идет речь?

— Ну, Длигач все время говорит Дейку: «ходи сюрой».

Я рассмеялся. Дело в том, что у Михаила Длигача южный акцент и некоторые слова он произносил слитно. Командовал он Дейку: «Ходи с Юрой», а получалось: «Ходи сюрой».

Конечно, на съемках мне пригодился опыт работы в цирке. Я не раз видел, как работают дрессировщики, наблюдал, как они часами отрабатывают каждое движение у животных. Оператор и режиссер привыкли снимать по четыре-пять дублей, и я долго объяснял им, что животных нужно успеть снять за первые два дубля. Потом им это надоедает.

Начиная съемки, мы предполагали, что будем снимать двух собак. Вторую собаку взяли для того, чтобы она сыграла раненого пса. Но Дейк сам справился с двумя ролями.

Всех потрясло поведение Дейка во время съемки эпизода, когда Мухтару после ранения делают операцию.

Дейка положили на операционный стол и только включили свет, как вдруг он ни с того ни с сего начал тяжело дышать — создавалось полное впечатление, что собака больна. Потрясенный Туманов тихо сказал оператору:

— Скорее снимайте.

Долго все думали, как заставить собаку хромать в кадре, как добиться, чтобы она выглядела больной. Придумал Длигач. Он взял несколько бутылок вишневого сиропа и смазал им шерсть Дейка. Собака сразу стала выглядеть облезшей и жалкой. А чтобы Дейк хромал, под лапу ему положили маленькую колючку и заклеили ее пластырем. Когда колючку сняли, некоторое время Дейк продолжал бояться ступать на эту лапу и чуть-чуть прихрамывал. Так и сняли сцену.

Несколько трюков, связанных с Дейком, родились прямо на съемочной площадке.

Как-то я открыл водопроводный кран, смотрю — Дейк подбежал и стал пить воду прямо из-под крана. Я рассказал об этом Туманову. Ему понравилось. Так мы и сняли — Мухтар вместе со своим проводником пьет воду из-под крана.

Самый трудный кадр

Туманов сегодня рассказал, как Сергей Эйзенштейн задумал во время создания «Броненосца "Потемкина"» снять предупредительный залп эскадры Черноморского флота. Именно после этого залпа на мятежном броненосце поднимался красный флаг.

Чтобы получить разрешение на залп из всех орудий Черноморского флота, пришлось побывать у самого Фрунзе. Он разрешил сделать только один залп. Настал день съемки. Приехало много гостей. Эйзенштейн повел их на командную вышку. Кто-то спросил у него:

— Как будет дана команда для общего залпа? (Радио тогда в группе не было.)

— А очень просто, — ответил режиссер. — Когда начнем снимать, я дам такой сигнал. — И с этими словами он взмахнул белым флагом.

И... флот дал залп. Эйзенштейн схватился за голову. Но повторить кадр уже не было возможности.

Из тетрадки в клеточку.
Апрель 1964 года

Роль хозяйки Мухтара играла артистка Алла Ларионова. По сюжету она продает собаку милиции, а спустя год приходит навестить ее в питомник. Мухтар бросается на нее и рвет дорогую шубу. Собака стала служебной и никого, кроме Глазычева, не признавала. («Видно, собаки, как и люди, не любят, когда их продают», — говорится в сценарии.)

Как снимать эту сцену? Дейк с Ларионовой незнаком. Как же сделать, чтобы собака не искусала артистку?

Решили на руку Ларионовой надеть несколько защитных колец, сделанных из пластика.

Михаил Длигач уверял, что если артистка в момент нападения собаки выставит руку вперед, то Дейк наверняка вцепится именно в эту руку.

Стали готовиться к съемке.

Когда снимают кадры, связанные с риском для человека, в дело обязательно вмешивается представитель техники безопасности.

— А какие меры вы предприняли, чтобы обезопасить актрису? — спросил приехавший на съемку инженер по технике безопасности.

Ему рассказали про кольца.

— Это хорошо, — согласился инженер. — Ну а если пес схватит актрису за ногу или, упаси бог, за горло?

Ему объяснили, что этого не должно быть, потому что Дейк работает без перехвата, то есть если один раз схватит, то так и будет держать и не отпустит, пока не услышит команду дрессировщика.

— Может, ваша собака и без перехвата, — сказал инженер, — но черт ее знает, что там у нее на уме? Я съемку запрещаю.

В группе паника. Больше всех, пожалуй, нервничал Длигач. Он начал уговаривать инженера разрешить съемку.

— Вы что, — спросил тот, — берете на себя ответственность за жизнь актрисы?

— Да, беру.

— Тогда напишите расписку.

И Длигач написал, что он полностью отвечает за безопасность актрисы Ларионовой. Так съемку разрешили.

Алла Ларионова — женщина героическая. Когда предложили заменить ее в этом эпизоде дублершей, она категорически отказалась.

Решили снимать без дублей. Установили две камеры — на тот случай, если одна выйдет из строя. Все заранее подготовили, проверили и отрепетировали. Михаил Длигач держал Дейка за ошейник. Ларионова вошла в кадр.

— Мотор! — прозвучала в полной тишине команда режиссера.

Осветители, ассистенты, шоферы, рабочис замерли.

Ларионова быстро пошла по снегу.

— Мухтар, Мухтар, Мухтарушка, — стала звать она собаку.

— Фас, — скомандовал Длигач и выпустил Дейка.

Тот прыгнул на актрису, с ожесточением вцепился ей в руку и повалил ее на снег.

Длигач в два прыжка оказался рядом и с криком: «Фу, фу!» — с трудом оттащил Дейка от Ларионовой.

— Стоп! — огорченно крикнул Туманов. — Что вы делаете? Михаил Давидович, вы же испортили мне кадр!

— В чем дело? — удивился Длигач.

— Как в чем дело? Мы не вас должны снимать. Нам важно показать, как собака грызет Ларионову, а вы вбегаете в кадр.

— Но я иначе не могу, — ответил Длигач. — Я за ее жизнь отвечаю.

— Ну пусть хоть чуть-чуть, хоть немножко Дейк покусает, погрызет! А уж потом вы будете его оттаскивать. Ну хотя бы на две-три секунды позже вбегайте в кадр, — умолял Туманов.

Решили снять еще дубль. Опять все замерли. И опять Дейк по команде Длигача бросился на актрису. Но хозяин снова не выдержал и раньше времени вбежал в кадр.

И второй дубль оказался испорченным.

Объявили короткий перерыв. Ко мне подошел Туманов.

— У меня к вам огромная просьба, — сказал он тихо. — Как только собака бросится на Ларионову, умоляю вас, хватайте Длигача за полушубок и секунды три его подержите. Сосчитайте: раз, два, три — и только тогда отпускайте.

Приготовились к съемке.

— Мотор! — прозвучала команда. Дейк бросился, актриса выставила вперед руку, и пес вцепился в нее. Я в это время схватил сзади Длигача за полушубок и держал что есть силы. А он, хотя с виду и тщедушный, развернулся и ударил меня в скулу, да так сильно, что я упал в снег. Так сняли этот кадр.

Съемки этого эпизода проходили в ста километрах от Москвы, около Каширы. Всю ночь я плохо спал. Видимо, перенервничал. Утром меня загримировали, переодели в милицейскую форму и повезли на съемку. Только сняли первый дубль, как мне вручили телеграмму из дома. Три раза подряд прочел я текст: «Папа заболел, приезжай немедленно». Как назло, свободных машин не было. Прямо со съемочной площадки меня отвезли в Москву на милицейском мотоцикле. Я даже переодеться не успел — поехал в милицейской форме.

Так и вошел в палату к отцу.

Оказывается, опаздывая на хоккейный матч в Лужники, отец бежал и, поскользнувшись, упал на спину. Весь матч он просидел, терпеливо перенося боль. Сумел добраться домой. А утром у него не было сил, чтобы встать. Вызвали «скорую». Отец, узнав, что приедет врач, с трудом поднялся и побрился.

— Не могу же доктора встречать небритым, — сказал он. Врач сразу поставил диагноз: инфаркт. Отца на стуле бережно перенесли в машину.

Два дня я провел в больнице. Отец очень огорчался:

— Народ в палате жуткий — решают кроссворд и не могут отгадать самых простых слов. Приходится подсказывать.

Непривычно мне было видеть отца слабым, с трудом говорившим. Он почти никогда не болел. Я помню его всегда бодрым и энергичным. По натуре своей он величайший оптимист. Как бы трудно нам ни жилось, какие бы неприятности ни возникали у него с работой, я не помню его печальным или озабоченным. От него всегда исходила какая-то радость, постоянно он был в движении, веселый и других заражал оптимизмом. С ним легко жилось. По крайней мере мне, мальчику. Каждое утро после зарядки он читал стихи, а иногда пел песни. Если отец, одеваясь, напевал свой любимый романс: «Отцвели уж давно хризантемы в саду...», я знал — у него преотличное настроение.

Отца любили мои друзья. Занимаясь в школе, а потом в студии клоунады, я часто приглашал своих товарищей домой, и они всегда спрашивали: «А отец будет?» Если я отвечал — будет, то они радовались, предвкушая услышать смешные истории, анекдоты, рассказы.

Маленьким я мечтал дожить до пятидесяти лет, как бабушка. Пятьдесят лет — все-таки полвека! Позже я мечтал дожить до шестидесяти. А теперь жду открытий в медицине, которые позволили бы продлить жизнь до ста лет.

Я сидел у постели отца, смотрел на него и, как говорится, тоже молил Бога, чтобы все обошлось.

Отец спросил меня, как снимают собак в фильме, как мне работается. Потом незаметно уснул. И мне тоже захотелось спать. Я пошел в ординаторскую и задремал там на кушетке.

Под утро меня разбудила медсестра.

— Юрий Владимирович, проснитесь...

...После похорон отца я вернулся под Каширу. Съемки картины продолжались. Отец не успел посмотреть этот фильм. Он умер в шестьдесят шесть лет.

Досъемки фильма проходили летом в Москве. Моя семья уехала на дачу. Я остался в квартире один и пригласил Длигача переехать с Дейком ко мне, считая, что жить нам вместе будет веселей. И на студию будем вместе ездить. Он согласился.

Как-то около пяти часов утра сквозь сон я услышал, как Дейк, стуча по паркету лапами, вошел в мою комнату и начал стаскивать с меня одеяло. Спросонья я ничего не мог понять.

— Что тебе надо? — спросил я собаку.

Дейк посмотрел на меня и повернул морду к окну.

Я понял, что собака просится погулять. «Надо же, — подумал я. — Хозяин спит рядом, а она пришла за мной». Мне стало приятно. Я встал, быстро оделся и вывел Дейка на улицу.

С тех пор Дейк каждое утро будил меня, и мы шли с ним гулять.

Наступил последний съемочный день. Это событие мы решили с Михаилом Длигачем отметить. К тому времени вернулись с дачи и мои родные.

Сидим мы все за столом, вспоминаем съемки. Рядом на полу лежит Дейк. Кто-то сказал, что у Дейка теперь два хозяина. Миша, услышав это, обиделся.

— Как бы там ни было, но главный и единственный хозяин — это я. Дейк, ко мне! — скомандовал он.

Дейк мгновенно подошел к нему.

— Дейк, ко мне! Сидеть, — приказал я. Дейк выполнил и мою команду.

Так продолжалось несколько раз. Дейк исправно выполнял все наши команды.

— Как бы он ни слушался тебя, — сказал Длигач, — а хозяин все-таки я.

— Так-то это так, — вроде согласился я. — Но вот три последние недели Дейк каждое утро будил меня!

И просил, чтобы я с ним шел погулять. Хотя ты, хозяин, спал в соседней комнате.

Длигач засмеялся и сказал:

— Так вот знай — каждое утро он будил меня, а я ему говорил: «Иди к Юре. Он с тобой погуляет».

Через три года после окончания съемок я узнал, что Дейк умер. От него остался сын, тоже Дейк. Я его никогда не видел, но Михаил Длигач писал мне, что он очень похож на отца.

Длигач мечтал, чтобы сняли вторую серию о Мухтаре.

Фильм снимал Семен Туманов

Сегодня на съемке Туманов рассказал анекдот. Умер один учитель и попал на тот свет. Увидел открытые двери и зашел. Ему там понравилось, и он решил остаться. Вдруг к нему подходят и говорят:

— Что же вы здесь остались? Здесь ад, а вам положено в рай.

— Нет, я здесь останусь, — ответил учитель. — Мне после школы ад раем кажется.

Из тетрадки в клеточку.
Июнь 1964 года

С Тумановым мы одногодки. Как и я, он был на фронте. Меня он расположил к себе своей одержимостью в работе. Он горел, отдаваясь делу. Страшно переживал, когда что-нибудь не получалось. Я помню его чуть ли не плачущим, когда собаки отказывались сниматься. Его манера работать с актером, удивительно добросовестное отношение к делу и доброта — все это не могло не располагать к нему. Его любили шоферы и ассистенты, рабочие и актеры, работники милиции, помогавшие нам, — словом, все, кто его знал, кто соприкасался с ним по работе.

Снимаем натуру. Ждем солнца. Подходит ко мне Туманов и просит:

— Слушайте, расскажите, как работали старые клоуны.

И я рассказывал о старинных репризах, клоунадах. Все покатывались от смеха, а Туманов не смеялся.

— Нет, вы только подумайте, — говорил он восхищенно. — Какие гениальные были люди. Придумывали простые, даже грубоватые остроты, но до чего же умные и философские.

Незадолго до смерти он пришел к нам в цирк. Расставаясь, сказал:

— Вот через месяц закончу картину, и мы обязательно встретимся.

Но, к сожалению, мы больше не увиделись.

Фильм «Ко мне, Мухтар!» часто показывают по телевидению. Я смотрю кадры, снятые много лет назад. Вьюга. Свистит ветер. Проводник Глазычев с Мухтаром, задыхаясь, бегут по следу убийцы. И здесь я всегда слышу голос Семена Туманова:

— Юрий Владимирович, дорогой, очень прошу вас. Ну, еще разок пробегите, пожалуйста... Я знаю, тяжело, но ведь надо... Вы понимаете — собака плохо нюхала следы. Очень прошу вас...

«Страсти по Андрею»

Алексей Баталов рассказывал, как на съемку фильма «Дама с собачкой», в котором он играл главную роль, пригласили для консультации каких-то старушек. Одна из них сказала режиссеру Иосифу Хейфицу, что Баталов при ходьбе косола-

пит, а это, мол, русскому интеллигенту не к лицу. С этого дня режиссер следил за походкой артиста. Одергивал его. Баталова это нервировало. Приехали в Ялту на натурные съемки и встретились с глубоким стариком, который в молодости был лодочником и возил самого Чехова. Увидел он на съемочной площадке Баталова, заулыбался и говорит Хейфицу:

— Шляпа-то у него точно как у Чехова.

А когда Баталов пошел, лодочник закричал радостно:

— И косолапит, как Антон Палыч!

Баталов ликовал.

Из тетрадки в клеточку.
Апрель 1966 года

Еще задолго до съемок этого фильма ко мне в цирк (мы тогда работали в Ленинграде) зашел ассистент режиссера Тарковского и попросил прочесть литературный сценарий «Страсти по Андрею», опубликованный в двух номерах журнала «Искусство кино». Прочесть и особое внимание обратить на роль монаха Патрикея.

Сценарий мне понравился. Роль Патрикея была трагедийной, трудной и необычной для меня. Ничего похожего я никогда не играл.

В первом эпизоде этот монах-ключник уговаривает иконописцев поспешить с росписью стен монастыря. А потом татары, захватившие город, пытают Патрикея, требуя указать место, где спрятано монастырское золото.

Конечно, необычность роли привлекала. Хотелось встретиться в работе и с Андреем Тарковским, первая картина которого («Иваново детство») расценивалась как явление незаурядное.

В Москве меня познакомили с Тарковским. В первый момент он показался мне слишком молодым и несолидным. Передо мной стоял симпатичный парень, худощавый, в белой кепочке. Но когда он начал говорить о фильме, об эпизодах, в которых я должен сниматься, я понял, что это серьезный и даже мудрый режиссер. Тарковский был весь в работе, и ничего, кроме фильма, для него не существовало. Вместе с ним мы пошли в гримерный цех. Более часа примеряли мне различные бороды, усы, парики. Наконец я увидел себя в зеркале пожилым, обрюзгшим человеком с редкими волосиками на голове, с бороденкой, растущей кустиками. В костюмерной мне выдали черную шапочку, и получился я монах с печальными глазами, плюгавенький и забитый.

Мои два эпизода отсняли за четыре дня. Первый дался легко. На совершенно белом фоне монастырской стены мечется Патрикей, четкая фигура в рясе, и уговаривает мастеров скорее начать роспись стен монастыря.

А во время съемки эпизода «Пытка Патрикея» мне пришлось помучиться.

Эпизод начинался с того, что Патрикей стоит привязанный к скамейке. Видимо, пытают его уже давно, потому что все его тело покрыто ранами и ожогами. Ожог и язвы требовалось воспроизвести как можно натуральнее. Для этого мою кожу покрывали специальным прозрачным составом, который быстро застывал. Эту застывшую пленку прорывали и в отверстия заливали раствор, имитирующий кровь. Гримировали более двух часов. Вид получился ужасный. Помню, после первого дня съемок, торопясь домой, я решил поехать со студии не разгримировываясь.

Приехал домой и разделся. Домашние чуть в обморок не упали.

Когда снимали сцену пытки, актер, играющий татарина, подносил к моему лицу горящий факел. Понятно, факел до лица не доносился, но на экране создавалось полное впечатление, что мне обжигают лицо.

Снимали мой план по пояс. Начали первый дубль. Горит факел, артист, играющий татарина, произносит свой текст, а я кричу страшным голосом все громче и громче. Кричу уже что есть силы. Просто ору.

Все наблюдают за мной, и никто не видит, что с факела на мои босые ноги капает горящая солярка. Я привязан накрепко, ни отодвинуться, ни убрать ногу не могу, вращаю глазами и кричу что есть силы. (Когда боль стала невыносимой, я стал выкрикивать в адрес татарина слова, которых нет в сценарии.) Наконец съемку прекратили. Подходит ко мне Андрей Тарковский и говорит:

— Вы молодец! Вы так натурально кричали, а в глазах была такая настоящая боль. Просто молодец!

Я объяснил Тарковскому, почему так натурально кричал. Показал ему на свои ноги, а они все в пузырях от ожогов.

В «Андрее Рублеве», как и в фильме «Ко мне, Мухтар!», мое первое появление на экране поначалу вызывало в зрительном зале смех. Зритель готовился увидеть комедийные трюки.

Спустя несколько лет, работая над одной картиной вместе с талантливым оператором Вадимом Юсовым, снимавшим и «Андрея Рублева», в разговоре с ним я вспомнил об этом смехе.

Юсов внимательно меня выслушал и сказал:

— Вот пройдет много лет, и вас как комедийного артиста забудут. А картина «Андрей Рублев» будет идти. Со временем сцену будут воспринимать как нужно.

Может быть, Юсов и прав.

Андрей Тарковский долго монтировал свой фильм. Когда его показывали в Доме кино, я гастролировал с цирком на Украине. Впервые «Андрея Рублева» я увидел на Елисейских Полях во время наших гастролей в Париже. Помню очередь в кассы кинотеатра, помню, как внимательно следил зритель за картиной. И вообще это был для меня праздник — премьера «Андрея Рублева». Единственное, о чем я жалел, что фильм не оставили под прежним названием («Страсти по Андрею»), которое, на мой взгляд, точнее выражало смысл картины.

Бондарчук слово сдержал

Актриса Елена Кузьмина рассказала мне, как в фильме «Секретная миссия» снимался кадр, где убивают ее героиню. Кузьмина за рулем машины. В лобовом стекле одна за другой возникают дырки от пуль.

Снимали это так. За спиной актрисы, чуть слева, посадили снайпера, который стрелял по стеклу изнутри машины.

— Вы только голову не отклоняйте. Даже на сантиметр, — попросил он Кузьмину.

— Это было очень страшно, — вспоминала Елена Александровна. — Особенно когда пули задевали мои волосы. И знаете, самое любопытное — когда после шестого дубля все шесть изрешеченных стекол положили друг на друга, все дырки совпали. Прошло немало лет с тех пор, как я видел этот фильм. Многое забыто. А этот кадр до сих пор перед моими глазами.

Из тетрадки в клеточку.
Июль 1973 года

Моя первая встреча с Сергеем Федоровичем Бондарчуком была случайной. В один из приездов на «Мосфильм» в коридоре студии ко мне подошел начинающий уже тогда седеть Бондарчук (это еще задолго до того, как он снимал «Войну и мир», на которой поседел окончательно) и сказал:

— Простите, не знаю вашего отчества, но хотел бы с вами познакомиться. Видел вас в фильме «Когда деревья были большими». Хорошо снялись. Но я знаю вас и по работе в цирке. Вы мне очень нравитесь на манеже. И знаете ли, я хочу написать о вас статью.

Мы еще немного поговорили и расстались. У кинематографистов (да и только ли у них?) бывает такое: встретятся, наговорят друг другу комплиментов, а расстанутся — и все забыто. Поэтому я подумал, что Бондарчук сказал о статье, видимо, ради красного словца.

Но я ошибся. Вскоре в журнале «Советский цирк» под рубрикой «В добрый час» появилась статья, написанная Сергеем Бондарчуком. Там же поместили и фотографию, которую кто-то сделал в коридоре «Мосфильма» во время нашей встречи. Бондарчук написал о моей работе в цирке и кино. Он упомянул и о том, что хотел бы когда-нибудь снять меня в своем фильме.

Статья имела большой резонанс в цирке. Сам Сергей Бондарчук (он уже тогда был человеком с мировой славой) написал о клоуне! Меня поздравляли.

Прошло много лет. Вдруг телефонный звонок.

— С вами говорят из группы «Война и мир». Сергей Федорович Бондарчук хочет, чтобы вы приехали на студию для переговоров об участии в фильме.

На следующий день я встретился с Бондарчуком. Он очень внешне изменился. Выглядел усталым, нервным. Все время к нему заходили люди — то приносили эскизы, то просили поставить подпись на каком-то письме, то срочно вызывали на просмотр кинопроб, то соединяли по телефону с Комитетом по кинематографии, то просили посмотреть оружие, доспехи, старые гравюры.

Здесь же, в его кабинете, проходило прослушивание музыки к фильму. Я просидел около двух часов, наблюдая весь этот хаос. Наконец Сергей Федорович заговорил со мной.

— Вы догадываетесь, зачем я попросил вас зайти ко мне?

— Предполагаю, — сказал я, — что вы хотите предложить мне роль Наполеона.

— Как? — На секунду Бондарчук даже замер.

Когда я улыбнулся, он стал смеяться вместе со мной.

— Я хочу, — сказал Сергей Федорович, — чтобы вы сыграли капитана Тушина. Вы помните Тушина?

— Довольно смутно, — сознался я.

— Ну что же вы так, — сказал с некоторым огорчением Сергей Федорович. — Тушин. Капитан Тушин! В нем же олицетворение всего русского. Тушин — фигура огромного значения. И для романа, и для фильма. Я хочу, чтобы вы сыграли эту роль! Я вижу вас в этой роли.

Остановились мы на том, что я внимательно прочту роман, потом сделаем фотопробу, поищем грим, костюм, а там и решим, как быть дальше.

Приехал я в назначенный день на «Мосфильм» и довольно долго ждал Бондарчука. Он проводил пробы в павильоне. Как только он пришел, то, едва поздоровавшись, спросил меня:

— Ну как, прочли? Согласны?

— Так ведь Тушин маленького роста, а я метр восемьдесят.

— Это не имеет никакого значения. Подумаешь, рост не тот, — увлеченно начал говорить Бондарчук. — В кино все можно сделать. Пусть вас рост не смущает. Мы поставим вас пониже, рядом с вами будут люди высокого роста — мы так подберем окружение, что поневоле окажетесь маленьким. Вот и все проблемы. Я мечтаю, — продолжал Бондарчук, — снять эпизод с Тушиным по-особенному.

Я согласился попробоваться. Подобрали костюм, грим, сделали фотопробу. На роль меня утвердили. Но съемки по какой-то причине откладывали. К тому времени у меня закончился отпуск, и я поехал работать в Куйбышев, где «горел» цирк. Оттуда стали меня вызывать на съемки. Но цирк не отпустил.

Когда картина вышла на экран, один из моих приятелей сказал:

— Хорошо, что ты не снялся в «Войне и мире».

— Почему? — удивился я.

— Артист, исполняющий роль Тушина, сломал на съемках ногу. А я тебя знаю — ты бы и шею там сломал!

С тех пор мы не раз встречались с Сергеем Федоровичем Бондарчуком. Он расспрашивал о работе в цирке, а прощаясь, всегда добавлял:

— А я вас все-таки сниму! Непременно!

Через некоторое время я получил приглашение на небольшую роль в фильм «Ватерлоо». Бондарчук предлагал сыграть английского офицера. Была сделана фотопроба, меня утвердили на роль. Но опять начало съемок затянулось, и я уехал на гастроли за рубеж.

И только спустя много лет, в 1974 году, мы встретились с Сергеем Федоровичем Бондарчуком на съемках фильма «Они сражались за Родину».

Василий Шукшин

Василий Шукшин рассказывал о том, как он поступал во ВГИК. Когда он приехал с Алтая сдавать вступительные экзамены, места в общежитии не оказалось. Шукшин решил ночевать на бульваре недалеко от Котельнической набережной. Только задремал на скамейке, как его разбудил высокий худощавый мужчина с палкой в руках. Шукшин, приняв его за сторожа, испугался.

— Чего спишь здесь? — спросил мужчина.

— Ночевать негде, — ответил Шукшин.

— Пойдем ко мне, переночуешь, — сказал незнакомец. Привел к себе домой, напоил чаем и всю ночь вел с ним разговоры.

Когда Шукшин уже начал учиться, ему кто-то издали показал на режиссера Ивана Пырьева. И Шукшин узнал в нем человека, у которого провел ночь. Только много лет спустя Шукшин в беседе с Пырьевым спросил:

— А вы помните, Иван Александрович, как я у вас ночевал однажды?

— Не помню, — ответил Пырьев. — У меня много кто ночевал.

Из тетрадки в клеточку.
Май 1974 года

По бескрайней донской степи ветер гонит мелкий песок. Над хутором Мелологовским, сбрасывая бомбы, пикирует самолет. От взрывов содрогается земля и в воздух взлетают горящие обломки домов.

Я смотрю на это, и сознание мое отмечает, что подобное уже было. Было в 1942 году. Тогда я мог погибнуть. А сейчас смотрю на взрывы спокойно. Идут съемки картины «Они сражались за Родину».

Когда Бондарчук предложил мне роль солдата Некрасова, я внимательно перечитал роман Михаила Шолохова. Потом долго думал: соглашаться или нет?

— И вы, и я воевали, — сказал мне Сергей Федорович. — Скоро тридцать лет со дня нашей победы. Фильм мы собираемся выпустить к этой дате. Неужели вы еще сомневаетесь? Принять участие в этой картине — наш солдатский долг.

Через два дня я уже подбирал на «Мосфильме» солдатское обмундирование для моего Некрасова. Надел грубое белье, гимнастерку, брюки, сапоги, затянул себя ремнем, примерил пилотку и в таком виде подошел к зеркалу. На секунду мне стало жутко — из зеркала смотрел пожилой солдат. Выгоревшая гимнастерка, стоптанные сапоги заставили вспомнить забытые годы фронтовой жизни, землянки, окопы, бомбежки, голод и тоску тех тяжелых лет.

Съемки проходили недалеко от рабочего поселка Клетская на берегу Дона. Места эти указал сам Михаил Александрович Шолохов. Именно здесь, по словам писателя, воевали герои его романа.

От хутора Мелологовского осталось несколько полуразвалившихся домов. Вокруг них выстроили настоящую станицу — с избами, амбарами, школой, ветряной мельницей на пригорке. Декорации выглядели натурально. Съемочная группа разместилась на теплоходе «Байкал», который «Мосфильм» арендовал у Ростовского пароходства.

Из Москвы я вылетал позже многих актеров — был занят в цирке. Сначала летел до Волгограда, потом на маленьком самолете добирался до Клетской, а оттуда на машине до хутора Мелологовского. Летчик, узнав, что я еду на съемки, специально провел самолет над выстроенными декорациями. Сверху я увидел хутор, пришвартованный к берегу пароход, а вокруг палатки воинских частей, принимающих участие в фильме. Даже с высоты картина съемок поражала своей масштабностью. Скопление людей, артиллерии, танков, машин, понтонов, кавалерийских лошадей — все это впечатляло.

Потом это место кто-то в шутку назвал донским Голливудом.

Когда мы приземлились, меня повели в небольшую каюту. Там я переоделся в военную форму, которую носил все три месяца съемок. В соседних каютах жили Василий Шукшин и Вячеслав Тихонов.

На следующий день около здания школы, где разместились костюмерные, Бондарчук произвел осмотр наших костюмов. Осматривал он придирчиво. К Ивану Лапикову и ко мне, как к бывшим фронтовикам, артисты подходили за советами. А мы и сами многое забыли. Я вдруг задумался: на каком плече — на правом или на левом — носили скатанную шинель? Потом вспомнил — конечно же, на левом, ведь на правом — ремень от винтовки. Зато я сразу заметил накладку костюмеров, которые прицепили на гимнастерку Василию Шукшину (он играл роль бронебойщика Лопахина) на большой колодке медаль «За отвагу». В 1942 году такие колодки еще не носили. Вместо них были маленькие, красненькие.

Странно и непривычно выглядели актеры в гимнастерках, сапогах, пилотках. Даже лица стали другими. Особенно ладно военная форма сидела на Лапикове и Шукшине. Казалось, будто они носили ее всю жизнь.

Съемки начались с эпизодов отступления полка. За первые полчаса репетиции меловая пыль покрыла нашу одежду и лица. После нескольких дублей, во время которых снимались длинные проходы полка, мы по-настоящему утомились, а к концу съемочного дня еле передвигали ноги. Особенно досталось тем, кто тащил на себе тяжелые пулеметы и противотанковые ружья.

Хотя до моих игровых сцен было далеко, я исправно ходил на все репетиции. Мне хотелось посмотреть, как работает с актерами Бондарчук. Он проводил репетиции за столом в большой кают-компании. Работал с актерами долго. Начинал всегда со спокойной читки, уточняя текст роли. Если что-то актера смущало, какое-нибудь слово ему трудно было произнести, или, как мы говорим, фраза не ложилась, то шла неторопливая работа над каждым словом. Рядом со сценарием у Бондарчука всегда лежал роман Шолохова.

Особенно меня поражал на репетициях Василий Шукшин. Он подбирался к каждой фразе со всех сторон, долго искал различные интонации, пробовал произносить фразу по многу раз, то с одной интонацией, то с другой, искал свои, шукшинские паузы. Он шел по тексту, как идут по болоту, пробуя перед собой ногой, ища твердое место.

Вспоминал я наши более чем десятилетней давности встречи с Шукшиным, когда мы вместе снимались в фильме у Кулиджанова. Тогда он держался в стороне, в разговоры не вступал, на шутки не реагировал, все ходил со своей тетрадочкой и, если выдавалась пауза, садился в уголке и что-то записывал карандашом. Тогда я не знал, что через несколько лет рассказы Шукшина будут публиковаться во многих журналах, а вскоре выйдут и отдельной книжкой.

Съемки проходили в основном на натуре. Почти весь текст предстояло потом переозвучивать. Тем не менее Бондарчук добивался такого точного звучания каждого слова, будто оно сейчас уже войдет в картину. И это было справедливое требование.

Шукшин произносил свои фразы удивительно легко. На первый взгляд он говорил так, как и в жизни, — не повышая голоса, но в то же время в нем чувствовалась внутренняя сила, необузданность характера бронебойщика Лопахина.

Я завидовал Шукшину. У меня с текстом возникло много трудностей. В фильме есть большая сцена, в которой Некрасов рассказывает о своей окопной болезни. Меня пугало обилие текста. До этого все мои роли в кино не отличались многословием, а тут — целый монолог. Своими тревогами я поделился с Бондарчуком. Он сказал, чтобы я не волновался, а спокойно учил текст. Когда все уляжется, когда я «дозрею», тогда и будем снимать, заверил Сергей Федорович.

Я решил просто выучить текст, а там будь что будет. Крупными буквами написал на картонных листах слова роли и развесил эти листы по стенам каюты. Проснусь утром и лежа читаю. Потом сделаю зарядку и опять повторяю слова. И так почти каждый день.

На третий день, когда мы обедали в столовой, Шукшин меня спросил:

— Ты чего там все бормочешь у себя?

— Да роль учу.

И я рассказал о картонных листах. Внимательно выслушал меня Шукшин, чуть вскинув брови, улыбнулся краешком рта и сказал:

— Чудик ты, чудик. Разве так учат? Ты прочитай про себя несколько раз, а потом представь все зрительно. Будто это с тобой было, с тобой произошло. И текст сам ляжет, запомнится и поймется. А ты зубришь его, как немецкие слова в школе. Чудик!

Попробовал я учить текст по совету Василия Макаровича. И дело пошло быстрее, хотя на это ушла еще неделя.

Наблюдая за Шукшиным, я стал смотреть на него как бы через объектив скрытой камеры: как он репетирует, как разговаривает, как держится с людьми. Внешне все очень просто. Я бы даже сказал, что Шукшин был излишне скромен. Большей частью я видел его молчаливым, о чем-то сосредоточенно думающим. Посмотришь на него — и чувствуешь, что в мыслях своих он где-то далеко. В обычной жизни он говорил скупо, старательно подыскивая слова, часто сбиваясь, несколько отрывочно и скороговоркой вставляя массу междометий и комкая концы фраз. Не все порой становилось понятным при разговоре с ним, но я всегда удивлялся глубине его мыслей, метким замечаниям при оценке какого-либо события или человека. Он удивительно умел слушать собеседника. Поэтому, наверное, раскрывались перед ним люди до конца, делились самым сокровенным.

Слава, известность, признание как бы исподволь подбирались к Шукшину. После выхода на экраны «Калины красной» его имя знали все. В этой картине для меня открылся совершенно новый Шукшин. О нем писали, о нем говорили, его все сразу полюбили. А он необычайно смущался, весь зажимался, когда к нему подходили с просьбой дать автограф или говорили приятные слова.

Василий Макарович любил природу. Он мог остановиться в степи или на берегу Дона, набрать полную грудь воздуха и сказать:

— Господи, красотища-то какая... Запах какой! Ну что может быть лучше русской природы?

Потом сорвет какую-нибудь травинку, понюхает ее и скажет, как она называется. Он знал названия многих трав. Память у него была необычайная.

На одной из репетиций, заметив, что я сижу и по привычке трясу ногой, он сказал мне:

— А знаешь, недавно я у Даля вычитал: когда ногой трясешь, это раньше называлось — черта нянчить.

На корабле отмечали чей-то день рождения. Позвали Шукшина.

— Да я лучше писаниной займусь, — сказал он, извиняясь. — Да и не пью я...

А мы долго сидели за столом, потом вышли ночью на палубу. Смотрим, в окошке каюты Шукшина горит свет. Подкрались мы и, не сговариваясь, запели хором: «Выплывают расписные Стеньки Разина челны...». Глянул из окошка Василий Макарович, засмеялся:

— Не спите, черти...

Хотя и помешали ему работать, но он не обиделся.

Любил Шукшин песни, особенно русские народные. Часто подсаживался к компании поющих и тихонько подпевал.

К нему тянулись люди. Бывало, к нашему теплоходу причаливали лодки или баржи, выходили оттуда рыбаки, грузчики и, теребя загрубевшими руками свои шапки, обращались к вахтенному матросу:

— Слышали мы, тут Шукшин есть. Повидать бы его нам.

Выходил Василий Макарович.

— Здравствуйте, — говорил, — ну что вам?

— Да вот мы тут на горе, уха у нас, поговорить бы немного.

Горел костер, варилась уха, открывалась бутылка водки. Но Василий Макарович не пил. А вот курил много — «Шипку». Одну сигарету за другой.

Поздно ночью возвращался в свою каюту Шукшин.

— Ну как встреча? — спрашивал я.

— Да вот, посидели... — неопределенно отвечал он. Потом, улыбаясь, добавлял: — Занятные люди. Занятные.

Василий Макарович любил Шолохова. Нередко на репетициях он восклицал:

— Ну надо же, как фразу-то написал, а? Так точно и хлестко! Да-а-а...

Когда мы по приглашению Шолохова поехали к нему в станицу Вешенскую, я видел, как волновался Шукшин. Приехали поздно вечером, переночевали в гостинице. Утром зашли в книжный магазин и купили книги Шолохова, чтобы он подписал нам на память. Так с книгами и вошли в кабинет Михаила Александровича.

Встретил он нас радушно. Я первый раз видел его. Думал, Шолохов высокий, а он оказался небольшого роста. Крепкое рукопожатие, взгляд умных живых глаз. Говорил Михаил Александрович спокойно, неторопливо. Мы сразу попросили у него автографы.

— Нет-нет, что вы! — замахал он руками. — Таким хорошим людям и вот так, наспех, что-то написать... Ни за что! Я вот обдумаю, а потом каждому напишу хорошие слова. Книги не оставляйте. Сам пришлю.

Потом в большой комнате, сидя за длинным столом, мы пили кофе. Комната светлая, вся уставленная цветами. За столом шел оживленный разговор, в основном, конечно, о фильме: как снимать, как играть, какие будут пожелания.

Михаил Александрович говорил, что писать и ставить фильмы о войне трудно. Вспомнил он, как в начале тридцатых годов ездил в Берлин и там попал на премьеру картины по роману Ремарка «На Западном фронте без перемен». Картина шла в каком-то шикарном кинотеатре. На премьеру собралась вся знать Берлина. Мужчины в смокингах, дамы в бриллиантах. Начался фильм с того, что в грязном окопе спиной к зрителям лежал солдат, который поднимал ногу и издавал непристойный звук. Вначале это вызвало в зале шепот, недоумение, а когда солдат звук повторил, то все зааплодировали.

— Я к чему это рассказываю, — сказал Михаил Александрович. — Это вроде бы не для нашей картины, но правду солдатской жизни вы обязаны передать. Пусть все будет достоверно. Может быть, где-то и крепкое словцо прозвучит, это неплохо. Солдатскую жизнь не надо приукрашивать. Хорошо бы показать, как все было на самом деле. Ведь второй год войны был для нашей армии тяжелым.

Около трех часов мы провели за беседой. Шолохов рассказывал о том, как по предложению Сталина начал писать этот роман, как впервые его напечатали. Слушали мы Шолохова с интересом. Говорил он образно, убедительно.

— Интересный он дядька, — говорил позже мне Шукшин. — О, какой интересный. Ты не представляешь, что мне дала эта встреча с ним. Я всю жизнь по-новому переосмыслил. Много суеты у нас, много пустоты. А Шолохов — это серьезно. Это — на всю жизнь.

В самый разгар съемок Шукшин несколько раз летал в Москву. Там начинался подготовительный период фильма «Степан Разин». Много лет Шукшин вынашивал идею поставить на экране «Степана Разина». Он написал сценарий, сам собирался ставить, сам хотел играть. И вот наконец получил разрешение осуществить замысел. Организовалась группа, были отпущены деньги на постановку. Шукшин жил только предстоящей работой.

— Я ведь почему еще к Бондарчуку пошел, — говорил мне Василий Макарович. — Мне обязательно надо вникнуть во все детали массовых съемок. Мне это очень важно.

А у Бондарчука было чему поучиться. Организацию сложных массовых съемок он проводил на высшем уровне. Конечно, сказывался опыт работы над «Войной и миром» и «Ватерлоо».

В один из приездов Шукшин привез из Москвы сверток с книгами. Помню, стукнул в стенку моей каюты и крикнул:

— Зайди.

Когда я вошел, он протянул мне зелененькую, еще пахнущую типографской краской книжку — «Беседы при ясной луне».

— Вася, — говорю я, — подпиши.

— Да ну тебя! Что мы, еще друг другу автографы будем давать? И потом, что я, умирать собрался?

Но я упросил его, и он написал на титульном листе несколько теплых фраз.

Часто часов до трех ночи в каюте у Василия Макаровича горел свет. Шукшин писал. Слышно было, как он вставал, ходил по каюте, что-то напевая без слов. Пел тихо. Мелодия была какая-то грустная, незнакомая. А утром вставал бодрый и подтянутый. Будил его обычно актер Георгий Бурков, с которым они очень дружили. С утра — крепкий кофе. Три ложки растворимого кофе на стакан.

В дни зарплаты Шукшин ехал на автобусе в поселок Клетская. Там быстро, деловито покупал в магазинах сапоги, куртки и отсылал это по почте в деревню — своим. Деньги для него ничего не значили.

— А я все трачу, — говорил он мне. — Есть деньги, я их трачу сразу.

Он меньше всего думал о своем личном благополучии.

Последние дни съемок вспоминаются как в тумане. В ночь с первого на второе октября неожиданно оборвалась жизнь Василия Макаровича Шукшина. Накануне он был веселый, жизнерадостный, вместе со всеми смотрел вечером по телевидению матч наших хоккеистов с канадцами. Потом все разошлись по своим каютам. А утром, когда пришли будить Шукшина, он лежал холодный.

Смерть настигла его во сне. Сердечная недостаточность — такое заключение дали врачи.

Во время гражданской панихиды в Московском Доме кино милиция с трудом сдерживала толпы людей, пришедших проститься с Василием Макаровичем.

Помню, за день до смерти Шукшин сидел в гримерной, ждал своей очереди. Взял булавку, обмакнул ее в баночку с красным гримом и штрихами что-то стал рисовать на пачке сигарет. Сидевший рядом артист Бурков спросил:

— Чего ты рисуешь?

— Да вот видишь, — ответил Шукшин, показывая, — горы, небо, дождь. Ну, в общем, похороны...

Бурков обругал его, вырвал сигареты и спрятал в карман. Так до сих пор он и хранит у себя эту коробочку от сигарет «Шипка» с рисунком своего друга Василия Макаровича.

Как-то во время съемок Шукшин нерешительно, стесняясь, попросил меня:

— Ты это, девчушек моих в Москве в цирк как-нибудь устрой. Я знаю, с билетами трудно. Они давно в цирке не были. Мне б билеты только. Никакой там не пропуск или что, ты это не думай. Ну когда сможешь... Это уж как приедем отсюда.

Просьбу Василия Макаровича я выполнил, пригласил его девочек в цирк. Но не с отцом вместе, как мечтал. Отца уже не было. Они сидели в первом ряду, смотрели представление, смеялись, щебетали от удовольствия...

Один день и двадцать дней

Весной 1975 года съемочная группа фильма «Двадцать дней без войны» долго искала вокзал, внешне похожий на ташкентский военного времени. Более всего подошла одна из станций Калининградской области.

Во время съемок вокзал преобразился: сменилась вывеска, по перрону ходят узбеки в халатах, к забору привязан верблюд...

Группа снимала, а вокзал продолжал работать. Подошел поезд дальнего следования. В нем возвращался из краткосрочного отпуска молоденький солдатик. Накануне, после проводов, его впихнули в вагон, где он всю дорогу спал. Вышел из вагона, глянул на вокзал, увидел вывеску «Ташкент», бросил чемодан на землю и заплакал навзрыд: «Все, будут судить за неявку в срок!»

Разъясняли ему минут десять, что приехал он куда нужно. Счастью не было предела, тем более что Людмила Гурченко подарила ему свою фотографию с автографом.

Из тетрадки в клеточку.
Май 1975 года

Недавно включил телевизор и с интересом смотрел «Двадцать дней без войны». Снова вспомнил те трудные месяцы, когда в Ленинграде, Калининграде мы работали над фильмом.

Началось, как и большинство приглашений в кино, с телефонного звонка. Звонил писатель И. Меттер.

— Слушай, старик, — начал он энергично, — Алексей Герман, сын покойного писателя Юрия Германа, собирается снимать на «Ленфильме» симоновские «Двадцать дней без войны». По моим сведениям, на роль Лопатина хочет попробовать тебя.

Я не поверил. По моему представлению, я не имел ничего общего с этим удивительно точно выписанным образом, который несет к тому же автобиографические черты.

— Я тебя умоляю, — продолжал Меттер, — не отказывайся от роли сразу, как ты иногда необдуманно поступаешь. Алексей — способный режиссер, своеобразный. Мне кажется, тебе с ним будет интересно работать. Самое главное — ты в кино такой роли еще не играл. Послушайся совета и хорошенько подумай, прежде чем говорить «нет».

Через несколько дней позвонил Алексей Герман. (А я после разговора с Меттером долго думал о Лопатине, еще раз прочел Симонова и пришел к выводу — роль не для меня!)

— Ну какой я Лопатин! — решительно начал я отказываться. — И стар, и по темпераменту другой. Да и вообще мне хочется сняться в комедийном фильме. Лопатин не моя роль. Сниматься не буду!

Алексей Юрьевич Герман сделал вид, будто не расслышал моих слов, сообщил, что вечером выезжает в Москву и хотел бы со мной встретиться — посидеть просто так час-другой. Об этой же встрече просил и Меттер, и я решил для себя, как бы разговор ни повернулся, все равно от роли откажусь. Но поговорить с интересным человеком, о котором мне рассказывали Ролан Быков и другие актеры, было любопытно. В день приезда Германа у нас в цирке шел генеральный прогон новой программы. К сожалению, я не успел встретить ленинградского гостя, но знал, что он вместе с женой Светланой пришел на прогон.

Уже позже, где-то в середине съемок фильма, жена Германа, которая работала на картине ассистентом режиссера, рассказала мне, что, когда они пришли, заняли места в зале и увидели меня в одной из первых реприз, выманивающего игрой на дудочке из-под дивана тараканов, она толкнула мужа в бок и тихо заметила:

— И это твой Лопатин?

После прогона мы с Германом поехали ко мне домой. Пили чай и говорили о будущем фильме. Говорил в основном Герман. Страстно, взволнованно, убежденно, эмоционально. Его черные большие умные и немного грустные глаза в тот вечер меня подкупили. Алексей Герман рассказывал, что и сам Константин Симонов одобряет мою кандидатуру на роль Лопатина.

Как это произошло, до сих пор не пойму, но к половине второго ночи мое сопротивление было сломлено. Усталый, чуть раздраженный, мечтая только об одном — как бы скорее лечь спать, я согласился приехать в Ленинград на кинопробы. В конце концов, думал я, если кинопробы не получатся, то я это переживу спокойно, но зато повстречаюсь с фронтовыми друзьями. Как человек, который считает себя обязательным, я в пути готовился к кинопробе. Конечно, образ интересный — писатель, военный корреспондент, умный и мужественный человек, имеет боевые награды, русский интеллигент по духу... Получится ли такой человек у меня? Вот Лопатин идет по городу, вот едет в поезде с летчиком, в основном слушает, потом смотрит в окно... Приезжает в Ташкент, встречается с женщиной. Вроде бы и любит ее, и не любит... Говорит со своей бывшей женой и просит, чтобы не было истерик. Все расплывчато, вроде бы и играть нечего. Выступает на митинге, произносит речь, какую-то спокойную, ровную. Вроде бы никаких событий, переживаний. В режиссерском сценарии много крупных планов: лицо, лоб, нос, — но ведь эти планы должны что-то выражать... Как это играть?

На «Ленфильм» приехал к девяти утра. А возвращался с кинопробы в час ночи. Опаздывал на поезд и не успел снять грим. Наивный человек, я думал повидаться с фронтовыми друзьями! Какие там друзья... Разве я представлял себе, с каким режиссером встречусь? Герман поразил меня своей дотошностью. Такого въедливого режиссера ни до ни после я больше не встречал. Методично, спокойно (хотя бывали случаи, что он выходил из себя), как глыба, он стоял в кинопавильоне и требовал от всех, чтобы его указания выполнялись до мельчайших подробностей. Только подборка костюма заняла полдня. Он осматривал каждую складку, воротничок, сапоги, ремень, брюки... Ну, казалось бы, костюм Лопатина — военная форма. Взять военную форму моего размера, и все! Нет! Он заставил меня примерить более десяти гимнастерок, около двадцати шинелей. Одна коротка, другая чуть широка, третья — не тот воротник, и так до бесконечности. В костюмерной лежали навалом шинели с петлицами, фуражки, шапки-ушанки, вещевые мешки, на столе — груда очков. Долго подбирали очки. Я остановился на очках в металлической оправе, надел их, подошел к зеркалу и вдруг, пожалуй впервые в жизни, отметил, я это увидел, почувствовал, свое сходство с отцом. Точно такие же очки в войну носил отец.

Перед самой съемкой мне надели на руку большие часы. Первого московского часового завода. Именно такие часы носили в годы войны.

Вымотался я в тот день страшно... Еле добрался до поезда. В машине клонило ко сну. Думал — лягу и сразу засну, а не вышло. Не хотел, а думал о Лопатине, прокручивал в голове разговоры с Алексеем Германом. И потом, ведь это моя первая роль на «Ленфильме»... Сняться хотелось. Это всегда так. Вначале отказываешься, не веришь в свои силы, но, вживаясь в роль, уже хочешь, мечтаешь ее делать.

Через несколько дней мне сообщили, что пробы получились неплохими. Но режиссеру нужно снять какой-нибудь эпизод на натуре. В картине предполагалось много натурных съемок, и, насколько я понимаю, Герману хотелось посмотреть меня в других условиях.

Снова в выходной день цирка еду в Ленинград. Появилась даже некоторая уверенность, что смогу сыграть этого человека — Лопатина. Но сомнения продолжали одолевать. Ведь действительно у меня таких ролей не было. Мне уже за пятьдесят. Наверное, пора искать другое амплуа, другие характеры, чем играл прежде. К тому же смущали некоторые сцены. До сих пор я ни разу не играл в кино влюбленного человека. Как объясняться в любви, как это сыграть — зарождение чувства, увлечение, грусть...

Съемки на натуре заняли два дня. Со студии мне прислали снимки — я в гриме и костюме. Фотографии понравились всем в нашей семье. Жена сказала:

— Я бы очень хотела, чтобы тебя утвердили на эту роль. А потом все затихло. Мне никто не звонил со студии. Я интересоваться стеснялся. Только через полтора месяца мне позвонил Алексей Герман и радостно сообщил:

— Были разные мнения. Некоторые не одобряют моего выбора. На художественном совете спорили. Но большинство было «за». Завтра мы привозим в Москву показывать пробы Константину Симонову. Посмотрите их вместе с ним. Кстати, он хотел бы с вами познакомиться и поговорить.

В маленьком просмотровом зале на студии документальных фильмов я встретился с Симоновым — он заканчивал тогда работу над фильмом «Шел солдат».

Высокий, прямой, короткая стрижка седых волос, неизменная трубка во рту, Симонов улыбнулся мне и спросил:

— Ну как, сыграем Лопатина?

— Постараюсь, — скорее про себя, чем вслух, произнес я.

Начался просмотр. И вдруг я почувствовал страшное волнение, даже руки вспотели. Думаю, что так подействовало присутствие Симонова. Ведь он писал о себе, а на экране я, будет ли убедительно?

Пожалуй, первый раз в жизни меня очень интересовало, каким я получился на экране. Признаюсь, хотелось быть статным, красивым, молодым. Тут же вспоминались слова Алексея Германа, который во время кинопроб прикрикивал: «Держитесь прямее. Не опускайте голову, а то у вас видны морщины. Не горбитесь!»

В конце просмотра показывали пробы актрис на главную женскую роль. Больше всех мне понравилась Людмила Гурченко. Некрасивая на экране, нервная, странная, привлекающая и удивляющая одновременно. В ней чувствовался характер — да, такую Лопатин может полюбить. Она не походила на ту Гурченко, которую я помнил со времен «Карнавальной ночи» и фильма «Девушка с гитарой», где я впервые снялся в кино. (Она тогда уже знаменитая «звезда экрана», а я начинающий эпизодник.)

После просмотра возникла пауза. Я беспокоился, понравилась ли Гурченко. Именно этот просмотр решал, кто будет играть Нину. Последнее слово оставалось за Симоновым.

— Ну, кто из женщин вам больше по душе? — спросил меня как-то очень заинтересованно Константин Михайлович, будто от меня что-то зависело.

— Гурченко, — ответил я не задумываясь.

— Я тоже такого мнения. Она интересна. У нее выйдет, — сказал Константин Михайлович.

Симонов предложил вечером после моей работы в цирке заехать к нему домой, поговорить более подробно.

После представления мы с Таней поехали к Константину Михайловичу. Долго сидели в его уютном кабинете в доме недалеко от станции метро «Аэропорт» и говорили о будущем фильме.

— Тот ли я Лопатин? — задал впрямую вопрос Константину Михайловичу.

— А что вас волнует? — спросил Симонов, раскуривая трубку.

— Да возраст меня смущает. Не очень ли я старый? И потом, какой-то немужественный получаюсь.

— Пусть вас это не тревожит, — успокаивал меня Константин Михайлович. — Мне лично кажется, что вы правильно подошли к роли. Ваш возраст соответствует возрасту Лопатина. Понимаете, ведь все, что произошло с Лопатиным, произошло и со мной, когда я приезжал в Ташкент в командировку. Мне тогда было около тридцати лет. Но Лопатина в повести делать молодым я не могу. Дело в том, что отношение Лопатина к окружающим людям, событиям, его мнение, ощущение — это ведь точка зрения сегодняшнего человека. Я в свои тридцать лет по-другому воспринимал события. Так и должны воспринимать Лопатина читающие повесть и будущие зрители.

Симонов долго рассказывал мне о Лопатине. Говорил четкими фразами, вспоминал подробности быта в Ташкенте, людей, окружающих Лопатина, и чем больше он говорил, тем больше мне нравился Лопатин, и я понимал, что этот человек мне близок, интересен, его взгляды совпадают с моими. Уезжал я от Симонова успокоенный. Единственное, что волновало, — отпустят ли в цирке на съемки. Чтобы сняться, нужен отпуск минимум на полгода.

— А вы не волнуйтесь, — сказал мне Симонов. — Если нужно, я поговорю с начальством.

И верно. Когда возникли сложности с отпуском, он приехал к начальнику нашего главка и так убедительно сказал о важности создания фильма на военную тему, так авторитетно выглядел, что начальник тут же подписал мое заявление.

В середине января я вылетел в Ташкент, чтобы принять участие в натурных съемках. В первый же день меня коротко постригли, и режиссер попросил, чтобы я носил шинель и гимнастерку все время.

— Вы, Юрий Владимирович, костюм свой почаще носите. Привыкнуть надо, пообноситься костюм должен, да и вам легче на съемке будет.

Съемки начались со сцены в вагоне поезда, в котором Лопатин едет в Ташкент. Там происходит его разговор с летчиком, первая встреча с Ниной. По метражу это занимает минут 12–13 в фильме, а снимали мы более месяца. Стояла зима, дул сильный ветер. Алексей Герман решил снимать в настоящем поезде. Отыскали спальный вагон военного времени, прицепили его к поезду, в котором мы жили, и в ста километрах от Ташкента начались съемки. Когда мы говорили, изо рта шел пар.

«Ну что за блажь! — думал я о режиссере. — Зачем снимать эти сцены в вагоне, в холоде, в страшной тесноте? Когда стоит камера, нельзя пройти по коридору. Негде поставить осветительные приборы. Нормальные режиссеры снимают подобные сцены в павильоне. Есть специальные разборные вагоны. Там можно хорошо осветить лицо, писать звук синхронно, никакие шумы не мешают. А здесь шум, лязг, поезд качает». Иногда, так как наш эшелон шел вне графика, его останавливали посреди степи, и мы по нескольку часов ожидали разрешения двигаться дальше. День и ночь нас таскали на отрезке дороги между Ташкентом и Джамбулом.

Спустя год я понял, что обижался на Алексея Германа зря. Увидев на экране эпизоды в поезде, с естественными тенями, бликами, с настоящим паром изо рта, с подлинным качанием вагона, я понял, что именно эта атмосфера помогла и нам, актерам, играть достоверно и правдиво.

Режиссер долго настаивал на том, чтобы фильм снимали на черно-белой пленке.

— Юрий Владимирович, — объяснял он мне, — ведь если мы будем снимать на цветной пленке, то от красок на экран фальшь полезет. А я хочу, чтобы было все как в жизни, все подлинно. Пусть наш фильм напоминает хроникальный, он от этого только выиграет.

И в этом отношении Герман также оказался прав. Бывали случаи, когда на него сердились буквально все, а он как ни в чем не бывало приходил на съемку и снимал.

Ни о чем, кроме фильма, с ним говорить было нельзя. Он не читал книг, не смотрел телевизор, наспех обедал, ходил в джинсовых брюках, черном свитере, иногда появлялся небритый, смотрел на всех своими черными умными и добрыми глазами (доброта была только в глазах) и упорно требовал выполнения его решений. Спал он мало. Позже всех ложился и раньше всех вставал. Актеров доводил до отчаяния.

— Юрий Владимирович, — говорила мне с посиневшими от холода губами Гурченко, пока мы сидели и ожидали установки очередного кадра, — ну что Герман от меня хочет? Я делаю все правильно. А он психует, нервничает и всем недоволен. Я не могу так сниматься. В тридцати картинах снялась, но такого еще не было. Хоть вы скажите что-нибудь ему.

А я пытался обратить все в шутку. Не хотелось мне ссориться с Алексеем Германом, хотя внутренне я поддерживал Гурченко и считал, что так долго продолжаться не может. Но так продолжалось. Продолжалось до последнего съемочного дня. Хотя несколько раз я говорил с ним и однажды даже на повышенных тонах.

Помню, после шести-семи дублей я возвращался в теплое купе. Гурченко смотрела на меня с жалостью и говорила:

— Боже мой, какой вы несчастный! Ну что же вы молчите? Вы что, постоять за себя не можете?

А я постоять за себя могу, но для этого мне необходима убежденность, а тут я все время сомневался, вдруг Герман прав. И он оказался правым. Правда, от съемок я не испытывал никакого удовольствия и радости. Возвращался после каждой съемки опустошенным и не очень-то представлял, что получится на экране. В первые же недели я сильно похудел, и мне ушили гимнастерку и шинель.

Алексей Герман накануне съемок крупных планов говорил мне:

— Юрий Владимирович, поменьше ешьте, у вас крупный план.

В столовой со мной всегда садилась жена Германа и следила, чтобы я много не ел, а мне есть хотелось.

Особое внимание Алексей Герман уделял так называемому второму плану. Прохожие на улицах, участники митинга, массовка на перроне, танцующие девочки во дворе дома, пассажиры в вагоне поезда — это все второй план. Герои фильма на первом плане, а на втором плане идет своя жизнь. И Герман работал с каждым участником массовки. К великому нашему неудовольствию и обиде, он лучшие дубли переснимал только потому, что кто-то из массовки на третьем-четвертом плане не так себя вел, не так шел.

Очень хорошо, что в фильме звучит голос самого Константина Симонова, читающего текст за автора. Константин Михайлович принимал большое участие в этой картине. Он же посоветовал Алексею Герману из двух снятых финалов выбрать более оптимистический, оставлявший зрителю надежду.

Первый вариант кончался смертью молодого лейтенанта, едва прикоснувшегося к войне, и все выглядело безысходно. А второй вариант финала светлее: только что окончился обстрел, лейтенант уцелел, это был первый обстрел в его жизни. Лейтенант в эйфории, и мы с ним идем по полю и говорим о каком-то американском журнале, и, мол, так хорошо все кончилось, все живы.

Оба финала снимались долго, трудно. Требовался дождь, нас поливали из дождевальных машин (когда снимают настоящий дождь, то на экране он не выглядит настоящим), мы все безумно уставали.

Алексей Герман выматывал из нас, как говорится, душу.

Он требовал, требовал и требовал. А я безропотно подчинялся и подчинялся. И признаюсь: часто себя ругал — зачем согласился сниматься.

К концу съемочного периода я почувствовал себя совсем без сил. Работа в цирке казалась отдыхом. Я не представлял, какой будет картина. Разные были мнения. Одни говорили, что получается, другие утверждали, что «Двадцать дней без войны» — это «великая картина второго режиссера», и только. (Второй режиссер в кино отвечает за массовку и реквизит.)

Картина прошла по экранам как-то незаметно, в маленьких кинотеатрах. Но истинные любители кино, критики фильм заметили. Было много рецензий. Было много поздравлений. Был, чего там скрывать, приятный каждому актерскому сердцу успех.

И быстро забылись сложности, трудности, обиды. Очень быстро забылись.

И вот как нужна искусству дистанция времени. Режиссер Алексей Герман — признанный всеми мастер, автор фильмов «Проверка на дорогах», «Мой друг Иван Лапшин». Его имя часто произносится в ряду действительно ведущих наших кинематографистов. Я смотрел однажды «Двадцать дней без войны» по телевидению и подумал: вот успех режиссера, успех нашего кино. Как жаль, что не дожил до этого дня Константин Михайлович Симонов, сделавший для молодого режиссера Алексея Германа так много своим авторитетом, своей верой в его талант.

СНИМАЕМ ОБЫКНОВЕННУЮ ШЛЯПУ С НЕОБЫКНОВЕННОЙ ГОЛОВЫ

Человек в собственной жизни
играет лишь небольшой эпизод.

Станислав Ежи Лец

Около служебного входа в цирк, тускло освещенного круглым фонарем, стоял пожилой человек в пенсне, одетый в черное, застегнутое наглухо пальто. Из-под каракулевой шапки пирожком виднелись благообразные седые виски.

— Простите, — начал он, увидев меня, выходящего из цирка, — не могли бы вы уделить мне немного времени?

После трех воскресных спектаклей никакого настроения с кем-либо говорить у меня, конечно, не было. Скорее домой, попить чаю да спать.

Незнакомец, словно угадав мои мысли, продолжал мягким, грудным голосом:

— Разговор ведь, Юрий Владимирович, пойдет о вашей судьбе, которая меня искренне волнует и беспокоит.

Заинтересованный, я покорился. Мы отошли к забору Центрального рынка, и я выслушал все, что рассказал мне незнакомец.

С трудом подбирая слова, сбивчиво и торопливо мужчина сообщил мне, что он военный инженер, сейчас на пенсии, живет один с собакой и очень любит искусство.

— Искусство, — продолжал он, — пожалуй, единственное, чем заполнена моя одинокая жизнь. За вами, Юрий Владимирович, наблюдаю давно. Не пропустил ни одного фильма с вашим участием. Вы стали одним из моих любимых актеров. И представьте себе, для меня было великой неожиданностью узнать, что вы работаете в цирке клоуном.

— Да, — подтвердил я. — Цирк — моя постоянная работа.

— Вот это-то меня и удивляет. Я сначала не поверил. Но по телевидению было ваше интервью... Я не любитель цирка. Но вас решил посмотреть. И смотрел не один раз. Признаюсь вам откровенно, я потрясен.

Я улыбнулся, заранее ожидая комплименты. Мысленно уже подбирал ответные фразы. Привычное «спасибо» или ироническое «ну, так ли уж...».

— Да, я потрясен! — продолжал мой незнакомец уже с пафосом. — Как вы, талантливый, умный, культурный человек, решили связаться с цирком, который вас губит и уничтожает?

От неожиданности я замер.

— Я говорю вам это, — продолжал человек, — любя, уважая и с надеждой вразумить вас. Как вы, сыграв такую психологически глубокую роль в фильме «Когда деревья были большими», опустились до этого?..

— До чего «до этого»? — наконец спросил я.

— Выходить в нелепом костюме, изображать дурака. Вы ведь на арене, простите меня, дурачок. Ну как можно унижать себя? Ведь это абсурд: прикреплять выстрелом своему партнеру бантик, извините... на его зад. А эта глупейшая фраза: «Снимаем обыкновенную шляпу с необыкновенной головы».

— Но ведь смеются же, — неуверенно сказал я.

— Да потому что вы дурак, извините. Смеются над дураком. Разве вы получаете удовольствие от этого?

— Получаю, — ответил я уже твердо.

— Платят хорошо? — спросил он.

— Да как вам сказать... — начал я, словно оправдываясь, — как везде.

— Тогда плюньте на цирк, снимайтесь в кино! Недавно я третий раз смотрел «Ко мне, Мухтар!» по телевизору. Гуманный фильм. Если вам с публикой расставаться жаль, мой совет — идите в театр... на благородные подмостки. Творите вместе с Шекспиром, Островским, с советскими драматургами. Вы поняли меня? Вы не обиделись?

— Я вас понял и не понял, — ответил я. — Но, во всяком случае, не обижаюсь.

Признаться, мне стало, конечно, обидно за себя, за цирк, за моих товарищей по работе. Я подумал: «Ну что я буду объяснять человеку сейчас, на улице, под дождем?»

— Это не разговор — на улице. У нас с вами разный взгляд на искусство цирка.

— Искусство ли? — вставил ехидно мужчина.

— Да, искусство, — ответил я. — Искусство, которое вы просто не любите и не понимаете.

Попрощался с ним и пошел прочь.

Несмотря на мелкий моросящий дождь, решил пройтись немного пешком. Разговор меня взбудоражил. Так откровенно и прямо со мной на эту тему заговорили впервые. Слова этого человека поселили в мою душу сомнение. Мало того, уже сворачивая на Петровский бульвар, я придумал несколько убийственных фраз для отповеди этому цирконенавистнику.

Я шел и думал о себе. О судьбе, которая накрепко связала меня с цирком. Думал о редкой профессии клоуна. Прикинув в уме, я подсчитал, что в цирках всей нашей планеты едва ли наберется пятьсот клоунов.

Я сел в пустой троллейбус и вдруг представил себе, что пятьсот клоунов можно легко рассадить в десяти троллейбусах. И вообразил: десять троллейбусов, украшенных разноцветными лампочками, воздушными шарами, флажками, проносятся по бульвару. Клоуны в пестрых костюмах машут руками, смеются, что-то кричат. Из окон домов высовываются заспанные дети.

— Клоуны поехали! — кричат они. — Кло-у-ны поехали! Наверное, у них всемирный съезд.

А может быть, в троллейбусах вовсе не шумно, а тихо. Едут троллейбусы медленно, и клоунам не до веселья. Они, как и я, возвращаются с работы усталые и молчат.

— Весело ли вам бывает, когда вы выступаете в цирке? — спросила меня девочка-первоклассница, когда я выступал в одной из школ.

Я не сразу ответил ей. Если сказать «невесело», то она не поверит. Помню, тогда я задал контрвопрос:

— А тебе весело в цирке?

— Ага.

— Ну, так вот, когда я вижу, что тебе весело, мне тоже становится весело. Я радуюсь. Поэтому выходит, что мы с тобой веселимся вместе.

— А если у вас болит нога? — поинтересовалась девочка. Тут отвечать легче — я же клоун, а потому спросил ее:

— Какая нога — правая или левая?

— Левая, — подумав, ответила девочка.

— Тогда у меня веселится одна правая нога, — сказал я под смех ребят.

Моя профессия — смешить людей, вызывать смех во что бы то ни стало. Когда мой сын, в то время еще малыш, тяжело заболел и врачи опасались за его жизнь, я выступал в Ленинграде по три раза в день (шли школьные каникулы). Все время я думал только о сыне. По нескольку раз в день звонил домой и спрашивал о здоровье мальчика. Но все эти дни я твердо знал, что в одиннадцать тридцать утра начинается первое представление и на нем будет около двух тысяч детей, пришедших посмеяться над клоунами.

И я работал. Помогали опыт, актерская техника, веселый настрой зала, отвлекающий меня от мрачных мыслей.

Почему люди идут в клоуны? Есть ли что-нибудь общее, объединяющее этих людей?

— Никулин, перестань клоунничать! — говорила мне учительница немецкого языка.

— Он у вас, Лидия Ивановна, ведет себя в школе как клоун, — часто выговаривала моей маме классный руководитель.

А может быть, верно? С детства у меня возникло желание смешить людей и получать от этого удовольствие, хотя некоторые шутки и выходили мне боком. Когда я впервые попал в цирк, больше всего меня пленили клоуны.

Притягательность цирковой атмосферы я ощутил, когда впервые пошел с отцом за кулисы, в пахнущие навозом конюшни и сам кормил лошадей. Наверное, тысяча детей подносили на ладошке ломтики моркови, купленной за пятачок (в цирке тогда продавали морковь зрителям), к теплым лошадиным губам и так же, как и я, испытывали восторг. Я это помню до сих пор. Как помню и мое разочарование, когда впервые увидел за кулисами клоуна.

Отец тогда уже писал для цирка. И как «свой», повел меня в антракте за таинственный красный занавес, отделяющий фойе от кулис.

Чтобы купить лимонад, мы зашли в закулисный буфет. И вдруг за маленьким столиком я впервые близко увидел живого клоуна. В рыжем парике, с большим красным носом, он сидел, склонившись над столом, и пил чай с баранками. Я ожидал, что сейчас произойдет что-то необычное, очень смешное. Может быть, он подбросит баранку и поймает ее ртом, может, еще что-нибудь сделает удивительное. А клоун деловито пил свой чай, и ничего не происходило. Я подошел к нему поближе, чтобы лучше увидеть и не прозевать, если что-нибудь все-таки будет происходить. И начал заранее смеяться. Клоун, посмотрев на меня строго, сказал:

— Чего смеешься? Иди, иди отсюда.

Смущенный, я отошел.

— Папа, он меня прогнал, — пожаловался.

— И правильно сделал, — сказал отец. — Он же устал. Ему надо поесть. Он сейчас не клоун, не артист.

Никак не укладывалось у меня тогда в голове, что это клоун и в то же время не клоун. Я был уверен, что клоун всегда должен быть смешным.

Теперь, проработав более четверти века в цирке, я немало знаю о клоунах. И мне понятно возбуждение детей и взрослых, которые, подходя ко мне за кулисами или здороваясь издали, заранее начинают смеяться.

Помня свое разочарование в детстве, я стараюсь поддерживать репутацию клоунов и не остаюсь в долгу. Подмигнув или пощекотав живот какому-нибудь малышу, я продолжаю быть клоуном: пусть дети думают, что я всегда смешной. «Весело ли вам бывает, когда вы выступаете в цирке?» Снова и снова я вспоминаю этот вопрос по пути домой. Действительно, а что я испытываю во время спектакля? Пожалуй, больше всего — волнение, озабоченность, удовлетворение, если чувствую, что точно сработал трюк, и ощущаю, как хорошо принимают сегодня репризу. Это я испытываю, но не веселье. Иногда радуешься после представления предстоящему отдыху. В цирке нагрузка доходит до сорока представлений в месяц, а в дни школьных каникул и до шестидесяти. В такие дни не до творчества, не до взлетов актерского мастерства. Напряженная работа, работа на износ, и каждый вечер мы считаем, сколько осталось дней до конца каникул. Ты чувствуешь себя заведенной машиной. До веселья ли тут? «А вам не надоедает делать каждый вечер одно и то же?» Этот вопрос тоже вертелся в голове, пока я шел домой. Да, это тяжело. Иногда даже возникает непреодолимое (и все-таки я его преодолеваю) желание не идти на работу. Как хорошо, например, пойти в кино или просто почитать, а тут надо в тысячный раз выходить на манеж, бросать под купол бумеранг и произносить во время фокуса с яблоком ту самую фразу, которая так не понравилась человеку, моему «доброжелателю»: «Снимаем обыкновенную шляпу с необыкновенной головы».

Любопытно, нежелание работать проходит, как только окажешься в своей гардеробной и окунешься в привычный ритм цирковой жизни. Гримируешься, одеваешься, готовишь реквизит, а тобой уже овладевает знакомое волнение. Я бы сравнил это с чувством, которое испытывает спортсмен перед прыжком в воду.

Смотрю в щелочку у занавеса на зрительный зал, и чуть быстрее начинает биться сердце. И я уже мысленно там, с публикой, которая ждет. А если к тому же публика сегодня благожелательная и тепло встречает твое первое появление, то забываешь обо всем на свете. И забываешь, как ты раньше показывал эти репризы, интермедии, сценки. Делаешь их так, словно никогда не делал раньше, словно выступаешь в первый раз. И конечно, работаешь с полной отдачей.

Я люблю свою профессию. У меня никогда не возникало сомнения: искусство ли цирк или не искусство?

Публика любит посмеяться. Я твердо верю в то, что смех укрепляет здоровье и продлевает жизнь. Минута смеха — на день больше живет человек. В среднем наши коверные находятся на манеже тридцать минут за вечер. Так, посмеявшись на одном спектакле, люди продлевают свою жизнь на месяц. Не случайно древняя восточная пословица гласит: «Один клоун, приезжающий в город, дает людям больше здоровья, чем сто ишаков, нагруженных лекарствами». И мне кажется, что зрители это инстинктивно чувствуют.

У английского писателя-фантаста Эрика Френка Рассела есть рассказ «Немного смазки». Два раза посылали люди Земли в далекую галактику космические корабли. Без малого четыре года должны были они пролететь, чтобы вернуться на Землю. И оба корабля не вернулись. Люди не выдерживали психической нагрузки. Не выдерживали длительного шума двигателей, одиночества. Начинались ссоры, кончавшиеся убийством или депрессиями. После гибели второго корабля был послан третий, который, выполнив задание, летит к Земле. Перед самым приземлением командир корабля подводит итоги полета и мысленно оценивает людей, с которыми летел. В полет были придирчиво отобраны лучшие из лучших ученых, но один из отобранных оказался недотепой. Этот чудак потешал команду своими шутовскими выходками. Как могли взять на борт корабля такого человека, да еще в качестве психолога-ученого? Он ухитрился за четыре года семь раз отметить свой день рождения. Это были вечера, когда он устраивал космонавтам целые представления. Играл на нескольких музыкальных инструментах, изображал комические пантомимы, от которых все лежали со смеху.

И только когда космический корабль приземлился, командир узнал, что в качестве ученого-психолога в полет послали известного циркового клоуна. Просто во время полета никто из экипажа его не узнал, ибо раньше его видели только в цирке, где он выступал в гриме. Клоуна послали для того, чтобы он был как бы «смазкой» напряженным до предела и почти обезумевшим в полете людям. И только благодаря этой смазке экипаж выдержал трудности полета, перенес все невзгоды и благополучно вернулся на Землю.

Рассказ кончается тем, что командир корабля смотрел невидящим взглядом в небо и на обелиски космических кораблей. А внутренним взором он увидел как бы весь мир, видел его как гигантскую сцену, на которой каждый мужчина, женщина и ребенок играют прекрасную для всех роль. И, доведя до абсурда ненависть, себялюбие и рознь, над актерами царит, связывая их узами смеха, клоун.

— Я — клоун.

Я получаю радость, когда слышу, как смеется зал. Я получаю радость, когда вижу улыбки детей и взрослых. Я получаю радость, когда после наших реприз раздаются аплодисменты. Обо всем этом я думаю, пока иду домой.

Двенадцать лет прошло со дня выхода первого издания этой книги. Все это время для меня было наполнено радостными и грустными событиями. Умерла мама, я провожал в последний путь своего учителя Карандаша. Долго болел мой партнер Михаил Шуйдин. Врачи пытались его спасти, но не удалось. Нередко Миша снится мне. Сейчас на манеже работают его дети — Вячеслав и Андрей. Они показывают те же репризы, с которыми выступали мы с Шуйдиным. Однажды я видел их в Рязани и все ловил себя на ощущении, что смотрю не чужую работу...

Больше я не выхожу на арену. Еще мог бы поработать, но, как сказал Леонид Утесов, лучше уйти со сцены на три года раньше, чем на один день позже. Я постоянно живу в Москве, как часто мы об этом раньше мечтали — пожить побольше дома среди близких, друзей.

Уйдя с манежа, я занимался режиссерской работой, а потом стал директором своего любимого цирка на Цветном бульваре.

Я — директор цирка. Сказать по правде, не ощущаю себя директором. Невольно вспоминаю многих директоров, с которыми приходилось иметь дело, пока работал на манеже. Николай Семенович Байкалов, директор цирка на Цветном бульваре. Вспоминаю, как я, назначенный на дежурство по цирку в праздничный день, сидел в его кабинете и перелистывал настольный календарь. Он был директор-профессионал. Я же до сих пор не могу всерьез почувствовать себя директором. Конечно, многое осваиваю: банковские документы, хозяйственные проблемы, кадровые, но в основном занимаюсь проблемами творческими. Мне легче, я это понимаю, чем многим моим коллегам, директорам других цирков. У меня есть директор-распорядитель Михаил Седов, отвечающий за всю организационную часть, и другие помощники.

День директора. Он не такой, как день клоуна. Другие заботы. Мне кажется, я мало изменился по характеру. Да, я — человек ленивый, что там скрывать. Но обязательный. Если кому-нибудь обещал, стараюсь выполнить.

В 1985 году прошло последнее представление на манеже цирка, с которым так много было связано в жизни. Телевидение сделало фильм «Прощай, старый цирк!». Это было удивительное представление. В качестве директора и, как кто-то уточнил из артистов, просто в качестве Юрия Никулина я вышел на манеж, сказал несколько слов зрителям, обратился к ветеранам, к тем, кто несколько десятилетий проработал в нашем цирке. Колотилось сердце. Минут за двадцать до выхода на манеж я разволновался, ощутил нехватку воздуха, вышел на улицу, стоял на ступеньках цирка, кто-то предлагал лекарство, я отказался его принимать.

Как только вышел на манеж, все прошло. Я видел перед собой заполненный зал, а рядом были друзья, товарищи по работе — артисты, режиссеры, художники, билетеры, кассиры, столяр, плотник, портные, осветители, униформисты, уборщицы, дворники...

Маленьким мальчиком попал я первый раз в этот цирк. Здесь же сдавал экзамены, поступая в студию клоунады. На этой арене состоялся мой первый выход в качестве артиста... И вот — цирк закрывается на реконструкцию.

Три года ушло на пробивание этой реконструкции. Впрочем, какая реконструкция?! Практически новое строительство. Все заново.

Правда, фасад стал таким же, как и был раньше. В прежнем виде мы восстановили и зрительный зал, сохранив его уют, значительно расширили гардеробные для артистов, служебную столовую, появился у нас и отдельный манеж для репетиций.

Многие комнаты, служебные помещения — есть даже лифт для слона — стали удобнее для работы.

Но одну гардеробную мы решили оставить такой, какой она была. Когда цирк ломали, мы убрали дверь, пол, гримерные столики, карниз для занавесок, портьеры. В этой комнате всегда размещались клоуны. Здесь они гримировались, отдыхали между представлениями, встречались с друзьями, а может быть, как ни напыщенно это прозвучит, проливали невидимые миру слезы.

Знаменитые артисты — Берман, Вяткин, Дуровы, Енгибаров, Карандаш, Лавровы, Мусин и многие, многие другие. Я знаю, эта комната навсегда останется в памяти и у работающих ныне клоунов — Евгения Майхровского, Анатолия Марчевского, Семена Маргуляна, Андрея Николаева...

Чтобы добиться разрешения и денег на строительство цирка, пришлось обойти немало инстанций и быть даже на приеме у Председателя Совета Министров СССР Николая Рыжкова. За два года строители финской фирмы «Полар» возвели новое здание. Конечно, строительство отняло много сил, времени, энергии и нервов, но цирк стал лучше, краше, просторнее, удобнее.

В 1989 году в новом здании на Цветном бульваре мы показали представление, которое так и называлось — «Здравствуй, старый цирк!». Его поставил Владимир Крымко. Незадолго до премьеры он был утвержден главным режиссером цирка. Но тяжелая болезнь и неожиданная смерть (а бывает ли она ожиданной?) не позволили ему довести постановку до конца. В программках фамилию режиссера-постановщика Владимира Крымко дали в траурной рамке.

Второй сезон мы открывали представлением «Впервые в Москве». Я рад, что в этом спектакле великолепно показал себя клоун Грачик Кещян, щедро одаривая публику своим талантом. Я думаю, что у Грачика Кещяна большое будущее.

Многое изменилось за последние годы в нашей жизни. Конечно, это сказалось и на цирке.

Часто мы сидим в моем кабинете вместе с режиссером Виктором Плинером (ему более 75 лет, но он держится молодцом, удивительный знаток цирка, один из лучших педагогов, выпускает прекрасные номера), с Михаилом Седовым (молодым и энергичным коммерческим директором нашего цирка, он же директор-распорядитель, у него актерское образование, но истинное призвание он нашел в административной работе, он один заменяет целое учреждение, в составе которого должны быть плановики, переводчики, экономисты, юристы, снабженцы; он работает быстро, точно, обладая феноменальной памятью и легкостью в общении) и Владимиром Зеленцовым, заместителем директора цирка, отвечающим за хозяйственную и административную работу.

Наши мини-совещания — это обсуждение текущих дел, планов на будущее и, как это ни странно прозвучит, обмен новыми анекдотами.

Чем были заполнены еще эти годы, когда я перестал быть клоуном? Ездил с группой артистов в Швецию, США и Канаду, смотрел программы других цирков, бывал на выпускных экзаменах в Государственном училище эстрадного и циркового искусства.

В кино сыграл роль дедушки в фильме «Чучело», созданном удивительным человеком, с которым меня связывает многолетняя дружба, — Роланом Быковым. Я рад успеху фильма.

Больше всего в последние годы страдал из-за нехватки времени. Порой что-то отложишь на завтра и с ужасом думаешь: а завтра-то — это же практически через несколько часов! Только проснешься, сделаешь зарядку, выпьешь кофе и нужно куда-то бежать, встречаться, что-то обговаривать, кого-то убеждать. Вырвешься домой на обед, а тут уже вечер. И завтра кажется не далеким, а близким, сиюминутным. Неделя проходит, как час. Месяц — как неделя. Годы летят!

Как и прежде, по привычке, записываю все дела на завтра на большом картонном листе. Получается примерно двадцать — двадцать пять пунктов. Если к концу дня вечером зачеркну половину — и то хорошо! Нужно успеть за день побывать в нескольких местах, встретиться с различными людьми, хочется посмотреть фильмы и спектакли, прочесть книгу. Как все успеть?!

Обещал побывать на встрече со студентами факультета журналистики МГУ и, конечно, еду, хотя пришлось из-за этого отложить некоторые личные дела. К журналистам у меня отношение особое: Максим стал журналистом. Когда я начинал работать над книгой, сын еще учился в 9-м классе, а теперь ему за тридцать, работает он на телевидении. В 1981 году на свет появилась внучка Машенька, в 1986 году родился внук Юрик, а в 1988-м третьего внука назвали Максимом.

Иногда, встречаясь с незнакомыми людьми, замечаю — они пристально рассматривают меня и, наверное, думают: вот он какой, Никулин, — седой, постаревший.

Сейчас, когда не выступаю на манеже, стали чуть свободнее вечера, по субботним и воскресным дням уезжаю на дачу. Всегда был противником дачи, но с возрастом отношение к ней изменилось. Когда изредка выдаются свободные дни, тоже уезжаю за город. Там можно действительно отдохнуть, побыть с женой и никуда не торопиться.

По-прежнему люблю решать кроссворды. Раньше этим занимался в перерывах между представлениями и в антракте. Теперь решаю кроссворды дома или на даче: на работе неловко — директор.

Мне в жизни повезло: у меня прекрасная жена, заботливый сын, хорошие внуки, отличные друзья. Правда, с годами их становится все меньше и меньше.

Больно было провожать в последний путь армейского друга Ефима Лейбовича, о нем я не раз вспоминал в этой книге. Провожать в последний путь всегда грустно. И что лукавить, конечно, думаешь: придет и твой черед.

Никогда за славой не гнался. Но когда тебя узнают, пишут письма, прислушиваются к твоему мнению... Иногда я использую свою известность в корыстных целях: в магазинах, ателье, при решении некоторых бытовых проблем.

Много приходит писем. Пишут друзья, молодые артисты. Кто-то просит совета, кто-то дает совет. Многие помогали мне в жизни. И я, если встречаю талантливых людей, всегда стараюсь им помочь.

Вот клоун Семен Маргулян, щедро одаренный от природы. Удивительно смешной. Прекрасный рассказчик, выдумщик. Приятно получать письма от него, радостно наблюдать за его ростом. Он исполняет репризу «Таинственное яйцо», которую мы показывали с Шуйдиным, но делает ее по-своему, оригинально, и каждый раз я чуть-чуть ему завидую. Я рад, что сумел помочь Владимиру Кремене — одному из лучших наших клоунов, человеку беспокойному, невероятно талантливому и совершенно беззащитному.

В начале книжки я писал об Анатолии Смыкове. Он хороший коверный, но что-то у него не ладилось, были сложности в группе, где он работал. И когда он говорил мне, что собирается уходить из цирка, не верилось. Думал, это так, ради красного словца. К сожалению, он действительно ушел.

Заканчивая книгу, я хочу обратиться к молодым — ко всем, кто начинает свой путь: нужно верить в себя, добиваться, искать, пробовать, ошибаться. Не гнаться за успехом, но постоянно работать, учиться.

Да, я уже не выхожу на манеж, однако остался в цирке и живу его жизнью. Но порой мне снится страшный сон... Я работаю на манеже. Полно зрителей. Я делаю какие-то смешные трюки, много трюков, но никто не смеется.

Публика хранит абсолютное молчание. Я уже делаю что-то невообразимое. Кругом тишина. Я снова пытаюсь рассмешить людей. А они сидят словно каменные.

Мне страшно. И от страха я просыпаюсь в холодном поту. И потом еще долго не могу заснуть. А в доме тихо-тихо. Все спят. Еще не утро. Но уже и не ночь. И я невольно вспоминаю свою жизнь: детство, службу в армии, первое выступление. Вспоминаю многое из того, о чем вы только что прочли. И, вспоминая, тихо засыпаю, надеясь, что этот страшный сон больше не повторится.

Вот и вся книга. Помог написать эту книгу мой друг, журналист Владимир Шахиджанян. За это я ему бесконечно благодарен.

ПОСЛЕСЛОВИЕ

Трудно что-то сказать, когда все уже практически сказано. Но тем не менее. Уже больше четверти века прошло со дня выхода в свет первого издания «Почти серьезно». Мы живем в совсем другой стране, с иной, новой системой мироощущения и взаимоотношений. И что же? Перед тем как сесть за это послесловие, я снова (уже в который раз) перечитал книгу отца. Она вне времени, вне обстоятельств, вне ситуаций. Сегодня в первый раз я попытался читать ее как бы отстраненно, с отношением не сына, а обычного рядового читателя. И может быть, в первый раз я смог оценить ее литературную ценность (нулевую), историческую (50 на 50) и эмоциональную (вот тут — стопроцентное попадание).

Отец — удивительный человек. Я не раз задавался вопросом: отчего его так любят? Все практически без исключения. Оттого, что он замечательный клоун? Нет. Великолепный киноактер? Тоже нет. Может быть, я оптимист (это наследственное), но мне кажется, что людям свойственно тянуться все-таки к хорошему. Искренность, доброта, честность, справедливость, милосердие... Во все времена — в дефиците. А у отца это всегда в избытке, во все времена, несмотря на то, что вокруг. Война, еще более трудное послевоенное время, оттепель, застой, перестройка... Ломало многих, а вот его — нет. Еще одно отцовское качество, которому нельзя научиться: полное отсутствие «второго плана». Это дар и одновременно состояние души — одним тоном, одними и теми же словами говорить с артистом и с министром, с шофером и с мэром, с дворником и с президентом. И вот вся эта квазиискренность, гипероткрытость — в каждой строчке «Почти серьезно».

В детстве отец мне много рисовал. Сегодня это назвали бы «комиксы». Тогда рисунки отца мне казались гениальными. Теперь я понимаю, что дело не в этом. Просто в них также видны и искренность, и наивность, и доброта, словом, все чувства, присущие автору. Работая в цирке, отец был членом художественного совета. На заседаниях этого совета, как я понимаю, царила редкостная скука, и отец от нечего делать все время что-то рисовал: шаржи на коллег, комментарии на происходящее, карикатуры на артистов, или просто, что в голову придет. После окончания заседания он эти рисунки раздаривал. Рассказывают, что давным-давно, еще в начале прошлого века Марк Шагал, сидя в кафе на Лазурном берегу, за чашкой кофе рисовал что-то на салфетках. Ушлые (а их во все времена было немало) подходили и просили салфеточку на память. — Пожалуйста, — отвечал Шагал, — десять тысяч франков...

Это издание «Почти серьезно» — четырнадцатое по счету. Тринадцать предыдущих разошлись по стране и уже успели стать библиографической редкостью. Предпоследнее, еще прижизненное, обрывается на открытии нового здания цирка на Цветном бульваре. А ведь уже почти двадцать лет прошло. Не хочу показаться банальным, но жизнь действительно не стоит на месте. Сегодня я — генеральный директор и художественный руководитель цирка. Моя мама Татьяна Николаевна — консультант по творческим вопросам. Она сидит в бывшем кабинете отца, который за это время превратился не в музей, нет, а во что-то подобное общественной приемной. Здесь мы проводим совещания, принимаем гостей, отмечаем главные в цирке праздники — премьеры и окончания работы программ. Здесь все, как прежде: фигурки клоунов на полках, плакаты и афиши на стенах, огромное количество всяких разных цирковых сувениров, которые артисты привозили с гастролей в подарок своему директору. Вот только в кресло у отцовского письменного стола по молчаливому уговору никто из нас не садится...

Меня часто спрашивают, что сделано нами после ухода отца, чем можно гордиться: новыми номерами, удачными спектаклями, победами на международных цирковых фестивалях. Да, это, наверное, важно, но во много раз для нас важнее другое. Это то, что за все эти годы мы не растеряли, а сохранили уникальную атмосферу старого цирка, где царит понимание, уважение, любовь и доброта, атмосферу, безо всякого видимого усилия созданную всего одним человеком — Юрием Владимировичем Никулиным.

И за стенами цирка жизнь продолжается. Выросли внуки. Старшая — Маша — живет в Германии, работает врачом, средний — Юра — недавно защитил диплом и женился, младший — Максим — пока на третьем курсе.

Это, кстати, именно младший после того, как отца не стало, произнес замечательную фразу. В разговоре со мной он сказал:

— Знаешь, папа, я такой счастливый, что знал деда, только очень мало...

Прав был Булат Окуджава: «Пряников сладких всегда не хватает на всех». А с другой стороны, остались фильмы, остались книги. Одну из них вы только что прочитали. Совершенно верно говорят, что человек жив, пока жива память о нем. Именно поэтому, говоря здесь об отце, я ни разу не использовал прошедшего времени.

Максим Никулин.

СОДЕРЖАНИЕ

Литературно-художественное издание

12+

Эксклюзивные мемуары

Юрий Владимирович Никулин
Жизнь на колесах

Ведущий редактор: *Маргарита Гумская*
Художественный редактор: *Валерия Ковригина*
Корректор: *Ирина Мокина*
Технический редактор: *Надежда Духанина*
Компьютерная верстка: *Мария Маврина*

Пописано в печать 21.05.2014. Формат 76x100/32.
Бумага офсетная. Печать офсетная.
Усл. печ. л. 25,38. Тираж 4000. Заказ № АХ (51).

Общероссийский классификатор продукции
ОК-005-93; 953000 – книги, брошюры

ООО «Издательство АСТ».
129085, РФ, город Москва, Звездный бульвар,
дом 21, строение 3, комната 5.

Отпечатано в Италии (Grafica Veneta S.p.A.).